Michel Laurin

3e édition

ANTHOLOGIE
de la *Littérature québécoise*

LES ÉDITIONS
CEC
Une compagnie de Quebecor Media

D1441688

9001, boul. Louis-H.-La Fontaine, Anjou (Québec) Canada H1J 2C5
Téléphone : 514-351-6010 • Télécopieur : 514-351-3534

Direction de l'édition
Isabelle Marquis

Direction de la production
Danielle Latendresse

Direction de la coordination
Sylvie Richard

Charge de projet
Suzanne Champagne

Révision linguistique
François Morin

Correction d'épreuves
Marie Théorêt

Recherche iconographique
Monique Rosevear
Françoise Le Gris

Conception et réalisation graphique
Dessine-moi un mouton

Page couverture
Dessine-moi un mouton

Illustration de la couverture
Sur la plage, Léon Bellefleur, 1986.

L'Éditeur tient à remercier les collaborateurs à cette 3e édition :

• André Desîlets, Collège François-Xavier-Garneau ;

• André Lamarre, Cégep régional de Lanaudière à L'Assomption ;

• Anne-Marie Giroux, Collège de Bois-de-Boulogne ;

• Christine Robinson, Collège Édouard-Montpetit ;

• Éric Lamonde, Cégep régional de Lanaudière à Terrebonne ;

• Michel Denance, Cégep de Granby Haute-Yamaska ;

• Nadia Desroches, Collège de Valleyfield ;

• Nicole Kougioumoutzakis, Cégep de Victoriaville ;

• Christian Nolet pour la rédaction de l'appareil pédagogique et du complément pédagogique ;

• Françoise Le Gris, de l'Université du Québec à Montréal, pour ses conseils en matière d'iconographie ;

ainsi que tous les professeurs qui nous ont donné des commentaires au fil des ans.

Les Éditions CEC inc. remercient le gouvernement du Québec de l'aide financière accordée à l'édition de cet ouvrage par l'entremise du Programme de crédit d'impôt pour l'édition de livres, administré par la SODEC.

Anthologie de la littérature québécoise, 3e édition
© 2007, Les Éditions CEC inc.
9001, boul. Louis-H.-La Fontaine
Anjou (Québec) H1J 2C5

Dépôt légal : 2007
Bibliothèque et Archives nationales du Québec
Bibliothèque et Archives Canada

ISBN 978-2-7617-2512-5

Imprimé au Canada
3   4   5   6   13   12   11   10

AVANT-PROPOS

La littérature existe, non pas quand l'œuvre est écrite mais quand un lecteur remonte le cours des phrases et des mots pour devenir, par ce moyen, cocréateur de l'œuvre.

Hubert Aquin

À l'heure où chacun navigue de plus en plus sur le Web, pour y faire de très longs et très beaux voyages, le livre demeure toujours un port, le lieu où tout se prépare. Un outil de base qui ne cesse de dresser la carte de nouveaux territoires, différents pour chacun des lecteurs ; c'est particulièrement vrai dans le cas de la littérature. En plus d'accompagner le lecteur dans sa solitude, l'œuvre littéraire lui permet de reconquérir sans cesse en lui l'échelle humaine pour la réinscrire dans l'échelle générale des passions collectives. Provoquant une éclipse provisoire du moi, sa lecture suscite une relation créatrice entre le lecteur et l'écrivain, chacun poursuivant un sens, une nouvelle lecture de son être. Ce que l'on nomme l'émotion artistique.

Tel est l'état d'esprit qui a présidé à l'élaboration de cette troisième édition, entièrement revue et augmentée de nombreux nouveaux auteurs, de l'*Anthologie de la littérature québécoise*. En réponse au reproche selon lequel, dans l'instruction, l'appropriation des connaissances a pris le pas sur l'éducation, c'est-à-dire sur le fait de donner une direction à sa vie (*educare* : « conduire vers, donner une direction »), j'ai recherché des textes se voulant des lieux d'expérience intime, qui posent des questions, qui permettent de mettre au jour du neuf non encore exploré en nous, tout en constituant des passerelles pour le plaisir de lire.

Ce manuel se veut aussi un lieu de mémoire. La politique, la critique sociale et la création, qu'elle soit artistique ou littéraire, sont difficilement dissociables ; à l'origine de toute création, il y a nécessairement des interférences entre l'artiste et son temps. D'où le souci de présenter une image de la littérature incarnée dans la marche de l'Histoire ; plus précisément de proposer une lecture de notre histoire, telle que l'ont vécue ou rêvée nos écrivains, chacun à travers son destin singulier. Car si l'écrivain tente de se définir à partir de la relation qu'il entretient avec le réel, son œuvre est aussi investie par une part de l'imaginaire collectif, que nous sommes conviés à trouver. Et ceci vaut tout

aussi bien pour les écrivains d'hier que pour les plus jeunes qui, encore aujourd'hui, se cherchent et veulent se faire une place dans la société.

On constatera que, jusqu'à tout récemment, la quête identitaire a été le fil conducteur de la littérature québécoise ; écrire au Québec a longtemps consisté à affirmer, malgré tous les obstacles, la légitimité et l'autonomie du peuple canadien-français puis québécois. C'est dire que la contestation a marqué au crayon rouge notre littérature. Les fragments proposés dans le présent corpus, tout en racontant les gens, les époques et les paysages de notre culture nord-américaine, refléteront les différents états de nos querelles, autrement dit de notre devenir. Ceci une fois compris, nous pourrons mieux nous attarder sur ce qui fait la marque d'un écrivain : son travail sur la langue, sa stylisation du réel. Un écrivain n'existe que s'il a un style, un style qui lui est propre, sinon la littérature se dégrade en bavardage, comme le travail du musicien en simple fond sonore.

Chaque chapitre propose une vision différente du monde : cinq grandes tranches historiques, depuis le temps héroïque des fondateurs jusqu'à l'époque actuelle où la jeunesse est particulièrement novatrice, comme autant d'étapes de l'itinéraire d'apprentissage d'une nation qui s'initie à la parole en même temps qu'à la conquête de sa liberté, tant collective qu'individuelle. À de nombreuses occasions, les textes sont éclairés par d'autres textes afin de montrer que l'œuvre des écrivains se conforme en fait à des modèles littéraires antérieurs ou se reflétera dans des œuvres non encore écrites. Même si l'œuvre est irréductible à toute analyse exhaustive, des pistes sont proposées pour acquérir des savoirs autant que pour en apprécier les différentes saveurs, de celles qui ont le pouvoir, parfois, de donner un sens à notre vie.

Tout en se souciant d'offrir un panorama aussi équilibré que possible de la littérature québécoise, le présent ouvrage pourra étonner par certains choix ou certaines omissions. Le mot *anthologie* vient du grec *anthologein* qui signifie « cueillir des fleurs ». Or, cueillir c'est choisir. Et une anthologie oblige à de coûteuses restrictions. Il demeure que l'ensemble du corpus fournit tous les outils nécessaires à l'acquisition des connaissances préconisées par le cursus ; et je fais le pari qu'en plus d'être un espace d'objets et d'idées, il saura devenir un espace de plaisir et de jeu.

Michel Laurin

Voici les principales caractéristiques de cette réédition

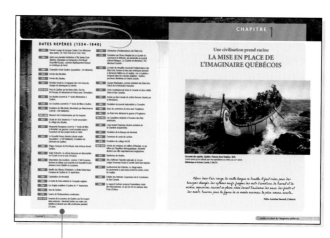

- Une nouvelle organisation historique en cinq chapitres met en contexte l'évolution de la littérature québécoise. Le découpage chronologique ainsi que le regroupement des textes par genre facilitent la lecture et la compréhension des thématiques.

- Un appareil pédagogique enrichi :
  - une page de dates repères en ouverture de chapitre ;
  - une nouvelle série de questions orientées vers la dissertation critique ;
  - des études détaillées, en plus grand nombre, couvrant tous les genres littéraires ;
  - des sections « Synthèse » restructurées et présentées de façon plus visuelle.

- Une section « Méthodologie » revue et bonifiée afin de mieux préparer les étudiants à l'épreuve ministérielle.

- Une présentation visuelle moderne facilitant le repérage.
- Une iconographie d'inspiration québécoise en lien avec les époques et les thématiques.
- Plus de 20 nouveaux auteurs contemporains incluant Fred Pellerin, Pierre Lapointe, Robert Lepage, Guillaume Vigneault.

TABLE DES MATIÈRES

CHAPITRE 4

La recherche d'une identité nationale
UNE LITTÉRATURE QUI ACQUIERT SA SOUVERAINETÉ 131

CHAPITRE 5

L'ouverture au monde du Québec
UNE LITTÉRATURE POSTNATIONALE 215

DATES REPÈRES (1534–1840)

1534 Premier voyage de Jacques Cartier. Il en effectuera deux autres : en 1535-1536 et en 1541-1542.

1604 Après une première habitation à l'île Sainte-Croix (Maine), Champlain se transporte à Port-Royal (Nouvelle-Écosse) : premier établissement français en Amérique du Nord.

1608 Champlain fonde Québec (population : 30 habitants).

1615 Arrivée des Récollets.

1625 Arrivée des Jésuites.

1627 Richelieu fonde la Compagnie des Cent Associés, chargée de développer la colonie.

1629-1632 Prise de Québec par les frères Kirke. (Sur les 80 Français, 60 retournent en France avec Champlain.)

1635 Les Jésuites ouvrent la 1re école élémentaire à Québec.

1639 Les Ursulines ouvrent la 1re école de filles à Québec.

1642 Fondation de Ville-Marie (Montréal) par Maisonneuve (colonie : 400 habitants).

1648-1649 Massacre de 8 missionnaires par les Iroquois.

1655 L'école de 1635 devient la 1re école secondaire : le collège des Jésuites.

1657 Marguerite Bourgeoys ouvre la 1re école de filles à Montréal. Les garçons y sont acceptés jusqu'à l'ouverture de leur propre école en 1666.

1663 La Nouvelle-France devient colonie royale (population : 2 500 habitants). Fondation du séminaire de Québec.

1690 Phipps s'empare de Port-Royal, mais échoue devant Québec.

1713 Traité d'Utrecht : la colonie française est dépossédée de l'Acadie et de la baie d'Hudson.

1755 Déportation des Acadiens : environ 7 000 hommes, femmes et enfants sont arrachés à la Nouvelle-Écosse ; plusieurs iront s'établir en Louisiane.

1759 Bataille des Plaines d'Abraham. La flotte britannique s'empare de Québec le 13 septembre.

1760 Capitulation de Montréal.

1763 Le traité de Paris entérine la Conquête anglaise.

1764 Les Anglais installent à Québec la 1re imprimerie.

1774 Acte de Québec.

1775 Guerre de l'Indépendance américaine.

1775-1776 Invasion de la province de Québec par les troupes états-uniennes : Montréal tombe aux mains des rebelles et devient une ville américaine pendant 217 jours.

1776 Déclaration d'indépendance des États-Unis.

1778 Fondation par Fleury Mesplet de *La Gazette du Commerce et littéraire*, qui deviendra un journal d'abord bilingue : *La Gazette de Montréal / The Montreal Gazette*.

1783 Le traité de Versailles reconnaît l'indépendance des États-Unis. Environ le tiers des Américains tiennent à demeurer fidèles au roi anglais ; ces « Loyalistes » émigrent dans les colonies anglaises : Québec, provinces Maritimes et Ontario actuels.

1789 George Washington, premier président des États-Unis. Début de la Révolution française.

1791 L'Acte constitutionnel divise le Canada en deux entités (Haut et Bas-Canada).

1797 Arrivée au Bas-Canada de prêtres français chassés par la Révolution.

1806 Fondation du journal nationaliste *Le Canadien*.

1808 Essor du commerce du bois avec l'Angleterre.

1812 Les États-Unis déclarent la guerre à l'Angleterre.

1812-1813 Les Canadiens résistent à l'invasion des États américains.

1815 Louis-Joseph Papineau devient président de la Chambre d'assemblée.

1817 Fondation de la Banque de Montréal.

1824 Ouverture du canal de Lachine.

1829 Fondation du collège McGill.

1830-1850 Arrivée de centaines de milliers d'Irlandais, ce qui influe sur l'équilibre démographique ; Montréal devient une ville majoritairement anglophone.

1832 Épidémies de choléra.

1834 Afin d'affirmer l'identité nationale, le 24 juin, Ludger Duvernay fonde la Société Saint-Jean-Baptiste.

1837 Soulèvement des Patriotes. Le clergé refuse les sacrements à quiconque prend les armes contre les Anglais.

1838 Défaite des Patriotes. Suspension de la Constitution du Bas-Canada.

1840 Le rapport Durham propose l'assimilation totale des francophones, ce qui est mis en pratique dans l'Acte d'Union.

CHAPITRE 1

Une civilisation prend racine

LA MISE EN PLACE DE L'IMAGINAIRE QUÉBÉCOIS

Descente des rapides, Québec, Frances Anne Hopkins, 1879.
Grand canot qu'on utilisait pour les expéditions au milieu du XVIIIe siècle.
Bibliothèque et Archives Canada, C-002774.

Alors, dans l'air vierge, la vieille langue se trouble. Il faut créer, pour des horizons changés, des rythmes neufs, frapper des mots d'aventure, de travail et de misère, improviser souvent en pleine scène devant l'audience des eaux, des forêts et des monts, trouver, pour la figure de ce monde nouveau, la pièce sonore, exacte...

Félix-Antoine Savard, *L'abatis*

UNE CIVILISATION PREND RACINE

Au cours des XVe et XVIe siècles s'opère une révolution dans la perception du monde et l'on assiste à une abondance de découvertes exceptionnelles. L'Europe connaît donc une profonde mutation. En 1453, l'invention de l'imprimerie constitue un événement aussi extraordinaire que la découverte de l'alphabet par les Phéniciens environ 2 500 ans plus tôt ; il faudra attendre les autoroutes informatiques de la fin du XXe siècle pour voir à nouveau surgir une invention comparable. La redécouverte de la poudre à canon — les Chinois l'utilisaient depuis longtemps dans leurs cérémonies rituelles — va révolutionner l'art de la guerre. La découverte de la boussole, aussi par les Chinois, permet à d'intrépides aventuriers de partir à la conquête de terres nouvelles. Grâce à elle, Christophe Colomb entreprend le long voyage qui le mène aux Antilles. Même si le Viking Leif Ericsson est venu en Amérique du Nord environ 500 ans avant Colomb, c'est à ce dernier qu'échoit le mérite d'avoir découvert le nouveau continent ; l'année de son premier voyage, 1492, marque le début d'un temps nouveau, la Renaissance. C'est l'entrée de la civilisation occidentale dans les Temps modernes.

Dans cette économie européenne qui se met en branle, chaque pays est à la recherche d'or et de nouvelles ressources afin de répondre aux demandes intérieures accrues et d'étendre sa puissance. L'économie est donc le principal moteur du grand mouvement de découverte et d'exploration. On cherche à atteindre les Indes et la Chine, pays regorgeant de richesses : en particulier l'or, l'ivoire, les épices rares et la soie. Et c'est parce qu'il est convaincu qu'en se dirigeant indéfiniment vers l'ouest il arrivera forcément à l'est que Colomb entreprend son long périple.

Les territoires conquis sont aussitôt assujettis à l'Europe. C'est ainsi que, en 1534, Jacques Cartier vient prendre possession du Canada au nom du roi de France. Comme les autres puissances coloniales, la France se soucie bien peu des premiers habitants du pays. Après la fonte des glaciers qui avaient recouvert entièrement le Québec jusqu'à l'actuelle région de New York, suivie du retrait des eaux qui avait permis à la végétation de se constituer, il y a de cela 9 000 ou 10 000 ans, des petits groupes de chasseurs nomades, descendants de ces autres chasseurs qui avaient traversé le détroit de Béring, peuplaient le territoire. À l'arrivée de Cartier, de nombreuses peuplades y

L'arrivée de Jacques Cartier à Hochelaga, 1535, Walter Baker, vers 1890-1912.
Bibliothèque et Archives Canada, C-011918.

vivaient toujours de chasse, de pêche et de cueillette, alors que d'autres, devant l'augmentation de la population entraînée par les nouvelles ressources alimentaires fournies par l'agriculture — surtout le maïs, les fèves, les courges et le tournesol —, étaient devenues sédentaires et s'établissaient en petits villages. Le découvreur et ses successeurs tenteront d'inculquer à ces peuplades la culture européenne comme un bienfait de la civilisation, mésestimant leurs traditions millénaires qui les distinguent absolument des peuples européens.

On sait que, au début du XVIᵉ siècle, la population des trois Amériques comptait entre 50 et 60 millions d'habitants (l'Amérique du Nord : entre 20 et 25 millions), alors que l'Europe au complet en comptait environ 60 millions. Mais, dès l'arrivée des Européens, la population autochtone chute dramatiquement, à cause des armes et des maladies apportées par les Blancs. C'est ainsi que, un siècle plus tard, il ne reste plus que 20 % de la population de l'Amérique centrale. Telle est l'histoire réelle et profonde de l'Amérique, sur laquelle les manuels se sont bien gardés d'insister jusqu'à récemment.

Le pouvoir politique et la mission religieuse

Comme Cartier n'a pu trouver la route menant aux richesses de l'Orient, c'est le commerce des fourrures qui fait progresser le projet de colonisation ; tel sera d'ailleurs le premier rôle de Champlain : organiser ce commerce. Dès le début, le Canada est doté d'une administration fort dense, à l'égard d'une population fort restreinte. Autour des représentants du roi se développe une vie sociale assimilable à celle de la cour, avec ses grandes manifestations que sont les bals, les sermons de circonstance, les concerts et le théâtre. Partout l'État métropolitain dicte sa volonté : il réglemente le commerce et l'exercice des métiers ; il intervient dans l'agriculture ; il précise le statut social de chacun de même que les rituels des cérémonies et des loisirs. Au moment où les fonds viennent à manquer pour l'établissement des colons, le roi confie ce pouvoir à l'Église catholique, dorénavant chargée de développer la mission. La fondation par Richelieu, en 1627, de la Compagnie des Cent Associés scelle cette volonté royale. Du coup, les protestants sont interdits de séjour. L'Église se fixe toutefois la conversion des sauvages[1] comme objectif principal, auquel elle subordonne l'installation des colons français. Or, depuis le concile de Trente (1545-1563) à l'origine de la Contre-Réforme, le catholicisme s'est fait austère et exigeant. Née dans ce climat de rigorisme et de ferveur, la colonie voit son destin étroitement solidaire de celui des communautés religieuses. À côté du colon, auquel il est demandé partout où il pose les pieds de porter avec lui sa foi et ses vertus religieuses, le missionnaire entend créer sur les bords du Saint-Laurent un peuple nouveau, une nouvelle France.

De la nation française à la nation canadienne

Surtout à partir de 1660, des colons français débarquent en Amérique pour s'y établir, espérant ainsi améliorer leur sort. Pour la grande majorité, ils ne sont ni artisans ni cultivateurs, mais manœuvres et journaliers, ainsi qu'anciens soldats. Un peuplement maigre et tardif, disséminé sur un très vaste territoire, qui connaîtra une lente et patiente adaptation au pays. De 1608 à 1760, seulement 10 000 colons émigrent en Nouvelle-France ; néanmoins, en 1760, la population totale compte entre 70 000 et 75 000 habitants grâce à un taux de natalité dépassant les 60 pour 1 000 habitants. La succession des générations permet un véritable enracinement des Français en sol canadien ; d'ailleurs, dès la deuxième génération, on se désigne comme des Canadiens, réservant le nom de Français aux parents de la première génération.

Les Canadiens se virent très tôt partagés entre deux modes de vie : d'une part, la culture et l'enracinement au sol, la vie sédentaire le long du Saint-Laurent ; d'autre part, le refus de la sédentarité, la vie nomade nécessitée par le commerce des fourrures, pivot de la vie économique de la colonie. De ces deux types de Canadiens découlent deux mentalités aux traits antinomiques.

---

1. Rendons ici à ce mot son sens étymologique : venu du latin *Salvaticus*, puis *Silvaticus* (de *silva*, forêt), l'homme sauvage ou le sauvage désigne simplement l'homme des bois.

Des sédentaires La majorité opte pour la vie sédentaire des « habitants ». L'administration métropolitaine avait doté cette province de France d'un régime seigneurial. L'occupation du sol y est répartie en fermes longeant le fleuve Saint-Laurent et ses affluents ; quand les rives sont totalement occupées, on procède alors au découpage d'un second rang de fermes. Le rang constitue le pivot du peuplement en même temps que le facteur d'attachement au milieu et le foyer principal de la sociabilité. Il est surtout le lieu de la solidarité pour affronter la rudesse du climat, l'ingratitude du sol et les fréquentes attaques des Amérindiens. On doit sans doute au voisinage nécessité par le rang le caractère communautaire de la société québécoise. Le village et la paroisse ne viendront que bien plus tardivement. Malgré l'esprit de foi qui devait les animer, des observateurs européens affirment constater chez les colons un tempérament qui les distingue des Français : ils parlent d'esprit d'indépendance, de rejet des contraintes sociales, voire d'indiscipline et d'insubordination, et même d'une certaine arrogance. Ce qui est généralement mis sur le compte du voisinage des sauvages. De fait, la Nouvelle-France connut des heurts multiples entre les habitants et les administrateurs venus de France.

Des nomades Plutôt que l'agriculture, une minorité — parfois forte : en 1680, on estime que le tiers de la population masculine adulte, soit entre 500 et 800 hommes, a refusé la routine et les contraintes sociales des agriculteurs — préfère la mobilité de la vie des nomades. Fils d'habitants ou de seigneurs, ils font la traite des fourrures. Intermédiaires entre l'Indien et les compagnies commerciales, ils se rendent trafiquer dans les communautés amérindiennes, y prenant souvent compagne et adoptant plusieurs de leurs coutumes. Le clergé manifeste fréquemment sa désapprobation à l'égard de ces hommes libres et sans attaches, au sujet desquels circulent les pires rumeurs ; ils échappent au contrôle direct des prêtres, pour qui ces contestataires des valeurs de la société hiérarchique ne peuvent qu'exercer une influence néfaste sur la société canadienne naissante.

Il est un type de coureur de bois à l'esprit particulièrement aventureux et conquérant qui, malgré des distances immenses, des moyens réduits et des difficultés incroyables, s'est déployé sur un vaste territoire allant de la vallée du Saint-Laurent jusqu'au golfe du Mexique. C'est le voyageur, qui pouvait être aussi bien un missionnaire désireux de faire rayonner la gloire de son Dieu, un commandant de postes au service de l'administration ou un ambassadeur auprès des Indiens qu'un explorateur ou même un simple coureur de bois ; chacun d'eux eut à cœur d'agrandir le territoire pour y développer la traite des fourrures. Ils ont reconnu et cartographié un immense empire comprenant tout le centre des futurs États-Unis, dont les principales villes étaient Québec et Montréal. En témoignent encore les noms français qui parsèment la géographie américaine. C'est ainsi que, pour ne citer que quelques noms, en 1673, Louis Jolliet, avec le jésuite Marquette, explore le Michigan puis découvre le Mississippi ; que, en 1681, Cavelier de La Salle descend le Mississippi jusqu'au golfe du Mexique, puis prend possession de la Louisiane et que, en 1684, Nicolas Perrot, simple coureur de bois, explore le Wisconsin. Sans parler de Pierre Le Moyne d'Iberville et des frères La Vérendrye, ainsi que de nombreux autres aventuriers intrépides. Il faut voir l'homme des chantiers, bûcheron ou draveur dans les camps forestiers, dans la filiation de ces coureurs de bois.

L'esprit frondeur et conquérant de ces hommes nouveaux qui supportaient difficilement les frontières, et que seul un pays neuf pouvait engendrer, sera longtemps auréolé de mystère et de fascination ; ils laissent un riche héritage héroïque et mythologique.

La Conquête anglaise

L'année 1763 ouvre un profond traumatisme qui risque de mettre en péril l'identité canadienne : le traité de Paris, qui met fin au long conflit de la guerre de Sept Ans opposant quatre pays européens, officialise la cession de la Nouvelle-France à l'Angleterre. Du vaste empire nord-américain de la France ne restent que les îlots Saint-Pierre et Miquelon. Les lois françaises sont alors abrogées pour faire place au droit britannique. La langue française n'est plus reconnue et le serment du Test interdit à tout Canadien catholique la nomination à un poste officiel. Depuis ce jour, les francophones d'Amérique ne cessent de lutter pour la préservation de leur langue et de leurs institutions.

Ce joug politique entraîne d'importantes conséquences. La quasi-totalité des nobles, des fonctionnaires et des prélats, soit les plus fortunés qui formaient la majeure partie de la classe dirigeante, rentrent en France, emportant dans leurs bagages les capitaux liquides que pouvait encore posséder la colonie. Restent ici des gens en grand nombre illettrés qui ignoreront tout de l'évolution de la langue française puisque les contacts avec la France sont coupés. Comme le contrôle de la traite des fourrures et du commerce intérieur de la colonie passe aux mains des Anglais qui investissent les villes, les Canadiens se replient à la campagne, se réservant l'agriculture, l'artisanat et les petits commerces. Certains, demeurés dans les villes, se feront porteurs d'eau pour survivre. Quant aux seigneurs et aux membres du clergé, ils

Représentation de la bataille des Plaines d'Abraham, 1759,
George Campion, milieu du XIXᵉ siècle.
Bibliothèque et Archives Canada, C-004501.

tentent de se concilier les faveurs de l'occupant anglais pour préserver les maigres droits qui leur restent ; mais ces compromis ne feront qu'un temps, les rivalités entre anglophones et francophones allant s'accentuant, et le marasme économique étant de plus en plus lourd à porter pour les francophones. En plus de priver les Canadiens de leur élite, la Conquête a donc bloqué leur développement économique.

L'acte de naissance du Canada français

En 1774, afin de calmer les esprits face à l'appel du Congrès états-unien invitant les Canadiens à faire cause commune avec eux pour chasser l'Angleterre du continent, une loi du Parlement britannique, l'Acte de Québec, crée la « Province de Québec » et lui reconnaît un statut particulier au sein de l'Empire : le droit criminel britannique est maintenu, mais le droit civil français est reconnu ; sont supprimées toutes les restrictions d'ordre confessionnel limitant l'accès aux postes publics. Cette reconnaissance du fait français ne peut que favoriser l'éveil d'une conscience nationale, ce qui ne plaît guère aux anglophones qui, nombreux, réclament l'adoption de l'anglais comme seule langue officielle et la suppression du droit français. Le débat s'envenime quand, à partir de 1783, après la guerre d'Indépendance américaine (1775-1782), arrivent au Québec quelque 10 000 Loyalistes américains, augmentant ainsi la proportion anglophone de la population. Dans l'intention de résoudre d'avance un conflit éventuel, l'Acte constitutionnel de 1791 divise la colonie en deux entités, le Bas-Canada (le Québec) pour les Canadiens français et le Haut-Canada (l'Ontario) pour les colons anglais et les Loyalistes. Un gouverneur général préside à l'ensemble du territoire, assisté d'un conseil exécutif, d'un conseil législatif nommé par le roi, d'une chambre d'assemblée élue par la population et de lieutenants-gouverneurs pour chaque province. Ce nouveau système confère aux Canadiens français une institution politique leur permettant de revendiquer un plus grand pouvoir politique. Il est vrai cependant que le gouverneur, avec son Conseil exécutif, peut faire échec indéfiniment à la Chambre d'assemblée du Bas-Canada.

Un complexe d'infériorité

Les Canadiens, qui sont fiers de se dire les « enfants du sol » et aimeraient user de leur privilège de premiers occupants, ressentent la volonté assimilatrice de l'Autre. Mais ils se sentent démunis devant les manœuvres centralisatrices qui rognent leurs droits jusqu'à menacer leur identité. Ils sont humiliés par les journaux qui les taxent d'ignorance et d'illettrisme. Au point qu'ils en arrivent à douter de leurs possibilités : ces gens qui finissent par être convaincus qu'ils n'ont pas « la bosse des affaires » et qui se pensent « nés pour un petit pain » se mettent à éprouver de l'envie face à l'anglais, langue de la réussite. C'est l'anglomanie. Un chroniqueur note, en 1808, que certains se font un snobisme, aux fêtes officielles où le français, langue des petites gens, est seulement toléré, de parler anglais ou, au moins, d'employer des expressions ou des mots anglais ; certains journaux citent même le cas de Canadiens s'appliquant à parler le français... avec l'accent anglais, dans l'intention de se faire valoir auprès des autorités. Quant aux seigneurs et aux bourgeois de l'époque, ils voient dans les mariages avec des anglophones le moyen par excellence d'entrer dans la classe dirigeante.

Le clergé sous tutelle

Il faut s'affranchir [...] du clergé, corps composé de sujets extrêmement minces et qui pour la plupart ne sont distingués que par la coupe de leurs habits.

Louis-Joseph Papineau

Il faut comprendre que, depuis qu'ils furent décapités de leurs classes dirigeantes, les Canadiens n'ont pas d'élite pour parler en leur nom. Certes, le clergé aimerait bien jouer ce rôle. Mais son heure n'est pas encore venue. Après avoir été sous la coupe du roi français avant la Conquête, il demeure sous la tutelle du roi anglais, et sous la servitude du gouverneur protestant de 1763 jusqu'aux années 1840. Durant cette période, l'évêque, nommé par le gouverneur, est un haut fonctionnaire qui reçoit une pension de la Couronne britannique. Sa pension assurera sa soumission totale. Il lui est demandé de servir d'interlocuteur entre le gouvernement anglais et le peuple, de transmettre les ordres du gouvernement et de faire l'impossible pour qu'on les accepte. C'est ainsi que le haut clergé est amené à jouer un rôle politique : lors des tentatives annexionnistes américaines (1775-1776 et 1812) et pendant la rébellion des Patriotes (1837-1838), l'Église excommunie ceux qui se rebellent contre le gouvernement, refusant même à leurs dépouilles de reposer dans les cimetières catholiques. Les Canadiens français ne furent pas dupes. Plusieurs refusèrent de payer la dîme, certains s'abstenant même de la messe et des sacrements. Sur le point de mourir, un sympathisant à la cause américaine, entendant le prêtre l'exhorter à se soumettre au roi anglais, le regarda et lui dit avec mépris, juste avant d'expirer : « Vous sentez l'Anglais. » Pour un temps, un vent anti-autoritariste souffle sur les paroisses, comme si l'esprit des coureurs de bois triomphait de l'autorité cléricale.

L'émergence d'une conscience nationale

Les Canadiens auront passé les 40 premières années de la domination anglaise à survivre, à sécréter dans leurs rangs une nouvelle élite qui pourra les représenter politiquement. Dans les années 1810, une nouvelle classe bourgeoise trouve l'instrument de son ascension dans l'institution de la Chambre d'assemblée concédée en 1791 ; les bourgeois se regroupent dans le Parti canadien, dorénavant appelé « Patriote » en mémoire de leurs ancêtres français, les partisans de 1789. Servis par une presse très active, ces orateurs prennent enfin la relève, trois générations plus tard, de l'élite perdue lors de la Conquête. Cette nouvelle classe dirigeante, résolument laïque, est à l'origine de la germination d'un fort sentiment national et de la certitude d'un destin historique ; ses membres entendent définir la collectivité francophone comme une nation, certains en venant même à réclamer l'indépendance politique à plus ou moins long terme.

Louis-Joseph Papineau (1786-1871) est le plus grand nom qu'ait laissé l'histoire parlementaire du régime constitutionnel de 1791 à 1840. Tout au long de sa carrière politique, il a incarné les aspirations, la volonté et le génie de son peuple. Inspiré par les philosophes français et fasciné par le modèle de gouvernement que lui offrait la « jeune démocratie égalitaire américaine », cet esprit libéral et laïciste est le premier à formuler le rêve d'une république canadienne et française autonome. Lui qui tenait à ce que la lutte demeure constitutionnelle et qui a toujours déconseillé le recours aux armes a néanmoins été désigné, par l'autorité anglaise qui a mis sa tête à prix, comme le principal chef de l'insurrection de 1837-1838.

Louis-Joseph Papineau haranguant la foule à Saint-Charles en 1837.
Bibliothèque et Archives Canada, C-073725.

Les troubles de 1837-1838

Même si les Canadiens français ont des députés depuis 1791, ces derniers n'ont pratiquement aucun pouvoir. Luttant pour l'instauration d'un gouvernement responsable, les membres du Parti patriote présentent une liste de 92 résolutions visant à défendre les droits et la langue des Canadiens français et réclamant le contrôle de leurs revenus. Le refus de ces revendications mènera finalement à l'insurrection[2] de 1837-1838. En 1837, le parlement de Londres autorise l'Exécutif canadien à dépenser les fonds publics sans l'avis des députés. Plusieurs assemblées de protestation sont organisées, au moins une dans chaque comté ; on y vote le boycottage des produits anglais et on préconise la contrebande comme moyen de pourvoir aux besoins du peuple ; les députés se rendent même aux sessions vêtus d'étoffes du pays. Le gouverneur Gosford interdit ces assemblées populaires ; piqués au vif, les Patriotes les multiplient, forts de l'appui massif de la population. Devenue ingouvernable, l'Assemblée est dissoute et une purge destitue quantité de patriotes de leurs fonctions officielles (fonctionnaires, officiers de milice et magistrats). Les Patriotes, qui comptent dans leurs rangs des Anglais et des Irlandais, organisent alors des institutions parallèles. Le ton monte et certains, dont

---

2. Un soulèvement, une insurrection ou des troubles désignent une rébellion qui a échoué ; s'il y a réussite, on parle généralement d'une révolution.

Wolfred Nelson, prêchent l'usage de la force : « Le temps est arrivé de fondre nos plats et nos cuillers d'étain pour en faire des balles. » L'Église intervient alors en condamnant la révolte par les armes ; s'ensuivent des manifestations populaires et des articles anticléricaux dans les journaux.

La loi martiale est bientôt proclamée, des mandats d'arrêt sont émis contre 26 des principaux chefs patriotes et des renforts de l'armée britannique sont demandés. C'est le début de la guerre civile faite au nom de l'émancipation et de la liberté, où les Patriotes réclament le bris des liens avec la puissance coloniale et le remplacement de la monarchie par une démocratie. Du 16 novembre 1837 au 9 novembre 1838 ont lieu plusieurs combats aussitôt suivis de répression, les églises et les fermes étant incendiées, parfois des villages entiers : munis de fusils de chasse et de fourches, les Patriotes ne sont vraiment pas de taille à affronter une armée.

L'Acte d'Union

Parallèlement au vaste brasier démocratique qui enflammait l'Europe et l'Amérique latine dans la première moitié du XIXe siècle, et qui permit à de nombreux pays de se libérer du joug colonial, les Patriotes avaient aspiré à effacer l'infamie de la Conquête et à retrouver la fierté des origines. Leur destin est tout autre : en plus du grand nombre d'hommes morts au combat[3] — on en compte 120 au cours des seuls affrontements de 1837 —, 58 Patriotes sont déportés en Australie et 8 aux Bermudes, alors que 12 sont pendus publiquement, dont l'héroïque Chevalier de Lorimier. Après leur défaite, la Constitution est suspendue par le Parlement britannique, et Lord Durham est nommé gouverneur général, chargé d'enquêter sur les problèmes de la colonie et d'y apporter une solution. Dans son rapport qui paraît en 1839, il propose l'assimilation pure et simple des Canadiens français, des êtres qu'il estime inférieurs : « On ne peut guère concevoir nationalité plus dépourvue de tout ce qui peut vivifier et élever un peuple que les descendants des Français dans le Bas-Canada, du fait qu'ils ont gardé leur langue et leurs coutumes particulières. C'est un peuple sans histoire et sans littérature. » Il compte y parvenir en 1840, avec l'union du Haut-Canada (480 000 personnes) et du Bas-Canada (700 000 personnes) dans un Canada-Uni. C'est le début d'un long repliement sur soi où les Canadiens, dorénavant sous la tutelle de leur clergé, n'auront plus qu'une aspiration : conserver leur identité en évitant l'assimilation.

---

3. Ces « pécheurs publics » ont été privés de sépulture religieuse. L'épiscopat québécois ne les réhabilitera qu'en 1987.

LA MISE EN PLACE DE L'IMAGINAIRE QUÉBÉCOIS

Nourrie de réalités historiques, notre littérature les a haussées au niveau de la fiction et a ainsi fixé les principaux paramètres de l'imaginaire collectif québécois. Pour vivre et fonctionner, les sociétés ont besoin d'entretenir une idée d'elles-mêmes qui leur donne un sens, les inspire et justifie leur action (ou leur inaction), et c'est précisément le rôle de cet imaginaire, formé de l'ensemble des représentations par lesquelles une collectivité se donne une définition d'elle-même. En d'autres mots, tout ce qui compose sa vision du monde. La littérature est le dépositaire de ce riche réservoir qui confère à un peuple son identité. Quand une société se sent menacée dans son existence même, elle réagit en empruntant la voix de cet imaginaire. Elle attache alors des symboles à des événements du passé, allant même jusqu'à les mythifier, pour leur donner un dynamisme nouveau. C'est ainsi que la fiction peut se hausser au rang du mythe et devenir plus importante que l'histoire qui l'a fait naître.

Pendant longtemps des écrivains ont puisé des images et des thèmes dans l'époque des origines, et ils continuent à le faire aujourd'hui. Ils dressent le portrait de notre panthéon des héros connus ou anonymes qui ont affronté ce territoire aux temps lointains. Constamment ils les font renaître, comme si le rappel de leur vie pouvait mener à la floraison d'un avenir aussi riche que le fut leur passé, du moins tel qu'on voudrait qu'il ait été. Parmi ces thèmes, celui qui se cristallise autour de la vie des coureurs de bois est sans doute le plus fécond : notre littérature n'a cessé d'être traversée par des héros fascinés par l'ailleurs et la liberté. L'homme sédentaire servira lui aussi à l'élaboration de mythes ; ce que nous observerons plus particulièrement au prochain chapitre.

Même si la rencontre de l'Européen et de l'Amérindien a permis — grâce entre autres à Voltaire et à Rousseau — de façonner une mythologie, celle du « bon sauvage », qui fut un des leviers de la modernité occidentale, ici, sauf depuis très récemment, l'Amérindien réel n'a jamais connu une grande influence dans les débats de la vie quotidienne. Ce personnage complexe incarnant le païen et la primitivité a néanmoins occupé une place importante dans notre imaginaire, comme dans toute la mythologie nord-américaine. Il n'en demeure pas moins que, en littérature, la véritable reconnaissance de notre métissage culturel avec l'Amérique immémoriale ne se fera qu'au XXᵉ siècle, entre autres avec Yves Thériault et Robert Lalonde. Dans un autre domaine, le Saint-Laurent, parsemé de ses quelque cinq cents îles, a joué un rôle primordial dans le développement du pays, et il reste un autre pôle important dans l'imaginaire québécois. Soyons donc attentifs à ce riche imaginaire dans les différentes phases de notre littérature des origines.

La littérature coloniale

Ce vocable recouvre l'ensemble des textes de la littérature québécoise composés sous l'Ancien Régime, à l'époque où le Canada s'appelait encore la Nouvelle-France. Des écrits qui, l'un après l'autre, laborieusement, décrivent la gestation d'un pays autant que de sa littérature, tout en illustrant les étapes qui amènent sa société à devenir distincte de la société française. Œuvres d'hommes et de femmes, de nouveaux arrivants et, plus tard, de fils du sol, de grands navigateurs et d'ambitieux aventuriers, de missionnaires et de libertaires, d'érudits inspirés et de simples administrateurs, écrits personnels ou d'intérêt public, l'ensemble de ces textes disparates n'en constitue pas moins une mosaïque qui, si nous nous faisons le plaisir de nous l'approprier, permet de renouer avec les plus profondes racines de l'identité québécoise, en même temps qu'avec les émotions vécues par ceux qui se donnèrent comme mission de civiliser ces nouvelles contrées.

Nous tenons bien ici les textes fondateurs de la vie littéraire autant que de l'imaginaire collectif des Québécois. Des écrits épars, mais soudés par un contexte historique, époque où l'histoire ne savait pas encore qu'elle allait devenir destin. Des textes qui président à la naissance d'une nation ; mieux, ils deviendront son acte de naissance. Alors que ces écrits célèbrent la découverte du Nouveau Monde, force est de constater qu'on ne peut les aborder aujourd'hui qu'avec un pincement au cœur : comment, en effet, arriver à les lire sans ressentir le

goût de l'amère défaite de 1760 ? Au XVIIᵉ siècle, une très grande partie de l'Amérique du Nord était francophone, du Grand Nord jusqu'au golfe du Mexique... et qu'en reste-t-il maintenant ? C'est ce qui explique le lieu mythique qu'est devenue cette période, sorte de paradis perdu devant hanter inexorablement la conscience collective, et que tout un peuple s'épuisera à faire·revivre.

L'Histoire et les histoires des auteurs des écrits coloniaux n'ont cessé d'être rééditées depuis leur première publication. C'est dire leur intérêt. Certains historiens littéraires n'hésitent d'ailleurs pas à affirmer qu'il s'agit d'un des sommets de notre littérature. On est frappé par leur souci du détail et l'allure directe de leur style. Le lecteur d'aujourd'hui y trouve le neuf émerveillement et la fraîcheur des commencements. On n'y voit pas tant des documents historiques que le premier langage français qui nomma ce pays. Retenons de plus que ces textes, qui rappellent les premières perceptions et sensations de ce noyau d'intrépides Français venus essaimer en terre d'Amérique — noyau auquel se grefferont plus tard de nouveaux arrivants de différents groupes ethniques pour former le Québec contemporain —, constituent une importante source d'inspiration pour de nombreux écrivains actuels.

On peut même parler de véritable appropriation de ces textes, qui prennent une valeur sacrée, quand la collectivité québécoise, à partir de 1960, accepte de tirer un trait sur le passé nostalgique pour enfin décider de s'assumer, de prendre en main son destin. Chez quantité d'écrivains, cette renaissance vient s'inscrire en écho aux écrits de ceux qui, les premiers, ont pris possession de la contrée nouvelle ; à leur image et dans leurs pas, des écrivains tentent l'aventure de la parole et de l'écriture pour dire la prise de possession effective du pays. Nourris de la foi inébranlable des découvreurs, ces fils saluent le travail des pères en se réappropriant leur œuvre, métaphore de l'appropriation du pays même. Une aventure amorcée en 1534 voit enfin l'amorce d'un dénouement, plus de quatre siècles plus tard.

Les récits et les voyages de découvertes

Les découvreurs, colonisateurs et autres voyageurs laissèrent de nombreux écrits comme témoignages de leur passage en Nouvelle-France. Des grands explorateurs, nous retenons ici le nom de Jacques Cartier, à qui l'on doit la découverte du Canada. Quant aux voyageurs européens qui vinrent, nombreux, prendre personnellement le pouls du continent nouveau, le baron de La Hontan est, à n'en pas douter, le plus digne d'intérêt.

ILS FONT POUDRE DE LADITE HERBE[1] (1535-1536)

Ledit peuple n'a aucune créance de Dieu qui vaille, car ils croient en un dieu qu'ils appellent *Cudouagni* ; et ils disent qu'il leur parle souvent et leur dit le temps qu'il doit faire. Ils disent que, quand il se courrouce contre eux, il leur jette de la terre aux yeux. Ils croient aussi, quand ils trépassent, qu'ils
5 vont aux étoiles, puis viennent, baissant en l'horizon, comme les étoiles ; puis qu'ils vont en de beaux champs verts, pleins de beaux arbres et fruits somptueux. Après qu'ils nous eurent donné ces choses à entendre, nous leur avons remontré leur erreur, et que leur Cudouagni était un mauvais esprit qui les abusait ; qu'il n'est qu'un Dieu, lequel est au ciel, et nous donne tout ;
10 qu'il est le créateur de toutes choses, et qu'en lui seulement nous devons croire ; et qu'il faut être baptisé ou aller en enfer. Et il leur fut remontré plusieurs autres choses de notre foi, ce que facilement ils ont cru, et appelé leur Cudouagni *agojuda*[2] : tellement que plusieurs fois ils ont prié le capitaine de les faire baptiser. [...]
15 Ils gardent l'ordre du mariage, si ce n'est que les hommes prennent deux ou trois femmes ; et quand les hommes sont morts, jamais les femmes ne se remarient, mais elles font le deuil de ladite mort toute leur vie, et se teignent le visage de charbon pilé et de graisse, comme l'épaisseur d'un couteau, et à cela on connaît qu'elles sont veuves. Ils ne sont point de grand travail, et
20 labourent leurs terres avec de petits bois de la grandeur d'une demi-épée, où ils font le blé, qu'ils appellent « ozizy », qui est gros comme un pois ; et de ce même blé il en croît assez au Brésil. Pareillement ils ont assez de gros melons et concombres, courges, pois et fèves de toutes couleurs, mais non de la sorte des nôtres. Ils ont aussi une herbe dont ils font grand amas durant l'été,
25 pour l'hiver ; ils l'estiment fort, et les hommes seulement en usent de la façon qui suit. Ils la font sécher au soleil et la portent à leur cou, en une petite peau de bête, en guise de sac, avec un cornet de pierre ou de bois ; puis, à toute heure, ils font poudre de ladite herbe et la mettent à l'un des bouts dudit cornet ; puis ils mettent un charbon de feu dessus et aspirent
30 par l'autre bout, tant qu'ils s'emplissent le corps de fumée, tellement qu'elle leur sort par la bouche et les narines, comme par un tuyau de cheminée. Ils disent que cela les tient sains et chaudement, et ils ne vont jamais sans lesdites choses. Nous avons expérimenté ladite fumée, dans laquelle, après l'avoir mise dans notre bouche, il semble y avoir de la poudre de poivre, tant
35 elle est chaude.

---

1. Ce texte est extrait du récit du deuxième voyage de Cartier.
2. Agojuda : démon.

Les voyages de Jacques Cartier, tome 1, Les Amis de l'histoire, 1969.

Jacques Cartier (1491-1557)

Enfin, j'estime mieux qu'autrement que c'est la terre que Dieu donna à Caïn.

Jacques Cartier est le premier écrivain du nouveau pays, le premier à l'inventorier et à le nommer, donc à lui conférer une identité. C'est à ce navigateur que le roi François Ier avait confié la mission de trouver une nouvelle route maritime vers les Indes, pays de richesses fabuleuses. Sa découverte du fleuve Saint-Laurent allait bientôt permettre aux Français de maîtriser tout un continent. Malgré son désir de paraître le plus rigoureux possible, Cartier se livre totalement dans ses récits : son sentiment religieux est constant, de même que son don d'émerveillement. Et jamais il ne doute de la supériorité de la civilisation européenne.

Au plaisir de lire
- *Voyages en Nouvelle-France*
- *Relations*

1. Trouvez le sens étymologique des mots *courrouce* et *créance*.

2. Quels procédés l'auteur utilise-t-il pour exprimer son émerveillement ?

   Pourrait-on parler ici de choc culturel ?

3. Qu'apprend-on de la religion des Amérindiens ? En quoi se distingue-t-elle de celle des Blancs ?

4. Quel portrait moral pourrait-on esquisser de Jacques Cartier ?

5. Ce premier regard d'un Européen sur la civilisation amérindienne pourrait-il aider à comprendre le toujours difficile dialogue entre les deux peuples ?

*Dieu t'a fait naître
Français afin que tu
crusses ce que tu ne vois
ni ne conçois et il m'a
fait naître Huron afin
que je ne crusse que ce
que j'entends et ce que
la raison m'enseigne.*

À l'âge de 17 ans, Louis-Armand de Lom D'Arce, fils d'un noble ruiné, s'embarque pour le Canada, espérant y renouer avec la fortune. Après un séjour d'une dizaine d'années pendant lequel il tient un journal, ce libre penseur inventif et frondeur en tire, à son retour en Europe, quelques manuscrits qui connaissent bientôt, dès 1703, un vif succès de style autant que de scandale. C'est que le jeune baron, libertin et libertaire, ennemi de l'ordre social proposé conjointement par la monarchie et l'Église catholique, ne rate pas une occasion de vilipender les valeurs alors défendues sur le vieux continent. Son influence sera de première importance auprès des philosophes et des écrivains. De son œuvre émergera le type pleinement réalisé du « bon sauvage » égalitariste qui, en plus d'intéresser, parmi d'autres, Leibniz, Swift, Diderot et Rousseau, servira de modèle à l'Adario de Chateaubriand. L'historien Michelet verra en l'œuvre de La Hontan le « vif coup d'archet qui, vingt ans avant les *Lettres persanes*, ouvre le dix-huitième » siècle aux Lumières.

L'extrait retenu permet de se faire une bonne idée du style de ce contestataire, qui utilise abondamment la parodie et l'ironie. Il exagère sans doute ce qu'il a pu tirer de ses observations, parlant moins de ce qu'il a vu que faisant une critique imaginaire des valeurs européennes.

Une réjouissante arrivée

Le 2 mai 1684

[…] Après ces premiers Habitans vint une peuplade utile au païs, & d'une belle décharge pour le Royaume. C'étoit une petite flote chargée d'Amazones de lit, & de troupes femelles d'embarquement amoureux. [...]. L'on m'a
5   conté les circonstances de leur arrivée, & j'aime trop à vous divertir pour ne vous en point faire part. Ce chaste troupeau étoit mené au pâturage conjugal par de vieilles & prudes Bergeres. [...] Si-tôt qu'on fût à l'habitation, les Commandantes ridées passerent leur Soldatesque en revûë, & l'ayant séparée en trois Classes, chaque bande entra dans une Sale differente. Comme elles
10   se serroient de fort près à cause de la petitesse du lieu, cela faisoit une assez plaisante décoration. Ce n'étoient pas trois boutiques où l'Amour faisoit des montres & des étalages, c'étoient trois magasins tous pleins. Le bon marchand Cupidon ne fût jamais mieux assorti. Blonde, brune, rousse, noire, grasse, maigre, grande, petite ; il y en avoit pour les bizarres & pour les delicats.
15   Au bruit de cette nouvelle marchandise, tous les bien intentionnez pour la multiplication accourent à l'emplète. Comme il n'étoit pas permis d'examiner tout ; encore moins d'en venir à l'essai ; on achetoit chat en poche, ou tout au plus on prenoit la piéce sur l'échantillon. Le debit n'en fut pas moins rapide. Chacun trouva sa chacune, & en quinze jours on enleva ces trois
20   parties de venaison, avec tout le poivre qui pouvoit y être compris. Vous me demanderez comment les laides eurent si-tôt le couvert. Ne sçavez-vous pas qu'on se jette sur le pain noir pendant la famine ? D'ailleurs, la terreur causée par le cocuage contribuë beaucoup à ce choix. […]

Voyages du baron de La Hontan dans l'Amérique septentrionale, tome 1, 1705.

Les filles du roi (1667), Eleanor Fortescue Brickdale, début du xxᵉ siècle.
Scène représentant l'arrivée de femmes destinées à être mariées aux cultivateurs canadiens-français, à Québec. Talon et Laval attendent l'arrivée de ces femmes.
Bibliothèque et Archives Canada, C-020126.

Étude détaillée

Analyse formelle

LES PROCÉDÉS LEXICAUX

1. Dégagez les trois principaux champs lexicaux du texte. Pour chacun de ces champs lexicaux, dressez la liste des mots qui le composent.

2. Relevez les termes appréciatifs et dépréciatifs.

3. Pour chacun de ces mots, donnez la dénotation et la connotation : *femelle*, *emplette*, *décoration*, *famine*, *multiplication*.

4. Relevez les archaïsmes.

LES PROCÉDÉS GRAMMATICAUX

1. En ce qui concerne la structure des phrases, le style de La Hontan est-il simple ou complexe ? Afin de répondre à cette question, faites une analyse logique des phrases pour y relever les propositions indépendantes, principales et subordonnées.

2. Parmi les verbes du texte, quel temps et quel mode dominent ? Pourquoi l'auteur a-t-il parfois recours au présent de l'indicatif ? Expliquez la cohabitation des différents temps de verbe.

3. Relevez les négations. Quelle fonction peut-on leur attribuer ?

LES FIGURES DE STYLE

1. Analysez l'accumulation aux lignes 13 et 14. Donnez la nature des mots énumérés et la signification de ce procédé.

2. Relevez un euphémisme et expliquez-le.

3. Quelle figure d'analogie est surtout utilisée ici ? Donnez deux exemples pertinents.

LE POINT DE VUE

1. En vous basant sur le texte de présentation, définissez l'attitude du narrateur devant le spectacle décrit.

2. À qui peut-il s'adresser ?

LE TON

1. Quelle est la tonalité dominante dans ce texte ? Citez trois passages révélateurs.

2. On a dit de La Hontan qu'il était peu scrupuleux. En quoi ce texte tend-il à le prouver ?

LE GENRE

À quel type de texte appartient cet extrait : s'agit-il d'un texte narratif, argumentatif, descriptif ou poétique ?

Préparation à l'analyse littéraire

1. Cernez, en une phrase, l'intérêt et l'originalité de ce texte.

2. Élaborez un plan possible d'analyse littéraire, à partir des éléments analysés ci-dessus.

3. Rédigez l'introduction et la conclusion de cette analyse.

Au plaisir de lire

- *Dialogues avec un sauvage* (1703)
- *Nouveaux voyages en Amérique septentrionale* (1703)

Les relations historiques et les descriptions ethnographiques

Parmi les écrits coloniaux, un très grand nombre de récits s'attachent à décrire les particularités des peuples autochtones, pendant que d'autres étudient le comportement des Européens venus s'établir ici ; certains poussent plus avant l'analyse, s'efforçant de mettre en parallèle les attitudes des Blancs et des Amérindiens, ou encore celles des habitants de la Nouvelle-France et de la Nouvelle-Angleterre. Le frère récollet Gabriel Sagard est sans doute le plus important témoin des débuts de la colonie. À la fin du régime, quand la mère patrie souffre d'un manque endémique de fonds en même temps que s'élèvent de nombreuses voix, en particulier celles de Voltaire et de Montesquieu, qui dénoncent toute contribution financière pour ce qui ne semble que « quelques arpents de neige », la colonie française périclite, alors que l'anglaise, au sud, affiche les signes d'une étonnante vitalité. Aussi le roi désigne-t-il un enquêteur, le jésuite François-Xavier de Charlevoix, homme de mesure et de grand jugement.

Gabriel Sagard (?-1650)

Les Sauvages ont l'esprit et l'entendement assez bons, et ne sont point si grossiers et si lourdauds que nous nous imaginons en France.

Pendant une année, le frère récollet Gabriel Sagard a vécu parmi les Hurons afin d'apprendre leur langue et d'étudier leurs mœurs. Pour avoir été le premier à tenter cette expérience, il incarne aujourd'hui encore l'archétype du voyageur canadien. Dans les souvenirs et impressions que Gabriel Sagard a publiés, entre autres dans *Le grand voyage au pays des Hurons* (1632), on peut lire une riche représentation des mœurs et des conditions de vie des autochtones, pour qui Sagard éprouve une vive sympathie. On observera la minutie des détails et la richesse du tableau d'ensemble.

Couverture du livre *Le grand voyage au pays des Hurons*, édition de Paris, 1632. Bibliothèque et Archives Canada, C-113480.

LA GRANDE FÊTE DES MORTS

De dix en dix ans, nos sauvages et autres peuples sédentaires font la grande cérémonie des morts en l'une de leurs villes ou villages, comme il aura été ordonné par un conseil de tous ceux du pays. Ils la font encore annoncer aux autres nations circonvoisines, afin que ceux qui y veulent
5 ensevelir les os de leurs parents les y portent et que les autres qui veulent venir par dévotion, honorent la fête en leur présence. Car tous y sont les bienvenus et festinés pendant les jours que dure la cérémonie ; l'on ne voit que chaudières sur le feu, festins et danses continuels, ce qui fait qu'il s'y trouve une infinité de monde qui vient de toutes parts.

10 Les femmes qui ont à apporter les os de leurs parents, les prennent aux cimetières ; que si les chairs ne sont pas détruites, elles les nettoient et en tirent les os qu'elles lavent et enveloppent de beaux castors neufs et de colliers de porcelaine, que les parents et amis donnent, disant : « Tiens, voilà ce que je donne pour les os de mon père, de ma mère, de mon oncle, cousin ou
15 autre parent. » Les ayant mis dans un sac neuf, ils les portent sur leur dos, ayant orné le dessus du sac de quantité de petites parures, de colliers, bracelets et autres enjolivements. Puis les pelleteries, haches, chaudières et autres choses de valeur avec quantité de vivres se portent aussi au lieu destiné. Étant tous assemblés, ils mettent les vivres en un lieu pour les employer
20 aux festins, qui se font à grands frais entre eux ; ils pendent proprement dans les cabanes de leurs hôtes tous leurs sacs et leurs pelleteries, en attendant le jour auquel tout doit être enseveli dans la terre.

La fosse se fait hors de la ville, fort grande et profonde, capable de contenir tous les os, meubles et pelleteries dédiés aux défunts. On dresse un échafaud
25 près du bord, auquel on porte tous les sacs d'os ; on tapisse la fosse partout, aux fonds et aux côtés, des peaux et robes de castor neuves ; puis on fait un lit de haches, puis de chaudières, rassades[1], colliers et bracelets de porcelaine et autres choses qui ont été données par les parents et amis. Cela fait, du haut de l'échafaud, les capitaines vident tous les os des sacs dans la fosse
30 parmi la marchandise. Ils couvrent encore le tout d'autres peaux neuves, puis d'écorces, et après rejettent par-dessus la terre et de grosses pièces de bois. Par honneur ils fichent en terre des piliers de bois tout à l'entour de la fosse et font une couverture par-dessus, qui dure autant qu'elle peut. Puis ils festinent et prennent tous congé et s'en retournent d'où ils sont venus, bien
35 joyeux et contents que les âmes de leurs parents et amis aient bien de quoi butiner et se faire riches ce jour-là en l'autre vie.

_____
1. Rassades : petites perles de peu de valeur dont on fait des bijoux.

Le grand voyage au pays des Hurons (1632), Les Amis de l'histoire, 1969.

1. Trouvez le sens étymologique des mots *circonvoisines*, *rassades* et *festinent*.

2. Résumez les principales étapes de la fête des morts, en précisant les rôles respectifs des hommes et des femmes.

3. Comment l'emploi des adjectifs qualificatifs vient-il quelque peu trahir le désir d'objectivité du narrateur ?

4. Le regard de Jacques Cartier se voulait plutôt hautain. Comment pourrait-on qualifier celui de Gabriel Sagard ? Justifiez votre réponse.

5. En quoi l'auteur a-t-il pu contribuer à l'élaboration, au XVIIe siècle, du mythe du « bon sauvage » ?

LE TYPE CANADIEN EN 1720

Les Canadiens, c'est-à-dire les créoles du Canada, respirent en naissant un air de liberté, qui les rend fort agréables dans le commerce de la vie ; et nulle part ailleurs on ne parle plus purement notre langue. On ne remarque même ici aucun accent.

5 On ne voit point en ce pays de personnes riches, et c'est bien dommage, car on y aime à se faire honneur de son bien ; et personne presque ne s'amuse à thésauriser. On fait bonne chère, si avec cela on peut avoir de quoi se bien mettre ; sinon on retranche sur la table pour être bien vêtu. Aussi faut-il avouer que les ajustements font bien à nos créoles. Tout est ici de belle taille
10 et le plus beau sang du monde, dans les deux sexes. L'esprit enjoué, les manières douces et polies sont communes à tous ; et la rusticité, soit dans le langage soit dans les façons n'est pas même connue dans les campagnes les plus écartées.

Il n'en est pas de même, dit-on, des Anglais, nos voisins ; et qui ne connaî-
15 trait les deux colonies, que par la manière de vivre, d'agir et de parler des colons ne balancerait pas à juger que la nôtre est la plus florissante.

Il règne, dans la Nouvelle-Angleterre et dans les autres provinces de l'Amérique soumises à l'Empire britannique, une opulence, dont il semble qu'on ne sait point profiter ; dans la Nouvelle-France, une pauvreté cachée
20 par un air d'aisance qui ne paraît point étudié.

[...]

Nous ne connaissons point au monde de climat plus sain que celui-ci. Il n'y règne aucune maladie particulière : les campagnes et les bois y sont remplis de simples merveilleux, et les arbres y distillent des baumes d'une
25 grande vertu. Ces avantages devraient bien au moins y retenir ceux que la Providence y a fait naître ; mais la légèreté, l'aversion d'un travail assidu et réglé et l'esprit d'indépendance en ont toujours fait sortir un grand nombre de jeunes gens et ont empêché la colonie de se peupler.

Ce sont là, Madame, les défauts qu'on reproche le plus et avec plus de
30 fondement aux Français canadiens, c'est aussi celui des Sauvages. On dirait que l'air qu'on respire dans ce vaste continent, y contribue ; mais l'exemple et la fréquentation de ses habitants naturels, qui mettent tout leur bonheur dans la liberté et l'indépendance, sont plus que suffisants pour former ce caractère.

35 [...]

Je ne sais si je dois mettre parmi les défauts de nos Canadiens la bonne opinion qu'ils ont d'eux-mêmes. Il est certain du moins qu'elle leur inspire une confiance, qui leur fait entreprendre et exécuter ce qui ne paraîtrait pas possible à beaucoup d'autres. Il faut convenir d'ailleurs qu'ils ont d'excel-
40 lentes qualités. Nous n'avons point, dans le royaume, de province où le sang soit communément si beau, la taille plus avantageuse et le corps mieux proportionné. La force du tempérament n'y répond pas toujours ; et si les Canadiens vivent longtemps, ils sont vieux et usés de bonne heure. Ce n'est pas uniquement leur faute ; c'est aussi celle des parents qui, pour la plupart,
45 ne veillent pas assez sur leurs enfants pour les empêcher de ruiner leur santé dans un âge, où quand elle se ruine, c'est sans ressource. Leur agilité et leur adresse sont sans égales ; les Sauvages les plus habiles ne conduisent pas mieux leurs canots dans les rapides les plus dangereux et ne tirent pas plus juste.

Histoire et description de la Nouvelle-France, 1744.

François-Xavier de Charlevoix (1682-1761)

Nulle part ailleurs on ne parle plus purement notre langue.

Durant son séjour en Amérique, l'émissaire du roi, François-Xavier de Charlevoix, un jésuite, a ratissé le territoire depuis la Nouvelle-France jusqu'en Acadie, sans négliger la Nouvelle-Angleterre. Il y a observé et analysé les comportements et les mentalités des différentes communautés ethniques. Qui veut cerner les principales caractéristiques de l'âme québécoise actuelle peut déjà en trouver les principaux indices dans les écrits de De Charlevoix.

Un coureur de bois.
Bibliothèque et Archives Canada, C-1540.

1. Trouvez les sens étymologique et contextuel des mots *chère* (dans «bonne chère»), *rusticité, écartées* et *simples* (dans «simples merveilleux»).

2. Comment pourrait-on expliquer l'exceptionnelle qualité de la langue des Canadiens?

3. En quoi les Canadiens ont-ils été influencés par les Amérindiens?

4. Établissez un parallèle entre les Français et les Anglais.

5. Rédigez un paragraphe, structuré logiquement, où vous dresserez un portrait du Canadien de 1720.

Les annales et les lettres

On comprend facilement que les Européens venus ici, soit pour un temps limité, soit pour s'y établir, aient été portés à rendre compte de leur nouvelle situation à leurs correspondants, notamment à leurs parents. Ce qui explique la présence d'un grand nombre d'annales et de correspondances dans les écrits coloniaux. Les annales les plus célèbres et les plus précieuses sont les *Relations des Jésuites*, compte rendu annuel de l'aventure missionnaire et coloniale relatée au jour le jour, que le supérieur jésuite du Québec faisait parvenir à son supérieur français. Ces *Relations* comprennent 73 volumes rédigés entre 1611 et 1693 : elles éclipsent tous les autres récits du genre. Quant à la correspondance la plus nourrie, la palme revient aux 13 000 lettres — la plupart ont été détruites par le destinataire — que Marie de l'Incarnation aurait adressées à son fils Claude Martin, prêtre bénédictin.

. . .

La légende de la dame blanche (1665)

Une femme fort vertueuse, se voyant chargée de trois enfans, dont le plus âgé n'a que quatre ans, et d'ailleurs fort éloignée de l'Eglise, estoit fort en peine les jours de Festes, pour faire ses devotions. Elle ne laissoit pas neantmoins de venir à la Chapelle de Saint Jean, et d'assister fort exactement à
5 l'assemblée de la Sainte Famille, quoy que ce fust toûjours avec beaucoup d'inquietude, et de crainte pour ses enfans.

Un jour qu'elle les avoit laissez endormis à la maison, elle fut bien surprise à son retour, de les voir habillez fort proprement sur leurs lits, qui avoient à desjeuner, de la maniere qu'elle avoit accoûtumé de leur donner.
10 Elle demanda à sa fille aisnée, qui les avoit ainsi habillez dans son absence. Cét enfant, qui a bien de l'esprit pour son âge, ne pût luy dire autre chose, sinon que c'estoit une Dame vestuë de blanc, qu'elle ne connoissoit point, quoy qu'elle connust fort bien toutes celles du voisinage ; qu'au reste qu'elle ne faisoit que de sortir, qu'elle avoit deû la rencontrer en entrant.

15 Plusieurs personnes ont crû pieusement que la Sainte Vierge avoit voulu guerir elle-mesme les inquietudes de cette bonne femme, et luy faire connoistre qu'elle devoit, aprés avoir pris de sa part les precautions ordinaires pour ses enfans, abandonner le reste à la protection de la Sainte Famille.

Ce qui rend cette opinion probable, est que la mere trouva la porte du
20 logis fermée de la mesme maniere, qu'elle l'avoit laissé en sortant, qu'elle ne vit point cette femme vestuë de blanc, qui ne faisoit que de sortir quand elle entroit ; que toutes les choses se sont faites dans l'ordre, qu'elle avoit accoustumé de les faire elle-mesme ; que cela ne peut estre attribué à nulle personne du voisinage, ni du païs, que l'on sçache ; que l'enfant est dans un âge peu
25 capable d'un mensonge de cette nature ; et qu'aprés tout, Dieu fait quelquefois en faveur des pauvres, de semblables merveilles. Enfin les informations en ont esté faites tres-exactement, par un Ecclesiastique tres-vertueux. [...]

Relations des Jésuites, volume 1, 1858.

---

1. On a conservé ici l'écriture originale, témoin d'une époque où la langue n'était pas encore totalement codifiée. Récrivez ce texte en français contemporain et commentez les différences que vous y observez entre le français du XVIIe siècle et celui d'aujourd'hui.

2. Notez l'usage abondant des adverbes et montrez l'aspect édifiant de ce récit.

3. Dans quelle direction ce texte évolue-t-il ? Peut-on y voir une intention ? Expliquez votre réponse.

4. Ce texte a donné naissance à la légende de la Dame Blanche. Donnez la définition de « légende » en tant que genre littéraire.

Les *Relations des Jésuites*

Plus la puissance de nos Français aura d'éclat en ces contrées, et plus aisément feront-ils recevoir leur croyance à ces barbares, qui se mènent autant et plus par le sens que par la raison.
Paul Le Jeune

De caractère initialement privé, les *Relations des Jésuites*, précieux témoignage qui évoque les différents aspects de la vie de cette communauté religieuse en terre missionnaire, sont très tôt publiées en France, afin, du moins l'espérait-on, qu'elles servent à l'édification des lecteurs européens. Ces récits, au style généralement soigné, sont d'authentiques documents historiques (descriptions ethnologiques, listes botaniques et zoologiques, commentaires sur la langue, les mœurs, la petite histoire, etc.), même si l'histoire y côtoie souvent de fort près l'hagiographie.

Au plaisir de lire

• *Relations des Jésuites*
  (1611 à 1693)

Marie de l'Incarnation / Marie Guyard (1599-1672)

Ce que je puis dire est que les filles de ce pays sont pour la plupart plus savantes en plusieurs matières dangereuses que celles de France.

Marie Guyard, qui avoue avoir toujours éprouvé une forte inclination pour la vie religieuse, doit néanmoins se résoudre au mariage. Mais, veuve à 19 ans, elle peut bientôt, même si elle est mère d'un fils, entrer au monastère des Ursulines où elle adopte le nom de Marie de l'Incarnation. Dans son couvent, elle entend, en songe, le pressant appel de Dieu qui l'invite à venir fonder un monastère en Nouvelle-France. Elle rédigera par la suite, entre 1633 et 1654, la relation de ses états d'âme et rencontres avec son Dieu. Par la suite, dans son pays d'adoption, elle consacrera sa vie à l'éducation des jeunes filles, thème récurrent de sa correspondance.

Au plaisir de lire
• Correspondance

COMMENT DIEU M'A APPELÉE AU CANADA

[...] Un jour que j'étais en oraison devant le très saint Sacrement, appuyée en la chaise que j'avais dans le chœur, mon esprit fut en un moment ravi en Dieu, & ce grand pays qui m'avait été montré en la façon que j'ai décrite ci-devant me fut de nouveau représenté avec toutes les mêmes circonstances.

Lors, cette adorable Majesté me dit ces paroles : « C'est le Canada que je t'ai fait voir ; il faut que tu y ailles faire une maison à Jésus & à Marie. » Ces paroles qui portaient vie & esprit en mon âme, la rendirent en cet instant dans un anéantissement indicible au commandement de cette infinie & adorable Majesté, laquelle lui donna force pour répondre en disant : « O mon grand Dieu ! Vous pouvez tout, & moi je ne puis rien ; s'il vous plaît de m'aider, me voilà prête. Je vous promets de vous obéir. Faites en moi & par moi votre très adorable volonté. » Il n'y eut point là de raisonnement ni de réflexion : la réponse suivit le commandement, ma volonté ayant été à ce moment unie à celle de Dieu ; d'où s'ensuivit une extase amoureuse dans laquelle cette infinie Bonté me fit des caresses que langue humaine ne pourrait jamais exprimer, & à laquelle succédèrent de grands effets intérieurs de vertu. Je ne voyais plus d'autre pays pour moi que le Canada, & mes plus grandes courses étaient dans le pays des Hurons pour y accompagner les ouvriers de l'Évangile, y étant unie d'esprit au Père Éternel, sous les auspices du sacré Cœur de Jésus, pour lui gagner des âmes. [...]

Le témoignage de Marie de l'Incarnation, 1932.

1. Expliquez le sens des mots *ravi*, *lors*, *anéantissement* et *vertu*.

2. Certains mots du deuxième paragraphe semblent établir un lien entre une extase mystique et une expérience profondément sensuelle. Repérez ce réseau de mots.

3. Rédigez un paragraphe, structuré logiquement, où vous comparerez ce que vous savez de Marie de l'Incarnation d'après cet extrait et ce que vous apprenez d'elle dans le texte de présentation.

4. Comparez ce témoignage avec l'extrait des *Relations des Jésuites*. Les points de vue sont différents dans les deux extraits. Commentez.

Premier monastère des Ursulines fondé en 1639.

La littérature orale, immense réservoir de l'imaginaire

Au cours des décennies qui suivent la Conquête, abandonnée par son élite, la population québécoise, majoritairement analphabète, se trouve disséminée sur d'immenses espaces géographiques. Contraints, pour subsister, de besogner du lever au coucher du soleil sur des sols souvent ingrats, ces gens ne disposent que de bien peu de temps pour les loisirs, littéraires ou autres. Ce qui ne les empêche pas, bien au contraire, de vouer un véritable culte à la culture de leurs ancêtres, de propager avec une vitalité inégalée dans la francophonie leurs chansons, leurs légendes et leurs contes, en un mot, leur littérature orale.

Certains pourraient soutenir que le mot *littérature* ne peut être utilisé ici que métaphoriquement ; mais le mot *culture* ne l'est-il pas, également, quand il s'applique à autre chose qu'à la culture des champs ? En fait, quand on voudra répliquer aux assertions de Lord Durham selon lesquelles nous serions « un peuple sans littérature », on réussira à colliger tout au plus trois cents petits textes dispersés au fil des pages de nos premiers journaux, témoignages, en 1848, de près d'un siècle de vie intellectuelle[4]. Mais là où il aurait fallu regarder, c'est du côté de la littérature orale. Dans leur repli instinctif pour assurer leur survie, alors même qu'ils désapprenaient à revendiquer, les Canadiens se mirent à ressusciter de leur mémoire ancestrale leurs chansons, leurs contes et leurs légendes, puis à faire fructifier avec une rare énergie cet héritage qui trouva ici sa terre d'élection. Ils venaient de choisir la tradition orale comme ciment de leur vie sociale et faisaient des légendes, des contes et des chansons un des grands fondements de leur littérature naissante.

_____
4. Voir James Huston, *Répertoire national*, Montréal, VLB éditeur, 1982.

Transmis de bouche à oreille, ce patrimoine se fait l'expression la plus fidèle de l'âme d'une collectivité. Ce lien culturel, qui ne reconnaît pas d'auteurs individuels mais se définit comme une production collective, exprime ce qu'il y a de continuel et de permanent dans la succession des individus. Véhicule des aspirations d'un peuple, de son imaginaire collectif, cette littérature de masse constitue le terreau privilégié où germent à loisir les schémas — certains préfèrent parler d'archétypes — qu'un peuple se fait de lui-même, sa véritable identité culturelle. Et que dévoile, de l'identité séculaire des Québécois, cet incomparable héritage ? Nos légendes, nos contes et nos chansons de tradition orale parlent d'un peuple fier, jovial, hospitalier, sûr de lui, bon vivant et au farouche esprit d'indépendance. Un peuple ne dédaignant pas la licence, qui laisse le puritanisme à son clergé ainsi qu'aux anglophones protestants. Il faut dire que par le recours à des légendes, qui ne sont pas soumises aux lois du réel, le conteur et le romancier peuvent se permettre d'aller très loin dans l'évasion et la transgression, ce qui ne saurait être toléré autrement.

Soulignons la fécondité à nulle autre pareille de cette littérature : si, pendant plus d'un siècle, elle fut à peu près notre unique véhicule culturel, tel un brasier réduit à ses cendres, quand émergeront, au XIXe siècle, les premiers écrivains dignes de ce nom, la majorité de ces derniers se feront les simples transcripteurs de ces récits, les mettant ainsi à contribution dans l'élaboration de la littérature nationale. Son contenu, qui fait fi des modes et des moyens littéraires de transmission, essaime dans la littérature écrite comme si elle avait toujours été son véhicule privilégié. Et encore aujourd'hui, quantité d'auteurs puisent abondamment à cette source intarissable et permettent ainsi à leurs lecteurs ou auditeurs de s'intégrer aux gestes et aux mythes primitifs à l'origine de leur devenir collectif.

La chanson

> *Lorsqu'elles travaillent en dedans de leurs maisons, elles fredonnent toujours, les filles surtout, quelques chansons, dans lesquelles les mots amour et cœur reviennent souvent.*
>
> Peter Kalm, 1749

Nous retenons deux versions d'une chanson qui, pendant des décennies, fit figure d'hymne national des Canadiens, au moins jusqu'en 1880, moment de la création du *Ô Canada* par Calixa Lavallée et Basile Routhier. La légende rapporte que les Patriotes, lors de leur ultime combat à Saint-Eustache, réfugiés dans l'église paroissiale encerclée par les soldats de l'armée britannique, en sortirent, conscients qu'une mort certaine les attendait, en chantant *À la claire fontaine*. D'autres avancent que la devise « Je me souviens » aurait été inspirée par le refrain *Lui y a longtemps que je t'aime / Jamais je ne t'oublierai*. C'est dire l'importance de cette chanson, à l'origine chantée lors des noces.

À LA CLAIRE FONTAINE

VERSION FRANÇAISE

En revenant des noces,
J'étais bien fatiguée.
Au bord d'une fontaine,
Je me suis reposée.

Refrain

5 Lui y a longtemps que je t'aime,
Jamais je ne t'oublierai.

Et l'eau était si claire
Que je m'y suis baignée.
À la feuille du chêne
10 Je me suis essuyée.

Sur la plus haute branche
Le rossignol chantait.
Chante, rossignol, chante,
Toi qui as le cœur gai.

15 Le mien n'est pas de même,
Il est bien affligé.
C'est de mon ami Pierre
Qui ne veut plus m'aimer.

Pour un bouton de rose
20 Que je lui refusai.
(Variante)
Pour un bouton de rose
Que trop tôt j'ai donné.

Je voudrais que la rose
Fût encore au rosier
25 Et que mon ami Pierre
Fût encore à m'aimer.

VERSION CANADIENNE

À la claire fontaine,
M'en allant promener,
J'ai trouvé l'eau si belle
Que je m'y suis baigné.

Refrain

5 Lui y a longtemps que je t'aime,
Jamais je ne t'oublierai.

Sous les feuilles d'un chêne,
Je me suis fait sécher.
Sur la plus haute branche,
10 Le rossignol chantait.

Chante, rossignol, chante,
Toi qui as le cœur gai.
Tu as le cœur à rire,
Moi je l'ai-t-à pleurer.

15 J'ai perdu ma maîtresse
Sans l'avoir mérité
Pour un bouquet de roses
Que je lui refusai.

Je voudrais que la rose
20 Fût encore au rosier
Et moi et ma maîtresse
Dans les mêmes amitiés.
(Variante)
Et que le rosier même
Fût à la mer jeté.

Anonyme

---

1. Comparez les deux versions et dressez la liste de leurs principales différences.

2. Tentez d'imaginer la symbolique de la rose et du rosier, différente dans chaque version, et d'expliquer l'allégorie de l'amoureux et de l'amoureuse.

3. Comment le lyrisme s'exprime-t-il ici? Comment des sentiments individuels peuvent-ils prendre une valeur collective?

4. Expliquez les différences apportées par les variantes.

5. Comment pouvez-vous imaginer qu'une histoire d'amour déçu ait pu devenir un hymne national?

La légende

La légende québécoise la plus connue est sans doute celle de la chasse-galerie. Cette adaptation québécoise d'une légende française, mais qui n'a en fait conservé de celle-ci que le titre, en dit long sur le désir d'évasion qui tenaille les Québécois, pour qui le bonheur est très fréquemment perçu comme un ailleurs.

Nous connaissons cette histoire : dans un chantier forestier, des bûcherons concluent un pacte avec Satan. Ils pourront aller danser avec leurs belles à condition, toutefois, de ne pas blasphémer pendant le trajet effectué en canot volant, et de ne pas heurter le clocher des églises. Tout se déroule comme prévu jusqu'au moment où un bûcheron s'enivre. Et comme au Québec certains ont tendance à prononcer de religieuses paroles après avoir consommé de l'alcool, on imagine le danger qui guette les voyageurs. Cette version, contée par M. Jean-Baptiste Bouffard, 48 ans, de Rouyn (Témiscamingue), le 27 février 1971, ne retient que quelques éléments de la légende.

LE DIABLE ET LA CHASSE-GALERIE

Oui, ça c'est une légende, hein, lorsque j'étais jeune, on lisait ça dans des histoires, ou ça nous était raconté plutôt par des gens qui faisaient du chantier dans l'temps.

Alors, une fois on nous avait raconté, par exemple, un groupe d'hommes
5 qui étaient huit, qui étaient pris dans l'Nord d'la province, dans l'bois. Noël s'en venait : i'pouvaient pas aller chez eux pour descendre chez eux l'soir, on va dire dans les Cantons de l'Est ou soit à Montréal, ou quelque chose, ou à Québec... Et puis, un jour, i'ont dit : « I' faut y aller absolument ! Noël s'en vient : faut s'en aller ! » De quelle manière sortir d'ici ? I'avait aucune
10 manière de sortir de là, d'aut' chose que par l'eau. P'is l'eau, b'en c'tait l'hiver, alors c'était gelé. P'is, i' étaient des centaines de milles dans l'bois. Alors, un dés bûcherons qui a été le cuisinier aurait dit : « Moi, j'ai besoin de sortir en canot. » Les gars 'i ont dit : « T'és fou ! » B'en, i' dit : « Ce soir, à minuit, vous viendrez m'trouver, en arriér' du camp'ment. J'aurai un canot pour huit
15 places, dont sept de vous autres à part de moi et on va descendre à Québec. On va descendre chez nous en canot. »

Alors, à minuit, l'soir, cés sept bûcherons-là, qui étaient toutes des supposés « tough », des gars « tough », t'sé, des durs de durs, on a embarqué dans l'canot avec ce fameux « cook »-là. Le « cook » a faite une prière au diable p'is
20 le bateau s'aurait en allé dans les airs. I' pédalaient dans les airs pour s'en aller à Québec. Lorsqu'i' sont arrivés à Québec, là, par la suite, le « cook », le cuisinier, leur aurait conté l'histoire qu'i' s'en r'tournerait pas avec eux aut'es, qu'i' pouvait pas, c'était impossible, qu'i' était pour être mort le lendemain du Jour de l'An parce qu'i' avait vendu son âme au diable, qu'i' avait promis au
25 diable que si i'pouvait l'amener chez eux pour Noël, p'is l'Jour de l'An, i' f'ra' c' qu'i voudra' avec lui.

Anonyme, in *Introduction à la littérature orale : documentation*, Jean Du Berger, Archives de folklore, Université Laval, 1971.

1. Relevez et classez les différents traits propres à la langue orale.

2. Quels sont les éléments caractéristiques de la chasse-galerie contenus dans ce récit ? Tous les éléments énoncés dans le texte de présentation s'y trouvent-ils ?

3. Traduisez en langue écrite ce texte oral, dans un paragraphe de moins de dix lignes.

4. Notez les grandes distinctions entre la langue orale et la langue écrite.

5. Peut-on dire que cette légende joue le même rôle social que la légende de la Dame Blanche (page 15) ?

La chasse-galerie, Henri Julien, 1906.
Musée national des beaux-arts du Québec, 34.254.

CLAUDE DUBOIS
(né en 1947)

Encore aujourd'hui, à l'ère électronique, la littérature orale demeure une importante source d'inspiration pour les créateurs, qu'ils soient écrivains ou chanteurs (sans négliger les publicitaires). Claude Dubois est un auteur-compositeur d'une exceptionnelle fécondité : ses succès s'étalent sur plusieurs décennies. D'abord reconnu comme le chanteur du prolétariat urbain, il aborde par la suite à peu près tous les thèmes : amour et tendresse, anarchie et liberté, contre-culture et folklore... On ne peut s'étonner que ce créateur réfractaire aux conventions ait pactisé avec la littérature orale, lieu privilégié de la transgression. On note, dans sa version de la chasse-galerie, le grand dépouillement du style.

LA CHASSE-GALERIE

À force de rester
Dans la forêt à s'ennuyer
Le Diable est venu les hanter
Il fallait deux semaines
5 Quand la glace s'était en allée
En canot pour s'en retourner

C'était déjà l'hiver
Les grands froids nous mordaient
   les pieds
10 Impossible de s'en aller
C'était déjà Noël
Le Nouvel An montrait son nez
Tous les hommes voulaient s'en aller

Le Diable guettant
15 Comme un rapace son gibier
Vient leur offrir tout un marché
Dans un canot
Dans le plus grand que vous ayez
Installez-vous là sans bouger

20 Quand minuit sonnera
Ton canot d'un coup bougera
Il s'élèvera pour t'emporter
Mais si l'un d'entre vous
Après la fête terminée
25 Manque le bateau vous périrez

Chez le grand Satan
Vous irez brûler ignorés
Ignorés pour l'éternité
Le canot s'éleva
30 Jusqu'au ciel ils furent emportés
Jusqu'à leur village tant aimé

Chacun revint
Une fois la fête terminée
Sauf le dernier sans y penser
35 Posant le pied
En embarquant s'est retourné
S'est retourné sans y penser

Alors le grand Satan
Dans un tourbillon de brasier
40 Tous et chacun a emportés
Le plus jeune d'entre eux
Le plus méfiant le plus peureux
Gardait comme un bijou précieux

Une prière
45 À tuer les diables de la terre
Et quand il l'eut enfin citée
Comme des étoiles
Furent soudainement libérés
Devant leur cabane isolée

La chasse-galerie, Paroles et musique Claude Dubois © Les Éditions CD.

Loup-garou, Monique Voyer, 1982.

Le conte populaire

On a pu recueillir plus de 20 000 contes oraux dans l'Amérique francophone. C'est dire l'importance culturelle de ces récits dont les mots « pollinisent » le monde pour en assurer la continuité. Véritable épopée de la parole à travers les âges et les continents, ils remontent directement aux fabliaux. Ici, le conteur s'imposait, dans un contexte convivial, comme unique règle de captiver son auditoire, de frapper son imagination et de le divertir ; dans d'autres cultures, notamment amérindiennes, le conte se veut surtout porteur d'une sagesse, d'un savoir-faire et d'une manière d'être avec la nature. Cette parole qui ne se dit pas le jour, sauf pour le répertoire enfantin, s'adresse à un auditoire adulte : dans les camps forestiers, les bûcherons raffolaient des récits du « conteux », certains fort grivois, qui pouvaient durer des heures.

Les contes sont généralement divisés en trois grands types : les contes d'animaux, les récits merveilleux et les contes pour rire. Voici un exemple de ce dernier type, éloquent témoignage d'une tradition rabelaisienne qui ne s'est jamais démentie chez nous. Notons la verdeur des propos et leur truculence malicieuse. Ce conte a été recueilli en juin 1946 auprès de Joseph à Polémon Gauthier, à Saint-Irénée en Charlevoix.

■ ■ ■

LES TROIS FILLES QUI ONT CARIOTTÉ

Une fois, c'était un seigneur qu' avait trois filles. Ça fait que le seigneur s'avait trouvé un jeudi, i' dit : « Mes filles, on (moi et votre mère) va aller se prom'ner. Vous allez garder 'a maison, vous autres ! Vous êtes capables de garder.

5 I' ont dit : « C'est correct ! »

Ça fait qu' ces filles-là, comme de vrai, *l'* avaient des cavaliers. Aussitôt qu' leu' père, leu' mère, i' avaient été partis, *l'* ont envoyé des messages à leu' cavaliers.

Les cavaliers ont v'nu 'es trouver pour veiller. Ça fait qu'i' font une veillée
10 jusque vers neuf heures, neuf heures et demie. Les garçons veul'nt partir, mais les filles dis'nt : « Mais partez pas ! »

— Pourquoi ?

— *Ben,* couchez *avé'* nous autres !

— Ah ! i' ont dit, i' a pas moyen !

15 — Ah ! oui, oui, oui, couchez *avé'* nous autres.

Toujours, i' s' sont décidés d' coucher avec eux autres.

Toujours, le lend'main matin, ces filles-là... c'était l' premier vendredi du mois. Ça s' trouvait vendredi *pis* c'tait le premier vendredi du mois. A fallu qu'i' fuss'nt à confesse.

20 I' partent *pis* descendent à confesse.

La plus jeune des trois était en avant, tout' pensif'. A s' dévire, a dit : « *Coudon,* ma sœur, *moé...* sais-tu *ben...* ça m' gêne d'aller dire au curé qu'on a couché avec un cavalier ! »

— Bougresse de simple, *a dit,* t' iras pas dire t' étais couchée *avé'* ton
25 cavalier ; tu vas 'i dire que t' as cariotté !

— Hein ?

A dit : « Oui, tu vas 'i dire que t' as cariotté ! »

— Ha, c'est *ben* !

La plus vieille rentre à confesse, s' confesse d'avoir cariotté. L' curé comprend
30 pas l'histoire, mais i' donne l'absolution *pis* l'envoye.

La deuxième rentre, *a* fait la même chose : « Mon père, je m'accuse d'avoir cariotté. »

I' s' met encore là qu'i' écoute un peu *pis* i' donne l'absolution *pis* l'envoye.

La plus jeune rentre encore *pis a* s' confesse d'avoir cariotté.

35 — Qu' c'est ça ? Qu' c'est ça, à *matan*, i' dit là, tout l' mond' a cariotté ? Qu'est-c' ça veut dire ? C' que c'est que cariotter ?

— *Ben*, a dit, c'est coucher avec mon cavalier !

— Ah !

L' curé 'i a fait des r'montrances. C't' une affaire terrible !

40 — Ma p'tite fille, on doit pas *fére* ça, i' dit ! Pour ta pénitence, tu plant'ras la culbute trois fois, i' dit, en sortant du confessionnal.

Pis i' avait une pauvr' vieille qu' avait *pu* d' dents, qu'était vieille, qu'était su' l' bout du banc, qu'attendait pour entrer au confessionnal pour aller à confesse après elle.

45 *A* s'en vient 'i planter 'a culbute dans ses jambes.

— Mon doux ! *a* dit, qu'est-*cé* que vous faites là ?

— *Ben*, a dit, j' fais ma pénitence.

— Qu'est-*cé* vous avez faite ?

— J'avais cariotté.

50 — Que c'est cariotter ?

— D'avoir pété dans l'église.

— Ah mon doux, a dit ! *Moé* qu'a pété trois fois ! Comment ça va arriver ? Toujours, la vieille rentre dans l' confessionnal. *A* s'confesse d'avoir cariotté.

— Comment, comment, i' dit ! Une vieille comme vous, i' dit ! Pensez-55 vous encore à cariotter ?

— *Foute* de *foute* de *foute* de *foute*, a dit ! J' cariott'rai *ben* tant que j' voudrai, a dit ! J' s'rai *ben* maître de mon cul !

Anonyme, in *Contes et légendes. Trois contes populaires et une légende anecdotique*, Jacques Labrecque, coll. Luc Lacourcière, Archives de folklore, Université Laval.

1. Trouvez les sens étymologique et contextuel de *cavaliers* et de *simple*.

2. Quels mots et quelles attitudes peuvent contribuer à donner de la verdeur à ce conte ?

3. En quoi le réalisme linguistique de ce conte contribue-t-il à sa crédibilité ?

4. Quels procédés de l'humour sont utilisés ici ?

5. Comment expliquez-vous la présence, à une époque de foi et de grande ferveur religieuse, de contes comme celui-ci, qui se moquent des ministres du culte, alors qu'en fait ce sont des personnages craints et respectés ?

6. Tentez de trouver, à partir de ce texte, quelques caractéristiques du conte oral.

7. Comparez ce conte avec celui de Fred Pellerin (page suivante). Peut-on dire que le ton est le même ?

8. Dans le texte de Fred Pellerin, relevez les mots et les thèmes qui appartiennent à la littérature orale. En quoi est-ce un conte moderne ?

9. Établissez les principales distinctions entre le conte oral *Les trois filles qui ont cariotté* et le conte écrit de Fred Pellerin.

Après l'apparition de la télévision, le règne des conteurs reçut une condamnation que l'on a crue inéluctable. L'oralité prit alors de nouvelles formes, connut de nouvelles vagues : il y eut le règne des chansonniers, celui des monologuistes, puis la vague des improvisateurs et celle des humoristes. Depuis le début des années 1990, dans la continuité de pionniers tels que Jocelyn Bérubé et Michel Faubert, voici que le conte bénéficie d'un regain de popularité : de très nombreux lieux de diffusion accueillent des conteurs de plus en plus populaires auprès d'un public formé en grande partie de jeunes adultes, pour qui le mot *conte* semble à nouveau receler un aspect magique.

Tout en participant à notre quête identitaire, le conte, réapparu au moment de la mondialisation du « village » avec sa culture uniforme à l'échelle de la planète, vient opposer un travail de résistance contre ce qui est trop gros et trop pareil ; dans notre univers matérialiste, il témoigne de notre soif de magie, d'intangible, et fait croire que l'impossible est possible ; dans une société atteinte de jeunisme, il se nourrit de ce qu'il y a de plus vieux. En plus d'être une affaire de plaisir. À une époque où on se demande si la littérature survivra à Internet, il est rassurant de voir ces hommes et ces femmes de parole se faire transmetteurs de mémoire, se réapproprier le répertoire tout en le transformant, remettant ainsi à l'avant-plan, tels les ménestrels de jadis, la musique des mots.

■■■

ICI

Nous étions perdus aux confins du monde car nous savions déjà que voyager, c'est avant tout changer de chair.
« Ici c'est l'envers des choses... »
Antoine de Saint-Exupéry

Saint-Élie de Carbone, copie conforme de lui-même, c'est mon village. Comme un miroir poli qui réfléchit franchement, sans se prendre pour une fenêtre. Saint-Élie de Carbone : égal à lui-même. Et si certaines illusions dépassent l'entendement, le village vous replace vite la réalité à la bonne
5 place. Pour se consoler d'une légende aride, par exemple, certains racontèrent que Babine serait devenu beau à un moment de son existence. Une rencontre avec des lutins ou quelque magie comme ça qui aurait débouché en métamorphose agréable. Des fabulations pures et simples, à dire le vrai. Loin de moi l'intention de vous décevoir, mais il faut malheureusement
10 apprendre à ne pas vous fier à tout ce qu'on vous dit. La vérité, je la tiens et vous l'offre. Parce que je n'ai pas l'habitude de mentir. Et si je m'enfarge de temps à autre, faut simplement savoir que c'est pour mieux me le faire raconter encore.

D'abord, précisons que Babine ne fut jamais beau en tant que tel et en
15 temps de vie. Il fut moins pire, peut-être, mais je n'irais pas au-delà de ça. Il changea d'une iotette, mais pas trop pour qu'on ne le reconnaisse plus. Si un bout de sa corporence devint belle, ce fut peut-être seulement par le dedans. Dans sa manière d'aborder le monde, s'il en fut. Dans ses yeux, ça s'améliora. Mais la réalité ne s'en transforma pas pour autant. Parce que ce n'est pas le
20 monde qui change, mais seulement, parfois, l'idée qu'on peut s'en faire.

FRED PELLERIN
(né en 1978)

Fred Pellerin est un de ces nouveaux conteurs qui sortent la parole conteuse du ghetto folklorique pour réinventer le genre. Donnant à voir et à entendre notre imaginaire collectif, il raconte la vie et les gens de son petit village de Saint-Élie-de-Caxton. Ses personnages d'une troublante humanité, qu'il s'agisse de Belle Lurette, la belle du village, ou de Babine, l'idiot difforme, prennent aussi bien racine dans notre passé mythique qu'ils s'inscrivent dans le présent. La richesse de l'évocation et la vivacité de la parole se conjuguent pour traquer l'inédit et l'ineffable.

Le chemin en terre de la rue Principale, Saint-Élie-de-Caxton, 1940.

Cette métamorphose légère s'opéra pendant le voyage de Babine vers Ailleurs. Alors qu'il dormait le long du fossé et qu'aucun rêve n'arrivait à déloger celui de son village inventé, un homme ressemblant étrangement à Ésimésac Gélinas vint essayer ses suyiers. Sans se donner la peine de les
25 replacer. Et les suyiers retombèrent dans la direction inverse de la destination souhaitée. Au petit matin du lendemain, Babine se rechaussa et prit le bord suivant ses semelles. Étrangement, pour la première fois de sa vie, il remarqua que le soleil se levait à l'opposé de l'habitude. Mais il marcha sans s'en faire. Il en avait vu d'autres.

30 Il traversa Yamachiche, passa le rang de la Grande Rivière. Toujours par là, sans dévier d'un degré. Il continua vers Saint-Barnabé-Nord, il passa bientôt la traque de Charette. Puis il tenait bon. Et il fut récompensé.

Après une deuxième journée de marche, il découvrit un village annoncé sur aucune pancarte. Enfin, rendu Ailleurs. Il se bomba le torse, monta son
35 stress jusqu'au rouge. Le trac est la première trace de la proximité d'un rêve. Et Babine craignait de devoir se contenter d'un idéal plus petit que prévu. Un bonheur ambigu l'habitait. Partagé entre la hâte et la peur. Parce que découvrir une chose, c'est en même temps rencontrer ce qu'elle n'est pas. Puis un rêve renferme toujours une grande partie de ce qu'il ne contient pas.
40 Ça ne tient pas dans la logique, mais le cœur s'en ressent.

Babine posa le pied dans les frontières d'Ailleurs. Il fut soulagé devant la première maison qu'il vit sur sa droite : identique à celle d'Ephrem Pellerin. Ouf ! Au moins, le choc culturel ne serait pas trop grand. Il fila son chemin jusque sur la rue Principale, semblable en tout point à celle de sa natale. Il y
45 croisa même une Quincaillerie Gendron avec une Diane Gendron qui envoyait la main dans la vitrine. Pareil comme chez lui. Il descendit la côte et reconnut une roulotte à patates frites comme celle d'Arthur, puis rencontra M'sieur Brodain Tousseur en train de pêcher sur son perron. Il poussa le pas jusqu'au bout, où il découvrit une maison copiée-collée de la sienne. Enfin
50 rendu ! Il s'installa dans son Ailleurs inventé comme un homme usé, mais tout le monde devina qu'il revenait dans son vieil Ici comme un homme neuf.

Il faut prendre le taureau par les contes ! Contes de village, © Planète rebelle, 2003.

La naissance d'une littérature nationale

Nous l'avons déjà vu, un gigantesque souffle démo-cratique balaie une grande partie du XIXᵉ siècle. Ce vaste mouvement libéral, dont les origines pour-raient remonter à la Déclaration d'indépendance américaine en 1776 et à la Révolution française de 1789, permet à de nombreux peuples de s'affranchir du joug féodal : l'autorité du peuple est dorénavant considérée comme légitime et l'idée de la patrie n'est plus incarnée dans le roi, mais dans la nation. Ce regain de nationalisme en politique se traduit ici par le désir de produire une littérature nationale, qui se distingue autant de celle de la France que de la littérature américaine ; on aimerait bien, à l'exemple du *Dernier des Mohicans* de l'Américain Fenimore Cooper (1789-1851), produire des œuvres qui affirment l'identité particulière, qui décrivent les parti-cularités humaines et géographiques, l'exotisme et la couleur locale. C'est ainsi que, de 1830 à 1845, prend forme une première vague de ce qu'on pourrait appeler une littérature nationale.

En politique, aussi bien sur le continent européen qu'ici, on s'intéresse à tout ce qui milite en faveur des libertés, individuelles et collectives : droits im-prescriptibles de la personne humaine, défense des idéaux républicains, séparation de l'Église et de l'État et, pour former de bons citoyens, accès de tous à l'instruction publique. Appliquées à la littérature, ces idées généreuses donnent naissance au romantisme. L'exploration de toutes les dimensions de la subjec-tivité devient si importante que les autres valeurs paraissent nivelées. La littérature québécoise naissante fera donc ses premiers pas sous l'aile du romantisme, se nourrissant surtout de ses principales impulsions : un fort sentiment de la nature et un engagement social.

Le romantisme et l'action sociale

L'exploration des infinies possibilités du moi peut aussi déborder dans la valorisation de l'unicité et de l'autonomie des peuples. L'œuvre de très nombreux auteurs à l'esprit humanitaire témoigne de cette dimension pro-prement sociale du romantisme. Le poète semble y jouir d'une fonction sacrée : c'est à lui qu'il revient de guider son peuple vers un avenir meilleur. D'où l'engagement et l'action politique de plusieurs écrivains. Les princi-pales composantes de ce courant européen ont aussi leur écho dans le Québec des années 1830 où les écrivains, essentiellement des orateurs, des journalistes et des poètes, sont fortement influencés par des romantiques français qui se sont lancés dans l'action politique, les Hugo, Lamartine et Vigny, et pour qui littérature et social ne font qu'un.

Généralement de jeunes fils de bourgeois, frais émoulus des collèges et portés par un idéal à la mesure de leur jeunesse, ces idéalistes se passionnent pour les questions politiques et sociales, et se servent de leur plume pour revendiquer des libertés fondamentales : usage de la langue française, libre choix du peuple quant à son gouvernement, correction des injustices so-ciales, etc. Convaincus de l'urgence d'une action concrète pour faire trium-pher leurs idées de liberté et de progrès, leur volonté de prise en main du destin collectif connaîtra son paroxysme avec l'insurrection de 1837-1838. Il s'agit donc d'une littérature militante et engagée, fortement teintée par des accents lyriques et patriotiques, qui se fait l'expression d'une nation en devenir.

Après l'écrasement de la rébellion, les journaux fourmillent d'une poésie où l'on déplore le manque de liberté et où l'on s'apitoie sur le triste sort de la patrie, sur les malheureuses victimes mortes pour la patrie ou condamnées à l'exil aux Bermudes et en Australie. La complainte de la chanson *Un Canadien errant* connaît alors un succès instantané. C'est aussi le moment où l'on publie les dernières lettres de l'héroïque Chevalier de Lorimier.

···

François-Xavier Garneau
(1809-1866)

Notre sang, notre nom, c'est le crime d'Adam, Que le père transmet jusqu'au dernier enfant.

Barde de la littérature révolution-naire, François-Xavier Garneau a toujours milité pour la revendi-cation des droits de sa collectivité. Avant de donner aux Canadiens français une première idée de leur destin historique avec son *Histoire du Canada*, qui peut être considérée comme la première œuvre d'envergure et de statut proprement littéraire depuis la Conquête, celui que certains ont décrit comme « l'homme le mieux informé de son pays et de sa génération », même s'il n'a pu terminer ses études primaires, a composé de nombreux poèmes qui ont contribué, malgré leur classicisme sur le plan formel, à l'éveil du nationalisme québécois. Tel est le cas de *Pourquoi dé-sespérer ?*, poème paru dans un journal en 1834, qui exalte la lutte jusqu'à la mort pour la patrie.

Au plaisir de lire

• *Histoire du Canada français* (6 tomes)

POURQUOI DÉSESPÉRER ?

Partout on dit, l'œil fixé sur les flots,
L'esquif brisé s'abîme sous l'orage.
Ô Canada ! ton nom n'a plus d'échos,
Et tes enfants chéris ont fait naufrage.
5 Mais non, ils ne périront pas,
Une voix tout-à-coup s'écrie :
Le soleil dore au bout des mâts
Le vieux drapeau de la patrie,
De la patrie.

10 Canadien, tu connus cette voix ;
Le ciel pour nous, souvent l'a fait
    entendre ;
Dans nos malheurs, hélas, combien
    de fois
15 Nous avons cru notre Ilion[1] en cendre ?
Enfants jetés hors des berceaux,
On nous exposa sur le Tibre ;
Mais Rome sortit des roseaux...
Et Rome aussi bientôt fut libre,
20 Bientôt fut libre.

Mais si la nue éclipsa dans les cieux,
Plus d'une fois notre étoile sacrée ;
Après l'orage à son front radieux
On reconnut sa gloire à l'empyrée.
25 Phare qui ne s'éteint jamais,
Elle éblouit la tyrannie,
Qui droit sur l'écueil des forfaits,
Ira jeter sa barque impie,
Sa barque impie.

30 À la tribune, on vit comme aux
    combats,
Toujours briller notre même courage.
Chargés de fers, menacés du trépas,
De nos tyrans nous braverions la rage
35 S'il fallait pour la liberté,
Sacrifier nos biens, la vie ;
Et sous son drapeau redouté
Mourir pour elle et la patrie,
Et la patrie.

_____
1. Métaphore évoquant la guerre de Troie.

In *Le répertoire national*, volume 1, 1848.

Manifestation des Canadiens contre le gouvernement anglais, à Saint-Charles, en 1837,
Charles Alexander, 1891.
Musée national des beaux-arts du Québec, 37.54.

1. Trouvez le sens des mots *esquif, nue, empyrée* et *impie*.

2. Relevez les métaphores et commentez-les.

3. Quelle est la portée symbolique du deuxième vers ?

4. Quel effet la répétition produit-elle à la fin de chaque strophe ?

5. Quels mots révèlent les sentiments de l'auteur à l'égard des Anglais ?

6. La portée sociale de ce texte le relie au romantisme. Commentez.

Un Canadien errant (1842)

1

Un Canadien errant
Banni de ses foyers,
Parcourait en pleurant
Des pays étrangers.

2

5 Un jour triste et pensif,
Assis au bord des flots,
Au courant fugitif,
Il adressait ces mots :

3

Si tu vois mon pays,
10 Mon pays malheureux,
Va dire à mes amis
Que je me souviens d'eux.

4

Ô jours si pleins d'appas,
Vous êtes disparus...
15 Et mon pays, hélas !
Je ne le verrai plus.

5

Plongé dans les malheurs,
Loin de mes chers parents,
Je passe dans les pleurs,
20 D'infortunés moments.

6

Pour jamais séparé
Des amis de mon cœur,
Hélas ! oui, je mourrai,
Je mourrai de douleur.

7

25 Non, mais en expirant,
Ô mon cher Canada,
Mon regard languissant,
Vers toi se portera.

In *Combats d'un révolutionnaire tranquille*,
Les Éditions CEC, 1989.

Antoine Gérin-Lajoie (1824-1882)

Il me semble que j'aurais dû rester jeune plus longtemps.

Une légende veut qu'Antoine Gérin-Lajoie, élève au collège de Nicolet, ait rédigé sa célèbre complainte en 1838, après avoir été profondément troublé à la vue du navire qui emportait en Australie les malheureux Patriotes condamnés à la déportation. La vérité est sans doute plus prosaïque, car *Un Canadien errant* fut écrit en 1842. Le destin de ce texte exprimant une immense nostalgie du paradis perdu, devenu une chanson populaire, n'en demeure pas moins phénoménal.

Au plaisir de lire

- *Le jeune Latour* (tragédie en trois actes)
- *Jean Rivard, le défricheur* (récit de la vie réelle)
- *Jean Rivard, économiste*

1. Commentez le choix des épithètes.

2. Décrivez la construction métrique de ce poème : rimes, rythme, strophes.

3. Quels traits du romantisme patriotique y voyez-vous ?

4. Définissez ce qu'est une complainte à partir de ce poème.

5. Ce poème a été mis en musique et est ainsi devenu une des chansons les plus populaires au Québec. Comment expliquez-vous la diffusion exceptionnelle qu'a connue ce texte ?

**Marie-Thomas
Chevalier de
Lorimier (1805-1839)**

*Et pour eux je meurs
en m'écriant : Vive
la liberté ! Vive
l'indépendance !*

De Lorimier fut un des partisans les plus enthousiastes de Louis-Joseph Papineau, celui que les Patriotes avaient choisi comme chef. Arrêté en 1838, il fut accusé d'avoir été un des fauteurs de la rébellion, et le tribunal le condamna à la pendaison. La veille de son exécution, le 14 février 1839, il rédige son testament politique, un texte émouvant où l'auteur prend figure de héros romantique. Associant sa mort au destin de sa collectivité, il en fait même une cause d'espérance.

Testament politique

Prison de Montréal 14 février 1839 à 11 heures du soir

Le public et mes amis en particulier attendent peut-être une déclaration sincère de mes sentiments. À l'heure fatale qui doit nous séparer de la terre, les opinions sont toujours regardées et reçues avec plus d'impartialité.
5 L'homme chrétien se dépouille en ce moment du voile qui a obscurci beaucoup de ses actions, pour se laisser voir au plein jour. L'intérêt et les passions expirent avec son âme. Pour ma part, à la veille de rendre mon esprit à mon créateur, je ne désire que faire connaître ce que je ressens et ce que je pense. [...]

Je meurs sans remords. Je ne désirais que le bien de mon pays dans
10 l'insurrection, et son indépendance ; mes vues et mes actions étaient sincères, n'ont été entachées d'aucuns crimes qui déshonorent l'humanité et qui ne sont que trop communs dans l'effervescence des passions déchaînées. Depuis dix-sept ou dix-huit ans, j'ai pris une part active dans presque toutes les mesures populaires, et toujours avec conviction et sincérité. Mes efforts
15 ont été pour l'indépendance de mes compatriotes.

Nous avons été malheureux jusqu'à ce jour. La mort a déjà décimé plusieurs de mes collaborateurs. Beaucoup sont dans les fers, un plus grand nombre sur la terre de l'exil, avec leurs propriétés détruites et leurs familles abandonnées — sans ressources — à la rigueur des froids d'un hiver canadien.
20 Malgré tant d'infortunes, mon cœur entretient son courage et des espérances pour l'avenir. Mes amis et mes enfants verront de meilleurs jours ; ils seront libres, un pressentiment certain, ma conscience tranquille me l'assurent. Voilà ce qui me remplit de joie, lorsque tout n'est que désolation et douleur autour de moi. Les plaies de mon pays se cicatriseront ; après les
25 malheurs de l'anarchie et d'une révolution sanglante, le paisible Canadien verra le bonheur et la liberté sur le St. Laurent. Tout concourt à ce but, les exécutions mêmes. Le sang et les larmes versées sur l'autel de la patrie arrosent aujourd'hui les racines de l'arbre qui fera flotter le drapeau marqué des deux étoiles des Canadas.
30 Je laisse des enfans qui n'ont pour héritage que le souvenir de mes malheurs. Pauvres orphelins, c'est vous que je plains, c'est vous que la main sanglante et arbitraire de la loi martiale frappe par ma mort. [...] Le crime fait la honte et non l'échafaud. Des hommes d'un mérite supérieur m'ont déjà battu la triste carrière qui me reste à parcourir — de la prison obscure
35 au gibet. Pauvres enfants, vous n'aurez plus qu'une mère désolée, tendre et affectionnée pour appui, et si ma mort et mes sacrifices vous réduisent à l'indigence, demandez quelquefois en mon nom le pain de la vie. Je ne fus pas insensible aux malheurs de l'infortune.

Quant à vous, mes compatriotes, puisse mon exécution et celle de mes
40 compagnons d'infortune vous être utile. Je n'ai plus que quelques heures à vivre, mais j'ai voulu partager mon temps entre mes devoirs religieux et mes devoirs envers mes compatriotes. Pour eux je meurs sur le gibet, de la mort infâme du meurtrier ; pour eux je me sépare de mes jeunes enfants, de mon épouse chérie, sans autre appui que mon industrie ; et pour eux je meurs en
45 m'écriant : VIVE LA LIBERTÉ ! VIVE L'INDÉPENDANCE !

In *Le répertoire national*, volume 2, 1848.

1. Relevez les antithèses et les métaphores. Commentez-en l'usage.

2. Quel réseau de mots fait de ce testament un texte profondément romantique ?

3. Le martyr qui se sacrifie au nom du bien collectif est la figure par excellence du héros romantique. Relevez les passages du texte qui élèvent De Lorimier au rang de martyr.

Scène du film *15 février 1839*.
Le souvenir des Patriotes est encore très vivant dans la société québécoise actuelle. Un film du réalisateur Pierre Falardeau et mettant en scène Luc Picard et Sylvie Drapeau raconte les dernières heures des Patriotes dans la prison du Pied-du-Courant, dans l'Est de Montréal.

Le romantisme et l'imagination débridée

L'expression personnelle des sentiments qui ne souffre plus aucune retenue est un autre volet du romantisme. Ce lyrisme personnel, qui fait bon ménage avec une imagination débridée, se nourrit de tristesse, d'ennui, de vague à l'âme et d'inquiétude. Contrairement à la littérature classique du XVIIe siècle, fondée sur la raison et qui tendait à décrire l'homme en général, dans ce qu'il a de semblable en tout lieu et en tout temps, l'expression artistique se fait ici en totale liberté, afin de rendre compte de l'inépuisable richesse et des innombrables particularités de chaque être humain.

Jusqu'en 1844, les écrivains canadiens peuvent encore se permettre une telle liberté : décrire tous les sentiments, faire étalage de toutes les passions, sans aucune contrainte morale. Ils ne s'en privent pas. On produit alors une abondance de récits mélodramatiques tout à fait invraisemblables, où les intrigues n'en finissent plus de rebondir, qui visent à tenir le lecteur en haleine par la multiplicité des événements et leur caractère imprévu et effrayant. En témoignent, dès 1835, notre premier véritable conte écrit, *La tour de Trafalgar*, avec l'exotisme de sa couleur locale ; notre tout premier roman[5], *L'influence d'un livre* de Philippe Aubert de Gaspé fils (1837), récit d'aventures et collage de légendes ; le roman *Les révélations du crime ou Cambray et ses complices* de François-Réal Angers (1837), qui décrit une série de vols et d'assassinats commis dans le Québec de 1832 où sévit le fléau du choléra. En 1842, Napoléon Aubin publie sous un nom d'emprunt *Le fantasque*, sur la rébellion de 1837 ; en 1844, Joseph Doutre propose *Les fiancés de 1812*, un roman historique et d'aventures sur l'invasion américaine de 1812, alors que François-Eugène L'Écuyer fait paraître *La fille du brigand*, une histoire d'amour alambiquée. Après la fondation de *L'œuvre des bons livres* par Mgr Bourget, en 1844, la censure viendra recycler ces folles échappées romantiques en les mettant au service du patriotisme. Les écrivains se verront contraints de se faire mercenaires au service d'une cause certes noble, mais qui a bien peu à voir avec les exigences de l'art.

_____
5. C'est aussi l'époque de la parution du premier roman en Haïti, en Australie et au Brésil.

■ ■ ■

Pierre-Georges Boucher de Boucherville (1814-1894)

Tout ce qui sort de la main des hommes porte l'empreinte de leur fragilité et le caractère de leur faiblesse.

Pierre-Georges Boucher de Boucherville fut emprisonné pour crime de haute trahison : lors des troubles de 1837-1838, cet avocat avait osé prendre la défense des accusés politiques. Auparavant, à 21 ans, il avait écrit ce qui est considéré comme le premier récit fantastique québécois, *La tour de Trafalgar* (1835). Ce texte rappelle l'histoire d'un crime qui eut réellement lieu en 1752 : un misérable avait tué un couple sur le mont Royal, fait historique qui s'était rapidement mué en légende. Ici un jeune homme égaré en montagne est surpris par un violent orage. Trouvant refuge dans une tour délabrée, il est en proie à une indéfinissable peur. Mais la fatigue l'emporte sur l'angoisse et il s'endort, bientôt réveillé par une pénible sensation. Quant il partira à la recherche de son chemin, il s'égarera et fera la rencontre d'un étrange personnage. Notons l'abondance des thèmes chers aux romantiques.

Au plaisir de lire

• *Une de perdue, deux de trouvées*

UNE MAIN QUI S'ALLONGEAIT SANGLANTE

Aussitôt que je vis que la pluie avait entièrement cessé, je m'élançai vite hors de cette tour, la fuyant comme s'il y eût eu là quelque chose qui me faisait horreur. Et en effet, j'y avais vu du sang... une main... Je marchais d'un pas véloce, sans savoir où j'allais. Le moindre bruit, le roulement d'une
5 pierre que j'avais détachée sous mes pieds, et dont les bonds saccadés se répétaient sur les rochers au-dessous, tout, jusqu'aux branches que je froissais, me faisait frissonner. À chaque instant je tournais la tête, croyant entendre derrière moi les pas d'un meurtrier, qui allait m'atteindre. Et quelquefois il me semblait voir une main qui s'allongeait sanglante pour me saisir... Je
10 m'efforçais, mais en vain, de chasser cette idée de mon esprit ; c'était quelque chose qui me poursuivait partout, et me pressait, comme un cauchemar.

La nuit était encore obscure, et au lieu de prendre le bon chemin, je m'enfonçai plus avant dans le bois : tellement que le soleil était déjà haut, et brillait radieux au ciel, quand j'arrivai de l'autre côté de la montagne. Je
15 cherchais avec avidité quelque hutte, quelque cabane, où je pus trouver quelqu'un qui me donnerait l'hospitalité, qui me fournirait un lit pour me reposer, ou un morceau de pain pour assouvir la faim qui me dévorait et m'étreignait de ses pointes aiguës. Mes regards se plongeaient inquiets dans les longues avenues qui s'étendaient obscures devant moi ; et rien ne frappait
20 ma vue et je mourais de faim, et cette main... et ce sang... Et il me tardait de savoir quelques particularités sur un fait qui devait avoir fait du bruit dans les environs. Je désespérais presque de trouver là quelque demeure habitée, quand je crus voir au loin, derrière un taillis, comme un objet bleuâtre qui se détachait sur le fond blanc d'un roc aride. Je me hâte, imaginez ma joie,
25 j'arrive, c'est une cabane !... Mais ma surprise fut cruelle quand je vis un homme au regard farouche, à la taille haute, aux épaules larges et dont les muscles se dessinaient avec force, qui me dit avec aigreur qu'il n'avait rien pour moi, et que sa maison ne pouvait servir d'abri à qui que ce fût. J'eus peur de cet homme. Il était assis sur un tronc d'arbre, et affilait sur une vaste
30 pierre, une hache qui paraissait avoir été rougie par du sang ; il la cacha, avec un singulier geste de mécontentement, sous une branche qui était à ses pieds.

« La tour de Trafalgar » (1835), in *Le répertoire national*, volume 1, 1848.

1. Trouvez le sens du mot *véloce*.

2. Repérez une hyperbole et commentez-en l'effet.

3. Quel est le rôle des points de suspension ?

4. Quels éléments du décor appartiennent au romantisme ?

5. Citez les différents éléments fantastiques qui créent une atmosphère d'angoisse.

LE DIABLE M'EMPORTE

Il y avait autrefois un nommé Latulipe qui avait une fille dont il était fou ; en effet, c'était une jolie brune que Rose Latulipe : mais elle était un peu scabreuse, pour ne pas dire éventée. — Elle avait un amoureux nommé Gabriel Lepard, qu'elle aimait comme la prunelle de ses yeux ; cependant,
5 quand d'autres l'accostaient, on dit qu'elle lui en faisait passer ; elle aimait beaucoup les divertissements, si bien qu'un jour de Mardi gras, un jour comme aujourd'hui, il y avait plus de cinquante personnes assemblées chez Latulipe ; et Rose, contre son ordinaire, quoique coquette, avait tenu, toute la soirée, fidèle compagnie à son prétendu : c'était assez naturel ; ils devaient
10 se marier à Pâques suivant. Il pouvait être onze heures du soir, lorsque tout à coup, au milieu d'un cotillon, on entendit une voiture s'arrêter devant la porte. Plusieurs personnes coururent aux fenêtres et, frappant avec leurs poings sur les châssis, en dégagèrent la neige collée en dehors afin de voir le nouvel arrivé, car il faisait bien mauvais. Certes ! cria quelqu'un, c'est un
15 gros, comptes-tu, Jean, quel beau cheval noir ; comme les yeux lui flambent ; on dirait, le diable m'emporte, qu'il va grimper sur la maison. Pendant ce discours, le monsieur était entré et avait demandé au maître de la maison la permission de se divertir un peu. C'est trop d'honneur nous faire, avait dit Latulipe, dégrayez-vous, s'il vous plaît — nous allons faire dételer votre
20 cheval. L'étranger s'y refusa absolument — sous prétexte qu'il ne resterait qu'une demi-heure, étant très pressé. Il ôta cependant un superbe capot de chat sauvage et parut habillé en velours noir et galonné sur tous les sens. Il garda ses gants dans ses mains, et demanda permission de garder aussi son casque, se plaignant du mal de tête.
25 — Monsieur prendrait bien un coup d'eau-de-vie, dit Latulipe en lui présentant un verre. L'inconnu fit une grimace infernale en l'avalant ; car Latulipe, ayant manqué de bouteilles, avait vidé l'eau bénite de celle qu'il tenait à la main, et l'avait remplie de cette liqueur. C'était bien mal au moins — Il était beau, cet étranger, si ce n'est qu'il était très brun et avait quelque
30 chose de sournois dans les yeux.

L'influence d'un livre : roman historique, 1837.

Philippe Aubert de Gaspé fils (1814-1841)

J'offre à mon pays le premier roman de mœurs canadien.

C'est au journaliste Philippe Aubert de Gaspé fils qu'on doit notre tout premier roman, *L'influence d'un livre* (1837) — bientôt, la censure ecclésiastique prendra soin de le rebaptiser *Le chercheur de trésors*, le seul livre pouvant prétendre au titre choisi par l'auteur étant la Bible ! Ce récit d'aventures souvent fantastiques multiplie les intrigues et les coups de théâtre ; il comprend également de très nombreuses légendes : celles de la poule noire qui sert de troc avec Satan ; de la main-de-gloire qui permet de repérer des trésors cachés ; de l'homme du Labrador transformé en animal pour avoir blasphémé et, surtout, du diable beau danseur, un étranger qui entraîne l'étourdie Rose Latulipe dans une danse infernale. L'extrait décrit l'arrivée de l'inconnu qui causera un malheur irréparable à la jeune fille détournée de ses devoirs de chrétienne.

1. La ponctuation contribue ici à donner de la vie au style. Commentez-en l'usage.

2. Quels mots ou expressions vous semblent désuets ? Par quels mots pourrait-on les remplacer ?

3. Relevez les mots qui suggèrent la nature diabolique de l'étranger.

4. Quel enseignement voulait-on transmettre avec ce récit légendaire ?

5. Comparez les éléments fantastiques avec ceux de l'extrait *Une main qui s'allongeait sanglante* (à la page 30). A-t-on raison de dire que la nature de ces éléments est différente dans les deux textes ?

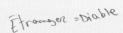

Étranger = Diable

SYNTHÈSE

QUESTIONS

Analysez

1. Après relecture du conte *Les trois filles qui ont cariotté* et de la légende *Le diable et la chasse-galerie*, tentez de trouver ce qui distingue le conte de la légende.

2. Prouvez que les légendes relèvent du fantastique alors que les contes traditionnels sont plutôt associés au merveilleux.

Expliquez

3. Comparez, quant à leur degré d'objectivité, les textes de Cartier, Sagard et De Charlevoix.

4. Faites la démonstration que les écrits coloniaux « permettent de renouer avec les plus profondes racines de l'identité québécoise ».

5. Prouvez que les textes de la littérature orale viennent confirmer les affirmations du père De Charlevoix sur les Canadiens français.

6. Prouvez que la littérature orale était une occasion d'aller très loin dans la transgression.

7. La légende est le récit d'un fait réel amplifié par l'imagination populaire et devenu un objet de croyance. Prouvez-le.

8. Dites pourquoi la littérature orale peut être associée au romantisme.

9. Dites pourquoi le romantisme est lié à des aspirations libérales.

10. Précisez ce qu'il faut entendre par « romantisme et action sociale ».

11. Prouvez que romantisme et aspirations nationalistes ne font qu'un dans le Canada français du XIXe siècle.

Discutez

12. En vous appuyant sur les extraits de Cartier et de Sagard, rédigez un texte de deux ou trois paragraphes comparant la culture des Amérindiens et celle des Européens.

13. Si vous étiez un Français du XVIIIe siècle ayant lu des écrits coloniaux, quelle idée vous feriez-vous au sujet du Canada et de ses habitants ?

À RETENIR

Contexte sociohistorique	Littérature
Une civilisation prend racine	**La mise en place de l'imaginaire québécois**
	La littérature coloniale
• Premier voyage de Jacques Cartier (1534).	• Création de ce que nous appellerons la littérature coloniale, qui désigne l'ensemble des textes composés à l'époque de la Nouvelle-France.
• Fondation de Québec (1608) et de Montréal (1642).	
• Établissement de colonies françaises.	• Ces écrits, véritables textes fondateurs de la littérature québécoise, sont l'œuvre d'explorateurs, de colons et de natifs du Canada. Ils décrivent la **naissance d'un pays** et les **émotions ressenties** par ceux qui venaient civiliser ce nouveau territoire.
• Deux types de Canadiens : les sédentaires et les nomades (c'est-à-dire les coureurs de bois, le tiers des hommes environ).	
• L'Église catholique est chargée de développer la mission.	• D'abord représentatifs de l'enthousiasme de la Renaissance au XVIe siècle en France, ils portent ensuite la marque de l'**idéal religieux** d'**obéissance** et de **renoncement** qui apparaîtra au XVIIe siècle.

Contexte sociohistorique *(suite)*	**Littérature** *(suite)*
	La littérature orale, immense réservoir de l'imaginaire
• Bataille des Plaines d'Abraham (1759). • Capitulation de Montréal (1760). • Traité de Paris (1763). • La quasi-totalité des nobles, des fonctionnaires et des prélats rentrent en France. • Le clergé sous tutelle britannique. • Acte de Québec créant la « Province de Québec » (1774). • Guerre de l'indépendance américaine (1775-1776). Arrivée massive de Loyalistes au Canada. • Révolution française (1789). • Acte constitutionnel créant le Bas-Canada et le Haut-Canada (1791).	• La Conquête anglaise permet indirectement le développement d'une littérature orale : afin d'assurer leur survie, les Canadiens français essaient de faire revivre les **croyances**, les **coutumes** et la **culture de leurs ancêtres**. • Le terme «littérature orale» désigne le **patrimoine culturel transmis de bouche à oreille pendant des générations** et qui est, en fait, l'expression la plus fidèle de l'âme d'une collectivité. • **Contes**, **légendes** et **chansons** deviennent la mémoire vivante de l'héritage culturel français et forment le grand réservoir de l'imaginaire des Canadiens français.
	La naissance d'une littérature nationale
• Émergence d'une conscience nationale. • Un souffle démocratique, venu de France et des États-Unis, balaie une grande partie du XIXe siècle. • Valorisation des libertés individuelles, des droits de l'homme, séparation de l'Église et de l'État. • Défaite des Patriotes et suspension de la Constitution du Bas-Canada (1838). • Rapport Durham et Acte d'Union (1840).	• Le romantisme s'enracine dans ce vaste **mouvement libéral** qui remonte en partie à la Déclaration d'indépendance américaine en 1776 et à la Révolution française de 1789. • Naissance d'une littérature nationale dans les années 1830 à 1845. Premier roman : *L'influence d'un livre* (1837) de Philippe Aubert de Gaspé fils. • Notre littérature naissante fait ses premiers pas sous l'aile du romantisme, se nourrissant surtout de ses principales pulsions : un fort **sentiment de la nature** et l'**engagement social**. • Le **romantisme** se caractérise par l'expression personnelle des sentiments : **tristesse, ennui, vague à l'âme, inquiétude**.

• Tous ces textes de littérature écrite ou orale constituent encore, de nos jours, une importante source d'inspiration pour les écrivains québécois.

DATES REPÈRES (1840–1935)

1840 Adoption de l'Acte d'Union.

1841 Mgr Bourget est nommé évêque de Montréal ;
arrivée des oblats au Canada.

1842 Retour des jésuites chassés à la Conquête.
Fondation de l'Institut canadien de Québec.

1843 Fondation du Bishop's College de Lennoxville ;
McGill devient une université.

1844 Fondation de l'Institut canadien de Montréal.

1845 Début de la publication de l'*Histoire du Canada*
de F.-X. Garneau.

1847 Ligne télégraphique Montréal-New York.

Immigration d'Irlandais chassés par la famine.

Épidémie de typhus et de choléra.

La parution du poème épique *Évangéline* de H.W.
Longfellow avive la conscience nationale des Acadiens.

1848 Le français recouvre son droit de cité à la législature.

1849 Incendie du Parlement de Montréal.

1850 Les jésuites fondent le collège Sainte-Marie à
Montréal.

1852 Fondation de l'Université Laval à Québec.

1853 Le Canada-Uni adopte une monnaie décimale
(dollars et cents).

1854 Abolition de la tenure seigneuriale qui datait de 1663.

1855 Les anglophones deviennent majoritaires au Canada
et forment désormais la majorité au Parlement.

Arrivée de la *Capricieuse*, premier navire français
au Canada depuis 1759.

1856 Le conseil législatif du Canada-Uni devient électif.
Mise en service du chemin de fer Montréal-Toronto.

1857 Ottawa remplace Montréal comme capitale.

1861 Aux États-Unis, début de la sécession et des hostilités.

1863 Aux États-Unis, proclamation de l'émancipation.

1864 La Nouvelle-Écosse enlève les écoles françaises
aux Acadiens.

1865 Assassinat de Lincoln.

1867 L'Acte de l'Amérique du Nord britannique inaugure
la Confédération canadienne actuelle.

1869 Premier soulèvement des Métis au Manitoba.
Mgr Bourget condamne l'Institut canadien.

1869-1874 Affaire Guibord.

1870 En Italie, proclamation de l'infaillibilité papale au
concile Vatican I.

1872 Le Parlement fédéral reconnaît aux ouvriers le droit
d'association.

1873 Formation de la Gendarmerie à cheval du Nord-Ouest.

1875 Début de la construction du chemin de fer
transcontinental ; sera inauguré en 1885.

Création de la Cour suprême du Canada.

1876 Invention du téléphone par le Canadien Graham Bell.

1878 Succursale de l'Université Laval à Montréal ;
l'Université de Montréal deviendra autonome en 1920.

1879 Ouverture de la ligne de chemin de fer Québec-
Montréal-Ottawa.

1880 Création d'un hymne pour le Canada français :
le *Ô Canada*.

1883 Un jugement du Conseil privé établit la souveraineté
des provinces dans les domaines qui sont de leur
juridiction propre.

1885 Deuxième soulèvement des Métis ; Louis Riel est
pendu. Violente réaction au Québec.

1886 Mgr Taschereau, 1er cardinal canadien.

1892 Premier tramway à Montréal.

1895-1911 Un 1er Canadien français élu premier ministre du
Canada : Wilfrid Laurier.

1897 Première ligne de transmission hydroélectrique
(Saint-Narcisse/Trois-Rivières).

1899 Un contingent de volontaires part pour l'Afrique du
Sud : guerre des Boers.

1900 Émeute à Montréal au sujet de la participation
canadienne à la guerre des Boers.

Grèves dans la chaussure au Québec ; intervention
de Mgr Bégin.

Fondation à Lévis de la 1re caisse populaire par
Alphonse Desjardins.

1907 Fondation de l'École des hautes études commerciales
et d'écoles techniques.

L'abbé Lapointe fonde la 1re union ouvrière
catholique à Chicoutimi.

1910 Congrès eucharistique international à Montréal.
Henri Bourassa fonde le journal *Le Devoir*.

1914 Entrée du Canada dans la Première Guerre mondiale,
aux côtés de l'Angleterre.

1917 Conscription et Crise de la conscription.

1918 Droit de vote complet pour les femmes aux élections
fédérales.

Émeute à Québec : contre la conscription.

1921 Loi québécoise de l'assistance publique.

1927 Le Conseil privé attribue le Labrador à Terre-Neuve.

1929 En novembre, crise boursière à New York : récession
économique et chômage agitent tous les milieux.

1931 Le Statut de Westminster reconnaît l'indépendance
du Canada au sein du Commonwealth britannique.

Un siècle de résistance passive

UNE LITTÉRATURE QUI DONNE FORME À LA NATION

La ferme, Cornelius Krieghoff, 1856.
Musée des beaux-arts du Canada, nº 2036.

Autour de nous des étrangers sont venus qu'il nous plaît d'appeler les barbares ; ils ont pris presque tout le pouvoir ; ils ont acquis presque tout l'argent ; mais au pays du Québec rien n'a changé. Rien ne changera, parce que nous sommes un témoignage.

Louis Hémon, *Maria Chapdelaine*

UN SIÈCLE DE RÉSISTANCE PASSIVE

La décennie de 1840 est vraiment une période charnière : elle met fin à un temps de luttes revendicatrices et ouvre un siècle de résistance passive visant à assurer la survivance collective. Vaincue et amputée après la défaite de 1760 puis par les insurrections avortées de 1837-1838, la nation canadienne-française emploie toute son énergie à conjurer la volonté assimilatrice de l'occupant anglais. Comme si une idéologie d'indépendance laissait sa place à une idéologie de conservation, comme si à une nation politique succédait une nation essentiellement culturelle.

La situation politique

En 1848, grâce aux efforts de Louis-Hippolyte La Fontaine, Londres abroge l'article de l'Acte d'Union interdisant l'usage officiel du français dans la colonie, et le français recouvre ainsi son droit de cité à la législature. Deux décennies plus tard, en 1867, sans consultation populaire, la Confédération est imposée aux Canadiens français : les deux communautés anglophones et francophones sont soudées et soumises à l'autorité du gouvernement de l'État canadien. L'ancien Bas-Canada devient la province de Québec, à laquelle sont octroyées certaines juridictions en matière interne ; l'anglais et le français ont le statut de langues officielles aux parlements de Québec et d'Ottawa, de même que devant les tribunaux québécois et fédéraux. Sont donc juxtaposées, au Québec, deux sociétés ayant leurs institutions propres, deux univers culturels difficilement conciliables. Ce qui sera à l'origine d'une source intarissable de conflits. La condamnation à mort du Métis[1] Louis Riel, en 1885, soulève l'indignation populaire, laquelle est encore accentuée par le refus du gouvernement fédéral d'intervenir pour empêcher la disparition des écoles françaises dans les autres provinces.

Pendant ce temps, la force numérique des francophones ne cesse de décroître au Canada, sous l'afflux de l'immigration anglophone : en 1871, le Québec ne compte déjà plus que pour 43 % de la population canadienne. En 1899, on s'insurge contre le fédéral qui entraîne les Canadiens dans une guerre que l'Angleterre déclare aux Boers de l'Afrique du Sud.

---

1. On désigne ici par « Métis » les colons de sang mêlé, blanc et amérindien, de langue française et de religion catholique.

En 1914, l'Angleterre déclare la guerre à l'Allemagne : c'est la Première Guerre mondiale (1914-1918) ; comme il y a peu de volontaires, le fédéral vote la loi de la conscription pour le service obligatoire outremer. Les Canadiens français refusent majoritairement cette conscription qui leur semble une mobilisation au service de l'Angleterre, la remémoration d'une sujétion servile. Aussi répond-on à Québec par des émeutes. En 1929, une crise économique internationale frappe durement le Québec et rend visibles des perturbations profondes qui s'opéraient depuis longtemps dans la société canadienne-française. Cette période bouleversée semble appeler d'importants changements sociaux.

Une nouvelle structure sociale

Dans les années 1840, l'épiscopat canadien, après avoir connu la domestication et la servitude, fort maintenant de l'appui de Durham pour sa loyauté durant l'insurrection, et par suite du divorce survenu entre le peuple et la bourgeoisie, consolide son pouvoir sur la société canadienne-française et en devient le principal porte-parole. La domination cléricale s'exerce aussi par le nombre. L'homme le plus influent de l'époque, le successeur de l'anticlérical Louis-Joseph Papineau, est Mgr Bourget : après avoir fait venir des communautés religieuses de France, il fonde de nombreuses congrégations de femmes. Ceci lui permet d'exercer un encadrement serré sur la population catholique : sur les paroisses, les écoles, les hôpitaux, même sur les journaux. Au début du XXe siècle, on estime qu'il y avait 1 religieux pour 170 catholiques. Cette domination coïncide avec la montée de l'ultramontanisme dont Mgr Bourget est l'adepte le plus fervent ; cette doctrine veut que l'Église soit l'institution dominante dans la société.

Quant à la bourgeoisie — formée par les professionnels : notaires, arpenteurs, médecins et avocats —, après sa cuisante défaite, elle se subdivise maintenant en deux catégories : les plus nombreux parlent de moins en moins et se rangent derrière le clergé ; une petite faction d'anticléricaux, qui gravite autour de l'Institut canadien, entend défendre les valeurs libérales. Les petits commerçants et la masse rurale se soumettent pour leur part à l'emprise du clergé.

L'ultramontanisme et la survivance

Un Canadien français qui n'est pas catholique est une anomalie, un Canadien français qui ne l'est plus après l'avoir été, est un phénomène monstrueux.

Thomas Chapais

Chapelle Saint-Josaphat, Longueuil, Montérégie, 1909.

Le rêve d'émancipation nationale s'est éteint et pour longtemps. Le nationalisme d'avant 1840 se tourne dorénavant vers les valeurs du passé ; il a cessé d'être évolutif pour se muer en patriotisme. Les Canadiens français ne se perçoivent plus comme une nation qui doit un jour acquérir son indépendance, mais comme un groupe ethnique qui a une culture particulière. Selon l'élite cléricale, la priorité consiste maintenant à lutter non plus pour l'affirmation et l'émancipation, mais contre l'anglicisation (et la « protestantisation ») et l'extinction comme peuple. La crainte de l'assimilation et l'angoisse qu'elle suscite face au présent et à l'avenir s'expriment dans l'exaltation d'un passé révolu et déformé, ce paradis à jamais perdu, néanmoins paré du prestige du rêve et de l'idéal. Cette résistance passive, passéiste et axée sur la survie et la protection des acquis, est fortement imprégnée des idées ultramontaines.

Un nationalisme messianique

Le rigorisme religieux des ultramontains demande que l'État se soumette aux principes moraux de l'Église ; c'est dire que le clergé peut intervenir dans la vie politique. Quant aux citoyens, ils doivent suivre et appliquer aveuglément l'enseignement de l'Église. Le programme idéologique des ultramontains se résume à ceci : comme tout phénomène est le résultat de la divine Providence, rien ne doit changer et toute innovation est inutile, en particulier celles amenées par l'industrialisation et l'urbanisation, associées au monde anglophone et protestant, donc une menace pour le Canada français. Ce discours, essentiellement axé sur la dénonciation et sur l'affirmation d'absolus, prend comme modèle la France d'avant la Révolution, une France rurale et dominée par l'Église. Dans les faits, cette France dont on croit voir la survie dans le Canada français et catholique est totalement idéalisée. Pour faire oublier au peuple sa défaite, on la change en mission providentielle : le Québec devient la nouvelle Terre promise, appelée à évangéliser et à civiliser le reste de l'Amérique du Nord. Curieux patriotisme où la défaite historique se mue en destin providentiel, où les faiblesses économiques recèlent des trésors de richesse spirituelle, où la misère sociale accède au rang de vertu, où la pauvreté culturelle devient gage de pureté.

L'antiétatisme

Comme les ultramontains possèdent la vérité sans partage, ils ne sauraient accepter aucun compromis sur les libertés modernes : tout ce qui ne se conforme pas à leurs idées ne peut qu'incarner l'esprit du mal et être dénoncé comme suppôt de Satan. Il faut donc anéantir tout ce qui peut s'apparenter à l'esprit libre-penseur de l'époque précédente. Comme les chefs patriotes étaient des gens instruits, certains membres du clergé estimeront que l'instruction peut être une chose dangereuse ; c'est ainsi qu'un certain curé Ducharme de Sainte-Thérèse, du haut de la chaire, en tire des arguments contre l'instruction des classes inférieures.

Cette manière de penser servira de matraque idéologique pour réprimer les idées progressistes et discréditer ceux qui les défendent. Ainsi, en 1844, afin de lutter contre l'ignorance et de faire triompher les idées libérales, un petit groupe de membres de professions libérales a fondé un lieu d'échanges et de culture doté d'une bibliothèque, l'Institut canadien de Montréal. Après de nombreuses péripéties, Mgr Bourget finit par interdire aux catholiques de son diocèse de faire partie de cet Institut sous peine de se voir refuser les sacrements de l'Église. Le lendemain de cet interdit, le 17 novembre 1869, décède Joseph Guibord, un membre de l'Institut. Sa veuve se fait refuser le droit d'inhumer son mari dans le cimetière de la Côte-des-Neiges. On en appelle à la Cour supérieure, à la cour de Révision et finalement au plus haut tribunal, le Conseil privé de Londres, qui donne finalement raison à la veuve Guibord, décédée deux ans plus tôt.

La dépouille de Guibord, déposée temporairement dans le charnier du cimetière protestant Mont-Royal, ne pourra être inhumée dans le cimetière catholique que le 16 novembre 1875, et encore, sous la protection de l'armée, car des chrétiens empêchent l'entrée dans le cimetière ; on aura de plus pris soin de couler du ciment sur la tombe, pour éviter que le cadavre ne soit profané ou retiré du cimetière. Et l'astucieux Mgr Bourget de se vanter d'avoir « déconsacré » la parcelle du cimetière où les restes de Guibord allaient être enterrés. Ce rocambolesque épisode marque la victoire totale de l'Église et l'effritement des forces progressives.

Le passé comme mythe compensateur

Devant l'impuissance du présent et pour apaiser l'angoisse collective à l'égard du sentiment de péril imminent, on en appelle au passé, qui prend une valeur compensatoire. Une vision du monde prend forme autour de l'exemplarité du passé, ferment appelé à maintenir l'espérance. Cette stratégie de survivance collective valorise tout ce qui a trait à nos ancêtres : d'abord la religion catholique et la langue française, ces héritages sacrés, mais aussi la ruralité de même que les diverses croyances et traditions, en somme toutes les valeurs qui peuvent servir de modèles à imiter. En gros, le peuple est encore porteur de toute cette culture et son premier devoir consiste à la préserver et à la transmettre intacte à ses descendants.

La colonisation : l'utopie de la terre

Commencée en 1815, à la suite d'un malaise agricole certain (mauvaises récoltes de blé, surpeuplement et encombrement des terres qui n'arrivaient plus à subvenir aux besoins des familles), l'exode des Canadiens à la recherche d'emplois dans les usines de textile du nord-est des États-Unis prend en peu de temps des proportions inquiétantes. On estime à plus de 500 000 le nombre de ceux qui auraient été contraints d'émigrer au Sud entre 1851 et 1901. Pour enrayer cette saignée, Mgr Bourget, avec ses

Le curé Labelle au centre et à droite Arthur Buies prenant des notes.
Bibliothèque et Archives Canada, PA-029262.

missionnaires-colonisateurs tels que le curé Labelle, instaure une stratégie de colonisation. Présentant l'agriculture comme l'état de vie idéal qui met le chrétien en contact direct avec son Créateur, il lance un vaste mouvement de colonisation destiné à guider les colons vers des terres à défricher. « Sur des terres sans hommes, établissons des hommes sans terre » sera la devise de la Société d'établissement rural. Le vieil habitat laurentien, jusque-là enfermé dans son corridor (Laurentides d'un côté, Appalaches de l'autre), connaît une forte expansion vers le nord, où une douzaine de régions sont ouvertes à la colonisation. Comme si notre expansion nordique faisait pendant à l'expansion vers l'ouest de nos voisins du Sud. Commencée dans les années 1870, cette conquête du Nord avec la croix et la charrue pour assurer la pérennité de la « race » durera jusqu'en 1939, en Abitibi-Témiscamingue. Cette occupation et mise en valeur du territoire n'a pas donné les fruits attendus ; elle est plutôt considérée aujourd'hui comme une utopie.

L'industrialisation

Au tournant du XIXᵉ siècle, le Québec connaît toujours une fixité idéologique au sommet, mais certaines transformations se laissent deviner à la base, entraînées par l'implantation des industries et la création de villes nouvelles. À partir de 1850, une importante bourgeoisie, à très grande majorité anglo-écossaise, se développe à Montréal, formant l'élite économique du pays ; elle comprend moins de 10 % de francophones. Elle diffuse sa vision du monde et ses valeurs de type capitaliste — la propriété privée, l'accumulation, le progrès et la démocratie libérale — et fait de Montréal le plus important centre économique du Canada, avec son port, ses banques, ses entreprises financières, commerciales et industrielles. On doit en grande partie cette première phase de l'industrialisation au chemin de fer et à l'ouverture du canal de Lachine. À partir des années 1880, l'industrialisation s'étend hors de Montréal. L'agriculture devient une industrie spécialisée dans l'élevage et la production laitière ; le matériel de chemin de fer, la chaussure, le cuir et les raffineries de sucre deviennent des secteurs dynamiques, alors que l'exploitation de certaines ressources naturelles comme l'hydro-électricité, le bois, les pâtes et papiers et l'aluminium permet l'industrialisation de régions plus éloignées de Montréal.

L'urbanisation et la prolétarisation

L'industrialisation est concomitante à l'urbanisation. Il faut souligner la très forte croissance démographique qui fait passer la population du Québec du début du XIXᵉ siècle au milieu du siècle suivant de 200 000 à 4 millions de personnes, malgré l'émigration aux États-Unis. Ce que d'aucuns appellent la « revanche des berceaux ». En très peu de temps, de 1871 à 1921, la population urbaine passe de 14,9 % à 52 %.

L'ampleur de cette concentration sera particulièrement mise en valeur par la Crise économique de 1929. En 1933, au plus fort de la crise, 23 % de la main-d'œuvre est en chômage, réduite au « secours public » — aide limitée à des soupes populaires et à la distribution de bons pour l'achat de certains produits — et à la charité privée. Ceux qui peuvent travailler dans les manufactures voient leur salaire diminuer de 25 % de 1929 à 1933. L'existence de ces centaines de milliers de sans-travail et les conditions misérables de ceux qui travaillent amènent la prise de conscience du caractère prolétaire de la participation des Canadiens français à la vie économique. Concentrés en grand nombre dans des industries à faible qualification technique (comme le textile, la chaussure et le cuir), ils sont mal payés, mal logés, en un mot exploités comme main-d'œuvre à bon marché (*cheap labor*). Ce qui suscitera bientôt un militantisme syndical assez combatif.

Le temps semble venu pour le Québec de cesser de traîner ses nostalgies, ses peurs et sa mentalité de repli. Même si l'Église réussit toujours à maintenir les valeurs, les structures et les institutions appartenant à un monde dit préindustriel, certains membres du clergé comprennent le caractère inéluctable du changement ; ils acceptent de s'adapter au progrès,

Manufacture de la compagnie Northern Electric Co. Ltd, Montréal, vers 1916.
Bibliothèque et Archives Canada, PA-024627.

en tâchant de lui donner un sens chrétien. C'est ainsi que, dès le début des années 1920, certains jeunes prêtres, soucieux de l'amélioration des conditions de vie et de travail des ouvriers, s'impliquent dans la création de syndicats catholiques.

L'émancipation des femmes

Les femmes qu'on me pardonne
Sont bien trop méprisées
Il faudrait que les hommes
Leur donnent plus de liberté.

La Bolduc

Pendant que les ouvriers s'organisent en syndicats, nombre de femmes de la classe bourgeoise, d'abord des anglophones puis des francophones, réclament pour les femmes une place plus égalitaire dans la société. Elles rencontrent un obstacle de taille : le clergé catholique est hostile à ces idées d'émancipation ; aussi les leaders féminines doivent-elles ménager la susceptibilité de l'Église. À cette époque, le sort des femmes mariées sous l'empire du Code civil est peu enviable : elles ne peuvent tenir un commerce, pas même signer un contrat, sans l'autorisation du mari. Au moins les femmes célibataires ne sont pas sujettes à de telles limitations. La Ligue des droits de la femme sera le fer de lance de la lutte contre cette infériorité. Une de leurs premières victoires sera l'obtention de la création du collège Marguerite-Bourgeois, le premier collège d'enseignement supérieur pour les jeunes filles de langue française. Ayant à leur tête Idola Saint-Jean puis Thérèse Casgrain, les suffragettes devront se battre jusqu'en 1940 pour obtenir le droit de vote des femmes au Québec ; pourtant, dans les autres provinces, ce droit avait été acquis à l'époque de la Première Guerre mondiale.

La survivance et la survie

Après une période de chaudes luttes pour revendiquer des droits, le siècle qui suit les troubles de 1837-1838 est marqué par le loyalisme politique, lui-même inspiré par une attitude d'impuissance collective. Résignée, l'élite cléricale, prenant ses distances par rapport aux maux du présent et à l'action qu'ils appellent, a cru trouver une solution dans la mémoire, la morale et l'utopie. Son dédain de l'activité économique au profit de l'agriculture n'a pu que grandement hypothéquer le développement, laissant au conquérant l'initiative du commerce et de l'industrie. Repliée sur elle-même, la société s'est tellement stabilisée qu'elle est devenue stagnante. Mais faut-il en vouloir à l'Église catholique pour toutes ces initiatives ? Les Canadiens français ont voulu longtemps

Deux féministes québécoises qui ont lutté pour les droits des femmes. Société canadienne des postes.

ne voir que l'aspect négatif de cette mainmise cléricale. Mais ne doivent-ils pas aujourd'hui leur survie collective à sa conception ethnique d'une nation homogène cimentée par la langue, la religion, les coutumes et l'origine commune, malgré tous les abus qu'une telle conception a pu entraîner ? Et quand l'industrialisation s'est développée, le rôle de protecteur social qu'elle s'est octroyé n'a-t-il pas été un rempart, le principal sinon le seul, contre le capitalisme sauvage ?

Il faut aussi reconnaître que cette période a été marquée par des bouleversements spectaculaires : une vigoureuse expansion du territoire, l'industrialisation et l'importation massive de capitaux étrangers, l'exode rural et l'urbanisation, d'importantes innovations technologiques et l'essor du syndicalisme.

Il faut voir également que, malgré les interdits de toutes sortes, les Canadiens français n'en ont fait très souvent qu'à leur tête. Les jurons et les blasphèmes ont proliféré ; la consommation d'alcool et la fréquentation des locaux de danse et d'autres lieux prohibés ont fait fi de toutes les malédictions annoncées ; la ville a très tôt exercé plus d'attrait que la campagne, sans compter l'émigration aux États-Unis, qui a bravé toutes les menaces. C'est comme si, alors que n'était valorisé que l'idéal humain et spirituel de la vie sur une terre, triomphait insidieusement l'esprit de celui dont les dévergondages faisaient alors la honte de notre histoire, le coureur de bois.

UNE LITTÉRATURE QUI DONNE FORME À LA NATION

A vec Mgr Bourget, l'Église investit tous les champs d'activité, laïques aussi bien que religieux. À commencer par la littérature, cet « égout qui déverse la pestilence dans la conscience populaire » et qui, selon lui, serait « l'arme principale des ennemis de l'Église ». À cette fin, dès 1844, il lui trace la voie en fondant l'Œuvre des bons livres : la littérature doit quitter le domaine de l'esthétique pour se vouer au service de l'ordre établi et de ses valeurs. La norme de la qualité d'une œuvre littéraire réside dorénavant dans sa moralité, dans son aptitude à inciter à faire le bien. C'est dire que pour le choix des feuilletons dans les journaux et les périodiques, comme dans la conception de tout ouvrage d'imagination, jusque dans l'achat des livres dans les bibliothèques, il faudra dorénavant tenir compte des normes morales de l'Église. Ceux qui ne s'y soumettront pas seront excommuniés et leurs œuvres, mises à l'index. Car ces gens disposent d'un appareil répressif et coercitif considérable pour faire triompher leurs idées.

Néanmoins, malgré la pléthore de restrictions et d'interdits d'inspiration ultramontaine, sinon dans la qualité du moins dans la quantité, s'est constituée une littérature qui s'est assigné la mission de donner corps à la nation canadienne-française en la nourrissant de symboles, de héros et de légendes. En réplique au mot du gouverneur Durham — « un peuple sans histoire et sans littérature » —, des écrivains, animés par la volonté de construire une littérature nationale, ont assuré l'existence et la survie de notre littérature. Certes, à une religion moralisante a correspondu un conformisme intellectuel et littéraire. Aussi l'un des principaux mérites de ces œuvres, dont la vocation nationale est si impérative qu'elle prime la valeur strictement littéraire, vient du fait qu'elles se situent en tête dans le déroulement chronologique de notre littérature nationale. Elles nous apportent un savoir sur les mœurs de l'époque (réelles ou travesties par l'idéologie de survivance) ; surtout, elles nous permettent de découvrir un imaginaire dont découle l'imaginaire québécois contemporain.

Ajoutons enfin que cette période est le théâtre d'un affrontement incessant entre deux idéologies assurées l'une et l'autre de posséder une vérité sans partage : l'ultramontanisme et le libéralisme. À la fois deux visions du monde et deux conceptions de la littérature radicalement opposées.

Le patriotisme et le romantisme épuré

Notre littérature sera essentiellement croyante, religieuse. Elle n'a pas d'autre raison d'être.

Abbé Casgrain

Nous avons déjà vu que, dans les années 1830, la littérature québécoise associait étroitement romantisme et nationalisme ; après 1840, le nationalisme dévie en patriotisme. Cette tendance regroupe essentiellement des laïcs gravitant autour de la faction ultramontaine du clergé, surtout cantonnés à Québec : une élite recroquevillée dans la dévotion du passé afin de neutraliser les dangers d'une possible assimilation des francophones et de la perte de la foi catholique. Une véritable gaine morale et patriotique recouvre leurs œuvres. Ils se méfient de la France d'après 1789, pays impie et déicide, et de sa littérature, à l'influence jugée pernicieuse ; plus particulièrement du romantisme et de sa potentielle influence ici ; ils entendent créer une nouvelle littérature canadienne exempte de certaines tendances « malsaines » de la génération précédente. Les épanchements mélancoliques et les amours maladives sont jugés peu conformes aux attitudes d'un chrétien et, quant au « mal du siècle » qui sévit chez quantité d'écrivains européens, on se réjouit d'en être épargné grâce à la pratique de la religion. Il importe donc de se faire sourd aux doléances du moi et d'être tout oreilles aux appels d'un « nous » salvateur, au service de la sacro-sainte obsession de la survivance. Du romantisme français on se contente le plus souvent de retenir son goût pour l'évocation du passé national, son souci de la couleur locale et du détail pittoresque, sa prédilection pour les récits légendaires, ainsi que l'omniprésence de la nature.

Pour faire triompher les canons de l'orthodoxie, on dispose de toute une batterie de critiques littéraires sans originalité qui n'hésitent pas à censurer ou à interdire. Ils ne cessent de répéter l'extrême importance de se tenir dévotement serrés derrière le rempart de la foi, de la langue et des traditions. Cette conception particulière de la littérature, qui doit se faire le véhicule de valeurs morales et édifiantes, explique en grande partie le fait que notre romantisme se soit empêtré dans les atours d'un classicisme rétrograde.

Les récits du passé ou l'invention du souvenir

Cette conception ultramontaine de la littérature est surtout appliquée par l'École littéraire de Québec, fondée en 1858 et qui a duré jusqu'à la fin du siècle ; elle est elle-même née en grande partie du mouvement d'enthousiasme provoqué par l'*Histoire du Canada* (1845-1856) de F.-X. Garneau, l'œuvre la plus importante du XIXe siècle, qui valut à son auteur le titre de Père de la littérature canadienne-française. Ce mouvement littéraire, formé d'historiens, de critiques, de conteurs, de poètes et de romanciers, désire créer une littérature canadienne en s'inspirant surtout de l'histoire, de l'observation des mœurs et du pays, des légendes, des contes et des scènes de la vie populaire. Jusqu'en 1900, notre littérature se propose donc de valoriser le passé sous toutes ses formes.

Mais comme ce patriotisme a pour but de faire oublier les amères défaites de 1760 et 1840, les deux brisures de notre destin collectif, cette culture de la survivance, née du sentiment de la fragilité et de la tragédie, se propose de nourrir l'imaginaire collectif du peuple sacrifié en lui inventant littéralement un passé glorieux et des héros exceptionnels. Sur le mode épique, afin de flatter la fierté des Canadiens et de réveiller les ardeurs d'antan, de les rattacher à leurs origines françaises, la littérature présente une image idyllique de la Nouvelle-France, où les défaites du passé sont recyclées en victoires providentielles. Le souvenir de la famille d'origine est mythifié, comme s'il s'agissait d'un âge d'or : un peuple énergique, formé de héros courageux, fiers de leur race, et de femmes exemplaires, servantes de Dieu, épouses du Christ et alliées du prêtre.

Les contes d'inspiration folklorique

> *Hâtons-nous de raconter les délicieuses histoires du peuple avant qu'il les ait oubliées.*
>
> **Épigraphe au recueil des** *Soirées canadiennes*

Comme le roman est frappé d'ostracisme, jugé pernicieux à cause de son appel aux passions, afin de se mettre en règle avec l'idéologie dominante, plusieurs écrivains se font conteurs. Ils voient dans les récits folkloriques un échantillon vivant de la plus ancienne culture française, apportée par les premiers colons et conservée dans l'intimité de chaque foyer, dans toute son authenticité, depuis les débuts de la Nouvelle-France. Aussi veillent-ils à assurer la mémoire de ce précieux matériau symbolique avant qu'il ne disparaisse. Ils en font le socle et l'assise de notre littérature nationale, qui tirera tout naturellement sa principale source d'inspiration de cette littérature orale, celle-là même dans laquelle ils baignent depuis leur petite enfance.

Jusqu'alors transmis uniquement de bouche à oreille, les contes oraux deviennent des thèmes de la littérature écrite. Il s'agit toutefois d'un paysage fort différent de celui des authentiques contes populaires qui ne sont pas passés par le filtre de l'écrit. On entend restituer l'esprit du conte, mais sans prétendre à la fidélité. Les conteurs ne se privent donc pas, au nom de la religion et de la morale, d'ajouter ou de retrancher quelques passages du conte original, afin d'en faire des récits édifiants et moralisateurs.

. . .

Une veillée d'autrefois, Edmond-Joseph Massicotte, 1915.
Bibliothèque et Archives Canada, C-001125.

UNE PLANCHE QUI REMUE

Jos Violon pi une poule mouillée, ça fait deux, vous savez ça ; eh ben, je sais pas ce qui me retint de prendre la porte pi de me sauver. Faut que ça soit Zèbe, qui me retint, parce que je m'aperçus qu'il avait la main frette comme un glaçon. Je le crus sans connaissance. Surtout quand je vis, à deux pas de
5 not' cachette, devinez quoi, les enfants ! un des madriers du plancher qui se soulevait tout doucement comme s'il avait été poussé par en-dessour. Ça pouvait pas être des rats : on fit un saut, comme de raison. Crac ! v'là le madrier qui se replace, tout comme auparavant. Je crus que j'avais rêvé.

— As-tu vu ? que je dis tout bas à Zèbe.

10 C'est à peine s'il eût la force de me répondre :

— Oui, père Jos ; j'sommes finis, ben sûr !

— Bougeons pas ! que je dis, pendant que Zèbe, qu'était un bon craignant Dieu, faisait le signe de la croix des deux mains.

Tout d'un coup, v'là la planche qui recommence à remuer ; épi nous
15 autres à regarder. C'te fois-citte on avait not' en belle : le trou se montrait tout à clair à la lueur de not' fanal. D'abord on vit r'sourdre le bout à pic d'un chapeau pointu, puis un grand rebord à moitié rabattu sus quèque chose de reluisant comme une braise, qui nous parut d'abord comme une pipe allumée, mais que je compris plus tard être c't'espèce d'œil flambant
20 que ces races-là ont dans le milieu du front. Sans ça, ma grand' conscience du bon Dieu, j'aurais quasiment cru reconnaître Pain-d'épices avec son brûle-gueule. C'que c'est que l'émagination ! j'crus même l'entendre marmotter : « Quins, Zèbe qu'a oublié d'éteindre son fanal ! »

Je fis ni une ni deux, j'mis la main dans ma poche pour aveindre mon
25 chapelet. Bang ! v'là mon couteau à ressort qui timbe par terre, Zèbe qui jette un cri, le chapeau pointu qui disparaît, et moi qui prends la porte et pi mes jambes, suivi par mon associé, qu'était loin de penser aux jointées d'argent et aux barils pleins d'or, je vous en signe mon papier.

Les lutins, 1919.

Louis Fréchette (1839-1908)

Cric, crac, les enfants !
Parli, parlo, parlons !
Pour en savoir le court
et le long, passez
l'crachoir à Jos Violon.
Sacatabi, sac-à-tabac !
À la porte les ceuses
qu'écouteront pas !

Tour à tour poète, dramaturge, conteur, journaliste et député, Louis Fréchette, qui domine le paysage littéraire pendant le dernier quart du XIXe siècle, fait partie de cette poignée d'écrivains qui ont commencé à donner un peu de noblesse aux lettres canadiennes-françaises. De son œuvre de fiction ressort le personnage d'un exceptionnel conteur, l'omniprésent Jos Violon, animateur d'un monde qui permet de mieux comprendre combien nous venons de loin. Quand l'auteur en fait son narrateur, les personnages des contes sont campés avec un grand savoir-faire, les effets abondent et le suspense est habilement ménagé. Dans cet extrait du conte *Les lutins*, écrit vers 1900, Jos Violon décrit ce qu'il aperçoit et ressent, un jour qu'il est dissimulé avec un complice dans une écurie, dans l'espoir d'y surprendre de petits êtres fantastiques.

1. Relevez et commentez les mots et expressions propres à la langue orale.

2. Quelle est la tonalité dominante de ce texte ?

3. Comment l'auteur ménage-t-il le suspense ?

4. À partir de cet extrait et de ce que vous savez des lutins, tentez de reconstituer la légende que le folklore québécois a retenue à leur sujet.

5. Relevez les détails pittoresques de cette scène. En quoi servent-ils l'idéologie dominante ?

Au plaisir de lire
• *La Noël au Canada*

Honoré Beaugrand
(1848-1906)

*Pour lors que je vais
vous raconter une
rôdeuse d'histoire,
dans le fin fil.*

Honoré Beaugrand, qui fut maire
de Montréal, a écrit de nombreux
récits d'inspiration folklorique, initialement parus dans les journaux
puis rassemblés dans un recueil
intitulé *La chasse-galerie* (1900).
On y trouve une histoire de loup-
garou, récit qui relate habituellement la métamorphose d'un
mécréant en animal pour avoir
omis de « faire ses Pâques » pendant sept ans ; il est condamné à
errer la nuit, à la poursuite d'un
chrétien qui le délivrera de son
sort. Mais ici il est plutôt question
d'un étrange rendez-vous galant
et, fait très exceptionnel, le loup-
garou est de sexe féminin.

Au plaisir de lire

• *Jeanne la fileuse*

LEUR TIRER DU SANG

Il se rendit donc à l'endroit désigné avant l'heure et il fumait tranquillement sa pipe pour prendre patience, lorsqu'il entendit du bruit dans la
fardoche. Il s'imagina que c'était sa sauvagesse qui s'approchait, mais il
changea bientôt d'idée en apercevant deux yeux qui brillaient comme des fi-
5 follets et qui le fixaient d'une manière étrange. Il crut d'abord que c'était un
chat sauvage ou un carcajou, et il eut juste le temps d'épauler son fusil qu'il
ne quittait jamais et d'envoyer une balle entre les deux yeux de l'animal qui
s'avançait en rampant dans la neige et sous les broussailles. Mais il avait
manqué son coup et, avant qu'il eut le temps de se garer, la bête était sur lui,
10 dressée sur ses pattes de derrière et tâchant de l'entourer avec ses pattes de
devant. C'était un loup, mais un loup immense, comme mon défunt père
n'en avait jamais vu. Il sortit son couteau de chasse et l'idée lui vint qu'il
avait affaire à un loup-garou. Il savait que la seule manière de se débarrasser
de ces maudites bêtes-là, c'était de leur tirer du sang en leur faisant une
15 blessure, dans le front, en forme de croix. C'est ce qu'il tenta de faire, mais le
loup-garou se défendait comme un damné qu'il était, et mon défunt père
essaya vainement de lui plonger son couteau dans le corps, puisqu'il ne pouvait pas parvenir à le délivrer. Mais la pointe du couteau pliait chaque fois
comme s'il eut frappé dans un côté de cuir à semelle. La lutte se prolongeait
20 et devenait terrible et dangereuse. Le loup-garou déchirait les flancs de mon
défunt père avec ses longues griffes lorsque celui-ci, d'un coup de son
couteau qui coupait comme un rasoir, réussit à lui enlever une patte de
devant. La bête poussa un hurlement qui ressemblait au cri d'une femme
qu'on égorge et disparut dans la forêt. Mon défunt père n'osa pas la pour-
25 suivre, mais il mit la patte dans son sac et rentra au camp pour panser ses
blessures. [...] Mais jugez de l'étonnement de mon défunt père lorsqu'en
fouillant dans son sac pour y chercher une patte de loup, il y trouva une
main de sauvagesse, coupée juste au-dessus du poignet. C'était tout bon-
nement la main de la coquine qui s'était transformée en loup-garou pour
30 boire son sang et l'envoyer chez le diable sans lui donner seulement le temps
de faire un acte de contrition.

La chasse-galerie, 1900.

1. Commentez l'usage de l'imparfait et du passé simple.

2. Quelle classe de mots (noms, adjectifs, verbes, etc.) privilégie-t-on ici ? Dans quel but ?

3. Relevez et commentez le réseau des mots reliés au loup-garou.

4. Pourriez-vous trouver dans cet extrait les principaux éléments de la légende des loups-
garous ?

5. Comparez la narration de cet extrait avec celle de l'extrait précédent. Relevez et commentez les différences et dites quels effets elles produisent.

Malgré le danger qu'est censé représenter le genre romanesque, certains auteurs y recourent pour faire connaître au grand public les épisodes les plus glorieux du passé canadien. Ici encore l'exaltation des premiers temps de la colonie, la résurrection du passé, sert à donner des racines à un peuple qui en manque, à le faire rêver afin qu'il oublie ses angoisses face à l'avenir. Les auteurs de ces romans de la fidélité au passé — les plus importants sont Philippe Aubert de Gaspé père et le prolifique Joseph Marmette — doivent demeurer fidèles à la mission qui leur est assignée « de montrer le rôle de la Providence dans l'Histoire, de mieux graver dans la mémoire les événements humains, et d'enseigner aux peuples le chemin de la grandeur et de la vertu » (Adolphe-Basile Routhier). Les envolées naturalistes sont évidemment absentes de ces récits où l'histoire du début de la colonie devient une histoire sacrée, la geste providentielle d'un peuple nouveau. On y exalte les vertus et la vaillance de nos gloires nationales et des comportements héroïques d'avant 1760.

■ ■ ■

TU VEUX ME MENER AU SABBAT ?

— [...] continuez, s'il vous plaît, votre charmante histoire.

— Si donc, dit José, que mon défunt père tout brave qu'il était avait une si fichue peur, que l'eau lui dégouttait par le bout du nez, gros comme une paille d'avoine. Il était là, le cher homme, les yeux plus grands que la tête,
5 sans oser bouger. Il lui sembla bien qu'il entendait derrière lui le tic, tac, qu'il avait déjà entendu plusieurs fois pendant sa route, mais il avait trop de besogne pardevant, sans s'occuper de ce qui se passait derrière lui. Tout-à-coup, au moment où il s'y attendait le moins, il sent deux grandes mains, sèches comme des griffes d'ours, qui lui serrent les épaules : il se retourne
10 tout effarouché et se trouve face à face avec la Corriveau qui se grappignait[1] amont lui. Elle avait passé les mains à travers les barreaux de sa cage de fer et s'efforçait de lui grimper sur le dos, mais la cage était pesante et à chaque élan qu'elle prenait elle retombait à terre, avec un bruit rauque, sans lâcher pourtant les épaules de mon pauvre défunt père qui pliait sous le fardeau.
15 S'il ne s'était pas tenu solidement avec ses deux mains à la clôture, il aurait écrasé sous la charge. Mon pauvre défunt père était si saisi d'horreur qu'on aurait entendu l'eau qui lui coulait de la tête tomber sur la clôture, comme des grains de gros plomb à canard.

— Mon cher François, dit la Corriveau, fais-moi le plaisir de me mener
20 danser avec mes amis de l'île d'Orléans. [...]

— Satanée bigre de chienne, lui dit mon défunt père, est-ce pour me remercier de mon *dépréfundi* et de mes autres bonnes prières que tu veux me mener au sabbat ? Je pensais bien que tu en avais, au petit moins, pour trois à quatre mille ans dans le purgatoire pour tes fredaines. Tu n'avais tué
25 que deux maris : c'était une misère ! aussi ça me faisait encore de la peine, à moi qui ai toujours eu le cœur tendre pour la créature, et je me suis dit : il faut lui donner un coup d'épaule ; et c'est là ton remerciment que tu veux monter sur les miennes, pour me traîner en enfer comme un hérétique !

— Mon cher François, dit la Corriveau, mène-moi danser avec mes bons
30 amis ; et elle cognait sa tête sur celle de mon défunt père, que le crâne lui résonnait comme une vessie sèche pleine de cailloux.

---

1. Canadianisme formé à partir du mot « grappin », pour « s'agripper ».

Philippe Aubert de Gaspé père (1786-1871)

Ceux qui me connaissent seront sans doute surpris de me voir commencer le métier d'auteur à soixante et seize ans.

Œuvre historique, roman de mœurs, récit d'aventures, témoignage précieux pour son apport folklorique, *Les anciens Canadiens* (1863), de Philippe Aubert de Gaspé père – il a commencé sa carrière littéraire à 76 ans –, est considéré comme un des plus importants romans du XIXᵉ siècle. Si le texte légendaire peut devenir un conte écrit autonome, certains romanciers l'utilisent pour

(suite à la page suivante)

(suite)

étoffer leur récit. C'est ainsi que *Les anciens Canadiens* fait la première relation écrite de l'histoire de la malheureuse Marie-Josephte Corriveau. Reconnue coupable du meurtre de son mari en 1763, la Corriveau est condamnée à être pendue et enfermée dans une cage suspendue à la vue des passants : il importe que cette atrocité serve d'exemple. Ce fait historique se propagea et s'amplifia jusqu'à devenir légende. Il occupe encore aujourd'hui une place si importante dans l'imaginaire collectif des Québécois que, 227 ans plus tard, en février 1990, l'Association du Jeune Barreau de Montréal a interjeté appel de sa sentence.

L'extrait présente la criminelle, après sa mort, en quête d'un chrétien charitable qui lui permettra de franchir le Saint-Laurent, fleuve bénit et qui, de ce fait, lui est interdit. Elle compte rejoindre ses semblables réunis de l'autre côté pour un sabbat. Le narrateur précise que cette aventure est arrivée à son propre père. C'est justement cette scène qui inspira la célèbre illustration de la cage de la Corriveau.

Au plaisir de lire

• *Mémoires (1866)*

— Tu peux être sûre, dit mon défunt père, satanée bigre de fille de Juidas l'Escariot, que je vais te servir de bête de somme pour te mener danser au sabbat avec tes jolis mignons d'amis !

35 — Mon cher François, répondit la sorcière, il m'est impossible de passer le Saint-Laurent, qui est un fleuve bénit, sans le secours d'un chrétien.

Les anciens Canadiens, 1863.

1. Trouvez les sens étymologique et contextuel de *fichue*, *effarouché*, *sabbat*, *fredaines*, *créature* et *mignons*.

2. Relevez les comparaisons et trouvez leur effet.

3. Comparez le style des différents narrateurs.

4. Quelle est la tonalité dominante de ce récit ?

5. En quoi ce texte se veut-il moral ?

Les romans de la terre et de la colonisation

Hors de la terre, point de salut.

La littérature est alors dominée par les romans à thèse, des œuvres qui disent les devoirs moraux, politiques et religieux ; qui brossent un tableau idéal de la société canadienne-française, au lieu de la décrire dans la réalité de ses problèmes économiques. Une de ses particularités fondamentales, qui la distingue le plus de son environnement anglophone nord-américain, est sa ruralité. Aussi, pendant la seconde partie du XIXe siècle, espérant arriver à convaincre les diplômés des collèges à s'établir sur une terre, on valorise les romans de la terre et de la colonisation. Ces récits véhiculent le mythe agraire de la terre paternelle, autre volet de la fidélité au passé : cet instrument de continuité entre les générations serait le seul à donner accès à la vraie liberté des individus et à assurer la permanence de la nation. Ceux qui vivent sur une terre auraient toutes les qualités : irréprochables au moral comme au physique, sobres, intègres, vaillants et dotés d'un remarquable sens de l'honneur. En un mot, des ambassadeurs de Dieu. En lieu et place d'un portrait vivant, les lettrés ont construit des représentations aseptisées qui masquent plus qu'elles ne révèlent. Le mal ne saurait venir que chez ceux qui se refusent à cette terre, dotée le plus souvent des traits d'une épouse exigeante et jalouse. De fait, ceux qui la désertent seraient condamnés au pire des esclavages. Trois romans incarnent particulièrement bien ce mouvement : *Charles Guérin* de Pierre-Joseph-Olivier Chauveau (1846), *Jean Rivard* d'Antoine Gérin-Lajoie (1862) et surtout *La terre paternelle* de Patrice Lacombe.

■ ■ ■

La cage de la Corriveau, Henri Julien, illustration pour *Les Anciens Canadiens*.

Ils coulaient des jours tranquilles

La terre, soigneusement labourée et ensemencée, s'empressait de rendre au centuple ce qu'on avait confié dans son sein. Le soin et l'engrais des troupeaux, la fabrication des diverses étoffes, et les autres produits de l'industrie, formaient l'occupation journalière de cette famille. La proximité des
5 marchés de la ville facilitait l'exportation du surplus des produits de la ferme, et régulièrement une fois la semaine, le vendredi, une voiture chargée de toutes sortes de denrées, et conduite par la mère Chauvin, accompagnée de Marguerite, venait prendre au marché sa place accoutumée. De retour à la maison, il y avait reddition de compte en règle. Chauvin portait en recette le
10 prix des grains, du fourrage et du bois qu'il avait vendus ; la mère, de son côté, rendait compte du produit de son marché ; le tout était supputé jusqu'à un sou près, et soigneusement enfermé dans un vieux coffre qui n'avait presque servi à d'autre usage pendant un temps immémorial.

Cette scrupuleuse exactitude à toujours mettre au coffre, et à n'en jamais
15 rien retirer que pour les besoins les plus urgents de la ferme, avait eu pour résultat tout naturel, d'accroître considérablement le dépôt. Aussi le père Chauvin passait-il pour un des habitants les plus aisés des environs ; et la commune renommée lui accordait volontiers plusieurs mille livres au coffre, qu'en père sage et prévoyant il destinait à l'établissement de ses enfants.

20 La paix, l'union, l'abondance, régnaient donc dans cette famille ; aucun souci ne venait en altérer le bonheur.

Contents de cultiver en paix le champ que leurs ancêtres avaient arrosé de leurs sueurs, ils coulaient des jours tranquilles et sereins. Heureux, oh ! trop heureux les habitants des campagnes, s'ils connaissaient leur bonheur !

La terre paternelle (1846), 1871.

Patrice Lacombe
(1807-1863)

Laissons aux vieux pays [...] leurs romans ensanglantés, peignons l'enfant du sol, tel qu'il est, religieux, honnête, paisible de mœurs et de caractère.

Le notaire Patrice Lacombe a écrit un roman considéré aujourd'hui comme le prototype des thèses agriculturistes romancées, *La terre paternelle* (1846). Ce roman de mœurs paysannes glorifie tout ce qui relève de la vie rurale et condamne tout ce qui touche à la ville. Vision idyllique d'une société : en réalité, plus de 850 000 agriculteurs durent abandonner leur terre, parce que trop ingrate, pour aller tenter fortune dans les manufactures de la Nouvelle-Angleterre ou dans les villes. La germination de ce roman et de quelques autres donnera bientôt naissance au courant du terroir.

Poème de la terre,
Maurice Raymond, 1940.
Musée national des beaux-arts
du Québec, 42.73.

Les romans du terroir et du territoire

Alors que le patriotisme du XIXᵉ siècle entendait assurer la survie d'un peuple et le doter d'une littérature qui soit la voix de cette survivance, au début du XXᵉ siècle, même si on a maintenant la certitude de l'existence viable de la nation canadienne-française, la littérature est à nouveau appelée à contribution au service de l'identité nationale. L'élite de l'Église et de la bourgeoisie lui assigne, cette fois, la mission de servir de rempart contre les mirages de la culture américaine qui attire tellement d'agriculteurs et de réfréner le phénomène d'urbanisation qui prend de plus en plus d'ampleur. Puisque l'industrie et le commerce sont réservés aux mercantiles Anglo-Saxons, demeure, pour les francophones, la terre salvatrice. Il s'agit donc de présenter l'agriculture comme le symbole d'une culture de l'enracinement et de la mémoire, comme l'unique moyen de cohésion sociale, la seule voie permettant d'assurer un avenir à la collectivité.

Diverses appellations recouvrent ce nouvel embrigadement des écrivains. Ainsi, on parle volontiers de romans du terroir. Que faut-il entendre par ce terme ? Il appelle un profond attachement au sol nourricier, ce legs sacré hérité des ancêtres ; se greffe ici la croyance que la culture du sol pourra fournir les bases économiques d'une société prospère. Précisons que si un auteur « terroirisant » s'attache à peindre les sites et les mœurs d'une région précise, à mettre en valeur une « petite patrie », on dira de son œuvre qu'elle est « régionaliste », autre terme qui qualifie ce mouvement. Pour la même raison, on peut parler de roman du territoire, puisque cette littérature contribue à la possession et à l'expansion du territoire québécois. La main du défricheur et la plume du lettré s'unissent ici dans un même geste civilisateur afin de propager le thème du colon croisé de la religion et de la langue qui étend l'espace de la nationalité. Et comme la colonisation s'est faite vers le nord, le mythe du Nord ou des Pays d'en Haut est entré dans la conscience populaire. Il captive et exerce un attrait constant dans les romans comme si, une fois de plus, le Canadien renouait avec son héritage à la fois héroïque et mythologique des coureurs de bois.

Paradoxalement, l'irrépressible décadence des romans de la terre commence véritablement quand l'un d'eux connaît un foudroyant succès tant en France qu'au Québec : *Maria Chapdelaine*, de Louis Hémon. Ce roman fait la preuve qu'il est possible de tirer de l'observation des mœurs d'une région des œuvres à portée universelle. D'autres romanciers le comprennent bientôt, qui produisent une séquence de romans régionalistes de fort belle tenue. Il faut dire que les écrivains, qui gagnent en maturité et en assurance, ne peuvent qu'être stimulés par la qualité du modèle établi par Louis Hémon. Au point que la vieille thématique littéraire du destin national s'en trouve toute chamboulée, et que de l'intérieur même du courant agriculturiste naisse une implacable contestation du terroir. Comme si ces œuvres mettaient au jour les nombreux tiraillements d'une société moins stable que ce que prescrit la doctrine officielle. La fidélité au passé et l'idéalisation de la vie paysanne font place à un triste constat : agriculture et misère sont si intimement liées que la ville se fait la convergence de tous les espoirs. En signant l'échec du rêve agriculturiste en même temps qu'ils écrivent l'épilogue des romans de la terre, tous ces romans annoncent l'effervescence qui va bientôt faire basculer la vieille littérature nationale.

MARIA CHAPDELAINE

Détail de l'affiche du film *Maria Chapdelaine*, réalisé par Gilles Carle, 1983. Cinémathèque québécoise.

**Louis Hémon
(1880-1913)**

Ce Nord profond, regardé jusque-là comme impénétrable [...] redoutable pour tout autre seulement que les Canadiens français, et qui allait devenir le boulevard inviolable et sûr de leur nationalité.

DES VOIX PARLENT À MARIA

Alors une troisième voix plus grande que les autres s'éleva dans le silence : la voix du pays de Québec, qui était à moitié un chant de femme et à moitié un sermon de prêtre. [...]

Elle disait :

5 « Nous sommes venus il y a trois cents ans, et nous sommes restés... Ceux qui nous ont menés ici pourraient revenir parmi nous sans amertume et sans chagrin, car s'il est vrai que nous n'ayons guère appris, assurément nous n'avons rien oublié.

« Nous avions apporté d'outre-mer nos prières et nos chansons : elles 10 sont toujours les mêmes. Nous avions apporté dans nos poitrines le cœur des hommes de notre pays, vaillant et vif, aussi prompt à la pitié qu'au rire, le cœur le plus humain de tous les cœurs humains : il n'a pas changé. Nous avons marqué un pan du continent nouveau, de Gaspé à Montréal, de Saint-Jean-d'Iberville à l'Ungava, en disant : Ici toutes les choses que nous avons 15 apportées avec nous, notre culte, notre langue, nos vertus et jusqu'à nos faiblesses, deviennent des choses sacrées, intangibles et qui devront demeurer jusqu'à la fin.

« Autour de nous des étrangers sont venus, qu'il nous plaît d'appeler des barbares ; ils ont pris presque tout le pouvoir ; ils ont acquis presque tout 20 l'argent ; mais au pays de Québec rien n'a changé. Rien ne changera, parce que nous sommes un témoignage. De nous-mêmes et de nos destinées nous n'avons compris clairement que ce devoir-là : persister... nous maintenir... Et nous nous sommes maintenus, peut-être afin que dans plusieurs siècles encore le monde se tourne vers nous et dise : Ces gens sont d'une race qui ne 25 sait pas mourir... Nous sommes un témoignage.

« C'est pourquoi il faut rester dans la province où nos pères sont restés, et vivre comme ils ont vécu, pour obéir au commandement inexprimé qui s'est formé dans leurs cœurs, qui a passé dans les nôtres et que nous devrons transmettre à notre tour à de nombreux enfants : Au pays de Québec rien ne 30 doit mourir et rien ne doit changer... »

Maria Chapdelaine (1914), Les Éditions CEC, 1997.

Le roman le plus remarqué et remarquable de l'époque, *Maria Chapdelaine* paru en 1914, a été écrit par un Français établi au Québec pendant une période relativement brève. Autant qu'un roman, c'est un document ethnographique par la justesse et la richesse de ses descriptions et de ses observations. Son succès incite l'élite clérico-bourgeoise à s'en emparer idéologiquement : on veut y voir un ouvrage mythique qui fait du colon saguenayen un homme de mémoire, un symbole d'enracinement et de continuité ; on a voulu croire qu'on tenait ici « le catéchisme de la survivance nationale ».

Au contraire, *Maria Chapdelaine* est bien plutôt une description sainement réaliste de la misère morale et physique des colons. Et la figure mythique de François Paradis incarne davantage les ancêtres coureurs de bois que les sédentaires, ce qui cause un véritable bris dans le courant du terroir. C'est en particulier l'épisode des voix entendues par Maria qui, sorti de son contexte, a pu donner prise à la récupération idéologique.

Au plaisir de lire
• *Monsieur Ripois et la Némésis*
• *Récits sportifs*
• *Écrits sur le Québec*

Étude détaillée

Analyse formelle

LE LEXIQUE

1. Certains verbes semblent indiquer la présence d'une fatalité, plus forte que les libertés individuelles. Lesquels ?

2. Expliquez le sens des mots suivants :
   a) *culte*
   b) *faiblesses*
   c) *barbares*
   d) *témoignage*
   e) *vertus*

LA NARRATION

1. Expliquez le premier paragraphe. Quelle est cette voix ?

2. Illustrez, à l'aide de réseaux de mots, le caractère à la fois profane et religieux de cette voix.

3. À quoi sert la progression temporelle dans ce texte ?

4. Relevez et classez les figures de style.

5. Quel est le sens et la valeur de l'oxymore *commandement inexprimé* ?

6. Quelle est la tonalité dominante de ce texte ?

7. Qu'est-ce qui, sur le plan narratif, permet une double interprétation de ce texte ?

Analyse thématique

1. Cet extrait est présenté comme une argumentation.
   a) Quel pourrait être le thème du premier argument ?
   b) Quel pourrait être le thème du second argument ?
   c) Quelle pourrait être la synthèse, donc la conclusion, de cette argumentation ? Formulez-la en une seule phrase.

2. Cet extrait présente une résistance au nomadisme incarné par François Paradis. Montrez comment s'exprime cette résistance.

3. Quelle phrase illustre le mieux l'idéologie conservatrice du terroir ? Que signifie-t-elle ?

Préparation à la dissertation critique

1. De quelle manière ce passage s'inscrit-il dans le courant du terroir ?

2. Peut-on dire que le thème dominant dans cet extrait est le devoir ?

3. Malgré ce discours sur le devoir de mémoire, les Canadiens semblent différents de leurs ancêtres. Commentez.

4. Est-il juste d'affirmer que le portrait des Canadiens dans cet extrait est plus appréciatif que dépréciatif ?

5. Comparez cet extrait avec celui de Germaine Guèvremont « Sédentaires et nomades » (page 54). Ces deux passages défendent-ils aussi bien l'un que l'autre deux idéologies opposées ?

LA PASSION DE SÉRAPHIN

C'est encore dans cette chambre que se trouvaient les trois sacs d'avoine, toujours pleins, toujours à leur place, et dont l'épouse de Séraphin ne soupçonnait même pas l'existence. Dans un des sacs, l'usurier cachait une grande bourse de cuir ne renfermant jamais moins de cinq cents à mille dollars en
5 billets de banque, en pièces d'argent, d'or ou de cuivre. Il ne déposait pas toujours la bourse dans le même sac. Mais il savait positivement, absolument, dans lequel des trois il l'avait mise. Alors il le regardait avec amour, puis marmonnait de vagues paroles. Une curiosité immense, suivie d'une sensation inexprimable, s'emparait de lui, coulait dans tout son être ainsi
10 qu'une poussée de sang neuf et rapide. C'était trop de félicité : Séraphin ne pouvait plus se retenir. Il plongeait sa main osseuse et froide dans le sac. Avec lenteur, avec douceur, il tâtait, il palpait, il fouillait parmi les grains d'avoine, et lorsqu'il sentait enfin – ô suprêmes attouchements ! – la bourse de cuir ou simplement les cordons, sa jouissance atteignait à un paroxysme
15 que ne connut jamais la luxure la plus parfaite, et son cœur battait, fondait, défaillait.

Plusieurs fois par jour, il se vautrait dans cette volupté. La chambre mystérieuse, inépuisable source des délices de Séraphin, restait toujours, cela va sans dire, barrée et même cadenassée. Seul, il pouvait y pénétrer et
20 donner libre cours à sa passion. Elle était tantôt insinuante et silencieuse comme le pus ; tantôt elle se heurtait avec fracas à des abandons complets, à des instincts qui lui étaient contraires et qu'elle finissait cependant par anéantir. Mais, seul dans cette pièce obscure, séparé du monde, Poudrier se retrouvait réellement soi-même, alors que sa passion dominante le préci-
25 pitait dans des accès de rage ou de douceur infinie.

Les trois sacs d'avoine représentaient pour Séraphin le seul Dieu en trois personnes.

Un homme et son péché (1933), © Succession C.-H. Grignon.

---

1. Que vient suggérer «et dont l'épouse de Séraphin ne soupçonnait même pas l'existence»?

2. Quel est l'effet de la gradation *battait, fondait, défaillait*?

3. Établissez une progression dans le champ lexical du plaisir sexuel.

4. Pourquoi ce texte n'est-il pas conforme à l'idéologie du terroir?

5. La référence religieuse, à la fin de l'extrait, est à l'opposé de la véritable piété. Commentez.

Claude-Henri Grignon (1894-1976)

Une des premières conditions du bonheur [...] c'est de voir de l'herbe mouvante comme une étendue d'eau et regarder les bêtes heureuses manger cette herbe.

Le roman *Un homme et son péché*, paru en 1933, a pour cadre les Laurentides. Mais il s'agit bien davantage du portrait d'un avare que d'un roman de la terre ; et encore bien plus de la description réaliste, avec des tendances naturalistes, d'un avaricieux habité par une perversion : l'or est la véritable épouse de Séraphin, qui lui prodigue tous les réconforts. Sous le couvert de l'avarice, le héros se laisse en fait posséder par des pulsions de luxure. On est loin du terroir.

Félix-Antoine Savard
(1896-1982)

J'ai beaucoup mieux à faire qu'à m'inquiéter de l'avenir : j'ai à le préparer.

Menaud, maître-draveur (1937) recueille tout l'héritage du roman de la colonisation et le porte au point de fusion de l'épopée. L'exaltation lyrico-épique en fait véritablement un roman-poème alors même que les personnages sont des symboles bien davantage que des êtres dotés d'une épaisseur psychologique. Amplification des personnages et de la trame de *Maria Chapdelaine*, ce chant fougueux et tragique lance un véritable cri d'alarme : au pays du Québec, il faut changer ou se résigner à disparaître. Ce qui amène certains à considérer ce récit comme le roman de l'indépendance nationale alors que d'autres y lisent la métaphore d'un peuple qui va à la mort.

Félix-Antoine Savard permet à son récit de largement déborder des cadres du roman de la terre, au point de pouvoir revendiquer le titre de premier véritable roman de l'inquiétude et de la tourmente nationales. L'extrait précède de peu la mort de Menaud, déjà en proie à la déraison.

LA FOLIE DE MENAUD

Raquettes aux pieds, Menaud reprenait enfin le sentier de sa jeunesse. Sa fête était grande au milieu des souvenirs qui, par les chemins de soleil, affluaient de partout à travers le bois de la coupe enneigée.

Il faisait de grands gestes, fredonnait des rengaines de l'ancien temps,
5 s'arrêtait à ses vieilles plaques, joyeux de frapper sur les arbres pour signifier sa présence de maître à la forêt inquiète.

Puis, il repartait à grands pas, la tête haute, les orteils piqués dans ses brides de raquettes, tandis que, derrière lui, brillait le sillage de ses pistes héroïques.

10 « Nous sommes venus... et nous sommes restés ! »

Ces mots-là détendaient les ressorts de ses vieilles jambes.

« Nous sommes venus... et nous sommes restés ! »

Les traîtres le verraient bien lorsque lui, Menaud, aurait soulevé, d'un bout à l'autre du pays, tout le clan des libres chasseurs. Alors, à toutes les
15 portes du domaine, il y aurait, contre les empiétements de l'étranger, une garde tenace, infranchissable.

Ah ! yah ! Ah ! yah !

Menaud marchait, marchait en tempête, escaladait les raidillons, s'agriffait aux branches, sans trève ; tout son vieux corps était invinciblement halé
20 par un désir qui grimpait en avant de lui.

Menaud, maître-draveur (1937), © Fides, 1945.

1. Commentez le rythme de la composition : comment le style simule-t-il la fébrilité de Menaud ?

2. Pourquoi ce texte est-il au passé ? Quelle est la valeur de cet emploi ?

3. Relevez les signes de la folie de Menaud.

4. Qu'ajoute à cet extrait la citation répétée tirée de *Maria Chapdelaine* ?

5. Brossez un portrait psychologique de Menaud.

6. Pourriez-vous relier le « désir » de Menaud à une idéologie politique précise ?

Dans la forêt tôt un matin d'hiver, Baie Saint-Paul, Clarence Gagnon, entre 1900-1942.
Bibliothèque et Archives Canada, C-011078.

Ringuet / Philippe Panneton (1895-1960)

Il était assez intelligent pour savoir qu'il ne l'était point tant.

Avec *Trente arpents* publié en 1938, c'est véritablement la liquidation du mythe de la terre. Ce tableau réaliste d'un demi-siècle de vie paysanne, étalé sur deux générations, décrit un monde en train de disparaître irrémédiablement. À l'idéalisation du terroir, Ringuet oppose la dépossession et le déracinement. Pour illustrer ce roman de l'exode rural, nous retenons une page qui annonce la déchéance finale.

RÊVE PRÉMONITOIRE

Une nuit, Euchariste rêva qu'il habitait le village où se déclarait un incendie. Tous les gens, parmi lesquels il retrouvait des voisins, feu l'oncle Éphrem, l'autre Éphrem, son fils, et des vieux qu'il ne pouvait reconnaître, tous s'étaient mis à faire la chaîne et tentaient d'éteindre les flammes en y
5 versant des seaux qu'ils ignoraient vides. Il fallait le leur dire et il y courait lorsque Phydime se mit en traverse, l'empêchant de passer. Ils luttaient de toute leur force, lui hurlant, l'autre l'écrasant de son poids dans un nuage de fumée qui les suffoquait. Il étouffait au point qu'il se trouva subitement assis dans son lit, tout en nage, réveillé brutalement par le cri terrible qu'il venait
10 de pousser.

Il n'y avait pas de fumée dans la chambre et l'aurore rougeoyait. Il se réveilla tout à fait et, soudain, bondit.

Un torrent de lumière sanglante coulait de la fenêtre et accrochait des reflets pourpres aux angles des meubles. À ce moment, des coups éperdus
15 ébranlèrent la porte à l'enfoncer.

La grange brûlait magnifiquement, tout d'une pièce dans la nuit, avec un ronron sonore de bête contente et des éclatements comme des fusées. De temps à autre, un tison montait vers le ciel noir et vers les étoiles éteintes par la fumée, virevoltait dans le vent et retombait pour mourir brusquement en
20 grésillant dans la neige molle.

Trente arpents, © Flammarion, 1938.

1. Comment est construite la transition entre le rêve et la réalité ?

2. Analysez les descriptions de l'incendie au premier et au dernier paragraphe : quelle différence notez-vous au niveau lexical ?

3. Le rêve est traité avec réalisme et la réalité, de manière symbolique. Quelle pouvait être l'intention de l'auteur ?

4. Comment la dernière phrase peut-elle être interprétée comme la fin pathétique d'un rêve, de tout un courant idéologique ?

5. Est-il juste d'affirmer que cette scène évoque une certaine fatalité ?

Germaine Guèvremont
(1893-1968)

Est-ce qu'on demande à l'automne de ressembler au printemps ?
Un arbre ne porte pas en même temps et la fleur et le fruit.

Avec *Le Survenant* (1945) et *Marie Didace* (1947), Germaine Guèvremont signe définitivement la fin du courant du terroir. Pour la première fois, le héros d'un roman paysan vient d'ailleurs. Bien plus, cet homme essentiellement libre subjugue tous les autres personnages. Il est enfin possible de renouer avec la filiation des coureurs de bois et des voyageurs, d'assumer ce volet de l'identité québécoise, gommée et engoncée dans le conservatisme terrien depuis un siècle. L'écrivain Louis Hamelin dira de ce roman : « Le seul livre auquel je me sente lié par la chair plus que par le cerveau. »

Au plaisir de lire

• *Marie Didace*
• *En pleine terre. Paysana*

SÉDENTAIRES ET NOMADES

Venant s'indigna :

— Des maldisances, tout ça, rien que des maldisances ! Comme de raison une étrangère, c'est une méchante : elle est pas du pays.

Soudainement, il sentit le besoin de détacher sa chaise du rond familier.
5 Pendant un an il avait pu partager leur vie, mais il n'était pas des leurs ; il ne le serait jamais. Même sa voix changea, plus grave, comme plus distante, quand il commença :

— Vous autres...

Dans un remuement des pieds, les chaises se détassèrent. De soi par la
10 force des choses, l'anneau se déjoignait.

— Vous autres, vous savez pas ce que c'est d'aimer à voir du pays, de se lever avec le jour, un beau matin, pour filer fin seul, le pas léger, le cœur allège, tout son avoir sur le dos. Non ! vous aimez mieux piétonner toujours à la même place, pliés en deux sur vos terres de petite grandeur, plates et
15 cordées comme des mouchoirs de poche. Sainte Bénite, vous aurez donc jamais rien vu, de votre vivant ! Si un oiseau un peu dépareillé vient à passer, vous restez en extase devant, des années de temps. Vous parlez encore du bucéphale, oui, le plongeux à grosse tête, là, que le père Didace a tué il y a autour de deux ans. Quoi c'est que ça serait si vous voyiez s'avancer vers
20 vous, par troupeaux de milliers, les oies sauvages, blanches et frivolantes comme une neige de bourrasque ? Quand elles voyagent sur neuf milles de longueur formant une belle anse sur le bleu du firmament, et qu'une d'elles, de dix, onze livres, épaisse de flanc, s'en détache et tombe comme une roche ? Ça c'est un vrai coup de fusil ! Si vous saviez ce que c'est de voir du pays...
25 Les mots titubaient sur ses lèvres. Il était ivre, ivre de distance, ivre de départ. Une fois de plus, l'inlassable pèlerin voyait rutiler dans la coupe d'or le vin illusoire de la route, des grands espaces, des horizons, des lointains inconnus.

Le Survenant (1945), © Succession Germaine Guèvremont, 1974.

---

1. Trouvez les figures de style (comparaison, hyperbole, oxymore, pléonasme, etc.) et commentez-les.

2. Quels mots servent à décrire les sédentaires et quels autres, les nomades ?

3. Comment l'opposition entre les sédentaires et les nomades se retrouve-t-elle jusque dans les verbes ?

4. Trouvez des allitérations dans ce texte et expliquez quels sont leurs effets.

5. Quelle est l'importance de l'image de l'ivresse dans le dernier paragraphe ? Est-elle positive ou négative ?

La poésie ou la mélodie des champs

*Il faut bien le dire, dans notre pays on n'a pas le goût très délicat
en fait de poésie. Faites rimer un certain nombre de fois gloire
avec victoire, aïeux avec glorieux, France avec espérance ;
entremêlez ces rimes de quelques mots sonores comme notre
religion, notre patrie, notre langue, nos lois, le sang de nos pères ;
faites chauffer le tout à la flamme du patriotisme, et servez chaud.
Tout le monde dira que c'est magnifique.*

Octave Crémazie

Contrainte elle aussi de se mettre au service du patriotisme, la poésie épouse
les mêmes tendances que le roman. Pour améliorer le présent, elle l'observe
d'abord dans le prisme du passé. Dans ce tableau idéalisé, la mémoire s'oublie
au profit de l'imagination : la vie des ancêtres apparaît maintenant tel un
âge d'or. Puis, à la fin du XIXᵉ siècle, au mythe de la race glorieuse vient se
greffer celui de la terre ; au culte du sol ancestral, on adjoint celui de la glèbe
et des guérets. Désormais prisonnier d'une esthétique à forte teneur agricole, le poète se doit de proposer une vision idyllique de la vie rurale, où le
destin de chacun se mesure à son amour du sol natal.

■ ■ ■

Envoi aux marins de La Capricieuse

Quoi ! déjà nous quitter ! Quoi ! sur notre allégresse
Venir jeter sitôt un voile de tristesse ?
De contempler souvent votre noble étendard
Nos regards s'étaient fait une douce habitude.
5 Et vous nous l'enlevez ! Ah ! quelle solitude
Va créer parmi nous ce douloureux départ !

Vous partez. Et bientôt, voguant vers la patrie,
Vos voiles salûront cette mère chérie !
On vous demandera, là-bas, si les Français
10 Parmi les Canadiens ont retrouvé des frères.
Dites-leur que, suivant les traces de nos pères,
Nous n'oublîrons jamais leur gloire et leurs bienfaits.

Car, pendant les longs jours où la France oublieuse
Nous laissait à nous seuls la tâche glorieuse
15 De défendre son nom contre un nouveau destin,
Nous avons conservé le brillant héritage
Légué par nos aïeux, pur de tout alliage,
Sans jamais rien laisser aux ronces du chemin.

Enfants abandonnés bien loin de notre mère,
20 On nous a vus grandir à l'ombre tutélaire
D'un pouvoir trop longtemps jaloux de sa grandeur.
Unissant leurs drapeaux, ces deux reines suprêmes
Ont maintenant chacune une part de nous-mêmes :
Albion notre foi, la France notre cœur.

Octave Crémazie (1827-1879)

*La foule est toujours
stupide et je préfère
le despotisme du
grand Moghol à cette
domination brutale
des masses.*

Chantre nostalgique du passé,
Octave Crémazie est reconnu
comme le premier poète authentique du Canada français. Si, par
son âge, il précède le mouvement
littéraire de Québec, il en annonce
néanmoins plusieurs thèmes
importants : enthousiasme patriotique, célébration de l'héroïsme en

(suite à la page suivante)

(suite)

plus de la hantise de la vieillesse et de la mort. Contraint de s'expatrier en France, Crémazie fait partie des très nombreux « écrivains empêchés » de la littérature d'ici, dont la vie se termine en exil[2]. Le poème retenu a été composé à l'occasion de la venue à Québec de la frégate française *La Capricieuse*, le 13 juillet 1855 : signal de la reprise des rapports officiels interrompus, depuis la Conquête, entre la France et le Canada.

---

2. Exil intérieur, comme la folie d'Émile Nelligan, le silence de Gaston Miron, le suicide d'Hubert Aquin ou exil extérieur, le plus souvent en France ou aux États-Unis.

25 Adieu, noble drapeau ! Te verrons-nous encore
Déployant au soleil ta splendeur tricolore ?
Emportant avec toi nos vœux et notre amour,
Tu vas sous d'autres cieux promener ta puissance.
Ah ! du moins, en partant, laissez-nous l'espérance
30 De pouvoir, ô Français, chanter votre retour.

Œuvres complètes, 1882.

1. Quel effet les points d'exclamation produisent-ils ?

2. Faites l'analyse formelle de ce poème : vers, strophes et rimes.

3. Relevez et commentez les comparaisons et les métaphores.

4. Quels mots traduisent le sentiment d'abandon et quels autres, l'espoir du retour prochain de la France ?

5. Qu'est-ce qui permet de relier ce poème au romantisme patriotique ?

Lever du soleil sur le Saguenay, cap Trinité, Lucius O'Brien, 1880.
Musée des beaux-arts du Canada, n° 113.

LA PERDRIX

Au ras de terre, dans la nuit
Des sapinières de savane,
Le mâle amoureux se pavane
Et tambourine à petit bruit.

5 La femelle écoute, tressaille,
Et, comme une plume, l'amour
L'emporte vers le troubadour
Qui roucoule dans la broussaille.

Tel un coq gonfle tout l'émail
10 Et tout l'or de sa collerette ;
Le mâle, dressant son aigrette,
Roule sa queue en éventail.

Mais voici qu'un coup de tonnerre,
Sous les arbres, vient d'éclater,
15 Faisant, au loin, répercuter
Les échos du bois centenaire.

Et, frappée au cœur en son vol,
Ailes closes, la perdrix blanche,
Dégringolant de branche en branche,
20 Tombe, mourante, sur le sol.

Patrie intime. Harmonies, 1928.

1. Analysez le choix des verbes.

2. Comment l'auteur prépare-t-il la chute de son poème, c'est-à-dire la dernière strophe ?

3. Trouvez une comparaison, une métaphore et une métonymie.

4. Associez ce poème au courant du terroir.

5. Comparez ce poème avec celui de William Chapman. Peut-on affirmer que la nature est présentée de la même manière dans les deux textes ?

Nérée Beauchemin
(1850-1931)

*J'attends que la
brise reprenne
La note où tremble
un doux passé*

La grande sensibilité de Nérée Beauchemin fait probablement de lui notre meilleur poète du terroir. S'il commence à publier sa poésie au XIXe siècle, ce médecin de village ne donne la pleine mesure de son talent qu'avec *Patrie intime* en 1928. Notons le soin que ce poète intimiste apporte à son écriture : la forme est bien maîtrisée, à la manière des Parnassiens, alors que le fond permet au terroir de sortir de son carcan pour respirer l'air « des sapinières de savane ».

William Chapman
(1850-1917)

*Notre langue naquit
aux lèvres des Gaulois.*

Après avoir réalisé son rêve d'accéder au barreau, William Chapman jette bientôt sa toge aux orties pour se donner tout entier au journalisme et à la littérature. Même si l'intérêt de sa poésie est aujourd'hui fort discutable, il demeure que plusieurs de ses poèmes témoignent avec éloquence des valeurs du courant privilégié à l'époque, le terroir. En particulier, ce portrait de l'humble cultivateur canadien-français, où les influences romantiques et parnassiennes ne passent cependant pas inaperçues. Ce poème enraciné dans l'humus date de 1904.

LE LABOUREUR (1904)

Derrière deux grands bœufs ou deux lourds percherons,
L'homme marche courbé dans le pré solitaire,
Ses poignets musculeux rivés aux mancherons
De la charrue ouvrant le ventre de la terre.

5 Au pied d'un coteau vert noyé dans les rayons,
Les yeux toujours fixés sur la glèbe si chère,
Grisé du lourd parfum qu'exhale la jachère,
Avec calme et lenteur il trace ses sillons.

Et, rêveur, quelquefois il ébauche un sourire :
10 Son oreille déjà croit entendre bruire
Une mer d'épis d'or sous un soleil de feu ;

Il s'imagine voir le blé gonfler sa grange ;
Il songe que ses pas sont comptés par un ange,
Et que le laboureur collabore avec Dieu.

In *La Revue moderne Montréal*, volume 17, n° 10, août 1936.

---

1. Trouvez le sens des mots *percherons*, *glèbe* et *jachère*.

2. Relevez et commentez les métaphores.

3. Montrez que ce portrait du paysan est à la fois réaliste et idéaliste.

4. Quels types de relations s'établissent entre le laboureur et sa terre ?

5. On retrouve ici deux aspects importants de la littérature du terroir : la prospérité matérielle et le messianisme. Prouvez-le.

*Labour aux premières lueurs
du jour*, Horatio Walker, 1900.
Musée national des beaux-arts
du Québec, 34.530.

LIMINAIRE « JE SUIS UN FILS DÉCHU »

Je suis un fils déchu de race surhumaine,
Race de violents, de forts, de hasardeux,
Et j'ai le mal du pays neuf, que je tiens d'eux,
Quand viennent les jours gris que septembre ramène.

5 Tout le passé brutal de ces coureurs des bois :
Chasseurs, trappeurs, scieurs de long, flotteurs de cages,
Marchands aventuriers ou travailleurs à gages,
M'ordonne d'émigrer par en haut pour cinq mois.

Et je rêve d'aller comme allaient les ancêtres ;
10 J'entends pleurer en moi les grands espaces blancs,
Qu'ils parcouraient, nimbés de souffles d'ouragans,
Et j'abhorre comme eux la contrainte des maîtres.

Quand s'abattait sur eux l'orage des fléaux,
Ils maudissaient le val ; ils maudissaient la plaine,
15 Ils maudissaient les loups qui les privaient de laine :
Leurs malédictions engourdissaient leurs maux.

Mais quand le souvenir de l'épouse lointaine
Secouait brusquement les sites devant eux,
Du revers de leur manche, ils s'essuyaient les yeux
20 Et leur bouche entonnait : « À la claire fontaine »...

Ils l'ont si bien redite aux échos des forêts,
Cette chanson naïve où le rossignol chante,
Sur la plus haute branche, une chanson touchante,
Qu'elle se mêle à mes pensers les plus secrets :

25 Si je courbe le dos sous d'invisibles charges,
Dans l'âcre brouhaha de départs oppressants,
Et si, devant l'obstacle ou le lien, je sens
Le frisson batailleur qui crispait leurs poings larges ;

Si d'eux, qui n'ont jamais connu le désespoir,
30 Qui sont morts en rêvant d'asservir la nature,
Je tiens ce maladif instinct de l'aventure,
Dont je suis quelquefois tout envoûté, le soir ;

Par nos ans sans vigueur, je suis comme le hêtre
Dont la sève a tari sans qu'il soit dépouillé,
35 Et c'est de désirs morts que je suis enfeuillé,
Quand je rêve d'aller comme allait mon ancêtre ;

Mais les mots indistincts que profère ma voix
Sont encore : un rosier, une source, un branchage,
Un chêne, un rossignol parmi le clair feuillage,
40 Et comme au temps de mon aïeul, coureur des bois,

Ma joie ou ma douleur chante le paysage.

À l'ombre de l'Orford (1929), © Fides, 1979.

Alfred DesRochers (1901-1978)

La tristesse du temps s'empreignit en mon âme.

Cet écrivain régionaliste des Cantons de l'Est est considéré comme le plus important poète né au xxᵉ siècle à avoir puisé son inspiration dans le terroir.

Avec Alfred DesRochers, la mélodie des champs se fait moins idéaliste, s'attardant à évoquer, comme dans ce poème d'abord paru en 1929, différents tableaux où le réalisme est atténué par un profond lyrisme. La sensibilité du poète, tournée vers les origines, témoigne d'une puissante volonté d'enracinement.

Au *plaisir de lire*

• *Œuvres poétiques*

Le mont Orford le matin,
Allan Edson, 1870.
Musée des beaux-arts du
Canada, n° 1398.

1. Comment s'exprime ici la célébration des ancêtres ?

2. De quelle manière le poète parle-t-il de sa filiation avec les ancêtres ?

3. Faites l'analyse formelle de ce poème : vers, strophes, rimes.

4. Trouvez la structure de ce poème.

5. Pourquoi l'auteur a-t-il isolé le dernier vers ?

6. A-t-on raison de penser que ce poème présente une glorification du terroir ?

L'essai ou les penseurs du terroir

Comme le nationalisme de cette époque est une affaire de discours et de parade plutôt que d'action concrète, de très nombreux textes d'écrivains, de critiques littéraires, de penseurs ou de journalistes lui seront consacrés. Fidèles à la voie ultramontaine, certains prennent position sur le rôle de la littérature dans la société ; ils veulent préciser les normes que doivent observer les écrivains de même que les limites imposées au romantisme littéraire. Au tournant du XIXe siècle, la langue française est de tous les combats et inspire le meilleur de l'activité intellectuelle. Deux axes d'intérêt expriment chacun une conception particulière de la culture canadienne-française. L'un, associé au terroir, identifie langue française et foi catholique. La langue est décrite comme la gardienne de la foi : la fidélité à la langue conditionne la fidélité à la religion ; c'est parce qu'elle doit demeurer catholique que la nation canadienne doit demeurer française, qu'elle doit conserver ses traditions et son passé. L'autre dissocie totalement culture et religion ; c'est la vision des libéraux, inscrits dans la lignée de Papineau, pour qui la langue française est l'expression d'une civilisation, le véhicule d'un type de pensée, une valeur en soi. Nous sommes ici aux antipodes des idées du terroir.

■ ■ ■

LE RÔLE DE NOTRE LITTÉRATURE

Oui, nous aurons une littérature indigène, ayant son cachet propre, original, portant vivement l'empreinte de notre peuple, en un mot, une littérature nationale.

On peut même prévoir d'avance quel sera le caractère de cette littérature.

5 Si, comme cela est incontestable, la littérature est le reflet des mœurs, du caractère, des aptitudes, du génie d'une nation, si elle garde aussi l'empreinte des lieux, des divers aspects de la nature, des sites, des perspectives, des horizons, la nôtre sera grave, méditative, spiritualiste, religieuse, évangélisatrice comme nos missionnaires, généreuse comme nos martyrs, énergique et
10 persévérante comme nos pionniers d'autrefois ; et en même temps elle sera largement découpée, comme nos vastes fleuves, nos larges horizons, notre grandiose nature, mystérieuse comme les échos de nos immenses et impénétrables forêts, comme les éclairs de nos aurores boréales, mélancolique comme nos pâles soirs d'automne enveloppés d'ombres vaporeuses, comme
15 l'azur profond, un peu sévère, de notre ciel, chaste et pure comme le manteau virginal de nos longs hivers.

Mais surtout elle sera essentiellement croyante et religieuse. Telle sera sa forme caractéristique, son expression ; sinon elle ne vivra pas, et se tuera elle-même. C'est sa seule condition d'être ; elle n'a pas d'autre raison d'existence ;
20 pas plus que notre peuple n'a de principe de vie sans religion, sans foi ; du jour où il cesserait de croire, il cesserait d'exister. Incarnation de sa pensée, verbe de son intelligence, la littérature suivra ses destinées.

Ainsi sa voie est tracée d'avance ; elle sera le miroir fidèle de notre petit peuple dans les diverses phases de son existence, avec sa foi ardente, ses nobles
25 aspirations, ses élans d'enthousiasme, ses traits d'héroïsme, sa généreuse passion de dévouement.

Elle n'aura point ce cachet de réalisme moderne, manifestation de la pensée impie, matérialiste ; mais elle n'en aura que plus de vie, de spontanéité, d'originalité, d'action.

30 [...]

Heureusement que, jusqu'à ce jour, notre littérature a compris sa mission, qui est de favoriser les saines doctrines, de faire aimer le bien, admirer le beau et connaître le vrai, de moraliser le peuple en ouvrant son âme à tous les nobles sentiments [...].

Œuvres complètes, tome 1, 1896.

Henri-Raymond Casgrain (1831-1904)

Les légendes sont la poésie de l'histoire.

Cet abbé, historien, conteur, critique littéraire et poète, fut le principal animateur du mouvement littéraire de Québec, ce qui l'amène à devenir, pendant plusieurs années, le principal censeur des lettres canadiennes-françaises. Dans ce texte, paru en 1896, il définit le rôle et la mission assignés à la littérature.

---

1. Précisez le sens des mots *indigène* et *cachet*.

2. Prouvez que les comparaisons servent à appuyer l'intention de l'auteur.

3. Que doit-on comprendre dans l'expression « littérature nationale » ?

4. Le mot *mission*, dans le dernier paragraphe, peut-il être associé au nationalisme messianique ? Expliquez.

5. Montrez que l'abbé Casgrain s'intéresse essentiellement à la valeur morale de la littérature.

6. Quelles idées contenues dans ce texte le rapprochent du romantisme français ?

La communiante, James Wislon Morrice, 1899.
Musée national des beaux-arts du Québec, 78.98.

**Jules-Paul Tardivel
(1851-1905)**

Continuer sur cette terre d'Amérique l'œuvre de civilisation chrétienne que la vieille France a poursuivie avec tant de gloire pendant de si longs siècles.

Journaliste, essayiste et auteur du premier roman portant sur l'indépendance du Québec, *Pour la patrie* (1895), Jules-Paul Tardivel ne rate pas une occasion de pourfendre ceux qui ne pensent pas comme lui. Cet ultramontain s'est donné comme mission de sauvegarder la vocation civilisatrice et religieuse des Français d'Amérique. Dans l'avant-propos à son roman *Pour la patrie*, il dénonce le genre romanesque !

LE ROMAN, INVENTION DIABOLIQUE

[Un prédicateur] appelle les romans une *invention diabolique*. Je ne suis pas éloigné de croire que le digne religieux a parfaitement raison. Le roman, surtout le roman moderne, et plus particulièrement encore le roman français, me paraît être une arme forgée par Satan lui-même pour la
5 destruction du genre humain. Et malgré cette conviction j'écris un roman ! Oui, et je le fais sans scrupule ; pour la raison qu'il est permis de s'emparer des machines de guerre de l'ennemi et de les faire servir à battre en brèche les remparts qu'on assiège. C'est même une tactique dont on tire quelque profit sur les champs de bataille.
10 On ne saurait contester l'influence immense qu'exerce le roman sur la société moderne. Jules Vallès, témoin peu suspect, a dit : « Combien j'en ai vu de ces jeunes gens, dont un passage, lu un matin, a dominé, défait ou refait, perdu ou sauvé l'existence. Balzac, par exemple, comme il a fait travailler les juges et pleurer les mères ! Sous ses pas, que de consciences
15 écrasées ! Combien, parmi nous, se sont perdus, ont coulé, qui agitaient au-dessus du bourbier où ils allaient mourir une page arrachée à la *Comédie humaine*... Amour, vengeance, passion, crime, tout est copié, tout. Pas une de leurs émotions n'est franche. Le livre est là. »

Le roman est donc, de nos jours, une puissance formidable entre les
20 mains du malfaiteur littéraire. Sans doute, s'il était possible de détruire, de fond en comble, cette terrible invention, il faudrait le faire, pour le bonheur de l'humanité ; car les suppôts de Satan le feront toujours servir beaucoup plus à la cause du mal que les amis de Dieu n'en pourront tirer d'avantages pour le bien. La même chose peut se dire, je crois, des journaux.

Pour la patrie : roman du XXe siècle, 1895.

1. Commentez la métaphore d'ordre militaire.

2. Quelle allégorie illustre la déchéance qu'entraîne le roman ?

3. Quelle contradiction majeure relevez-vous dans ce texte ?

4. Pourquoi l'auteur fait-il explicitement référence au roman français ?

5. Comparez cet extrait avec celui d'Henri-Raymond Casgrain. A-t-on raison de penser que ces deux textes présentent une même critique de la littérature ?

Notre littérature en service national

Il fallait aux Canadiens français commencer par être maîtres chez eux ; et la littérature ne pouvait ici s'animer, prendre force, vivre, qu'à la condition d'être l'expression d'un peuple libre, qu'à la condition de faire passer dans ses premières pages, et dans le rythme de ses premières strophes, d'abord
5 sans doute un sentiment d'espérance, puis un hymne, un chant de liberté !

Et ceci nous indique déjà quel fut, quel doit être dans notre histoire le rôle des lettres canadiennes.

Ce rôle est, avant tout, un rôle de service national. Servir : telle doit être la mission de l'écrivain, et telle la mission d'une littérature.

10 C'est pourquoi l'écrivain doit rester en contact étroit avec son pays et, si l'on peut dire, exister en fonction de sa race.

L'écrivain qui n'est pas fortement enraciné au sol de son pays, ou dans son histoire, peut bien s'élever vers quelque sommet de l'art, monter vers les étoiles... ou dans la lune, mais il court risque de n'être qu'un rêveur, un
15 joueur de flûte, ou d'être inutile à sa patrie.

Certes, je ne dis pas que seule la littérature patriotique, ou la littérature régionaliste, ou la littérature de terroir, puisse servir la nation à laquelle appartiennent le poète et le prosateur. Non ! la littérature peut chercher son objet plus loin que l'horizon du pays où est né l'écrivain, et plus haut que les
20 choses ou les monuments de son histoire : elle peut aller même jusqu'aux étoiles ; elle peut être, elle doit être, au besoin, humaine, c'est-à-dire qu'elle peut alors et doit dépasser toutes frontières, s'étendre à tout ce qui est digne de la pensée et de la destinée de l'homme. Servir l'humanité, n'est-ce pas, et d'une façon supérieure, servir son pays ?

25 Il reste donc vrai de dire que la littérature pousse ses premières racines, et les plus profondes, dans la terre natale, et dans la vie spirituelle de la nation, et que, quelle que soit la fleur qu'elle produit, fleur d'humanité ou fleur du terroir, cette fleur porte en son éclat un reflet nécessaire de l'esprit qui l'a fait monter dans la lumière.

Études et croquis, 1928.

Camille Roy
(1870-1943)

*Ne confondez pas
une tête élégante avec
une tête bien faite.*

L'abbé Camille Roy est notre premier critique universitaire. On lui doit également une histoire de la littérature canadienne-française qui servira de manuel de base dans les écoles pendant plusieurs décennies. Selon lui, la littérature doit servir sa collectivité et l'accompagner dans les différentes étapes de son évolution, sinon elle est plus ou moins inutile.

Au plaisir de lire

• *Manuel d'histoire de
la littérature canadienne-
française*

1. Relevez et commentez les figures de style.

2. Quel écho de ce texte peut-on trouver dans le poème d'Alfred DesRochers (page 59) ?

3. Que viennent suggérer les verbes *falloir* et *devoir*, le dernier répété trois fois ?

4. Quelle mission particulière est assignée à la littérature ? Êtes-vous d'accord ?

Lionel Groulx
(1878-1967)

L'histoire est pour un peuple une force morale, non la plus haute ni la plus puissante, mais imposante et, dans son ordre, surpassée par bien peu.

L'historien Lionel Groulx, intellectuel profondément engagé dans sa communauté et la voix la plus écoutée de son époque, a attisé la fierté nationaliste chez de nombreuses générations qui firent de lui leur maître à penser. Penché sur le passé de son peuple avec affection et admiration, il a exploité avec une grande habileté les méandres de notre destin collectif. Pour lui, le passé n'est valable que dans la mesure où il est générateur de la grandeur du présent. Une idée que partage sans doute le personnage de *Menaud* de Félix-Antoine Savard.

Au plaisir de lire

- *Notre maître le passé* (3 volumes)
- *Mes mémoires* (4 tomes)
- *Histoire du Canada depuis la découverte*

NOTRE DESTIN FRANÇAIS

« Le sang et les traditions qui courent en nos veines ! » Qu'est-ce qu'un Canadien français ? Son nom le définit : un Français canadianisé. Un Français, d'origine et de culture, mais modifié, diversifié par trois cents ans d'existence, en un milieu géographique et historique original. Dans la défi-
5 nition de notre être ethnique ou national, l'accent se pose indiscutablement sur le qualificatif « français ». Plus que son appartenance au pays canadien, son appartenance à la culture française le situe en une famille spirituelle déterminée, lui donne le pli, le fond de son âme, met le sceau à son type humain. Retenons, d'autre part, que cette culture, il la vit et elle lui est
10 départie dans un milieu concret. Elle est liée à des réalités charnelles et spirituelles d'une certaine espèce : terre, histoire, institutions politiques, juridiques, sociales, intellectuelles, religieuses. Il faut même ajouter que la culture de France, source et supplément indispensables de la sienne, notre peuple n'a de prise sur elle que par le moyen de ses institutions à lui ; il n'en
15 peut prendre que ce qu'elles sont en puissance d'en prendre. Et cette culture elle-même n'a de vertu véritable que dans la mesure où elle nourrit et accroît l'élan vital de ces institutions, où, pour la vie sur ce continent, elle revigore et discipline notre jeune force française. En résumé, notre milieu national et culturel ne saurait être un milieu artificiel, milieu de la plante de
20 serre qui ne vit que d'une atmosphère et d'un soleil factices. Ce ne saurait être la France, quelque emprunt qu'il soit de nécessité d'y faire ; c'est le Canada français, notre portion d'univers et son potentiel de civilisation.

Directives, 1937, © Fondation Lionel-Groulx.

1. Expliquez les mots *réalités charnelles et spirituelles*.

2. « Canadiens français » et « Français canadianisés » : quelles différences voyez-vous entre ces deux expressions ?

3. Faites un schéma illustrant, phrase après phrase, la logique de l'argumentation du raisonnement de l'auteur.

4. Montrez de quelle manière et par quels procédés stylistiques Lionel Groulx déborde ici les cadres habituellement imposés à l'historien.

5. Trouvez cinq arguments qui vous permettent de partager la vision de l'auteur ou, au contraire, de la rejeter.

Une littérature d'inspiration libérale

Malgré l'Église et sa stratégie défensive de résistance au changement qui encadre la vie religieuse et profane des Canadiens français, le Québec, dans sa réalité quotidienne, est en pleine mutation. Les remous économiques et sociaux sont nombreux alors que la société industrielle et l'urbanisation progressent à grands pas. Néanmoins, rien n'y fait, l'écriture demeure sous haute surveillance, et la littérature doit se conformer à la nouvelle orthodoxie de l'agriculture. Certains écrivains courageux n'hésitent cependant pas à prendre leurs distances à l'égard de leur époque et se situent volontiers en marge de la tendance ultramontaine, se montrant même perméables aux courants littéraires du XIXᵉ siècle français, tels le réalisme, le naturalisme et le symbolisme, pourtant fortement dénoncés et condamnés par l'idéologie dominante.

Le départ, Adrien Hébert, 1924.
Musée des beaux-arts de Montréal.

Les romans réalistes et naturalistes

Des romanciers refusent les sempiternelles rengaines de l'orthodoxie pour qui tout questionnement est jugé suspect et tout doute, une offense à l'autorité... et à Dieu. Ces marginaux posent de troublantes questions portant, entre autres, sur la misère réelle des paysans, sur les mœurs de certains membres du clergé et, surtout, sur le sens de la vie humaine. Cette outrecuidance vaut à la plupart d'entre eux la condamnation à vivre en marge de l'Église catholique, la pire infamie à l'époque.

Optant pour le réalisme et le naturalisme, ils rejettent le surnaturel, se donnent pour objet de reproduire le réel, avec ses beautés et ses laideurs, sans préoccupation d'ordre moral. Ils dénoncent en particulier les écrivains qui font du colon un être soumis, un croisé de la nationalité lové dans le giron du clergé ; leurs personnages ne sont plus au centre d'une idéologie mais, tout au contraire, bien ancrés dans une réalité. Ne pouvant être tolérées par l'Église, ces œuvres entraîneront une nouvelle dénonciation du roman, un « genre diabolique qu'il ne faut pas laisser introduire dans notre littérature », écrit un Adolphe-Basile Routhier.

■ ■ ■

**Rodolphe Girard
(1879-1956)**

Elle se pâmait de bonheur à la pensée de dormir dans le même saint lit dans lequel monsieur le curé avait couché.

À la suite de la parution de sa farce clérico-villageoise *Marie Calumet* en 1904, Rodolphe Girard subit une telle vindicte de la part de l'archevêque de Montréal que son employeur, *La Presse,* se croit contraint de le congédier. Pour assurer sa subsistance, Rodolphe Girard n'a d'autre choix que de s'exiler en Ontario. C'est dire comment a pu être jugé subversif ce récit décrivant la vie d'une brave servante dans un presbytère en même temps que les mœurs cléricales à la campagne. Il est vrai que l'humour emprunte parfois les pointes d'un réalisme pour le moins piquant.

Un cortège épiscopal

Le cortège s'avançait avec majesté. En tête, une cavalcade rustique précédait le carrosse de Monseigneur l'Évêque, traîné par deux chevaux blancs dont la queue et la crinière étaient tressées avec d'étroits rubans bleus et rouges. Les cavaliers déhanchés, de chaque côté de la route, écartaient la
5 foule.

Moelleusement étendu sur un coussin de velours grenat, le prélat, sec, le visage glabre, esquissait un sourire mielleux et béat, tapait des yeux réjouis derrière les verres de ses lunettes cerclées d'or fin.

Parfois, répondant aux acclamations du peuple, il daignait soulever son
10 chapeau épiscopal auquel pendaient deux beaux glands vert et or, que se montraient avec ébahissement les braves gens entassés le long du chemin.

Çà et là, une bonne femme ou un vieillard rachitique se jetaient à genoux, le front dans la poussière.

Alors, levant la main enrichie de l'améthyste grosse comme une noix,
15 Monseigneur traçait, dans le bleu pur du ciel, un grand signe de croix.

Monsieur le curé de Saint-Apollinaire était assis à côté de l'évêque et en face, le maire de ce village et celui de Saint-Ildefonse, que Monseigneur avait honoré en le faisant monter dans sa voiture.

Il en parlerait aux enfants de ses enfants. Un de ses fils, qui avait remporté
20 à l'école du village un premier prix de dessin à main levée, immortaliserait sur le papier cette scène inoubliable.

Suivaient la voiture d'honneur, par ordre de mérite et de distinction, les marguilliers des deux paroisses, les commissaires d'école, les médecins, les notaires, et tout le branle-bas de la paroisse compris dans une soixantaine de voitures.

25 Le saint cortège venait de s'engager entre les deux lignes des maisons pavoisées du village. Prises, elles aussi, d'une joie folle, les cloches dansaient une farandole échevelée dans le clocheton de l'humble chapelle.

Le carrosse s'était arrêté devant l'église. Monseigneur se préparait à descendre, lorsque deux cents de ses ouailles s'élancèrent au-devant de lui.
30 Pour un peu, on l'eût transporté dans ses bras jusque sur le trône, érigé dans le chœur.

Marie Calumet, 1904.

---

1. Comment l'auteur s'y prend-il pour ridiculiser le faste de cette réception ?

2. Quels détails rendent peu sympathique le personnage du prélat ?

3. Comment est suggérée la naïveté des paroissiens ?

4. Relevez les nombreuses oppositions.

5. Ce texte s'oppose au courant du terroir. Prouvez-le.

LA COMPLAINTE DE LA FAUX

Un homme à barbe inculte, la figure mangée par la petite vérole, fauchait, pieds nus, la maigre récolte. Il portait une chemise de coton et était coiffé d'un méchant chapeau de paille.

Les longues journées de labeur et la fatalité l'avaient courbé, et il se
5 déhanchait à chaque effort. Son andain fini, il s'arrêta pour aiguiser sa faux et jeta un regard indifférent sur les promeneurs qui passaient. La pierre crissa sinistrement sur l'acier. Dans la main du travailleur, elle voltigeait rapidement d'un côté à l'autre de la lame. Le froid grincement ressemblait à une plainte douloureuse et jamais entendue...

10 C'était la Complainte de la Faux, une chanson qui disait le rude travail de tous les jours, les continuelles privations, les soucis pour conserver la terre ingrate, l'avenir incertain, la vieillesse lamentable, une vie de bête de somme ; puis la fin, la mort, pauvre et nu comme en naissant, et le même lot de misères laissé en héritage aux enfants sortis de son sang, qui perpétueront la
15 race des éternels exploités de la glèbe.

La pierre crissa plus douloureusement, et ce fut dans le soir, comme le cri d'une longue agonie.

L'homme se remit à la besogne, se déhanchant davantage.

Des sauterelles aux longues pattes dansaient sur la route, comme pour se
20 moquer des efforts du paysan.

Plus loin, une pièce de sarrasin récolté mettait sur le sol comme une grande nappe rouge, sanglante.

Les feux que les fermiers allumaient régulièrement chaque printemps avant les semailles, et chaque automne après les travaux, avaient laissé çà et
25 là de grandes taches grises semblables à des plaies, et la terre paraissait comme rongée par un cancer, la lèpre, ou quelque maladie honteuse et implacable.

À de certains endroits, les clôtures avaient été consumées et des pieux calcinés dressaient leur ombre noire dans la plaine, comme une longue pro-
30 cession de moines.

Charlot et la Scouine arrivèrent enfin chez eux, et affamés, ils soupèrent voracement de pain sur et amer, marqué d'une croix.

La Scouine (1918), © Éditions Typo et succession Albert Laberge, 1993.

Albert Laberge
(1871-1960)

Dans la pièce où l'ombre écrasait le faible jet de lumière, le silence se fit plus profond, plus lourd.

Influencé par les écrivains natura-listes, le romancier Albert Laberge décide de prendre résolument le contre-pied de l'idéologie officielle. Sous sa plume, les personnages d'une famille installée dans une ferme deviennent des monstres tant au physique qu'au moral, alors que la terre est tout juste bonne à fournir du « pain sur et amer ». Ce noircissement du monde paysan dans son roman *La Scouine* (1918) lui attire les foudres de l'évêque de Montréal. Quant à l'abbé et historien litté-raire Camille Roy, il lui octroie le titre de « Père de la pornographie au Canada ».

Étude détaillée

Analyse formelle

LE LEXIQUE

1. Alors que les auteurs du terroir représentent habituellement des agriculteurs prospères dans leurs récits, Laberge insiste sur la pauvreté du paysan. Relevez dans le portrait de la condition paysanne les expressions qui suggèrent le dénuement.

2. À cette pauvreté s'ajoute le champ lexical de la souffrance physique. Repérez les mots et les expressions de ce champ lexical et classez-les selon les deux catégories suivantes :
   a) les maladies ;
   b) la blessure.

3. Expliquez le sens des mots suivants :
   a) *méchant*
   b) *andain*
   c) *crissa*
   d) *bête de somme*
   e) *glèbe*

LA NARRATION

1. Bien que le récit soit écrit à la troisième personne, peut-on dire que le narrateur est objectif ?

2. Analysez les nombreuses comparaisons faites par l'auteur. En quoi sont-elles des jugements de valeur ?

Analyse thématique

Dans ce court extrait, Laberge remet en question tous les dogmes du terroir :

1. La nature « belle » et « généreuse »
   a) Laberge vous apparaît-il comme le chantre des beautés naturelles ?
   b) La pauvreté : elle est à la fois physique et morale. Qu'est-ce qui nous le prouve ?

2. La transmission des valeurs
   a) Quel héritage est réellement transmis de génération en génération ?
   b) Le conservatisme apparaît-il comme une idée positive ?

3. La religion consolatrice
   Toute sa vie, Laberge sera hostile au clergé (qui le lui rendra bien). Cet extrait ne fait pas exception à la règle.
   a) Pourquoi le pain « marqué d'une croix » est-il « sur et amer » ?
   b) Le destin immuable du paysan tel que le décrit le troisième paragraphe tient-il compte des enseignements de la religion ou ne peut-on pas plutôt parler d'une vision athée de la vie ?

Préparation à la dissertation critique

1. Êtes-vous d'accord avec ce jugement de Gérard Bessette : « Il semble certain que Laberge a voulu réagir trop rigidement contre le roman à l'eau de rose qu'avaient pratiqué ses prédécesseurs[3] » ?

2. Montrez que le portrait physique et moral du paysan se confond avec celui du paysage.

3. Quels reproches précis les tenants de l'idéologie du terroir auraient-ils pu faire à Laberge ?

4. Peut-on soutenir que, dans cet extrait, c'est la souffrance qui domine ?

---

3. Gérard Bessette, *Anthologie d'Albert Laberge*, Montréal, CLF Poche, 1972.

LA MACHINE HUMAINE

Ainsi donc, à toute la longue vie que l'homme reconnut avoir été, quand il en apprit la durée, vint-il s'ajouter un peu de mort avec l'inquiétude de ce qu'il allait être. Il eut peur, non pas précisément de la mort mais de ce qu'il allait être avant la mort, de ce qu'allaient devenir ses bras, ses uniques bras,
5 ce qu'il avait toujours été. L'énergie de pomper la vie comme d'un puits était encore en eux ; mais il advint que l'idée de ne pouvoir pas toute la pomper, jusqu'à ce que le trou fut tari, devint sa pensée fixe.

L'homme fut pris de l'égoïsme des travailleurs qui vivent du travail ; l'homme eut peur de ne pouvoir pas travailler, il eut peur de la vie des vieil-
10 lards qui ne travaillent pas, mais qui gardent assez de bras pour repousser la mort.

Donc, à partir de ce jour de plus aux autres qui faisait sa quatre-vingtième année, en plus des bras qu'il avait, le passeur se découvrit une idée, quelque chose de blotti dans sa tête qui la faisait souffrir. L'homme commença de se
15 connaître ; en plus des bras, il avait une tête ; et pour des heures de sieste il en prit contact, et on le vit se tenir péniblement la tête dans ses deux mains.
[...]

Habitué qu'il était, par sa vie d'homme qui travaille, de ne voir dans le corps humain que des attributs du travail, il ne put pas concevoir l'existence
20 en soi d'une partie qui fût inutile. Avec des bras, il tirait tout le jour des rames qui pèsent du bout d'être dans l'eau ; il traversait d'une rive à l'autre des charges qui faisaient enfoncer son bac d'un pied. Avec des jambes, il marchait au devant de l'argent, ou se tenait debout pour l'attendre. Certes, il savait le dos nécessaire, ne fût-ce que pour se coucher dessus quand on est
25 trop fatigué. Mais des reins, ça ne servait à rien, sinon à faire souffrir, quand on les attrape.

« Le passeur », *Les atmosphères : le passeur, poèmes et autres proses*, 1920.

1. Commentez l'usage de « ses uniques bras » et du dernier mot, *attrape*.

2. Pourquoi la forme passive est-elle abondamment utilisée ici ?

3. Prouvez que ce texte s'oppose à l'idéalisation propre au terroir.

4. Pourrait-on parler ici d'un récit philosophique ?

5. Comment cet extrait suggère-t-il l'idée d'une aliénation du travailleur, jusqu'à la dépossession de son corps ?

6. Ce texte peut-il annoncer la fin d'une époque centrée sur le travail manuel ?

Jean-Aubert Loranger (1896-1942)

Le soleil fichait dans l'eau de grands glaçons de lumière où passaient de petits points brillants.

L'écrivain exceptionnel que fut Jean-Aubert Loranger est aujourd'hui injustement méconnu. On est étonné par le sentiment de liberté qui se dégage tant de ses poèmes que de ses récits, où idéologie et morale brillent par leur absence. L'extrait retenu est tiré du conte philosophique *Le passeur*, initialement paru en 1920. Ce long récit poétique décrit la découverte du vide de sa vie que fait un passeur, après avoir été contraint à la retraite. Sa détresse est si vive qu'elle ne pourra être apaisée que par le suicide. Cette vision réaliste de la nature humaine rapproche Loranger de Maupassant.

Au plaisir de lire

- *Les atmosphères* suivi de *Poëmes*
- *Contes* (2 volumes)
- *Joë Folcu* (roman)

Jean-Charles Harvey
(1891-1967)

L'usage de la liberté devient dangereux entre des mains incompétentes.

Le personnage central des *Demi-civilisés* (1934) de Jean-Charles Harvey, qui donne naissance à un héros motivé par des aspirations strictement individuelles, est animé par l'indignation, la révolte et le refus des valeurs d'une société conformiste et retardataire. Il élève un cri de protestation contre la médiocrité et l'ignorance érigées en système. Ce roman est frappé d'interdit dans l'archidiocèse de Québec. Ce récit de mœurs et d'idées amorce un virage capital : le ferment de la libre pensée et du modernisme est inoculé dans une société que l'on croyait à jamais immunisée, et tout un monde est en train de basculer. L'extrait oppose deux univers : l'un en train de s'écrouler, l'autre en devenir.

LES DEMI-CIVILISÉS

Une crise de mysticisme suit parfois une déception sentimentale. Je n'y échappai pas. Bien qu'à peine adolescent, j'entrai dans un ordre religieux. Les années qui suivirent m'apparaissent comme un songe : un grand jardin plein de fleurs, de fruits, d'oiseaux et de calme, des moines, un livre à la
5 main ou égrenant d'interminables chapelets, parmi les chants des cigales et les parfums des pommiers ; des religieux à cheveux blancs dirigeant des jeunes gens en proie à des tentations dignes d'illustrer la vie de saint Jérôme ; de vieux enfants à la fois graves et naïfs pour qui un rien est un événement extraordinaire et dont la candeur charme et séduit ; des nostalgies de novices
10 se retournant, comme la femme de Loth, vers le monde abandonné, le foyer déserté, la jeune fille autrefois aimée et troublant les nuits sans sommeil, les flagellations qui chassent les démons des corps brûlés d'ardeurs charnelles, les bracelets aux pointes de fer sur des épidermes douloureux ; enfin, le retour de ma pensée à l'humanité, à la terre ferme, la belle et bonne terre où
15 l'on ne vient qu'une fois et où l'on veut mordre au fruit de la vie avant de boire au calice de la mort.

Les demi-civilisés (1934), © Éditions Typo et succession Jean-Charles Harvey, 1996.

1. Qu'y a-t-il de naïf dans le portrait de la vie religieuse ?

2. Quels champs lexicaux s'opposent dans cet extrait ?

3. Quelle part de critique renferme cette page ?

4. Comment le conflit entre l'idéal et la réalité est-il exprimé ?

5. Quelles images illustrent ce conflit ?

6. Comparez cet extrait avec celui d'Albert Laberge. La critique implicite contre l'idéologie officielle se fait différemment. Commentez.

Jeune homme indolent,
John Lyman, 1923.
Musée national des beaux-arts du Québec, 79.194.

La poésie qui s'exerce à la modernité : symbolisme et Parnasse

Les premiers poètes à se faire les passeurs de la poésie traditionnelle à la poésie moderne prennent parfois l'allure d'émigrés dans le monde des humains. On ne se place pas impunément en marge de l'idéologie officielle sans en payer le prix. Cette société qu'ils refusent à cause de son inaptitude à apporter des réponses à leur questionnement ne manque pas, à son tour, d'isoler ceux qui ne s'y conforment pas ou qui, pis encore, la transgressent avec intrépidité. La « société d'épiciers » dénoncée par Octave Crémazie est toujours à l'œuvre. Désespérément seuls, en quête d'une inaccessible fraternité, ces écrivains ne peuvent que constater un irrémédiable divorce entre leur langage et celui de la collectivité dont ils sont membres : c'est l'implacable solitude de l'exclu. La seule réalité abordable demeure celle procurée par le rêve dans la prison de l'exil intérieur. Nelligan, pour décrire ce suffoquant sentiment d'aliénation, parle de l'enfermement du « cœur cristallisé de givre » dans les « rêves enclos ».

Tout commence véritablement au tournant du siècle lorsque quelques écrivains, réunis autour de l'École littéraire de Montréal, Nelligan en tête, décident de permettre à la poésie de sortir de l'ornière passéiste où elle s'enlisait. Avec eux, le symbolisme tombe en terre hospitalière. C'est la fin de la conception utilitaire de la littérature qui, dorénavant, n'obéit qu'à ses lois propres. Les écrivains cessent de décrire leurs croyances pour exprimer des sentiments ; les thèmes d'ordre religieux, champêtre et nationaliste font place à la douloureuse descente en soi, ce lieu du présent enfin assumé. Au riche humus du terroir, ces pionniers de l'imaginaire préfèrent le fragile terreau de l'être, malgré la toujours impossible rencontre entre un idéal hors d'atteinte et un quotidien méprisé. Des portes sont maintenant ouvertes qui ne pourront plus se refermer.

En marge de ces derniers, d'autres poètes, en réaction contre le chant du terroir estimé trop douceâtre, revendiquent une littérature exempte de toute intention didactique, édifiante ou patriotarde. Pour ces « exotistes[4] », la poésie est un art et non un outil pouvant permettre le progrès social. L'écrivain doit donc jouir d'une totale liberté d'inspiration. C'est la théorie de l'art pour l'art chère aux Parnassiens : l'œuvre, qui vaut d'abord et avant tout par sa forme, doit se suffire à elle-même. Ces écrivains, esprits très cultivés qui se plaisent à voyager, refusent tout conformisme. Ils dénoncent l'isolement des artistes canadiens-français et revendiquent une culture moins régionale et plus universelle. Pour eux, la mère patrie est bien davantage incarnée par le Paris de l'époque que par la France d'un passé rendu glorieux à force de déformations.

---

4. On les appelle également « le groupe des artistes », « l'école de l'exil » ou « les parisianistes ».

■ ■ ■

Eudore Évanturel
(1852-1919)

L'on voudrait remonter
sur les ailes du rêve
Loin, vers les régions
où le soleil se lève,
Mais la réalité survient
qui ne veut pas.

Première borne importante sur le chemin de notre modernité littéraire, le poète Eudore Évanturel ose écrire, en 1878, en demeurant à l'écoute de son inspiration plutôt que de se soumettre aux normes de l'idéologie officielle ; la singularité de son propos, trop éloigné du lyrisme patriotique, soulève une vive polémique dans les journaux. Cet auteur qui écrit à la première personne peut être considéré comme un devancier d'Émile Nelligan. Dans une tonalité contemplative, la nature se met ici au diapason des sentiments du poète, un procédé cher aux romantiques.

SOULAGEMENT

Quand je n'ai pas le cœur prêt à faire autre chose,
Je sors et je m'en vais, l'âme triste et morose,
Avec le pas distrait et lent que vous savez,
Le front timidement penché vers les pavés,
5 Promener ma douleur et mon mal solitaire
Dans un endroit quelconque, au bord d'une rivière,
Où je puisse enfin voir un beau soleil couchant.

Ô les rêves alors que je fais en marchant,
Dans la tranquillité de cette solitude,
10 Quand le calme revient avec la lassitude !

Je me sens mieux.

Je vais où me mène mon cœur.
Et quelquefois aussi, je m'assieds tout rêveur,
Longtemps, sans le savoir, et seul, dans la nuit brune,
15 Je me surprends parfois à voir monter la lune.

Premières poésies, 1876-1878, 1878.

1. Relevez les réseaux de mots reliés aux sentiments et à la nature.

2. Commentez l'utilisation des pronoms personnels.

3. Quels thèmes romantiques sont contenus ici ?

4. De quelle façon ce poème se distingue-t-il de ceux de François-Xavier Garneau (page 26) et d'Octave Crémazie (page 55) ?

5. Chaque strophe est construite autour du thème de la solitude. Commentez.

Harmonie du soir,
Marc-Aurèle de Foy
Suzor-Côté, vers 1920.
Au tournant du XXe siècle, la peinture d'ici subit l'influence de la peinture européenne de l'école de Barbizon tout d'abord, plus tard de l'école de La Haye. Puisant aux mêmes sources que l'impressionnisme et prônant un art plus intimiste laissant place au sentiment, on note l'apparition de ce mouvement tout d'abord chez Horatio Walker qui se propose, selon ses propres dires, de « peindre de la poésie ». James Nelson Morrice et Ozias Leduc pousseront plus loin cette conception « subjectiviste » de l'art pictural en se faisant les spécialistes de l'expression des atmosphères.
Musée national des
beaux-arts du Québec, 34.18.

LE VAISSEAU D'OR

Ce fut un grand Vaisseau taillé dans l'or massif :
Ses mâts touchaient l'azur, sur des mers inconnues ;
La Cyprine d'amour, cheveux épars, chairs nues,
S'étalait à sa proue, au soleil excessif.

5 Mais il vint une nuit frapper le grand écueil
Dans l'Océan trompeur où chantait la Sirène,
Et le naufrage horrible inclina sa carène
Aux profondeurs du Gouffre, immuable cercueil.

Ce fut un Vaisseau d'Or, dont les flancs diaphanes
10 Révélaient des trésors que les marins profanes,
Dégoût, Haine et Névrose, entre eux ont disputé.

Que reste-t-il de lui dans la tempête brève ?
Qu'est devenu mon cœur, navire déserté ?
Hélas ! Il a sombré dans l'abîme du Rêve !…

Émile Nelligan et son œuvre, 1904.

SOIR D'HIVER

Ah ! comme la neige a neigé !
Ma vitre est un jardin de givre.
Ah ! comme la neige a neigé !
Qu'est-ce que le spasme de vivre
5 À la douleur que j'ai, que j'ai !

Tous les étangs gisent gelés,
Mon âme est noire : où vis-je ? où vais-je ?
Tous ses espoirs gisent gelés :
Je suis la nouvelle Norvège
10 D'où les blonds ciels s'en sont allés.

Pleurez, oiseaux de février,
Au sinistre frisson des choses,
Pleurez, oiseaux de février,
Pleurez mes pleurs, pleurez mes roses,
15 Aux branches du genévrier.

Ah ! comme la neige a neigé !
Ma vitre est un jardin de givre.
Ah ! comme la neige a neigé !
Qu'est-ce que le spasme de vivre
20 À tout l'ennui que j'ai, que j'ai !…

Émile Nelligan et son œuvre, 1904.

1. Dans *Le Vaisseau d'Or*, prouvez que l'image du navire correspond à la destinée du poète.
2. Relevez les nombreuses oppositions qui traduisent l'aspect tragique de cette destinée.
3. Dans *Soir d'hiver*, une sonorité domine : quelle est-elle et quel est son rôle ?
4. Dans ce même poème, dressez le champ lexical de l'hiver.
5. Expliquez la troisième strophe et le symbolisme des oiseaux.

Émile Nelligan (1879-1941)

[...] dispersant mon rêve en noires étincelles

À une époque où ses contemporains entrent en religion ou en mariage, Nelligan décide, à 16 ans, de vivre en poésie. Mais les fulgurants espoirs de cet idéaliste mélancolique sont bientôt rappelés à la raison par la folie qui, dans les circonstances, peut être considérée comme l'attestation du génie. Au point que cet adolescent a confiné dans l'ombre tous les autres poètes de son époque. Émile Nelligan est notre premier poète moderne, tant par l'originalité de sa source d'inspiration[5], qui exprime la réalité urbaine et l'angoisse d'être un aliéné de l'intérieur, que par la nouveauté de ses images. Avec celui que l'on peut considérer comme notre premier classique, pour avoir produit notre première œuvre à l'épreuve du temps, la littérature s'éloigne enfin des prétextes idéologiques pour devenir littéraire. Dans sa poétique intimement liée au psychologique, les folles ivresses sont noyées dans des douleurs extrêmes : l'émotion envahit tout, jusqu'à l'intellect, et la grandeur des attentes vient fracasser le morne quotidien.

5. Bien avant le Galarneau de *Salut Galarneau !* de Jacques Godbout, Nelligan a écrit sa vie, il a « vécrit ». (Voir la page 171.)

LA ROMANCE DU VIN

Tout se mêle en un vif éclat de gaîté verte.
Ô le beau soir de mai ! Tous les oiseaux en chœur,
Ainsi que les espoirs naguères à mon cœur,
Modulent leur prélude à ma croisée ouverte.

5 Ô le beau soir de mai ! le joyeux soir de mai !
Un orgue au loin éclate en froides mélopées ;
Et les rayons, ainsi que de pourpres épées,
Percent le cœur du jour qui se meurt parfumé.

Je suis gai ! je suis gai ! Dans le cristal qui chante,
10 Verse, verse le vin ! verse encore et toujours,
Que je puisse oublier la tristesse des jours,
Dans le dédain que j'ai de la foule méchante !

Je suis gai ! je suis gai ! Vive le vin et l'Art !...
J'ai le rêve de faire aussi des vers célèbres,
15 Des vers qui gémiront les musiques funèbres
Des vents d'automne au loin passant dans le brouillard.

C'est le règne du rire amer et de la rage
De se savoir poète et l'objet du mépris,
De se savoir un cœur et de n'être compris
20 Que par le clair de lune et les grands soirs d'orage !

Femmes ! je bois à vous qui riez du chemin
Où l'Idéal m'appelle en ouvrant ses bras roses ;
Je bois à vous surtout, hommes aux fronts moroses
Qui dédaignez ma vie et repoussez ma main !

25 Pendant que tout l'azur s'étoile dans la gloire,
Et qu'un hymne s'entonne au renouveau doré,
Sur le jour expirant je n'ai donc pas pleuré,
Moi qui marche à tâtons dans ma jeunesse noire !

Je suis gai ! je suis gai ! Vive le soir de mai !
30 Je suis follement gai, sans être pourtant ivre !...
Serait-ce que je suis enfin heureux de vivre ;
Enfin mon cœur est-il guéri d'avoir aimé ?

Les cloches ont chanté ; le vent du soir odore...
Et pendant que le vin ruisselle à joyeux flots,
35 Je suis si gai, si gai, dans mon rire sonore,
Oh ! si gai, que j'ai peur d'éclater en sanglots !

Émile Nelligan et son œuvre, 1904.

Étude détaillée

Analyse formelle

LE LEXIQUE

1. Comment l'ivresse est-elle exprimée dans ce poème ?

2. Les sentiments sont ici exacerbés. Montrez-le en relevant les expressions d'espoir ou de bonheur d'une part, et de désespoir ou de malheur d'autre part.

3. La musique joue-t-elle un rôle dans ce poème ?

4. Quel effet la présence des couleurs produit-elle ?

5. En quoi le dernier vers vient-il faire écho au premier ?

LES IMAGES ET LA MUSICALITÉ

1. Repérez et classez les principales figures de style.

2. Certaines sonorités sont-elles privilégiées ?

3. De quel type de rimes s'agit-il ?

4. Relevez les antithèses et montrez leur signification.

5. La cinquième strophe contient une allitération. Qu'exprime-t-elle ?

6. Quel effet les nombreux points d'exclamation produisent-ils ?

7. Quels mots sont répétés, et dans quel but ?

8. Quels éléments servent à produire un rythme rapide ?

LA STRUCTURE DU POÈME

1. Commentez le type et le nombre des strophes.

2. Dégagez les grandes divisions du poème ; donnez un titre à chacune d'elles.

3. Quel est le vers qui sert de refrain ? Montrez l'équivoque de sa signification.

4. Montrez que ce poème est construit autour d'une montée constante de l'ivresse jusqu'à une chute dramatique.

Analyse thématique

1. Quelle est la cause du mal qui afflige Nelligan ?

2. L'idéalisme de Nelligan est apparent dans son refus de la réalité banale.
   a) Quels passages le prouvent ?
   b) Quel idéal habite le poète ?
   c) Comment s'effectue la fuite du monde réel ?

3. Nelligan est associé à l'image du « poète maudit ». Quels passages indiquent que Nelligan lui-même se voyait ainsi ?

4. Énumérez les principaux thèmes contenus dans ce poème.

Préparation à la dissertation critique

1. À l'aide de ce poème, décrivez l'innovation principale de Nelligan par rapport à ses prédécesseurs.

2. Montrez l'influence de la poésie romantique sur la sensibilité de Nelligan.

3. Montrez, dans ce poème, l'influence de la poésie symboliste.

4. Ce poème dépasse la seule dimension biographique pour atteindre à l'art authentique. Commentez.

5. À la suite de la lecture publique de ce poème, Nelligan fut porté en triomphe jusque chez lui par ses amis. Selon vous, qu'est-ce qui a pu susciter un tel enthousiasme ?

6. Pourquoi Félix Leclerc écrit-il : « En 1901 être poète est un malheur / Surtout au temps de Nelligan à Montréal » ? Commentez.

7. Selon vous, de quoi est fait le « mythe Nelligan » ?

8. Comparez ce poème avec celui d'Eudore Évanturel, *Soulagement* (page 72). Les deux poètes éveillent-ils les mêmes émotions ?

LE MYTHE NELLIGAN

Une dizaine d'années avant sa mort survenue en 1941, de très nombreux visiteurs viennent déjà rencontrer Nelligan dans son asile de silence : le mythe du poète adolescent – de l'ange noir –, à jamais sacrifié sur l'autel du conformisme, a déjà pris forme. L'homme diminué par l'âge et la maladie n'existe pas. Dès la première édition de son œuvre, en 1904, on l'avait instantanément consacré grand poète, et c'est cette poésie – ou ce qu'elle promettait – liée à son destin pathétique, qui fait de Nelligan le type même du poète romantique, qu'on vient saluer dans cet homme muselé.

Depuis, génération après génération, on ne cesse de redécouvrir, de se réapproprier celui qui s'est dressé, seul, pendant près de trois ans, en face de la vieille société, de la vieille poésie. Tout un peuple se reconnaît dans ce poète polarisé par l'enfance : on le chante abondamment, on tourne sa vie au cinéma ou on en fait un opéra et, surtout, on continue de le lire abondamment, chacun y projetant ses « rêves d'artiste ».

Dans le roman *Le nez qui voque* (1967) de Réjean Ducharme, autre écrivain illuminé et hanté par l'enfance, Nelligan sert d'inspiration aux jeunes protagonistes. Le portrait romantique du poète donne l'impression qu'il a triomphé du temps ; que Nelligan n'est jamais passé du silence dit au silence indicible, dans son exil de songe et de folie. Félix Leclerc, notre premier chansonnier, a également rendu un vibrant hommage à Nelligan, dont il retient surtout l'image d'une extrême fragilité. Quant à Michel Tremblay, en 1990, il a écrit un « opéra romantique » où Nelligan chante son mal de vivre sur une musique d'André Gagnon. Y sont confrontés le jeune poète d'avant l'internement et le vieillard, arrivé à la dernière année de sa vie. L'extrait retenu souligne tout l'angélisme de Nelligan. Le jeune Émile dort recroquevillé sur un banc, la tête appuyée sur les genoux d'Émile vieux, qui chante.

Réjean Ducharme (né en 1941)
LA PHOTO DE NELLIGAN

Je pourrais en écrire des pages et des pages sur Nelligan. Quand nous avions sept ans, nous nous enfoncions dans les bois et, assis aux pieds des pins, nous lisions et relisions ses poèmes. Quelques-uns de ses vers, comme : « Lorsque nous lisions *Werther* au fond des bois... », semblaient parler de
5 nous. À la bibliothèque, dans une édition de ses œuvres complètes, nous avons surpris une photo de lui. Cette image, nous l'avons arrachée et nous l'avons gardée. Nous voyions notre ami le poète pour la première fois, nous risquions de ne plus jamais le revoir : nous n'avons pas hésité ; nous l'avons emmené ici de force et nous l'avons fixé à la cloison avec des clous.
10 Chateaugué le trouve beau, dit qu'il a les cheveux comme en feu, un nez de lion et les yeux doux comme des ailes de papillon. La photo que nous avons volée le représente avec une lavallière autour du cou. La photo aurait pu le représenter avec une lavallière autour du front. Alors, il aurait eu l'air arabe. Les cheveux ardents, les yeux de femme, un nez de bête, les lèvres douces, la
15 bouche dure ; il est tout à fait comme nous nous l'imaginions : c'est cela qui nous a le plus frappés quand nous l'avons rencontré entre deux pages.

Le nez qui voque, © Éditions Gallimard, 1967.

Félix Leclerc (1914-1988)

NELLIGAN

En 1901 être poète est un malheur
Surtout au temps de Nelligan à Montréal
C'était comme être juif sous les nazis
Être seul avec son oiseau dans les mains
5 Son trésor
De marcher sur les mines
Comme un espion en pays ennemi
Qui va sauter au prochain pas
Pulvérisé dans les airs à la folie
10 Et dans la mort
Ce qui lui est arrivé
Chez lui tué par les siens
L'indifférence
Pardon Nelligan
15 Sache qu'ici plusieurs d'entre nous
Sans le dire secrètement
Te prennent et te portent sur nos épaules
Comme au collège on te l'avait fait un soir d'avril
Et on te reconduit chez toi
20 Dans le temple des immortels

© *Nelligan*, paroles de Félix Leclerc avec l'aimable autorisation de Olivi Musique.

Michel Tremblay (né en 1942)

BERCEUSE

Après avoir couru derrière un faux soleil
Il s'est abandonné aux torpeurs du sommeil
Il se laisse bercer dans l'odeur de l'encens
Par la voix éthérée d'un humble chœur d'enfants.

5 Il n'est plus sur un banc, il n'est plus à l'église
Il vogue sur la mer, le vent du sud le grise.
Le ciel est un trou noir, la mer devient opale
Et son île apparaît en silhouette pâle.

Dors, dors, Émile dors
10 Conduis ton Vaisseau d'Or
Guide ses voiles blanches
Au récital des Anges.

Étendu sur la plage où déferlent les vagues
Il maudit son passé, il hurle et il divague.
15 Puis la paix lui revient, le couvre de son châle
Dans son sommeil il dort dans une cathédrale.

Voyez, il a bougé ; il a tendu la main
Les sirènes ont chanté, il sait que dès demain
Il pourra s'installer, entouré de ses muses
20 Et transcrire la voix des anges qui s'amusent.

Dors, dors, Émile dors
Conduis ton Vaisseau d'Or
Guide ses voiles blanches
Au récital des anges.

Nelligan : livret d'opéra, © Leméac, 1990.

Guy Delahaye / Guillaume Lahaise (1888-1969)

*Le langage d'une âme vibrante
S'épanouit en désirs bleuis*

Artiste exceptionnel, le poète Guy Delahaye a manifesté le plus vif intérêt pour la poésie symboliste. On a même la surprise de trouver dans ses textes des échappées surréalistes. Sous le nom de Guillaume Lahaise, il a exercé son métier de psychiatre ; Émile Nelligan a été un de ses patients.

Quelqu'un avait eu un rêve trop grand...

VISION D'HOSPICE

Au Docteur Villeneuve

Voilà l'extase, tout se fait clos ;
Tout fait silence, voilà l'extase ;
Le bruit meurt et le rire s'enclot.

5 Voilà qu'on s'émeut, cris sont éclos ;
Pensée ou sentiment s'extravase ;
Voilà qu'on s'émeut de peu ou prou.

L'on rive un lien, l'on pousse un verrou,
La tête illuminée, on la rase,
10 Et l'être incompris est dit un fou.

Les phases, 1910.

1. Analysez la forme du poème : vers, rimes et strophes.

2. Commentez l'usage fait de la ponctuation.

3. Quelles sonorités sont privilégiées ?

4. Relevez les différentes figures puis trouvez leur effet.

5. Quelle est l'intention de l'auteur ?

6. Certains vers pourraient-ils être lus comme une référence à Nelligan ? Commentez.

Guy Delahaye, poète,
Ozias Leduc, 1911.
Musée national des beaux-arts du Québec, 77.24.

JE REGARDE DEHORS PAR LA FENÊTRE

J'appuie des deux mains et du front sur la vitre.
Ainsi, je touche le paysage,
Je touche ce que je vois,
Ce que je vois donne l'équilibre
5 À tout mon être qui s'y appuie.
Je suis énorme contre ce dehors
Opposé à la poussée de tout mon corps ;
Ma main, elle seule, cache trois maisons.
Je suis énorme,
10 Énorme...
Monstrueusement énorme,
Tout mon être appuyé au dehors solidarisé.

Les atmosphères : le passeur, poèmes et autres proses, 1920.

ÉBAUCHE D'UN DÉPART DÉFINITIF

Comme sa forme mobile,
Jamais repu d'avenir,
Je sens de nouveau monter,
Avec le flux de ses eaux,
5 L'ancienne peine inutile
D'un grand désir d'évasion.

Poëmes, 1922.

---

1. Dans *Je regarde dehors par la fenêtre*, quel effet les répétitions produisent-elles ?

2. Dites en quoi le vers libre sert bien le thème principal de ce poème.

3. De quelle manière s'opposent l'intériorité du poète et la réalité extérieure ?

4. Comment peut-on comprendre la vitre, objet transparent mais obstacle ici ?

5. En quoi le dernier vers est-il pathétique ?

6. Analysez le rythme de l'extrait du poème *Ébauche d'un départ définitif*. En quoi sa régularité sert-elle le poème ?

7. Pouvez-vous distinguer ce qui fait la modernité de l'écriture de Jean-Aubert Loranger ?

Jean-Aubert Loranger (1896-1942)

*J'entendis tomber goutte à goutte [...]
Le trop-plein des sons alourdis
D'une heure lente et déjà vieille.*

La poésie de Jean-Aubert Loranger étonne par sa liberté, tant thématique que formelle. Ses vers libres, contestation de l'ordre établi du langage, expriment en fait le rejet d'un certain ordre social, d'une certaine vision du monde. Par-dessus tout, ce poète exprime la marginalité et la solitude des artistes. Son originalité[6] le confine bientôt au silence. Dans ces poèmes tirés des recueils *Les atmosphères* (1920) et *Poëmes* (1922), le poète s'abandonne à un langage de la perception.

---

6. Ce poète a, entre autres, composé de nombreux haïkus comme celui-ci :
Une « horloge grand-père »,
Ô ce cercueil debout
Et fermé sur le temps.

Au plaisir de lire
• Contes

Paul Morin
(1889-1963)

Amer émoi de voir autour de soi le Beau Palpiter, et fleurir, et crouler au tombeau Des gloires orgueilleuses... !

Paul Morin s'est élevé contre ce qui lui semblait une sclérose généralisée de la société et un obscurantisme de plus en plus étouffant. Il reprochait surtout à la littérature « terroirisante » ses canons esthétiques d'ordre moraliste, bons à produire des écrits aussi onctueux qu'aseptisés. Aussi est-il passé avec armes et bagages du côté de la « vraie » littérature, celle qui vaut essentiellement pour sa dimension esthétique. Au terroir il oppose l'exotisme, au régionalisme l'universalisme ; et la valorisation de l'art pour l'art remplace la conception de la littérature comme service national.

Sans cesse, il s'efforça de cultiver le dépaysement : sujets inhabituels, images recherchées, virtuosité du vers... Grand voyageur, il voulut, dans ses vers, traduire ses impressions de voyages. Le thème oriental est pour sa part une influence parnassienne.

Au plaisir de lire

- Œuvres poétiques. Le paon d'émail, Poèmes de cendre et d'or

TOKIO

La chaude ville de laque et d'or,
Comme une petite geisha lasse,
Au transparent clair de lune dort.

Un brûlant parfum d'opium, de mort,
5 De lotus, d'encens, passe et repasse ;
La claire nuit glace Hokaïdo

De bleus rayons d'étoiles et d'eau.
Ouvre ta porte secrète et basse,
Verte maison de thé d'Hirudo...

Le paon d'émail, 1911.

1. Quelles sonorités sont privilégiées ici ?

2. Prouvez que Paul Morin a une conception ornementale de l'art, qui fait passer la forme avant le contenu.

3. Le courant parnassien privilégie la description plutôt que le lyrisme. Qu'en est-il ici ?

4. Quelle vision le poète se fait-il de la ville de Tokyo ?

5. De quelle manière ce poème s'oppose-t-il au courant du terroir ?

L'essai et l'esprit des Lumières

Soulager, consoler, fortifier toute âme qui pleure, qui souffre, qui vit isolée, malheureuse ou abandonnée, voilà la belle, la grande, la sublime mission de l'homme de lettres dans la société moderne.

Faucher de Saint-Maurice

Plusieurs Patriotes périrent au combat, d'autres furent pendus et un certain nombre exilés aux Bermudes et en Australie. On peut comprendre que ceux qui s'en tirèrent préférèrent se faire oublier. On trouve néanmoins une résurgence de l'esprit libéral chez les membres de l'Institut canadien de Montréal. Fondé en 1844 par de jeunes intellectuels montréalais, l'Institut devient rapidement le foyer des idées libérales. Avec un fort accent anticlérical fidèle au romantisme révolutionnaire de la décennie 1830, on se scandalise de la constante collusion du trône et de l'autel.

On vise donc à établir une nette séparation des pouvoirs et des rôles de l'Église et de l'État. Finie la résignation chrétienne et son éternelle soumission. On propose plutôt une action sociale qui permette d'accéder au progrès, jusqu'à maintenant empêché, affirme-t-on, par l'intolérance de l'Église. Parmi ces libres-penseurs influencés par les philosophes des Lumières se trouvent des hommes flamboyants et passionnés, qui se veulent utiles à leur communauté, comme Louis-Antoine Dessaulles et Arthur Buies.

■ ■ ■

Discours sur la tolérance

On a osé écrire en toutes lettres qu'admettre des gens de diverses croyances dans notre Institut, c'était montrer qu'on les acceptait toutes, conséquemment que l'on n'en avait aucune. Ainsi donc, vivre en paix avec son voisin, c'est admettre que l'on partage toutes ses opinions. Voilà les habiles conclu-
5 sions de la réaction ! Si le catholique ne dit pas *Raca* au protestant, cela prouve qu'il est lui-même protestant ! Mais, grand Dieu, pourquoi donc ne rallume-t-on pas de suite les bûchers ? On ne serait que logique après tout. Ah ! c'est sans doute parce que l'on craindrait peut-être, en ce siècle, que l'édificateur du bûcher n'y fût jeté le premier ! Quel malheur que l'on n'ait
10 pas songé à cela plus tôt ! Comme les bûchers se seraient vite éteints !

[...] Mais de quoi s'agit-il donc, au fond ?

Nous formons une société d'étude ; et de plus, cette société est purement laïque. L'association entre laïques, en dehors du contrôle religieux direct, est-elle permise catholiquement parlant ? Où est l'ignare réactionnaire qui
15 osera dire NON ?

L'association entre laïques appartenant à diverses dénominations religieuses est-elle catholiquement permise ? Où est encore l'ignare réactionnaire qui osera dire non ?

Eh bien, dans un pays de religion mixte, où donc est le mal que les esprits
20 bien faits appartenant aux diverses sectes chrétiennes se donnent mutuel-lement le baiser de paix sur le champ de la science ? Quoi ! quand des protes-tants et des catholiques sont *juxta-posés* dans un pays, dans une ville, il ne leur sera pas permis de travailler en commun à leur progrès intellectuel ! Certaines gens ne seront tranquilles que quand ils en auront fait des ennemis,
25 et dans le domaine de la conscience et dans celui de l'intelligence ! Où donc ces gens prennent-ils leurs notions évangéliques ?

Et pourtant, où sont donc la prudence et le simple bon sens ? Ce sont ceux qui sont en minorité dans l'État qui ne veulent endurer personne et ont toujours l'ostracisme à la bouche ! Mais nous vous endurons bien, nous, avec
30 tous vos travers d'esprit, et de cœur surtout ! Imitez donc un bon exemple au lieu d'en donner un mauvais !

Nous formons donc une société littéraire *laïque* ! Notre but est le progrès, notre moyen est le travail, et notre lien est la tolérance. Nous avons les uns pour les autres ce respect que les hommes sincères ne se refusent jamais. Il
35 n'y a que les hypocrites qui voient le mal partout, et qui se redoutent *parce qu'ils se connaissent*.

« Discours sur la tolérance » in *Anthologie de la littérature québécoise*, volume 2, 1978.

1. Quel effet les phrases interrogatives produisent-elles ?
2. Comment l'auteur retourne-t-il les préceptes religieux à son profit ?
3. Quelle périphrase permet à Dessaulles de dénoncer l'intolérance de ses adversaires ?
4. Quelle est la tonalité dominante de ce texte ?
5. Décrivez les valeurs, les objectifs de l'Institut canadien.

Louis-Antoine Dessaulles (1819-1895)

Le plus fondamental de tous les principes de la religion est d'aimer Dieu et de s'aimer les uns les autres. [...] Eh bien, on dirait qu'il y a des gens qui ne savent tirer de la religion que l'esprit d'intolérance et de haine.

Âme dirigeante de l'Institut cana-dien de Montréal, Louis-Antoine Dessaulles fut un des libéraux les plus actifs de son siècle. Essayiste et journaliste, en révolte contre la société de son temps dont il cherche à corriger les injustices et les travers, il multiplie les critiques contre Ignace Bourget, évêque de Montréal ; il lui reproche son in-tolérance qui retarde le progrès. L'extrait choisi est tiré d'un dis-cours célébrant un anniversaire de fondation de l'Institut, le 17 dé-cembre 1868.

Au plaisir de lire
• *Écrits*

Arthur Buies
(1840-1901)

*Où suis-je ? Je le sais
à peine. Pourquoi
suis-je venu ici et
par quel vent poussé ?
Je n'en sais rien.*

Le franc-tireur Arthur Buies est le rare exemple d'un littéraire qui fait une critique féroce et ironique des principales institutions de son temps. Reconnu pour sa virulence pamphlétaire, ce libéral anticlérical exerce ses talents satiriques surtout dans son journal *La Lanterne* (1868-1869), implacable pourfendeur de tous les préjugés. Il livre son combat principal dans le large domaine de l'éducation, où il s'oppose à la mainmise cléricale sur les collèges classiques et revendique l'égalité pour les jeunes filles. Cet esprit hardi et brillant, ami des contrastes et enclin aux excès, mourra pourtant en odeur de sainteté, de même que la plupart des Patriotes qui échappent à la mort en 1837 et 1838 décéderont plus tard en odeur de royauté !

Au plaisir de lire

• *Chroniques*
• *Correspondance* (1855-1901)

BORNÉS À L'OMBRE QUI LES ENTOURE

Nos jeunes gens ont perdu l'ambition de l'aplatissement ; il en est qui sont restés avec vous[1], ceux-là n'ont plus la force de se relever ; captifs endormis, ils regardent leurs chaînes d'un air hébété, ne sachant même plus qu'ils sont esclaves. D'autres s'agitent, mais ils retombent, vaincus par le poison que vous
5 avez versé dans leur intelligence.

Ils font pitié à voir ; aussi je les regarde sans dédain. Caractères avachis, cœurs étiolés, fantômes sournois, on les aperçoit qui passent, l'œil terne, ne voyant plus d'avenir, bornés à l'ombre qui les entoure.

Une triste lassitude règne dans ces âmes abattues avant d'avoir pris leur
10 vol. Partout ailleurs la jeunesse a des élans ; ici, elle n'a que des craintes.

Vous avez étouffé en elle la source généreuse du patriotisme et de l'abné-gation. Cette soif de liberté et de lumière qui s'abreuve et s'augmente à la fois par l'absorption des grandes idées, qui seule est l'instrument du progrès humain, dont les désirs toujours croissants accusent l'intarissable fécondité
15 de l'esprit, vous l'avez étouffée sous les capuchons de l'Union Catholique, comme on étouffe un feu dévorant que l'eau ne peut éteindre.

Non, vous n'aviez pas assez d'eau bénite pour nous noyer dans le marais. Il vous a fallu des ressources inouïes contre cette jeunesse livrée à vous sans défense, fréquentant vos collèges, ignorant que le monde partout marchait,
20 tandis qu'elle seule reculait.

[...] Comprendrez-vous enfin, jeunes gens, comprendrez-vous qu'entre les mains du clergé, vous ne pouvez être qu'un instrument de circonstance qu'il brise dès qu'il n'en a plus besoin, qu'en croyant vous faire de lui un allié, vous vous êtes donné un maître qui exploite à son profit unique tout le
25 bien que vous pouvez faire avec vos talents et votre énergie, qu'en persistant à ne pas vous arracher à vos chaînes, vous perdez de plus en plus le sentier de l'avenir, que vous vous rendez inhabiles aux conditions nécessaires de notre prochain état de société, et que vous vous trouverez avant longtemps peut-être isolés au milieu d'un monde qui aura marché sans vous ?
30 Mais combien de temps encore devrai-je prêcher dans le désert ?

_____
1. Il s'agit du clergé.

La Lanterne, 1884.

1. Relevez les mots associés à la captivité. D'autres mots viennent-ils s'y opposer ?

2. Comment est décrite la condition morale de la jeunesse ?

3. Quelle est la tonalité dominante de ce texte ?

4. Dans quel but l'auteur a-t-il écrit ce texte ?

5. Comparez cet extrait avec celui des *Demi-civilisés* de Jean-Charles Harvey (page 70). Est-ce que les deux textes présentent le même portrait de la jeunesse au sein de l'ordre religieux ? Discutez.

Dans les tout premiers textes qui présidèrent à notre littérature, des femmes n'avaient pas craint de laisser transparaître leur subjectivité. Qu'on pense aux lettres de Marie de l'Incarnation ou à celles, passionnées, écrites par Élisabeth Bégon à son gendre. Puis l'écriture féminine s'est fait oublier pendant longtemps. Et voici qu'on la redécouvre, encore aujourd'hui, quand sont publiés certains journaux intimes. C'est ainsi que récemment parut le *Journal intime 1879-1900* (Éditions De la pleine lune, 2000) d'une journaliste et femme engagée dans son milieu, Joséphine Marchand (1861-1925). Avec un authentique talent d'écrivain, elle s'interroge sur la pertinence du mariage, où les femmes perdent leur liberté et, avec elle, leur dignité. C'est dire que la participation des femmes à notre littérature nationale n'est pas absente, mais qu'elle a pris une autre forme.

En attendant une écriture au féminin qui éclatera bientôt dans une révolte toute lisière levée, la présente période contient déjà des œuvres de fort belle qualité, des mouvements souterrains travaillant à dégager un espace autonome à la sensibilité et à l'imaginaire féminins.

■ ■ ■

J'AIME MIEUX MOI QUE LES AUTRES

La retraite continue. Tout m'y ennuie, excepté le silence qui me ravit ! Dieu que c'est bon de se taire et de ne plus entendre les autres !

J'ai tout de même attrapé une bonne petite gronderie injuste. Hier soir, maman me demande : « Comment prêche-t-il ce prédicateur ? » Stupidement,
5 « il crie et veut nous faire croire que nous sommes toutes en voie de nous damner ! » Alors on me gronda. Je suis trop jeune pour donner mon opinion ainsi (pourquoi me la demande-t-on ?), c'est un esprit de critique nuisible et ridicule, etc…

Et voilà, ma fille, garde tes petites idées va, et dis des mensonges plutôt
10 que ton opinion. Ce serait le résultat logique de la gronderie.

Ce soir, un sermon sur la mort. Cela me révolte d'entendre beaucoup de bruit et de tapage autour de la mort qui me paraît une chose triste mais douce. Triste à cause de la séparation, alors il faut en parler avec des larmes et non avec ce grand fracas. Puis elle est douce, la mort ; ne vivre qu'avec son
15 âme, comprendre l'incompréhensible Dieu !

Décidément, il est ridicule cet homme qui ramène tout en bas, qui ne parle que du laid en nous, dans la mort et dans l'éternité, avec ses descriptions insensées des châtiments !

Pauvre prêtre, va, ce n'est pas le « genre Jésus » que tu as adopté, tu prêches
20 plutôt comme les ministres de l'Armée du Salut qui crient comme des forcenés dans les rues de Montréal depuis quelque temps.

Cela ne peut être mal de le critiquer parce qu'il est un prêtre, je ne crois pas cette bêtise-là. Je voudrais bien être très bonne, mais je sais que jamais je ne le pourrai. Et puis, ceux qui sont si bons que ça sont un peu détestables,
25 exigeants, voulant tout ramener à leur opinion, réglant et dirigeant tout, excepté leur humeur.

Fadette / Henriette Dessaulles (1860-1946)

Ce n'est pas mal de dire la vérité, ce n'est pas mal de blâmer l'injustice. Tant pis si c'est l'autorité qui la commet. Je ne puis pas me soumettre mollement, lâchement.

Henriette Dessaulles, journaliste et conteuse, a collaboré à une douzaine de périodiques sous différents pseudonymes, dont celui de Fadette. Mais auparavant, entre 15 et 20 ans, elle avait tenu un journal d'adolescente et de jeunesse, à la recherche de son identité. Quelle surprise de découvrir cette jeune fille à l'indépendance frondeuse, à l'intelligence vive et à l'humour incisif. Elle y relate, dans un style intimiste et un langage émancipé, ce qu'elle vit et ce qu'elle ressent. Le journal se fait ici l'exercice même de la liberté.

Voilà donc mes réflexions de retraite ! Elles se ramènent hélas ! à dire que j'aime mieux moi que les autres, à m'excuser de ce que je fais mal en accusant les autres.

30   Je suis toute triste de moi et de mes petitesses. Et je ne me suis jamais sentie si *seule*. C'est affreux de ne pouvoir s'ouvrir à quelqu'un non seulement qui comprendrait mais qui aiderait !

Journal d'Henriette Dessaulles, 1874-1880, 1971.

1. Relevez les antithèses et commentez-en l'usage.

2. Expliquez la présence de nombreuses phrases simples et qualifiez le style.

3. Repérez les différents procédés qui expriment la subjectivité de l'auteure.

4. En quoi la conception de la mort et de Dieu peut-elle apparenter ce texte au romantisme ?

Tête de femme, Marc-Aurèle Fortin, xxᵉ siècle.
Musée Marc-Aurèle Fortin.

La mer s'était retirée

Je vois encore son air moitié amusé, moitié attendri. Il m'embrassa sur les cheveux en m'appelant sa chère folle, et me fit asseoir pour causer. Il était dans ses heures d'enjouement, et alors sa parole ondoyante et légère avait un singulier charme. Je n'ai connu personne dont la gaieté se prît si vite. Mais ce
5 soir-là quelque chose de solennel m'oppressait. Je me sentais émue sans savoir pourquoi. Tout ce que je lui devais me revenait à l'esprit. Il me semblait que je n'avais jamais apprécié son admirable tendresse. J'éprouvais un immense besoin de le remercier, de le chérir. Minuit sonna, et avec ce son, qui me parut lugubre, une crainte vague et terrible entra en moi. Cette
10 chambre si jolie, si riante me fit soudain l'effet d'un tombeau. Je me levai pour cacher mon trouble et m'approchai de la fenêtre. La mer s'était retirée au large, mais le faible bruit des flots m'arrivait par intervalles. J'essayais résolument de raffermir mon cœur, car je ne voulais pas attrister mon père. Lui commença dans l'appartement un de ces va-et-vient qui étaient dans ses
15 habitudes. En passant, son regard tomba sur la *fille du Tintoret* et une ombre douloureuse couvrit son visage. Il s'arrêta et resta sombre et rêveur à la considérer. Je l'observais sans oser suivre sa pensée. Nos yeux se rencontrèrent, et ses larmes jaillirent. Il me tendit les bras et sanglota : Ô mon bien suprême ! ô ma Tintorella !
20 Je fondis en larmes. Cette soudaine et extraordinaire émotion répondant à ma secrète angoisse m'épouvantait, et je m'écriai : Mon Dieu, mon Dieu, que va-t-il donc arriver ?

Angéline de Montbrun, 1884.

---

1. Relevez les mots qui annoncent le décès prochain du père.

2. À partir des réseaux de mots, mettez en opposition les émotions éprouvées par la narratrice et le lien affectif qui la lie à son père.

3. Peut-on voir un symbole dans l'allusion à la mer ?

4. Le romantisme est une littérature du cœur davantage que de la raison. Prouvez-le avec cet extrait.

5. Ce roman ne satisfait pas aux exigences de l'abbé Henri-Raymond Casgrain. Commentez.

Laure Conan / Félicité Angers (1845-1924)

Dans l'isolement, quand l'âme a encore sa sensibilité toute entière et toute vive, il y a une étrange volupté dans les souvenirs qui déchirent le cœur et qui font pleurer.

La romancière et journaliste Félicité Angers, qui a adopté le pseudonyme de Laure Conan, a été l'auteure la plus remarquée du XIXe siècle. Elle est la première femme à avoir rédigé un roman, le seul ouvrage vraiment psychologique de ce siècle et le premier roman crédible d'amour-passion, où elle fait l'aventure de la subjectivité. Certains ont cru y voir la transposition d'épisodes de sa vie personnelle.

Dans l'extrait, l'héroïne revit en imagination la dernière journée passée avec son père, la veille de sa mort. On notera la particularité du lien qui unit la fille à son père, et la très vive sensibilité de la narratrice, l'émotion étant toujours présente.

SYNTHÈSE

QUESTIONS

Analysez

1. Analysez la description de la vie paysanne dans le poème de William Chapman et dans le récit d'Albert Laberge, puis montrez qu'elles illustrent deux points de vue opposés.

2. Pourrait-on établir un parallèle entre le poème *Je regarde dehors par la fenêtre* et le conte *Le passeur* : le passeur réduit au silence et le poète muselé devant sa fenêtre ?

Expliquez

3. Cernez les principales caractéristiques de l'ultramontanisme.

4. Trouvez le lien existant entre nos romantiques ultramontains et le classicisme européen.

5. Prouvez que *La terre paternelle* de Patrice Lacombe est la mise en pratique des idées exposées dans le texte d'Henri-Raymond Casgrain.

6. Critiquez l'affirmation de Casgrain voulant que la littérature soit « le reflet des mœurs, du caractère, des aptitudes, du génie d'une nation ».

7. Le texte de Camille Roy illustre le débat au sujet du rôle de la littérature dans la société. Expliquez les enjeux de ce débat.

8. Montrez que la poésie de Jean-Aubert Loranger est un maillon important entre l'œuvre de Nelligan et celle de Saint-Denys Garneau (page 95).

9. Prouvez que Lionel Groulx, Félix-Antoine Savard et Louis Hémon véhiculent la même pensée, les deux derniers constituant une illustration métaphorique du premier.

Discutez

10. Le thème de la soumission à l'autorité est abordé par Rodolphe Girard et Jean-Charles Harvey. Commentez.

11. Le personnage du coureur de bois ou du nomade est-il en opposition avec l'idéologie du terroir ? Justifiez votre réponse à l'aide des textes de Germaine Guèvremont et d'Alfred DesRochers.

12. Le thème de la destinée est-il traité de façon identique par Albert Laberge et Jean-Aubert Loranger ? Justifiez votre réponse.

Contexte sociohistorique	Littérature
Un siècle de résistance passive	**Une littérature qui donne forme à la nation**
Ultramontanisme et survivance	Le patriotisme et le romantisme épuré
• La décennie de 1840 est vraiment une période charnière : elle ouvre un siècle de résistance passive visant à assurer la survivance collective. Le nationalisme se mue en patriotisme.	• L'élite clérico-bourgeoise francophone assigne à la littérature la mission de présenter l'**agriculture** comme la seule voie pouvant assurer la survie de la **nation canadienne-française**.
• Mgr Bourget est nommé évêque de Montréal (1841).	• École littéraire de Québec (1858).
• Ultramontains : laïcs et membres du clergé de mentalité conservatrice, ils vénèrent le passé, craignant une possible assimilation des francophones et la perte de la foi catholique.	• Imitateurs du classicisme, les **ultramontains** pratiquent un romantisme fortement épuré. Ils disposent d'un considérable appareil **cœrcitif** et **répressif** pour faire triompher leurs idées.
• Développement d'un nationalisme messianique et appel au passé comme mythe compensateur.	• Le roman est frappé d'ostracisme, jugé pernicieux à cause de son appel aux passions, et plusieurs écrivains se font conteurs.
• Idéalisation de la société canadienne-française.	• **Littérature patriotique** : romanciers et poètes évoquent la **terre paternelle** et l'époque de la **colonisation**.
• La terre n'arrive plus à nourrir les familles nombreuses et le mouvement d'exode vers les grandes villes et les États-Unis prend une ampleur sans précédent. Colonisation vers le Nord. Patriotisme et romantisme épuré.	• Le roman est à nouveau appelé à contribution au service de l'**identité nationale** : romans du **terroir** et du **territoire**.
	Une littérature d'inspiration libérale
• Libéralisme contre ultramontanisme	• Production de romans **réalistes** et **naturalistes**.
• Libéraux : journalistes, écrivains et orateurs recherchant la liberté et le progrès, souhaitant que les Canadiens français soient maîtres de leur destin. Le libéralisme connaît son apogée avec l'insurrection de 1837-1838.	• École littéraire de Montréal : naissance d'une poésie qui s'exerce à la modernité : **symbolisme** et **Parnasse**.
• Urbanisation et industrialisation pendant tout le XIXe siècle.	• Au terroir certains écrivains opposent l'**exotisme**, l'**universalisme** et la **valorisation de l'art pour l'art**.
• Fondation de l'Institut canadien de Québec (1842) et de l'Institut canadien de Montréal (1844).	• L'essai et l'esprit des Lumières.
• Émancipation des femmes et droit de vote complet aux élections fédérales de 1918.	• Entrée des femmes en littérature : une **littérature intimiste**.

DATES REPÈRES (1935–1960)

1934 Formation au Québec de l'Action libérale nationale (Paul Gouin).

1935 Le frère Marie-Victorin publie *La flore laurentienne*.

1936 Maurice Duplessis prend le pouvoir au Québec.

1937 Grève du textile à Louiseville.

1939 Déclaration de guerre à l'Allemagne.

Duplessis est défait ; le libéral Godbout accède au pouvoir.

1940 Le Québec accorde le droit de vote aux femmes.

1942 Plébiscite sur la conscription (l'enrôlement pour le service outre-mer) : une très forte majorité de Québécois refusent l'enrôlement militaire, alors qu'ailleurs au Canada, c'est l'inverse.

1943 L'instruction publique devient réellement obligatoire au Québec.

1944 Débarquement en Normandie.

Duplessis reprend le pouvoir.

1945 Explosion à Hiroshima de la 1re bombe atomique. Le lendemain : Nagasaki.

Fin de la guerre.

1947 L'abbé Groulx fonde l'Institut d'histoire de l'Amérique française.

1948 Adoption du fleurdelisé comme drapeau du Québec.

Lancement du *Refus global*.

1949 Grève de l'amiante d'Asbestos et de Thetford Mines ; attitude antisyndicale du gouvernement Duplessis.

Début de la guerre froide.

1950 Fondation de *Cité libre*, revue catholique libérale d'action sociale et antinationaliste, par Pierre Elliott Trudeau et Gérard Pelletier.

Félix Leclerc consacré vedette à Paris.

1950-1953 Guerre de Corée.

1951 Signature de contrats d'exploitation du minerai de fer en Ungava.

Grèves aux chantiers maritimes de Montréal et Lauzon ; grève de l'Alcan.

Le recensement officiel du Canada informe que l'assimilation des francophones hors Québec a atteint un tel point que ceux-ci mettent au monde plus de bébés qui deviendront anglophones que de bébés qui resteront Canadiens français.

1952 Débuts de la télévision de Radio-Canada (bilingue).

1953 Fondation des éditions de l'Hexagone par Gaston Miron qui publiera les plus notables des poètes québécois.

1954 Au Québec, instauration de l'impôt provincial sur le revenu des particuliers.

Fondation de l'Université de Sherbrooke.

1955 Émeute au forum de Montréal, par suite de la suspension de Maurice Richard. Autre occasion de ralliement pour les Québécois.

1956 Aux États-Unis, le docteur Gregory Pincus met au point un procédé de contraception physiologique : début de l'ère de la pilule.

1957 Grève de Murdochville.

1958 Grève des réalisateurs francophones de Radio-Canada.

Fondation de *Liberté*, revue littéraire et culturelle d'inspiration laïque et progressiste.

Un candidat néo-démocrate aux élections fédérales, Jacques Ferron, préconise l'unilinguisme français au Québec : il devient le 1er écrivain à traiter la question linguistique d'un angle politique.

1959 En septembre, mort de Maurice Duplessis.

Inauguration de la voie maritime du Saint-Laurent.

Aux États-Unis, une loi protège le droit de vote des Noirs.

1960 Élection de Jean Lesage du Parti libéral.

CHAPITRE 3

Le rejet de la matrice de la survivance
L'AVÈNEMENT DE LA MODERNITÉ LITTÉRAIRE

Étude de nu, Suzor-Côté, 1923.
Musée des beaux-arts du Canada, n° 3136.

Les frontières de nos rêves ne sont plus les mêmes.

Refus global

LE REJET DE LA MATRICE DE LA SURVIVANCE

La crise économique de 1929 a frappé durement, et pour longtemps, le Québec, en particulier Montréal. En 1933, environ 250 000 personnes sur 1 million sont sans travail et vivent des secours directs : distribution de bons pour l'achat de certains produits et soupes populaires. Au début des années 1940, la ville de Montréal fait faillite. Le climat de vive tension des années 1935-1940 appelle une transformation de la société et constitue, de ce fait, une plaque tournante dans l'histoire du Québec.

La situation politique

En réaction contre les monopoles qui profitent de la Crise pour hausser les prix, un groupe dissident au sein du Parti libéral forme un nouveau parti, l'Action libérale nationale. Mais le programme réformateur de ce dernier est bientôt mis sous le boisseau à la suite de son alliance avec le parti conservateur de Maurice Duplessis : après avoir fondé l'Union nationale en 1935, ce politicien populiste est élu l'année suivante avec un programme centré sur les intérêts des régions rurales ; quant à ses alliés, il les écarte sans ménagement. Férocement anticommuniste et antisyndical, il obtient l'appui inconditionnel du clergé québécois. En 1939, le gouvernement Duplessis est battu et le libéral Adélard Godbout prend le pouvoir. Son gouvernement accorde le droit de vote aux femmes (malgré l'opposition du clergé), reconnaît le droit des travailleurs d'adhérer à un syndicat et rend l'instruction obligatoire pour tous les enfants de 6 à 14 ans. De plus, la société Hydro-Québec est créée par l'étatisation d'une partie de la production hydro-électrique : elle deviendra une des pierres d'assise de la Révolution tranquille du début des années 1960.

Entre-temps, en 1939, une guerre plus universelle, et encore plus barbare que celle de 1914, éclate en Europe par suite des ambitions dominatrices de l'Allemagne d'Adolf Hitler. Comme pour la Première Guerre, les Canadiens français refusent majoritairement la conscription, qui leur semble une mobilisation au service de l'Angleterre. Un an avant la fin de la guerre (1939-1945), l'Union nationale revient au pouvoir. De 1944 à 1959, le Québec vit sous la férule conjointe de Duplessis et de l'Église, dont il incarne les intérêts fondamentaux. Son conservatisme s'appuie sur les fondements culturels canadiens-français : insistance sur la tradition rurale, la religion et un nationalisme tourné vers le passé. Opposé à tout contrôle de l'État sur l'économie et à toute nationalisation, Duplessis pratique une politique de concessions territoriales pour l'exploitation des matières premières ; ce qui l'amène, entre autres, à signer en 1951 des contrats d'exploitation du minerai de fer en Ungava. Son opposition systématique aux visées centralisatrices d'Ottawa en fait le champion de l'autonomie provinciale : il marque la souveraineté du Québec en instituant un impôt provincial sur les compagnies (1947) et un autre sur les revenus des particuliers (1954).

L'Église

Sous le régime Duplessis, l'Église, qui n'a pas appris à supporter la dissidence et dont les effectifs sont plus nombreux que jamais, maintient son pouvoir sur la société québécoise. Mais sous le vernis du faste et de la puissance, l'édifice commence à se lézarder car, malgré le traditionalisme en vigueur, des remises en question pointent à l'horizon. Les évêques ont toujours tendance à percevoir la ville comme un lieu de perdition, comme si seul le monde rural était garant des valeurs morales. Aussi l'Église tarde-t-elle à s'adapter à l'évolution de la société et paraît débordée devant l'accélération du développement urbain et l'augmentation de la population : sous l'effet du baby-boom et d'une intense immigration, la population du Québec passe de 3 331 882 habitants en 1941 à 5 259 211 en 1961, soit une hausse de 57,8 %. Or,

L'honorable Maurice Duplessis prononce un discours devant l'Assemblée nationale du Québec, lors d'une campagne électorale. Bibliothèque et Archives Canada, PA-115821.

l'Église, qui dirige le réseau d'enseignement depuis le primaire jusqu'à l'université et administre la plupart des établissements de santé francophones, arrive mal à répondre seule aux besoins croissants en matière d'éducation, de santé et de services sociaux ; aussi, tout en gardant le contrôle des institutions, doit-elle faire de plus en plus souvent appel à des laïcs, enseignants, infirmières et travailleurs sociaux. Proche du pouvoir, elle profite des subventions discrétionnaires de l'État et, en échange, appuie publiquement le gouvernement, jusqu'à se compromettre avec Duplessis : la veille de certaines élections, des curés n'hésitent pas à rappeler à leurs paroissiens que, avant de voter, ils doivent se souvenir que « le ciel est bleu, l'enfer est rouge ». Cette collusion lui est nuisible, alors que des tensions se manifestent un peu partout ; elles éclateront au grand jour au début des années 1960.

L'économie industrielle et l'américanisation

Au lendemain de la guerre, l'économie industrielle, qui s'est massivement déployée, retrouve le chemin de la croissance : les filatures se multiplient, l'hydro-électricité se développe par la création de nouvelles centrales, alors que le secteur minier connaît un essor encore plus spectaculaire avec l'ouverture de mines de fer sur la Côte-Nord. La crise économique fait ainsi place à une croissance importante qui voit le revenu moyen des Québécois tripler entre 1939 et 1959. Si les écarts sont considérables sur l'île de Montréal entre les quartiers riches et pauvres, on note néanmoins un enrichissement réel de la population. Les ouvriers et les salariés découvrent une multitude de produits de consommation venus des États-Unis : des produits de masse en plastique ou électriques, comme les appareils électroménagers, les grille-pain et les presse-fruits automatiques. Si elles libèrent les femmes de certaines tâches fastidieuses, ces marchandises font surtout croire aux moins bien nantis qu'ils sont enfin plus « égaux » qu'autrefois. En plus d'influer sur leurs modes de vie, cette émergence de la société de consommation est susceptible de chambouler leur sens des valeurs.

Les tensions sociales et la modernité

Les paysans d'hier sont transplantés massivement et sans préparation dans les centres urbains ; le passage de la campagne à la ville s'est fait si rapidement que l'adaptation au nouveau milieu n'a pas pu s'effectuer sans heurts : une population rurale docile se retrouve égarée dans un univers impersonnel, où les vieilles valeurs liées au conservatisme ne sont plus de mise. La ville est par ailleurs perçue comme hostile en raison de la place considérable qu'elle réserve à l'autre communauté linguistique, qui détient tous les leviers le moindrement importants de l'activité économique. Des êtres démunis donc, tant psychologiquement que pécuniairement, qui se voient aux prises avec des situations tout à fait nouvelles, aux antipodes des certitudes dont on les avait gavés. Tout cela donne l'impression d'une mutation sociale, comme si un monde nouveau était en train de naître.

L'industrialisation s'est faite grâce à la jonction de capitaux étrangers avec les ressources naturelles locales : parallèlement à l'intensification de la pénétration des capitaux américains, les matières premières sont exportées hors du pays. Et, ne disposant pratiquement pas de pouvoirs économiques propres, les Canadiens français se contentent de fournir une main-d'œuvre sous-payée, comme manœuvres ou dans les services. Ce qui a suscité un syndicalisme parfois virulent pour réclamer une baisse du nombre des heures de travail, la généralisation des vacances, des congés payés, des régimes de retraite ainsi que l'adoucissement des conditions de travail. Durant cette période parsemée d'affrontements, les grèves se multiplient : entre autres, grève du textile à Louiseville (1937), grèves de l'amiante à Asbestos et à Thetford Mines (1949), grèves des chantiers maritimes de Montréal et de Lauzon (1951), grèves des réalisateurs francophones de Radio-Canada (1958)... La plus retentissante fut celle d'Asbestos : l'attitude antisyndicale du gouvernement Duplessis et des patrons a favorisé, par réaction, le développement de la pensée sociale dans le monde syndical et a suscité, chez les Canadiens français, une prise de conscience de leur aliénation économique et sociale dans leur propre pays.

Des ouvriers grévistes défilant dans les rues d'Asbestos, 1949.
Société d'histoire d'Asbestos.

Le réaménagement des groupes sociaux

Par suite de la guerre, la vieille morale s'est vue ébranlée, de même que toutes les traditions qui la portaient. Même si Duplessis prône toujours les valeurs du passé — agriculture, famille et religion —, on assiste à une véritable mutation de la société québécoise. Le monolithisme apparent de la société s'effrite toujours davantage : des fissures apparaissent entre la ville et la campagne, la bourgeoisie et la classe ouvrière, la famille et l'individu, les enfants et les parents.

De nouvelles représentations de la société prennent forme en même temps que s'opèrent des réaménagements des groupes sociaux et des rapports de classes. Le clergé et son alliée, la petite bourgeoisie francophone, restent encore attachés aux valeurs d'une société préindustrielle, mais leur position sociale apparaît de plus en plus minée par l'évolution du capitalisme industriel et les réformes socioculturelles qu'elle commande.

Une élite différente émerge bientôt, formée d'intellectuels et de jeunes technocrates, porteuse d'une nouvelle vision de la société ; elle dénonce la situation présente avec son impression de grande noirceur et appelle des réformes. Cette élite bicéphale doit composer avec un nouvel acteur, la classe populaire — non plus la paysannerie isolée et docile mais les journaliers et les ouvriers des villes, capables de colère et de solidarité — qui, par l'entremise du mouvement syndical, accentue sa présence sur l'échiquier collectif. Enfin, il ne faut pas sous-estimer le rôle nouveau joué par les femmes qui, massivement, ont commencé à travailler à l'extérieur de la maison : la main-d'œuvre féminine passera de 1941 à 1971 de 17 % à 48 %.

Le rejet de la matrice de la survivance

Maurice Duplessis a beau déguiser la stagnation en stabilité, la cassure est de plus en plus apparente dans le fil idéologique ; un siècle et demi après l'échec des Patriotes, le Québec renoue avec la dynamique de rupture, une volonté de rupture cristallisée autour de la révolte contre le régime Duplessis et ses idées rétrogrades. Les grands changements sont appelés par l'action conjuguée des milieux issus de l'Action catholique, des syndicats et des intellectuels ; certaines revues, entre autres *La Relève*, *Cité libre* et *Liberté*, jouent un rôle particulièrement important dans la prise de conscience de l'enfermement et l'appel à un affranchissement du conformisme social. Il faut aussi considérer le manifeste du *Refus global* (1948), dans lequel des artistes osent prendre la parole pour s'élever contre toutes les censures : ils tracent, à grands coups de pinceaux, de spatules et de plumes,

Manifeste du *Refus Global*.
BNQ.

L'AVÈNEMENT DE LA MODERNITÉ LITTÉRAIRE

Après avoir, inlassablement et à tous les modes, conjugué les gloires de Dieu et de la patrie, la littérature entreprend une lente mais systématique révision de ses valeurs, qui ne sera achevée qu'après 1960. Cette période est celle, selon l'expression d'un critique, d'« une littérature qui se fait[1] ». En réalité, nous sommes en présence de la génération fondatrice de la parole, où la poésie, le roman, le théâtre et l'essai arrivent au seuil de la maturité. Les écrivains ne peuvent demeurer insensibles à la nouvelle réalité sociale ; la thématique de leurs œuvres en est profondément renouvelée. La ville fait son entrée définitive dans les romans, qui s'attachent à décrire, avec réalisme, la situation précaire des Canadiens français nouvellement transplantés dans les centres urbains. Puis, les romanciers analysent bientôt, de l'intérieur, le mal de l'âme des nouveaux citadins. Les thèmes de la solitude, de la culpabilité et de l'aliénation s'y font récurrents.

Jusqu'à la manière d'écrire qui a bien peu en commun avec les formes d'écriture traditionnelles. La littérature trouve enfin sa raison d'être : elle naît des sensations d'un individu et prend forme à partir de leur expression ; elle trouve en propre ses jugements de valeur, ce que l'on nomme le jugement esthétique. La linéarité du récit n'est plus obligatoire, pas plus que la vieille rhétorique boursouflée. L'auteur se permet dorénavant de juxtaposer scènes descriptives, lettres, extraits de journal intime et soliloques. Le narrateur, très souvent le personnage principal, ne prétend plus à l'objectivité. Et d'ailleurs, le rôle même de ce narrateur est souvent transformé : les récits peuvent en comprendre plusieurs, qui multiplient les points de vue et les éclairages.

C'est aussi l'époque où le Québec s'ouvre de plus en plus aux influences étrangères. Durant la guerre, des éditeurs français, empêchés de publier chez eux, sont venus publier au Québec ; ce qui contribua à susciter une émulation certaine, la littérature française donnant des ailes à celle des Canadiens français. Le personnalisme de Mounier, le catholicisme de Péguy et de Maritain, et, bien davantage encore, celui des Bernanos, Green et Mauriac exercent un attrait particulier sur les écrivains d'ici. Après la guerre de

un sentier qui ne peut que mener à la lumière au bout du tunnel. Enfin, l'influence de la télévision de Radio-Canada est capitale : de ses débuts en 1952 jusqu'à 1960, elle pénètre dans 90 % des foyers ; donnant une tribune aux intellectuels et aux artistes, elle transforme les mentalités, élimine la pensée unique et favorise la diffusion d'une volonté de changement.

Dans tous ces milieux, autour des années 1950, on prône la mise en place d'une société laïque qui adhérerait aux valeurs démocratiques et au progrès ; on appelle un programme de modernisation des institutions, afin de rattraper les retards à l'égard des États voisins, canadiens ou américains. Déjà les écoles techniques, les écoles de métiers et les « cours commerciaux » se multiplient et sont pris d'assaut par des milliers de jeunes qui y voient la clé du succès : un salaire plus élevé et la possibilité de monter dans la hiérarchie d'une entreprise autant que dans l'échelle sociale. Certains remettent même en question la place du Québec dans le Canada, qu'ils croient responsable de sa sujétion, et élaborent une pensée indépendantiste. C'est à cette fin que Raymond Barbeau fonde l'Alliance laurentienne (1957) et Raoul Roy, l'Action socialiste pour l'indépendance du Québec (1959). Après avoir été déchus de leur pays et avoir eu une image de perdants, les Canadiens français se donnent une autre image d'eux-mêmes : « Après le repli, le dépli », écrit l'historien Gérard Bouchard. Elle deviendra effective en septembre 1959, à la mort de Maurice Duplessis. Le tout premier mot de Paul Sauvé, son successeur, sera « Désormais » ; ainsi ouvre-t-il la voie à la Révolution tranquille.

---

1. Gilles Marcotte, *Une littérature qui se fait. Essais critiques sur la littérature canadienne-française*, Montréal, Éditions HMH, 1962.

1939-1945, l'existentialisme de Sartre et celui de Camus ne manquent pas de fasciner. Par-dessus tout, le surréalisme, lui-même largement redevable aux découvertes de Freud, connaît un engouement exceptionnel. Un surréalisme adapté aux particularités du Québec — on parle ici d'automatisme —, qui culmine avec le manifeste du *Refus global,* virulente attaque contre l'atmosphère du Québec de 1948, coincé entre Duplessis et un clergé tout-puissant. Le pouvoir de l'intuition y dame le pion à celui de la raison et permet d'accéder à une réalité transfigurée, une surréalité, fusion du réel et des désirs de l'homme, où les possibilités infinies de l'être humain sont pleinement reconnues et célébrées. On ne peut plus en douter, le Québec vient d'entrer dans l'ère des temps modernes.

Cette époque charnière remet donc en question le discours nationaliste traditionnel. La littérature cesse d'être un objet utilitaire au service du pouvoir et de ses intérêts. Elle dénonce même comme autant d'instruments de servitude les anciennes valeurs-refuges collectives (passé, famille, religion). L'idéologie de survivance y est abandonnée au profit d'un questionnement portant sur une possible renaissance collective. C'est dire que les relents du terroir sont en train de se dissiper et que le territoire mythique de la patrie est abandonné au profit de l'espace intérieur, lieu de toutes les frustrations et de tous les doutes, mais aussi le seul territoire accessible de la vie réelle. Ce tournant historique est propice à la germination de nouvelles valeurs qui écloront bientôt dans ce qu'on appellera la Révolution tranquille.

En poésie : la prise de conscience du malaise d'une époque

Refusant la stagnation et l'immobilisme du passé, de jeunes poètes, assoiffés d'air frais et d'absolu, ne manquent pas, néanmoins, d'être profondément marqués par le climat mystico-religieux de l'époque. Êtres hypersensibles, ils se font le creuset d'une intense tension spirituelle, provoquée par la valorisation excessive des choses de l'esprit au détriment du corps, lieu de vile matérialité. Pris au piège de cette dichotomie, plusieurs d'entre eux sont amenés à se réfugier dans le monde de la pensée, à l'écoute des seuls mouvements intérieurs, quitte à y découvrir un puits de solitude et d'angoisse où leur âme est tenue prisonnière. C'est la fuite dans l'idéalisme, qui préfère la réalité de l'esprit à celle proposée par les sens. Cette appropriation de la réalité présente est bien davantage celle d'un présent psychologique que réel qui, lui, demeure toujours bouché de toutes parts pour ces aventuriers de l'âme. Ou, si on tient à parler du réel, il s'agirait d'un réel idéalisé, le seul qui puisse arriver à satisfaire l'esprit et le cœur.

Cette quête d'absolu sera néfaste à certains. Habités par un constant sentiment d'échec, honteux d'eux-mêmes et de leur inaptitude au bonheur, ils en sont réduits à se réfugier dans un huis clos qui pourra prendre la forme du silence, de l'exil intérieur ou extérieur, voire de la mort choisie comme compagne. C'est la génération des poètes sacrifiés qui, les premiers, assument la parole afin que d'autres, plus tard, puissent en porter les fruits. De plus, dans le désert culturel de l'époque, il n'est pas étonnant que ces auteurs, voués à dresser l'inventaire de leur univers intérieur, un monde changeant et fragmenté, encourent la réprobation générale et se voient marginalisés. L'écrivain, aliéné de l'intérieur, perd la place enviable qu'il occupait dans la société à l'époque de la collaboration avec l'élite clérico-bourgeoise.

Cet avènement d'une nouvelle vision du monde permet surtout à la littérature d'accéder enfin aux marches de la modernité littéraire. Car, pendant que les progrès de l'industrialisation et de l'urbanisation transforment la société, la conception même de la littérature est totalement bouleversée. Les points de repère légués par la tradition littéraire sont abandonnés : finie l'écriture de l'épopée nationale, remisés les thèmes nationalistes, abandonné le sentimentalisme facile servi par une rhétorique bouffie d'académisme et de didactisme, enterrée la grandiloquence descriptive et romantique. Place à la subjectivité, aux thèmes intimes mais plus universels, aux goûts esthétiques plus sûrs, aux innovations stylistiques et aux images plus hardies. Dorénavant la forme, à laquelle on accorde sans cesse plus de soin, se fait la manifestation extérieure de l'univers intérieur.

ACCOMPAGNEMENT

Je marche à côté d'une joie
D'une joie qui n'est pas à moi
D'une joie à moi que je ne puis pas prendre

Je marche à côté de moi en joie
5 J'entends mon pas en joie qui marche à côté de moi
Mais je ne puis changer de place sur le trottoir
Je ne puis pas mettre mes pieds dans ces pas-là
           et dire voilà c'est moi

Je me contente pour le moment de cette compagnie
10 Mais je machine en secret des échanges
Par toutes sortes d'opérations, des alchimies,
Par des transfusions de sang
Des déménagements d'atomes
           par des jeux d'équilibre

15 Afin qu'un jour, transposé,
Je sois porté par la danse de ces pas de joie
Avec le bruit décroissant de mon pas à côté de moi
Avec la perte de mon pas perdu s'étiolant à ma gauche
Sous les pieds d'un étranger
20   qui prend une rue transversale.

Regards et jeux dans l'espace, 1937.

1. Établissez la distinction entre le « je » et le « moi ».

2. Peut-on établir un parallèle entre ce poème et *Cage d'oiseau* (page suivante) ?

3. Dans quel but le poète utilise-t-il un langage quasi quotidien ?

4. Étudiez les procédés touchés par la redondance. À quoi sert-elle ?

5. Étant donné l'absence de ponctuation, qu'est-ce qui confère du rythme au poème ?

6. Comparez les vers figurant au bas de cette page, à droite, avec l'extrait de Jean-Aubert Loranger (page 69). Peut-on dire que ces deux textes traitent des mêmes thèmes ?

1. Dualité du personnage, c'est comme s'il se regarde marcher, il veut être heureux sans le pouvoir.

Hector de Saint-Denys Garneau (1912-1943)

Quand je rêve parfois, ou que j'écoute de la musique les paupières à demi baissées, j'ai l'étrange sensation que le monde intérieur se loge là, entre l'œil et la paupière, une sorte d'espace de contemplation immense.

Ce poète, profondément déchiré par sa soif d'absolu et les espoirs taris de son monde clos, a ouvert à la poésie la porte de tous les possibles. Avec Saint-Denys Garneau, les jeux formels et la liberté des images sont des outils qui tentent désespérément d'amadouer le réel. Renonçant à la mélodie du vers classique, cette poésie se libère définitivement des anciennes formes lyriques ; elle ne revendique plus le brio des images, privilégiant plutôt le rythme d'une syntaxe élémentaire et les accents d'intensité de la langue parlée.

> *Nous allons détacher nos membres et les mettre en rang pour en faire un inventaire*
>
> *Afin de voir ce qui manque*
>
> *De trouver le joint qui ne va pas*
>
> *Car il est impossible de recevoir assis tranquillement la mort grandissante.*

(suite à la page suivante)

(suite)

Dans « Accompagnement » et « Cage d'oiseau », parus initialement dans *Regards et jeux dans l'espace* (1937), le sentiment d'isolement culturel est vécu comme un drame personnel, une expérience existentielle de solitude, d'aliénation et de perte d'être.

CAGE D'OISEAU

Je suis une cage d'oiseau
Une cage d'os
Avec un oiseau

L'oiseau dans ma cage d'os
5 C'est la mort qui fait son nid

Lorsque rien n'arrive
On entend froisser ses ailes

Et quand on a ri beaucoup
Si l'on cesse tout à coup
10 On l'entend qui roucoule
Au fond
Comme un grelot

C'est un oiseau tenu captif
La mort dans ma cage d'os

15 Voudrait-il pas s'envoler
Est-ce vous qui le retiendrez
Est-ce moi
Qu'est-ce que c'est

Il ne pourra s'en aller
20 Qu'après avoir tout mangé
Mon cœur
La source du sang
Avec la vie dedans

Il aura mon âme au bec.

Regards et jeux dans l'espace, 1937.

Paysage de Saint-Urbain dans Charlevoix, Hector de Saint-Denys Garneau, XXe siècle. Collection privée.

Étude détaillée

Analyse formelle

LE LEXIQUE

1. Quelle est la part de réalisme contenue dans ce poème ?

2. Évaluez la complexité du lexique. Comment cette caractéristique sert-elle le poème ?

3. Dégagez les principaux champs lexicaux.

4. Quels sont les sens interpellés ? Quels mots le prouvent ? Quel sens domine ?

5. Quelle est la fonction des répétitions dans les quatre premiers vers ?

6. Relevez les mots qui dénotent à quoi est réduit le corps du poète.

LES IMAGES ET LA MUSICALITÉ

1. Relevez les principaux symboles.

2. À quoi le corps du poète est-il comparé ?

3. Quelles sont les deux métaphores qui commandent tout le poème ?

4. Analysez les assonances des cinq premiers vers.
   a) Pouvez-vous les repérer ?
   b) Comment se termine le cinquième vers ? Commentez le contraste obtenu.

5. Pourquoi la quatrième strophe est-elle construite autour du son [u] ?

6. Commentez la sonorité du dernier mot de ce poème.

7. Comment le vers se libère-t-il des entraves prosodiques ?

LA STRUCTURE

1. Analysez la structure du poème.
   a) Pouvez-vous délimiter des parties dans ce poème ?
   b) Y voyez-vous une progression ?

2. Pourquoi les strophes sont-elles de différentes longueurs ?

3. Pourquoi le dernier vers est-il isolé ?

4. Analysez le rapport entre le premier vers et le dernier.
   a) En quoi se distinguent-ils ?
   b) En quoi se répondent-ils ?

Analyse thématique

1. Quels thèmes sont présents dans ce poème ?

2. Quel dédoublement trouve-t-on ici ?

Préparation à la dissertation critique

1. En quoi ce texte est-il représentatif de « la fuite dans l'idéalisme » de cette période en poésie ?

2. Peut-on dire que, dans les deux poèmes de Saint-Denys Garneau, ce sont les frontières du moi qui font les « jeux dans l'espace » ? Justifiez votre réponse.

3. Quelle est la tonalité de ce poème ? Est-il plutôt descriptif ou plutôt lyrique ?

4. Peut-on dire que, dans ce poème, c'est la mort qui domine ?

Alain Grandbois
(1900-1975)

Ô tourments plus forts de n'être qu'une seule apparence...

Le pays d'Alain Grandbois a la dimension d'un univers. Ses nombreuses années de voyage lui ont permis de prendre conscience de la grande fraternité humaine : le drame des gens d'ici est également assumé ailleurs par les hommes de son temps, mais aussi de tous les temps. D'où le souffle cosmique qui traverse son œuvre. Sa poésie, remarquable pour la grande liberté de ses images et la force de son style, s'approprie le présent en surmontant l'angoisse de l'homme de ce temps. Grandbois affranchit véritablement la poésie des tensions de la survivance.

Les deux poèmes étudiés ici sont tirés du recueil *Les îles de la nuit* (1944). Dans *Pris et protégé*, le poète dit son rapport au monde, inscrit dans le malaise et l'incertitude ; dans *Les glaïeuls…*, il tente de s'inscrire dans le réel.

Au plaisir de lire

• *Poésie I, Poésie II*
• *Les voyages de Marco Polo*
• *Né à Québec.. Louis Jolliet, Récit*

PRIS ET PROTÉGÉ

Pris et protégé et condamné par la mer
Je flotte au creux des houles
Les colonnes du ciel pressent mes épaules
Mes yeux fermés refusent l'archange bleu
5 Les poids des profondeurs frissonnent sous moi
Je suis seul et nu
Je suis seul et sel
Je flotte à la dérive sur la mer
J'entends l'aspiration géante des dieux noyés
10 J'écoute les derniers silences
Au delà des horizons morts

LES GLAÏEULS...

Les glaïeuls blessaient le bleu
Le souvenir des jardins cernait les remords
Et des hommes penchaient leurs épaules

Il y avait quelque part sur une île
5 Des pas d'ombres et de paons

Avec un léger bruit elle venait
Elle venait dans un silence d'absence

C'était l'heure des mondes inanimés
Les astres tous se taisaient

10 Le soleil était fermé

Les îles de la nuit (1944), © Éditions Typo, 1994.

1. Dans *Pris et protégé*, expliquez le sens du premier vers.

2. Quelle est, ici, la symbolique de la mer ?

3. Analysez les associations de mots.

4. À la lumière de ce poème, pouvez-vous expliquer le titre du recueil *Les îles de la nuit* ?

5. Dans *Les glaïeuls…*, de quelle manière le regard objectif se transforme-t-il en vision poétique ?

6. L'île évoquée dans le quatrième vers peut-elle être considérée comme imaginaire ?

7. Expliquez le sens du neuvième vers : « Les astres tous se taisaient ».

8. Commentez : Grandbois se confie au mouvement des images et du rêve plutôt que de faire appel à la pensée consciente.

L'ARBRE DE VIE

Nous aurons pour surdité la rivière
Et nous n'entendrons plus d'affres et de corps
Les passeurs du temps crier haut à la mort,
Nous aurons pour fuite l'arbre lié de ciel.

5 Nous prendrons la sente palmée de fougère
Quand le baumier embaume à soleil ouvert,
Nous serons l'odeur endormie au brasier,
Une paix vive à peine remuée.

Nous ne verrons plus, face contre terre,
10 La mort et l'ombre jalouses de disparaître,
Nous saurons que le baume garde le baumier
Et l'amour en fuite, la verte éternité.

Mémoire sans jours (1960), © Bibliothèque québécoise, 1995.

ENSEMBLE

Par le seul désir de durer ensemble
Nous sommes à l'image l'un de l'autre
Par le seul flamboiement du cœur qui saute
Nous sommes ce que le feu rassemble

5 Par toute l'âme sans ressemblance
Nous sommes étrangers l'un à l'autre ;
Par la nuit qui tient le soir et l'aube
Nous sommes l'amour sans délivrance.

Escales (1950), © Fides.

1. Dans *L'arbre de vie*, analysez la signification du « nous ».

2. Quelle est la symbolique de l'arbre, et comment s'oppose-t-elle à celle de la rivière ?

3. Montrez que chaque strophe est associée à un des cinq sens.

4. En quoi la verdure et l'amour de la seconde strophe répondent-ils à la rivière et à l'arbre de la première ?

5. De quelle manière l'auteure arrive-t-elle à réconcilier le réel et l'idéal, la chair et l'esprit ?

6. Dans le poème *Ensemble*, montrez que les deux strophes sont construites en opposition.

Rina Lasnier
(1910-1997)

*Je n'aurai pas
d'autre soif mais
celle du puits.*

Rina Lasnier trace les chemins de sa poésie dans les sentiers du sacré. C'est précisément cette communion avec l'au-delà qui lui permet de terrasser la solitude et l'angoisse, et de donner un sens à sa destinée. Ses poèmes, aux images religieuses traditionnelles mais porteuses d'interrogations bien actuelles, se nourrissent abondamment de mots recherchés, ce qui leur confère très souvent une allure savante.

Notons la grande sérénité de *L'arbre de vie*, un poème édifié sur un affrontement des contraires, voire son intemporalité. Le second poème, paru dix ans plus tôt, exprime l'immense solitude au cœur de chacun.

Au plaisir de lire

• *Poèmes* (2 volumes)

Anne Hébert
(1916-2000)

*J'ai mon cœur
au poing comme
un faucon aveugle.*

Anne Hébert prolonge et pousse plus avant la démarche de Saint-Denys Garneau, son cousin. Elle aussi descend au plus intime d'elle-même, mais refuse de se laisser hypnotiser par son malaise personnel. Son « je » n'est plus celui de la confession intime : il prend une toute nouvelle dimension en se distanciant de la poétique strictement psychologique. De plus, tout chez Anne Hébert contribue à rompre l'immobilité du silence.

Le premier texte se fait parole partagée, volonté de célébrer la « solitude rompue », alors que les deux derniers poèmes se veulent une poésie de l'extrême dépouillement.

Au plaisir de lire
* Œuvre poétique 1950-1990
* Il y a certainement quelqu'un

POÉSIE, SOLITUDE ROMPUE

La poésie colore les êtres, les objets, les paysages, les sensations, d'une espèce de clarté nouvelle, particulière, qui est celle même de l'émotion du poète. Elle transplante la réalité dans une autre terre vivante qui est le cœur du poète, et cela devient une autre réalité, aussi vraie que la première. La
5 vérité qui était éparse dans le monde prend un visage net et précis, celui d'une incarnation singulière.

Poème, musique, peinture ou sculpture, autant de moyens de donner naissance et maturité, forme et élan à cette part du monde qui vit en nous. Et je crois qu'il n'y a que la véhémence d'un très grand amour, lié à la source
10 même du don créateur, qui puisse permettre l'œuvre d'art, la rendre efficace et durable.

Tout art, à un certain niveau, devient poésie. La poésie ne s'explique pas, elle se vit. Elle est et elle remplit. Elle prend sa place comme une créature vivante et ne se rencontre que, face à face, dans le silence et la pauvreté origi-
15 nelle. Et le lecteur de poésie doit également demeurer attentif et démuni en face du poème, comme un tout petit enfant qui apprend sa langue maternelle. Celui qui aborde cette terre inconnue qui est l'œuvre d'un poète nouveau ne se sent-il pas dépaysé, désarmé, tel un voyageur qui, après avoir marché longtemps sur des routes sèches, aveuglantes de soleil, tout à coup, entre en
20 forêt ? [...]

Toute facilité est un piège. Celui qui se contente de jouer par oreille, n'ira pas très loin dans la connaissance de la musique. Et celui qui écrit des poèmes, comme on brode des mouchoirs, risque fort d'en rester là.

La poésie n'est pas le repos du septième jour. Elle agit au cœur des six pre-
25 miers jours du monde, dans le tumulte de la terre et de l'eau confondus, dans l'effort de la vie qui cherche sa nourriture et son nom. Elle est soif et faim, pain et vin.

Notre pays est à l'âge des premiers jours du monde. La vie ici est à découvrir et à nommer ; ce visage obscur que nous avons, ce cœur silencieux qui
30 est le nôtre, tous ces paysages d'avant l'homme, qui attendent d'être habités et possédés par nous, et cette parole confuse qui s'ébauche dans la nuit, tout cela appelle le jour et la lumière.

Pourtant, les premières voix de notre poésie s'élèvent déjà parmi nous. Elles nous parlent surtout de malheur et de solitude. Mais Camus n'a-t-il pas
35 dit : « Le vrai désespoir est agonie, tombeau ou abîme, s'il parle, s'il raisonne, s'il écrit surtout, aussitôt le frère nous tend la main, l'arbre est justifié, l'amour né. Une littérature désespérée est une contradiction dans les termes. »

Et moi, je crois à la vertu de la poésie, je crois au salut qui vient de toute parole juste, vécue et exprimée. Je crois à la solitude rompue comme du pain
40 par la poésie.

In *Poèmes*, © Éditions du Seuil, 1960.

1. Relevez les marques exprimant la subjectivité de l'auteure.

2. Comment sont associés ici le processus créateur et la fonction de la poésie ?

3. Pourrait-on parler ici de « sacralisation » de l'écriture ?

4. Est-il juste d'affirmer que cet extrait est empreint d'idéalisme ?

5. Lisez les deux poèmes suivants à la lumière de ce texte de réflexion. Qu'avez-vous appris ?

IL Y A CERTAINEMENT QUELQU'UN

Il y a certainement quelqu'un
Qui m'a tuée
Puis s'en est allé
Sur la pointe des pieds
5 Sans rompre sa danse parfaite

A oublié de me coucher
M'a laissée debout
Toute liée
Sur le chemin

10 Le cœur dans son coffret ancien
Les prunelles pareilles
À leur plus pure image d'eau

A oublié d'effacer la beauté du monde
Autour de moi
15 A oublié de fermer mes yeux avides
Et permis leur passion perdue

In *Poèmes*, © Éditions du Seuil, 1960.

1. Relevez l'assonance qui martèle ce poème. Quelle est sa fonction ?

2. Comment le deuxième vers est-il atténué et, à la fin, presque nié ?

3. Dans quel sens ce poème évolue-t-il ?

LA FILLE MAIGRE

Je suis une fille maigre
Et j'ai de beaux os.

J'ai pour eux des soins attentifs
Et d'étranges pitiés

5 Je les polis sans cesse
Comme de vieux métaux.

Les bijoux et les fleurs
Sont hors de saison.

Un jour je saisirai mon amant
10 Pour m'en faire un reliquaire d'argent.

Je me pendrai
À la place de son cœur absent.

Espace comblé,
Quel est soudain en toi cet hôte sans fièvre ?

15 Tu marches
Tu remues ;
Chacun de tes gestes
Pare d'effroi la mort enclose.

Je reçois ton tremblement
20 Comme un don.

Et parfois
En ta poitrine, fixée,
J'entrouvre
Mes prunelles liquides

25 Et bougent
Comme une eau verte
Des songes bizarres et enfantins.

In *Poèmes*, © Éditions du Seuil, 1960.

1. Quelle symbolique est associée aux os ?

2. Commentez la structure des vers.

3. Comment l'auteure exprime-t-elle son sentiment de dépossession ?

4. Le thème de l'amour est-il présent ici ?

5. De quelle manière l'expérience de la mort débouche-t-elle sur la vie ?

Qu'il me donne un baiser de sa bouche... Sa main gauche est sous ma tête, et il m'embrasse de sa main droite, Cecil Buller, 1929.
Musée national des beaux-arts du Québec, 87.145.

La littérature et le réalisme social

Finie l'époque de l'apologie obligée de la campagne comme milieu de vie et de la dénonciation des leurres de la ville. L'écrivain — romancier autant que dramaturge —, témoin privilégié des récents bouleversements sociaux, observe avec un vif souci de réalisme la détresse morale autant que la misère matérielle des ruraux transplantés dans les quartiers de la ville, écartelés entre la mémoire et l'oubli, entre leurs vieilles croyances et la vie nouvelle. Leur sort est bien peu enviable : état de chômage endémique ou, pour ceux qui réussissent à dénicher du travail, emplois de subalternes, logements exigus, difficultés pécuniaires sans nombre et, surtout, profonde scission entre les rêves des parents et les idéaux de leurs enfants. Une nouvelle valeur émerge qui, veut-on croire, contient une réponse à tous les problèmes : l'argent, qui manque dramatiquement.

Les romans de mœurs : la ville et les petites communautés

Né de la célébration de la vie rurale sous la gouverne des clercs, le roman finit par arriver en ville.

Bien davantage qu'un simple décor littéraire, la ville devient un personnage dans ces romans. La répartition de l'espace géographique y compte pour beaucoup dans l'explication des rapports sociaux. À Montréal, la rue Saint-Laurent divise la ville en une zone francophone à l'est et anglophone à l'ouest, les défavorisés et les riches ; le mont Royal, avec Westmount, appartient à ceux-ci, le bas de la ville, avec Saint-Henri, appartient à ceux-là. À Québec, la Haute-Ville huppée jette son ombre sur la Basse-Ville ouvrière. L'espace y est ensuite morcelé en quartiers, qui prennent la relève des paroisses rurales.

Les romanciers adoptent des approches différentes dans leur constat de la nouvelle réalité sociale : le réalisme et l'ironie. Ainsi, Gabrielle Roy décrit avec un luxe de détails la vie des ruraux établis dans les paroisses urbaines. Elle observe la manière dont ils s'y prennent pour y transplanter leurs institutions vétustes et préserver leurs vieilles valeurs. Elle pousse son réalisme jusqu'au naturalisme, en démontrant l'influence du milieu ambiant présent et passé sur l'agir quotidien de ces inadaptés sociaux. Quant à Roger Lemelin, il propose une vision plutôt caricaturale des milieux populaires. Mais, chez lui également, on prend conscience de l'état dégradé d'une culture, même si son récit, qui privilégie de nombreux épisodes secondaires à caractère ironique, dominés généralement par les personnages de la mère et du curé, semble parfois tendre à atténuer la critique sociale.

Tant chez Gabrielle Roy que chez Roger Lemelin, reconnus comme les deux initiateurs du roman de la ville, apparaît en toile de fond ce qu'on nomme aujourd'hui la question nationale : le francophone se perçoit comme un immigrant dans son milieu, comme faisant partie d'une classe sociale défavorisée, dominée. Il doit composer avec une autre collectivité, prospère et parlant une autre langue. Dans cette première prise de conscience de l'aliénation, les questions politiques sont réduites à un affrontement linguistique.

Surtout soucieux de transformer leur société pieuse et timorée, les écrivains gomment généralement l'aspect pluraliste de la société québécoise. Comme si notre mosaïque sociale n'était pas formée, parmi d'autres, de Loyalistes, d'Irlandais, de Juifs venus de l'Europe de l'Est, d'Italiens et, surtout, de peuples autochtones. Au contraire, on présente encore le Québec comme une société homogène, de foi catholique et de culture francophone. On doit à Yves Thériault d'avoir, le premier, posé le regard sur nos minorités nationales : *Aaron* (1954) met en scène des juifs orthodoxes de Montréal, *Agaguk* (1958) décrit les rapports tendus entre les Blancs et les Inuits alors qu'*Ashini* (1960) dépeint le désarroi de l'Amérindien rejeté par le colonisateur blanc. Dans chacun de ces cas, le drame de petites collectivités abandonnées par l'histoire, en conflit avec des valeurs extérieures nouvelles qui minent leurs idéaux séculaires, s'apparente, de manière aussi poignante, à celui du rural francophone immigré et minorisé dans la ville.

■ ■ ■

Gabrielle Roy
(1909-1983)

Je savais que le talent, s'il m'était donné, ce serait pour le mettre au service des silencieux, de ceux qui ne parlent pas ou si peu : c'était là ma voie.

Cette romancière compte parmi nos plus illustres écrivains. Avec *Bonheur d'occasion* (1945), elle a produit un texte charnière, le texte fondateur qui transforme la problématique de l'imaginaire canadien-français fixé jusque-là par *Maria Chapdelaine*. Son roman, qui évoque une société en mutation, fixe véritablement les premières formes de l'imaginaire urbain : un imaginaire douloureux où chacun, s'émancipant péniblement de ses origines campagnardes, est pris dans sa misère et ressent le besoin d'échapper à la réalité aliénante de la ville, lieu régi par une autre collectivité et qui fait du Canadien français un exilé de l'intérieur. Gabrielle Roy porte sur ces gens un regard quasi clinique mais débordant d'humanité et de tendresse. Le style lumineux et le ton singulier de clairvoyance modeste de Gabrielle Roy arrivent sans peine à transformer le tragique et la détresse en enchantement.

L'extrait retenu rapporte les pensées partagées de la mère, Rose-Anna, qui vient d'apprendre l'enrôlement volontaire de son fils Eugène : il est décidé à risquer sa vie à la guerre pour mettre fin à la pauvreté chronique de sa famille.

LE VENT DANS LA NUIT

Un sanglot lui vint aux lèvres. Elle tira sur son tablier. Et, soudain, toute sa rancune de l'argent, sa misère à cause de l'argent, son effroi et sa grande nécessité de l'argent tout à la fois s'exprimèrent dans une protestation pitoyable.

5 — Vingt belles piasses par mois ! Se reprit-elle à murmurer à travers ses hoquets. Pense donc si c'est beau : vingt piasses par mois !

Sur ses joues amaigries coulaient des larmes vertes comme son visage et ses doigts noués qui paraissaient se refuser à l'argent.

Elle vit Eugène secouer la tête ainsi qu'autrefois quand on le contrariait et 10 s'éloigner dans la cuisine. Elle l'entendit déplacer le petit lit de camp qu'on allait chercher tous les soirs derrière la porte et qu'on installait entre la table et l'évier.

S'essuyant les yeux, elle gagna le fond de la pièce double et se jeta tout habillée sur son lit. Il lui fallait encore attendre Florentine et Azarius, puis 15 verrouiller les portes et s'assurer que tous dormaient avant de se dévêtir et d'essayer de chercher un peu le sommeil.

Dans l'ombre, directement au pied du lit, la figure ensanglantée d'un *Ecce Homo* meublait la muraille d'une vague tache sombre. À côté, faisant pendant, une *Mère des Douleurs* offrait son cœur transpercé au rayon blafard 20 qui se jouait entre les rideaux.

Rose-Anna chercha les mots de prière qu'elle récitait tous les soirs, seule, mais l'esprit n'y était point. Elle voyait, au lieu de cette statuette de son enfance qui, mystérieusement, venait souvent se placer devant sa vision intérieure quand elle se recueillait, elle voyait des billets, tout un rouleau de 25 billets qui se détachaient les uns des autres, s'envolaient, roulaient, tombaient dans la nuit, le vent soufflant très fort sur eux. Les billets. Le vent dans la nuit...

Bonheur d'occasion (1945), © Fonds Gabrielle Roy.

Logement de deux pièces, ruelle Grubert, Louis Muhlstock, 1941. Musée national des beaux-arts du Québec, 78.344.

Étude détaillée

Analyse formelle

LE LEXIQUE

1. Quels mots servent à décrire le décor ? Quelle impression laissent-ils ?

2. Quels mots servent à dépeindre Rose-Anna ? Quelle impression laissent-ils ?

3. Que pouvez-vous dire du vocabulaire dans cet extrait ? Est-il riche ? Comment cela sert-il le récit ?

4. Dans quel but les substantifs *argent*, *piasses* et *billets* sont-ils répétés ?

5. Donnez le sens des mots suivants.
   a) *Ecce Homo*
   b) *muraille*
   c) *Mère des Douleurs*
   d) *blafard*

LA NARRATION

1. D'où vient le réalisme de cet extrait ?

2. Comment interpréter les mots *protestation pitoyable* ? Est-ce un jugement de valeur ?

3. Dans l'ensemble, est-ce que la narration est neutre et objective ?

Analyse thématique

1. Le thème principal dans cet extrait est l'argent.
   a) Quels sont les autres thèmes ?
   b) Comment sont-ils exploités ?

2. Expliquez le symbolisme des figures religieuses au 6e paragraphe.

3. Quels sentiments contradictoires habitent Rose-Anna ?

Préparation à la dissertation critique

1. Analysez le dernier paragraphe, en montrant comment la rêverie vient s'opposer à la réalité.

2. Montrez que Gabrielle Roy pousse le réalisme jusqu'au naturalisme.

3. Comparez cet extrait avec celui de Mordecai Richler (page 106).
   a) La tonalité est-elle la même ?
   b) Ces deux textes traduisent-ils les mêmes intentions ?
   c) Le point de vue des auteurs est-il le même ?
   d) Quelle est la différence principale entre les deux narrations ? Quel effet cette différence a-t-elle sur la description des personnages ?

Au plaisir de lire

- *Ces enfants de ma vie* (nouvelles)
- *De quoi t'ennuies-tu, Éveline ?* suivi de *Ély ! Ély ! Ély !*
- *La détresse et l'enchantement* (autobiographie)

COMME NOUS, ILS ÉTAIENT PAUVRES ET COMMUNS

**MORDECAI RICHLER
(1931-2001)**

Ce romancier anglo-montréalais surdoué et à la réputation internationale est un provocateur né. On peut croire que l'exclusion dont furent objets les Juifs et les autres groupes ethniques quand Mordecai Richler était jeune explique en grande partie ses déclarations fracassantes contre la droite cléricale francophone, une société qui ne tolérait pas la dissidence. Il a peint un Montréal plus vrai que nature, drôle, insolent, pathétique, s'attardant surtout à la petite patrie juive de la rue Saint-Urbain. Comme la plupart de ses romans, à la fois roman social, réaliste, de mœurs et comique, *Rue Saint-Urbain* (une traduction de *The Street*, 1969), tantôt drôle et tantôt émouvant, toujours mordant et décapant, décrit les petits travers de la vie quotidienne dans le quartier Saint-Urbain des années 1940. Un monde aux personnages hauts en couleur, où les jeunes livrent bataille aux *pea soups*, les Canadiens français, mais sans véritable haine. Il sera intéressant de comparer cet imaginaire avec celui, souffrant, de *Bonheur d'occasion*.

Quand nous voulions nous bagarrer avec les *pea soups*, nous retournions de nouveau *sur la Main*. Autant que je me souvienne, l'hiver était la saison indiquée pour cette sorte de sport. Nous pouvions alors lancer des boules de neige renforcées de glace ou de « pâtés » de cheval et, grâce à la tombée
5 hâtive de la nuit, échapper facilement à nos poursuivants. Nous développâmes bientôt une technique de bataille qui nous servit même au printemps. Trois d'entre nous se cachaient sous un escalier extérieur pendant qu'un quatrième membre du groupe, nommé Eddy, restait sur le trottoir à jouer les désœuvrés de façon provocante. Eddy avait bien une tête et demie de moins
10 que nous. (La faute en revenait à sa mère, selon la rumeur. Elle s'était opposée à l'ablation de ses amygdales et en avait fait un avorton. Ce n'est pas que la mère d'Eddy se méfiât de la chirurgie, c'est qu'Eddy faisait partie du chœur d'une riche synagogue ; on redoutait qu'avec les amygdales s'envolât également sa belle voix.) Eddy se tenait seul sur le trottoir et, quand le premier
15 *pea soup* solitaire passait, il lui donnait un coup de pied sur le tibia puis l'apostrophait : « Ta mère est une bonne botte. »

Le *pea soup* regardait le petit Eddy de haut et le frappait. Alors, et seulement alors, sortions-nous de notre cachette.

— Hé ! c'est mon p'tit frère que tu viens de battre.
20 Avant que le *pea soup* déconcerté ait eu le temps de protester, nous lui sautions dessus.

Ces bagarres et toutes les autres étaient dues beaucoup plus à l'ennui, toutefois, qu'à la haine raciale, ce qui ne veut pas dire qu'il n'y eût pas de problèmes de cet ordre *sur la Main*.
25 La *Main*, rue des pauvres, était aussi une rue de démarcation. Plus bas, à l'est, les Canadiens français. Plus haut, à une certaine distance, les redoutés WASPS (protestants anglo-saxons de race blanche). *Sur la Main* elle-même, il y avait des Italiens, des Yougoslaves et des Ukrainiens, mais ils n'étaient pas considérés comme de véritables Gentils. Même les Canadiens français, nos
30 ennemis pourtant, nous ne les détestions pas à mort. Comme nous, ils étaient pauvres et communs, ils avaient des familles nombreuses et parlaient mal l'anglais.

Il est facile de comprendre, rétrospectivement, que la source réelle des difficultés, c'était le manque de dialogue entre nous et les Canadiens français.
35 Nous nous repoussions des coudes ; c'était à qui gagnerait d'être accepté par les WASPS. Aux préjugés des Canadiens français, nous opposions nos propres préjugés. Si nombre d'entre eux étaient persuadés que les Juifs de la rue Saint-Urbain étaient secrètement riches, eh bien ! le Canadien français typique était pour moi mâcheur de gomme et faible d'esprit. Il coiffait ses cheveux graisseux avec une raie au milieu et affectionnait, en plus, une moustache taillée en
40 coup de crayon. Le pantalon *zoot* qu'il ceinturait juste en dessous du sternum se terminait en fuseau et collait aux chevilles. Le crétin qui obligeait votre oncle à patienter à la Régie des alcools pendant qu'il essayait sans succès d'additionner trois nombres, c'était lui. S'il était employé aux douanes, il ne savait
45 jamais quelle formule vous remettre. De plus, il tenait son emploi à la Régie ou à la douane ou dans tout autre service gouvernemental du seul fait qu'il était le second cousin d'un notaire de campagne qui avait assuré pendant une génération le maintien dans son village d'un vote en faveur de l'Union nationale. D'autres Canadiens français étaient agents de la circulation ; si
50 jamais l'un d'eux vous arrêtait sur la grand-route, vous aviez intérêt à lui présenter un billet de deux dollars en même temps que votre permis.

Rue Saint-Urbain (*The Street*, 1969), © Bibliothèque québécoise, 2002.

La ville s'agenouillait

Une intense atmosphère dominicale s'abattait sur cette soirée de vendredi où cent mille personnes sortirent d'une table de semaine pour entrer dans un après-souper solennel.

Il faisait une chaleur humide, amortissante, et la ville, sous un lourd bal-
5 daquin de nuages, semblait condamnée à un orage certain auquel personne pourtant ne croyait à cause de la puissance du Sacré-Cœur.

À mesure que l'heure de la cérémonie approchait, la ville subissait une curieuse transformation. La circulation cessa, ou presque, et les quelques voitures ou tramways qui avançaient encore avaient l'air de véhicules sacri-
10 lèges égarés sur des pavés inutiles.

Car une nouvelle hiérarchie des rues s'installait. La Foi déjouait les règles de la topographie : de grands boulevards se transformaient en culs-de-sac et des ruelles devenaient des voies royales. Les rues élues par le défilé serpen-taient triomphalement de l'église Saint-Roch à l'Hôtel de Ville, flamboyantes
15 de drapeaux et de banderoles, laissant dans l'ombre la multitude des che-mins qui drainaient jusqu'à elles la population vibrante.

À sept heures les cloches sonnèrent la mobilisation des croyants et des patriotes, et l'exode vers le point de départ du défilé, l'église Saint-Roch, commença. Les hommes, les femmes, les jeunes filles, les enfants surgissaient
20 de partout, grossissant les cohortes attirées par le tracé lumineux. [...]

Même le bourdonnement sourd qui, à l'ordinaire, monte de la ville, et que l'on perçoit mieux le soir quand les rues et les édifices s'enluminent, s'était métamorphosé en un immense murmure coupé de cantiques et voilé par le brouillard d'encens coloré des réverbères et des enseignes au néon. La ville
25 s'agenouillait et commençait à prier pour empêcher le fléau de l'atteindre.

Les haut-parleurs installés aux points stratégiques du parcours, les radios lançaient avec des sifflements et des craquements de mécanique
30 blessée, deux cris tragiques qui zébraient comme des éclairs la complainte qui débordait les rues par-dessus les toits : « Vive le Sacré-Cœur ! », « Sacré-Cœur, sauvez l'Eu-
35 rope, éloignez de nous le spectre de la guerre ! »

Les Plouffe (1948), © Éditions Pierre Tisseyre.

La Fête-Dieu à Québec, Jean-Paul Lemieux, 1944.
Musée national des beaux-arts du Québec, 45.41.

1. Relevez les mots qui appartiennent au champ lexical de la religion et trouvez leur effet.

2. Comment s'exprime ici la solidarité ?

3. Peut-on parler de neutralité de la part du narrateur ?

4. Comment la ville de Québec devient-elle elle-même un per-sonnage ?

5. Peut-on dire que cet extrait est satirique ?

Roger Lemelin
(1919-1992)

On n'a jamais pires ennemis que ceux dont on a refusé l'amitié.

Roger Lemelin, romancier popu-liste et populaire, est un satiriste de grand talent. Son œuvre se fait l'observation minutieuse de la vie quotidienne des milieux défa-vorisés afin d'en explorer l'âme collective. Avec une plume tantôt souriante, tantôt sarcastique, il propose une caricature, toujours sympathique, des gens qui ont été éduqués en serre chaude et qui se méfient de tout ce qui vient de l'extérieur de leur quartier, qui est tout leur univers.

Cet extrait des *Plouffe*, roman paru en 1948, décrit les prépa-ratifs d'une procession : on veut demander à Dieu de parer aux sombres desseins du gouver-nement qui s'apprête à voter la conscription. Patriotisme et foi sont inextricablement mêlés.

Au plaisir de lire

Yves Thériault
(1915-1983)

Nous qui méprisons aussi facilement les « Sauvages », vivons toutefois, de village en village, en tribus farouchement jalouses de leur soi-disant intégrité.

Yves Thériault donne une coloration particulière à ce réalisme social en peignant les effets de cette même crise des valeurs non pas dans une ville, mais dans des communautés marginalisées. Avec ce conteur au talent inégalé, l'étranger – même s'il est en fait le premier habitant du pays – acquiert droit de cité aux yeux des Canadiens français.

Yves Thériault a toujours excellé à produire un émouvant plaidoyer en faveur des collectivités défavorisées : ainsi, dans *Agaguk* (1958) et les deux romans qui le prolongent, il peint le milieu de vie et les traditions innues confrontées au monde moderne des Blancs ; ici, dans *Ashini* (1960), sorte de poème épique, il évoque les mythes amérindiens de la tradition des Montagnais.

Comment demeurer insensible devant le désarroi du vieux Montagnais Ashini et sa liberté perdue ?

Au plaisir de lire

• *Contes pour un homme seul*
• *La fille laide*
• *Aaron*
• *Agaguk*
• *Tayout, fils d'Agaguk*

J'HABITAIS LA GRANDE CAGE

J'ai grandi libre. Mais ma liberté était celle de l'oiseau en cage. Il est des cages qui sont des volières où un oiseau peut conserver en lui l'illusion du grand ciel et des plongées infinies. Il est aussi des cages étroites comme des prisons.

5 J'habitais la grande cage, volière immense pour le libre faucon que j'étais. Mais c'était en me mentant à moi-même que je me sentais libre. Aurais-je pu, à ma guise, avironner le canot de l'ensablure de Natashquouanne jusque vers les hauts du fleuve, libre de tuer la viande fraîche, de pêcher le poisson à mon gré, d'aborder quelqu'endroit qui me plaise ?

10 Ou bien trouverais-je en bordure de ce fleuve autrefois ma voie royale, toutes les villes des Blancs, les lois des Blancs, les clôtures et les contraintes des Blancs ? Étais-je encore, sur ce parcours d'eau, le roi visitant son royaume ?

N'entendrais-je pas, à chaque tournant, à chaque accostage, à chaque tuée nécessaire le même cri que nous connaissons bien maintenant :

15 « Va-t'en, maudit sauvage ! »

Il est des langues pures que l'usage aux colonies déforme. Je comprends qu'il existe là un phénomène d'accord. Aux peuples d'éloignement qui ont fait de la langue mère une douceur et une joie appartiennent le cœur doux et la pitié sereine.

20 Aux usurpateurs, aux intolérants, la rêcheur d'une langue enlaidie et corrompue.

« Va-t'en, maudit sauvage ! »

Il n'est point de langue douce qui sache prononcer de tels mots envers ceux mêmes qui montrèrent durant des millénaires la figure de l'homme aux
25 forces instinctives de la nature, qui parcoururent en maîtres bienveillants ces forêts sans jamais en décimer la faune, sans jamais en incendier les arbres, sans jamais en violer les versants d'eau. Maîtres bons, adaptés à la nature, incapables d'en déséquilibrer le rythme.

En ma langue, si étonnant que cela puisse paraître, il n'est pas de mot
30 pour crier aux intrus : « Va-t'en, maudit Blanc ! » Peut-être aurait-il fallu inventer ces mots avant qu'il ne soit trop tard ?

Je ne les ai pas inventés, ni mes frères, et mes fils pas davantage.

Nous avons donc vécu en notre cage immense, contenus tout en nous imaginant être libres.

Ashini (1960), © Bibliothèque québécoise, 1988.

1. Quelles caractéristiques Ashini donne-t-il de sa langue ?

2. De quel drame Ashini prend-il conscience ?

3. Analysez le portrait peu flatteur de la civilisation européenne dans cet extrait.

4. Montrez que cet extrait comporte des tonalités d'ordre intimiste et didactique.

5. Comparez le présent symbole de l'oiseau en cage avec celui utilisé par Saint-Denys Garneau dans *Cage d'oiseau* (page 96). A-t-il la même portée dans les deux textes ?

6. Comparez cet extrait avec celui d'Antane Kapesh (page suivante). A-t-on raison de penser que ces deux textes présentent une même critique des Blancs ?

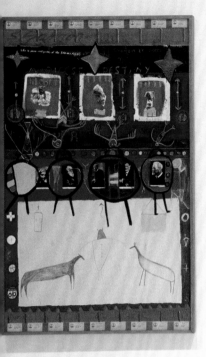

Une prière sacrée pour une île sacrée, Jane Ash Poitras, 1991.
Musée des beaux-arts du Canada, n° 37987.1-3.

Le marchand d'alcool

Autrefois le marchand d'alcool est venu à l'intérieur des terres pour chercher de quoi gagner sa vie. Alors il a commencé par construire un hôtel. Le premier hôtel n'était pas tellement grand et il n'y avait pas de bar-salon. Quand il fut terminé et qu'on eût permis à l'Indien de boire de l'alcool, les
5 Blancs et les Indiens buvaient ensemble à l'hôtel. Mais les Indiens qui allaient alors à l'hôtel disaient : « Les verres dans lesquels on nous sert, nous les Indiens, sont différents. » Et certains disaient : « On ouvre les fenêtres quand les Indiens entrent à l'hôtel. »

Autrefois, quand les Indiens étaient admis à l'hôtel, le propriétaire ne
10 devait déjà pas les aimer : c'est sans doute bon gré mal gré qu'il les autorisait à entrer. Mais ça ne faisait que quelques années qu'ils entraient à l'hôtel que déjà, le marchand d'alcool devait savoir qu'il allait s'enrichir avec eux. Tous ceux qui commencent quelque chose savent très tôt si leur affaire marchera ou si elle ne marchera pas. Par exemple, quand le marchand d'alcool a
15 commencé à vendre de l'alcool sur notre territoire, ici à l'intérieur des terres, il ne s'arrangeait pas, après avoir fini de l'exploiter, pour appeler la police afin qu'à son tour elle fasse de l'argent avec lui.

[...]

Si l'Indien dérange un tant soit peu le propriétaire de l'hôtel, il le saisit
20 et le jette dehors, qu'il s'agisse d'un homme ou d'une femme et qu'il soit n'importe quelle heure ; s'il veut le jeter dehors, il le jette dehors, que ce soit le jour ou la nuit, il le jette dehors et par n'importe quel temps ; s'il veut le jeter dehors, que ce soit l'été ou que ce soit l'hiver, il le jette dehors. Quand le marchand d'alcool jette un Indien dehors, il ne sait pas s'il a les idées assez
25 claires pour retourner chez lui et il ne sait pas s'il a de l'argent pour rentrer chez lui ; il le jette dehors quand même parce qu'il a déjà fait son argent avec lui. C'est après avoir enlevé à l'Indien tout son argent que le marchand d'alcool veut le jeter dehors mais avant de le faire, il appelle d'abord la police

AN ANTANE KAPESH (née en 1926)

Une Montagnaise, An Antane Kapesh, née en 1926 dans la région de Schefferville, est l'auteure d'un long réquisitoire sur la situation des Amérindiens, paru en versions française et montagnaise : *Je suis une maudite sauvagesse* (1976). Une virulente dénonciation de l'influence du Blanc sur sa communauté.

Depuis les années 1970, l'Indien n'entend plus être considéré comme le « bon sauvage » ; ni comme un terreau purement ethnologique. Parallèlement aux francophones, il a pris conscience de la perte progressive de sa culture et en a fait un puissant moteur de créativité. Comme les autres Québécois, à la suite de l'amère constatation du présent, les Amérindiens appellent une régénération de leur culture et son enracinement dans leur terre.

Après la vision des Amérindiens proposée par Yves Thériault, en voici maintenant une autre, cette fois celle que les Amérindiens portent sur eux-mêmes et sur les Blancs.

dans le but de lui livrer en mains propres l'Indien qu'il va jeter dehors. Alors
30 les policiers s'emparent de celui qu'on leur a remis pour faire de l'argent
avec lui à leur tour...

Une fois, un Indien a raconté. Il avait vu, paraît-il, deux Indiens se faire
arrêter à l'extérieur de l'hôtel, près de la porte. Quand il a vu les Indiens se
faire arrêter, « d'abord j'ai pensé à regarder ce qu'ils allaient leur faire, dit
35 l'Indien. Quand j'ai vu un policier frapper l'un d'eux au visage, je suis allé
trouver les policiers dans leur auto et je leur ai dit : « Ces Indiens-là,
ramasse-les comme du monde. » Les deux Indiens qu'on avait arrêtés
venaient d'être mis à la porte de l'hôtel, raconte-t-il. Avant que les policiers
puissent partir en auto avec ceux qu'ils venaient d'arrêter, deux autres Indiens
40 venaient d'être mis à la porte de l'hôtel. Le propriétaire a alors crié aux
policiers : — Ramassez-les eux autres aussi ces maudits sauvages-là ». C'est
ce qu'a raconté l'Indien.

De nos jours, le marchand d'alcool est très content de brutaliser et d'in-
sulter l'Indien et il n'éprouve aucune honte à le faire. Avant les quinze
45 dernières années, nous n'avions jamais vu d'hôtel à l'intérieur des terres qui
nous fasse du tort de plusieurs façons, à nous et à nos enfants. Le fait que le
marchand d'alcool soit venu sur notre territoire est la source principale de
notre inquiétude aujourd'hui. Par exemple, c'est de toute évidence de là que
provient le fait que mes enfants ne soient pas en santé. Si, dans leur jeune
50 âge, ils ont toujours peur à cause de l'alcool et s'ils ne dorment jamais bien
à cause de l'alcool et s'ils manquent de nourriture à cause de l'alcool,
comment ces enfants peuvent-ils être en santé ? Comment peuvent-ils grandir
normalement ?

Quand nous vivions notre vie à nous, jamais nous ne voyions toutes les
55 misères que nous voyons aujourd'hui. Après nous avoir pris notre vie, le
Blanc ne nous a donné qu'une mauvaise vie.

Je suis une maudite sauvagesse, © Leméac, 1976.

Le théâtre entre en scène

En raison d'un interdit moral qui l'avait frappé en 1694, le théâtre a mis
beaucoup de temps à se faire reconnaître. À vrai dire, on considère *Tit-Coq*
(1948) comme la première véritable pièce de la dramaturgie québécoise. Ce
genre littéraire sort donc de sa longue nuit en accompagnant le roman sur
la voie de la contestation des antiques structures sociales. Comme chez
Gabrielle Roy, le réalisme s'y fait saisissant, d'autant plus qu'il dispose d'un
outil de choix pour décrire les contours de la réalité : une langue populaire
qui ne dédaigne ni les juteuses expressions familières ni les anglicismes.

Chez Gratien Gélinas comme chez Marcel Dubé, la famille québécoise et
le prolétariat urbain sont disséqués dans tous leurs comportements traditionnels. Ces auteurs dénoncent, en particulier, les mentalités religieuses et
morales superficielles, qui exilent les gens d'eux-mêmes. Dans ce contexte,
l'amour est une quête bien davantage qu'une réalité accessible. On notera la
portée symbolique des pièces retenues : Tit-Coq, dans la pièce de Gratien
Gélinas, est un orphelin à la recherche désespérée d'une famille, alors que le
« simple soldat » de Marcel Dubé fut traumatisé quand, très jeune, il perdit
sa mère et dut composer avec une « usurpatrice » qui imposait sa loi.
Situations qui ne manquent pas de faire écho à un certain contexte politique
d'après 1760...

C'ÉTAIT CONTRE LES RÈGLEMENTS

TIT-COQ : Hé ! Pourquoi tu me tournes autour, toi ? Si c'est pour faire la charité et ramasser des mérites pour le ciel, sacre-moi la paix ! Parce que moi, vois-tu, j'ai été élevé par charité, nourri par charité, changé de couches pour l'amour du bon Dieu pendant trois ans, par des sœurs qui n'avaient même
5 pas le droit de nous montrer de l'affection : c'était contre les règlements. Et, pour comble de malheur, quand j'ai été aimé, ça été par charité. *(L'œil méchant.)* Ça fait que j'en ai plein le dos et deux pieds par-dessus la tête, de la charité, comprends-tu ? Si c'est pour ça que tu t'occupes de moi, décolle ! Ton âme, on te la sauvera une autre fois.

10 LE PADRE : Il n'est pas question de ça. Je suis venu te voir par amitié.

TIT-COQ : Dans ce cas-là, passe au salon, t'es le bienvenu ! Qu'est-ce que c'est, ton nom de baptême, toi, déjà ?

LE PADRE : Louis.

TIT-COQ : Eh ben ! Tit-Louis, vire ton collet de bord et viens prendre un coup
15 avec moi. Tu m'as connu dans le temps où je tâchais de faire le bon petit garçon ; seulement c'est fini, ça. Et tu vas te rendre compte que je peux être aussi amusant que n'importe qui. Ah oui ! Parce que, un moment, j'ai essayé d'avoir de l'idéal, figure-toi. J'en avais de l'idéal, que j'en dégouttais ! Prenais pas un verre, ramassais mon argent pour m'acheter une couchette de noces.
20 Je voulais être un homme comme tout le monde, moi, le petit maudit bâtard ! *(Il chante à tue-tête.)* « Mais j'en reviens ben, d'ces affaires-là ! » *(Au Padre.)* Parce que l'amour, Tit-Louis, l'amour jusqu'au trognon comme dans les romans, ça vaut pas de la chiure de mouches ! Les filles à tant de l'heure, c'est encore ce qui se fait de plus sûr. Au moins, avec elles, tu sais à quoi t'en
25 tenir. *(Il vide son verre au nez du Padre, qui l'écoute, navré.)* Sais pas ce que je vais faire de mon corps, maintenant... À moins que j'entre en religion. Ça se porte beaucoup, après les grandes déceptions. *(La voix pleine d'une onction cléricale.)* « Révérend frère Tit-Coq, vos parents vous demandent au parloir. » *(Il s'esclaffe, puis se verse un coup.)* Hé ! Trinque donc, toi. Ah oui ! C'est vrai,
30 t'as pas de verre... *(Il appelle.)* Waiter ! Où est-ce qu'il est fourré, lui ?

Tit-Coq (1948), © Les Quinze éditeur, 1981, Éditions Typo, 1994.

Gratien Gélinas
(1909-1999)

La caricature est la contrepartie du pouvoir. C'est de la contestation discrète et souriante.

Le personnage central de *Tit-Coq* (1948) est un jeune soldat revenant de la guerre. Avant de partir au combat, ce fils naturel élevé dans un orphelinat avait cru trouver en Marie-Ange l'amour qui allait remédier aux lacunes de son enfance. Surtout, il allait enfin appartenir à une famille. Mais le rêve était trop beau. Poussée en ce sens par sa famille, la jeune fille choisit d'en épouser un autre. L'extrait présente un dialogue entre l'aumônier, dit « le padre », et Tit-Coq qui se sent, plus que jamais, en marge de la société.

1. Prouvez que tendresse et désenchantement sont ici indissociables.

2. Quelle est la dominante tonale de cet extrait ?

3. Précisez la nature du comique utilisé ici.

4. En quoi l'utilisation du langage populaire est-elle un outil approprié pour l'analyse des mœurs ?

5. Comparez le personnage de Tit-Coq avec celui de Joseph, dans l'extrait *Ce qui joue contre moi*, de Marcel Dubé (page suivante). Peut-on dire que les deux personnages sont pareillement résignés ?

Au plaisir de lire

• *Bousille et les Justes*
• *Hier, les enfants dansaient*
• *Les fridolinades*

Marcel Dubé
(né en 1930)

L'écrivain est un révolté ou un précurseur ou un Messie. Porte-parole de sa génération et de ses contemporains, il sert d'éclaireur à ceux qui ont la vue obscurcie.

La pièce de Marcel Dubé, *Un simple soldat*, présentée à la télé en 1957 puis sur scène en 1958, décrit, elle aussi, la révolte et le défaitisme d'un soldat démobilisé qui estime n'avoir de place nulle part, pas plus dans sa famille que dans la société. Comme si une fatalité s'acharnait contre lui, le condamnait au malheur. Joseph Latour, le simple soldat, discute ici avec Émile, un ami d'enfance encore plus démuni que lui, car il n'a même pas accès à la conscience de son malheur.

Au plaisir de lire

- Zone
- Florence
- Les beaux dimanches
- Au retour des oies blanches

CE QUI JOUE CONTRE MOI

JOSEPH : Regarde-moi, Émile, regarde-moi ! J'ai jamais rien fait de bon dans ma vie. J'ai jamais été autre chose qu'un voyou. J'avais une chance devant moi tout à coup, ma première chance, je l'ai manquée. Je suis resté ce que j'étais : un voyou, un bon-à-rien.

5 ÉMILE : Y a tellement de contradictions dans ta vie, Joseph... En quarante-deux, rappelle-toi, t'étais contre la conscription, tu voulais pas te battre pour le Roi d'Angleterre et puis t'as été pris dans une émeute au marché Saint-Jacques, t'as passé une semaine en prison... Quand t'entendais parler du monde libre, ça te faisait rire, tu jurais que tu serais déserteur, je t'ai vu 10 provoquer des gars de la gendarmerie royale, et puis tout à coup, personne a su pourquoi, tu t'es enrôlé.

JOSEPH : J'étais contre la conscription, Émile, parce que le Québec avait voté contre au plébiscite. Puis après, quand je me suis enrôlé, c'est pas pour le roi d'Angleterre que je serais allé me battre, c'est pour moi-même, pour moi 15 tout seul. Mais depuis que je suis haut comme ça, je sais pas ce qui joue contre moi, je réussis jamais rien.

ÉMILE : Un gars comme toi, Joseph, un gars qui gagne sa vie comme soldat, un gars qui tue du monde par métier, on appelle ça un mercenaire.

JOSEPH : Fais-moi rire avec tes grands mots. Moi, je savais ce que je voulais, 20 c'est tout !... Ah ! Puis je me sacre de tout ça maintenant, je vis au jour le jour et puis je me sacre de tout le monde. Ce soir, je m'amuse, Émile, et puis j'aime autant plus penser à rien.

[...]

JOSEPH : Moi, je cherche rien. Du moment qu'un gars est logé-nourri, il a 25 tout ce qu'il faut... Il se débrouille pour se trouver quelques piastres de temps en temps et puis il prend son coup quand ça fait son affaire... L'assurance-chômage c'est pas là pour rien !... Un jour, peut-être que je me placerai les pieds une fois pour toutes, on sait jamais.

Un simple soldat (1957), © Éditions Typo et Marcel Dubé, 1993.

1. Montrez la double dimension du personnage de Joseph.

2. Commentez : « c'est pas pour le roi d'Angleterre que je serais allé me battre, c'est pour moi-même ».

3. Peut-on affirmer que les deux personnages sont prisonniers de leur solitude ?

4. Comparez le réalisme du langage de Marcel Dubé avec celui de Gratien Gélinas.

5. Le drame de Joseph peut-il prendre une dimension collective ?

La littérature et la réalité psychologique

Après avoir observé le cadre social dans lequel évoluent leurs personnages, les écrivains tournent bientôt le regard sur les conflits intérieurs qui assaillent ces derniers, soumis aux multiples tensions de la vie urbaine. Ils prennent plus habituellement pour point de mire un personnage privilégié, ce qui est le propre du récit psychologique. On note donc ici un passage du public au privé, de la collectivité à l'individu. Un individu qui n'arrive pas à composer avec la société, empêché qu'il est par les filtres familiaux et religieux. En quête néanmoins de son authenticité, même si elle se dérobe derrière des conflits moraux ou métaphysiques. Cette période voit la prolifération d'œuvres majeures et ouvre toutes grandes les portes de la modernité.

Les récits de l'intériorité

Les récits d'analyse psychologique font une mise en scène de la crise des valeurs traditionnelles ; ils décrivent le conflit entre le privé et le public, entre l'individu et la famille, entre la famille et la société. Les personnages s'interrogent sur l'action, mais sans jamais l'entreprendre. Ils portent de manière très présente l'empreinte de la religion. Au point qu'on pourrait parler d'une esthétique du péché. Une religion mal enseignée et mal comprise, où domine la peur, peur de la faute et peur du jugement des autres. Surtout, peur de la sexualité, qu'on a été incité à réprimer depuis toujours, au point d'en arriver à considérer son corps comme son plus dangereux ennemi. Dans ces romans du tourment intérieur, du mal-être en soi et en société, la quête de la rédemption et de la grâce cède bientôt la place à une révolte anticléricale où, dans le bilan qu'il fait de sa vie, le héros constate surtout des empêchements à vivre. À cause, en très grande partie, de la castration imposée par l'éducation familiale et religieuse.

Dans de nombreux récits, le héros — ou l'anti-héros — est un adolescent qui constate le vide de sa vie en même temps que la fissure entre lui-même et les autres. Enfermé dans la solitude depuis l'enfance, aux prises avec une crise intérieure qui ne semble pas trouver d'issue, il met en question les vieilles valeurs qu'on lui a inculquées et qui l'ont acculé à l'angoisse existentielle et à la haine de soi. Empêtrés dans l'impasse de leurs contradictions, ces personnages sont autant de reflets d'une société dégradée jusque dans sa culture, et qui n'arrive pas à sortir de sa Grande Noirceur. On a parfois l'impression d'assister à un interminable procès, dont le verdict va se faire attendre jusque dans les années 1960.

Par ailleurs, au début de la seconde moitié du XXᵉ siècle, l'homme occidental interroge de manière pressante sa présence au monde. Après l'écroulement des anciennes structures morales et sociales et l'effritement de ce qui, hier encore, comptait pour des certitudes, et surtout, après la découverte, à la suite de la Seconde Guerre mondiale, de la cruauté dont son semblable était capable, il en vient à douter du sens de la condition humaine. Doute par ailleurs nourri par les récentes découvertes de la psychanalyse, qui semblent prétendre que l'individu est inapte à saisir l'intégrité de sa propre identité, ainsi que par des écrivains dits existentialistes qui répètent que « l'existence est absurde, sans raison, sans cause et sans nécessité[2] ».

Cette perception de la perte de l'homogénéité individuelle a des échos dans la production littéraire d'ici. Dans l'univers romanesque, André Langevin, par ailleurs un de nos meilleurs romanciers d'analyse psychologique, est sans doute celui qui a poussé le plus loin le processus d'illustration du drame existentiel qui affecte l'humain : quoi que ce dernier entreprenne pour communiquer avec ses semblables, il sera immanquablement, et tragiquement, ramené à sa solitude originelle.

Ces anti-héros jettent en fait les bases d'une nouvelle conscience, d'une critique lucide de la société en pleine mutation. Cette nouvelle vision du monde est soulignée par un constant souci formel. Chez plusieurs auteurs, l'influence du cinéma est manifeste : l'éclairage et les points de vue varient, on multiplie les gros plans, se permet de longs travellings, juxtapose des scènes de soliloques et d'extraits de journal intime. Et la modernité littéraire progresse toujours davantage.

---

2. Dans *L'Être et le Néant* de Jean-Paul Sartre.

Françoise Loranger
(1913-1995)

Je n'imagine pas de pire malheur pour un homme qui a quelque chose à dire, que de vivre parmi les sourds.

L'œuvre conjuguée de plusieurs femmes, les Françoise Loranger, Anne Hébert et Claire Martin, a contribué à apporter une plus grande sensibilité à la littérature de cette époque. *Mathieu* (1949), le seul roman de la dramaturge Françoise Loranger, propose le cas exceptionnel d'une conscience malheureuse qui arrive à exorciser ses empêchements à vivre. C'est aussi l'entrée du sport dans la littérature, souci du corps qui n'est sans doute pas étranger à l'heureuse métamorphose de l'âme de Mathieu. Dans l'extrait retenu, ce dernier n'a cependant pas encore échappé à son destin. Il doit subir la vindicte de sa propre mère, Lucienne, qui veut faire expier par le fils les fautes du père. Il s'agit d'un des nombreux récits qui remettent en cause le rôle jusque-là intouchable de la mère.

LA COLÈRE ET LA HAINE

Ses yeux hagards errèrent dans la pièce et se posèrent sur Mathieu ; sur Mathieu, fils de Jules ; sur Mathieu à qui elle n'avait jamais pardonné de ne pas ressembler à son père.

La vue de ce visage détesté souleva en elle un accès de rage qui la précipita
5 sur le jeune homme. Le secouant violemment elle le força à se lever et le traîna devant le miroir suspendu au pied du crucifix de Papineau. La colère et la haine décuplaient ses forces. Mathieu n'avait pas prévu cette attaque. La tête pleine encore des supplications que ce genre de scène lui avait fait pousser dans son enfance, il s'abandonna.

10 — Regarde-la ta sale face ! cria Lucienne, regarde-la bien. Crois-tu qu'avec une tête semblable tu trouveras jamais une femme pour te faire vivre !

Brusquement, afin qu'il pût mieux contempler ses traits, elle lui arracha ses lunettes noires qu'elle lança sur le tapis et courut allumer le plafonnier. Ébloui par la lumière, Mathieu ferma les yeux, mettant dans ce geste tout ce
15 qui lui restait d'énergie.

— Regarde-toi ! Regarde-toi donc ! ricanait Lucienne en le maintenant devant la glace. Admire un peu ce que ton père m'a laissé en échange de ma fortune ! Trouves-tu que j'ai gagné au change ?

Elle desserra enfin son étreinte et s'éloigna.

20 Cherchant à contrôler le tremblement nerveux de ses mains, Mathieu ramassa ses lunettes et reprit sa place. Cette scène épuisante l'avait au moins réveillé, lui rendant une lucidité qui lui suggéra aussitôt des vengeances.

— Mon père a fait ce que tout homme intelligent aurait fait à sa place. Il a pris ce que vous aviez de meilleur et il a rejeté le reste.

25 Lucienne pâlit. Sans lui donner le temps de répondre, il poursuivit :

— Pourquoi les citrons sont-ils faits, sinon pour être pressés, vidés de leur jus, et jetés à la poubelle ?

Elle s'avança vers lui, à nouveau menaçante. Mais loin de reculer, il leva son visage vers elle, grimaçant, la voix sifflante.

30 — À votre tour de me regarder ! Ne vous gênez pas ; vous verrez ce que mon père voyait en vous. Je suis la réplique exacte des sentiments mesquins, bas et vils qui vous animaient à cette époque aussi bien qu'aujourd'hui. Hein ! Comprenez-vous maintenant pourquoi il vous a plaquée, le beau Jules ? Comprenez-vous pourquoi n'importe quel homme en aurait fait autant à sa
35 place ?

Elle le repoussa durement, se contraignant au silence, tant elle redoutait de laisser échapper des mots qui révéleraient la place que son mari tenait encore dans sa vie. Cela, personne ne devait le savoir ; Mathieu moins que tout autre.

Mathieu (1949), © Éditions du Boréal, 1990.

---

1. Quel est l'effet produit par les nombreux changements de locuteurs ?

2. Étudiez la relation mère-fils : la violence verbale est-elle à sens unique ?

3. Pour quelles raisons la mère déteste-t-elle son fils ?

4. Quelle était l'attitude de Mathieu envers sa mère lorsqu'il était enfant ? A-t-elle changé ?

5. Commentez le pluriel du mot *vengeances* à la ligne 22.

6. Comment sont distribuées la colère et la haine dans cet extrait ? Les deux personnages partagent-ils les mêmes émotions ?

J'ÉTAIS UN ENFANT DÉPOSSÉDÉ DU MONDE

J'étais un enfant dépossédé du monde. Par le décret d'une volonté antérieure à la mienne, je devais renoncer à toute possession en cette vie. Je touchais au monde par fragments, ceux-là seuls qui m'étaient immédiatement indispensables, et enlevés aussitôt leur utilité terminée ; le cahier que je
5 devais ouvrir, pas même la table sur laquelle il se trouvait ; le coin d'étable à nettoyer, non la poule qui se perchait sur la fenêtre ; et jamais, jamais la campagne offerte par la fenêtre. Je voyais la grande main de ma mère quand elle se levait sur moi, mais je n'apercevais pas ma mère en entier, de pied en cap. J'avais seulement le sentiment de sa terrible grandeur qui me glaçait.

10 Je n'ai pas eu d'enfance. Je ne me souviens d'aucun loisir avant cette singulière aventure de ma surdité. Ma mère travaillait sans relâche et je participais de ma mère, tel un outil dans ses mains. Levées avec le soleil, les heures de sa journée s'emboîtaient les unes dans les autres avec une justesse qui ne laissait aucune détente possible.

15 En dehors des leçons qu'elle me donna jusqu'à mon entrée au collège, ma mère ne parlait pas. La parole n'entrait pas dans son ordre. Pour qu'elle dérogeât à cet ordre, il fallait que le premier j'eusse commis une transgression quelconque. C'est-à-dire que ma mère ne m'adressait la parole que pour me réprimander avant de me punir.

20 Au sujet de l'étude, là encore tout était compté, calculé, sans un jour de congé, ni de vacances. L'heure des leçons terminée, un mutisme total envahissait à nouveau le visage de ma mère. Sa bouche se fermait durement, hermétiquement, comme tenue par un verrou tiré de l'intérieur.

Moi, je baissais les yeux, soulagé de n'avoir plus à suivre le fonction-
25 nement des puissantes mâchoires et des lèvres minces qui prononçaient, en détachant chaque syllabe, les mots de « châtiment », « justice de Dieu », « damnation », « enfer », « discipline », « péché mortel », et surtout cette phrase précise qui revenait comme un leitmotiv :

— Il faut se dompter jusqu'aux os. On n'a pas idée de la force mauvaise
30 qui est en nous ! Tu m'entends, François ? Je te dompterai bien, moi... [...]

J'ai trouvé, l'autre jour, dans la remise, sur une poutre, derrière un vieux fanal, un petit calepin ayant appartenu à ma mère. L'horaire de ses journées était soigneusement inscrit. Un certain lundi, elle devait mettre des draps à blanchir sur l'herbe ; et, je me souviens que brusquement il s'était mis à
35 pleuvoir. En date de ce même lundi, j'ai donc vu dans son carnet que cette étrange femme avait rayé : « Blanchir les draps », et ajouté dans la marge : « Battre François ».

Le torrent (1950), © Éditions Hurtubise HMH, 1963.

Anne Hébert
(1916-2000)

La sagesse m'a rompu les bras, brisé les os.

Anne Hébert est l'écrivain le plus prestigieux du dernier demi-siècle ; portés par une puissante imagination, ses romans sont marqués par les signes de la modernité : usage du monologue intérieur, ruptures dans le continu narratif, multiplication des points de vue ; l'exaltation de la puissance langagière y réduit les personnages et les actions à des rôles de figurants.

L'allégorie de la société écrasée sous l'absolutisme de l'idéologie religieuse est récurrente dans son œuvre depuis son premier ouvrage en prose, *Le torrent*, recueil de récits paru en 1950. L'extrait reproduit le début de la nouvelle éponyme. Le narrateur, François, y dresse le lourd inventaire des causes de sa détresse. La mère est encore visée.

Au plaisir de lire

- *Kamouraska*
- *Les enfants du sabbat*
- *Héloïse*
- *Les fous de Bassan*

---

1. Quels mots et quelles attitudes expriment le mieux la « dépossession » de François, son impuissance ?

2. Expliquez les expressions *Je touchais au monde par fragments* et *je participais de ma mère*.

3. Pourquoi, selon vous, l'auteure a-t-elle voulu que François soit atteint de surdité ?

4. « Il faut se dompter jusqu'aux os. » Peut-on établir un lien entre cette phrase et le poème *La fille maigre* (page 101) ?

5. Comparez les mères dans les textes de Françoise Loranger et d'Anne Hébert. Dans ces deux extraits, peut-on dire que le rôle de la mère est remis en question ? Comment les fils réagissent-ils ?

André Langevin
(né en 1927)

Vous ne pouvez attendre de la vie que ce dont vous vous emparerez vous-même.
Les autres sont un décor. Vous n'existez que pour vous seul.

André Langevin exprime, dans ses romans, le sentiment d'une perte de repères culturels et moraux. Ce désarroi est particulièrement présent dans *Poussière sur la ville* (1953), où le romancier établit des correspondances et un équilibre dynamique entre l'atmosphère d'une petite ville minière et le drame existentiel d'un couple mal assorti. Le personnage central est un médecin aux prises avec une irrémédiable solitude ; quelque effort qu'il fasse, quelque engagement qu'il prenne, son drame demeure toujours le même. Ce personnage « camusien » est contraint à assumer les épisodes d'un quotidien peu glorieux dans une vie où le sens se dérobe. Avec une grande maîtrise de l'écriture, Langevin propose un roman pétri de modernité, aux personnages hautement crédibles.

Dans l'extrait, le médecin vient d'être éveillé après une nuit particulièrement éprouvante. Au petit matin, il observe la servante Thérèse, puis songe à sa femme Madeleine avec qui plus rien n'est possible sauf la pitié, tout en se mettant à l'écoute de ses sensations.

Le corps et l'âme trop las

Thérèse m'apporte un jus de fruits. Je la regarde comme le malade l'infirmière, en me disant qu'il doit être bon d'habiter ce corps jeune et frais, sans aucune ride, sans flétrissure. Ses soins, elle les prodigue à Madeleine avec plus d'enthousiasme, mais elle me panse discrètement, ne m'abandonne pas.
5 Elle ne me demande pas pourquoi je me suis couché dans le salon, mais elle m'a préparé un bain et elle m'offre sa bonne humeur comme si Madeleine et moi ne côtoyions pas l'abîme, comme si la maison allait se remettre à vivre dans le calme et la paix.

J'ai le corps et l'âme trop las pour m'interroger, pour penser à ce qui a été.
10 Je bénéficie du demi-engourdissement de l'opéré qui émerge de l'anesthésie par paliers. Ce que sera mon mal ensuite ne m'intéresse pas. Passé un certain degré d'épuisement, le corps seul nous occupe. J'économise mes gestes et mes pensées. Je me contente de regarder vivre Thérèse et d'exister moins qu'elle. Madeleine serait devant moi que j'aurais peut-être la même indif-
15 férence profonde, que je connaîtrais la même incapacité physique d'établir entre elle et moi d'autres rapports que ceux de l'œil avec l'objet incolore qu'il regarde. Je vis au ralenti, terriblement. Je ne tiens aucunement à faire tomber la poussière qui me couvre et cela exige une quasi-immobilité. Le bain chaud m'engourdit davantage. Je deviens très indulgent pour mon corps. Il suffit peut-être d'un peu de faiblesse physique pour considérer l'univers dans une optique différente, dans un éloignement qui nous le rend anodin et
30 mollet.

Poussière sur la ville (1953),
© Éditions Pierre Tisseyre.

Black Lake, de la série « Asbestos »,
Geoffrey James, 1993.
Collection du Musée d'art contemporain de Montréal.

1. Expliquez l'importance du regard.

2. Quel sens l'utilisation du présent apporte-t-elle dans la narration ?

3. Quelle symbolique est associée au mot *poussière* dans « Je ne tiens aucunement à faire tomber la poussière qui me couvre » ? Quelle peut être la signification du titre du roman ?

4. Expliquez le sens de la dernière phrase.

5. Quelle rupture s'établit entre le personnage de cet extrait et les autres personnages romanesques rencontrés dans ce chapitre ?

6. Les romans de la réalité psychologique expriment surtout des malaises. Discutez.

Au plaisir de lire

• *Évadé de la nuit*
• *Le temps des hommes*
• *L'élan d'Amérique*
• *Une chaîne dans le parc*

Au théâtre, après Ionesco et Beckett en Europe, Jacques Languirand peint à son tour des êtres envahis par le néant, déconcertés et, pour certains lecteurs des années 1950, déconcertants. C'est l'occasion, pour le public d'ici, de découvrir de nouveaux moyens d'expression dramatique, qui prennent le relais de la rassurante intrigue habituelle.

■ ■ ■

JOUER UNE SYMPHONIE

HECTOR : Et où irais-tu ?

SOPHIE : Je ne sais pas.

HECTOR : Moi aussi, c'est là que je voulais aller... Si tout le monde partait, tout le monde se retrouverait là. Mais comme personne ne part jamais, on
5 ne saura jamais où c'est...

SOPHIE : Tu te moques de moi.

HECTOR : Non.

SOPHIE : Parce que tu n'as pas eu le courage de partir, tu t'imagines que personne ne l'aura jamais.

10 HECTOR : Un jour, j'ai compris que je n'aurais jamais le courage de partir.

SOPHIE : Et tu n'as pas voulu en finir ?

HECTOR : J'ai commencé à espérer secrètement que les autres le trouveraient, eux, le courage de partir ! Ce qui aurait eu le même résultat pour moi...

SOPHIE : Aide-moi à partir.

15 HECTOR : Pars !

SOPHIE, *hésite, puis elle répond à l'appel d'Eulalie*

HECTOR : Pars, Sophie, pars !

EULALIE : *Voix en coulisse* Sophie ! Sophie ! Sophie ! Sophie !

Un temps, puis plus fort Sophie ! Sophie ! Sophie !

20 SOPHIE, *hésite, puis elle répond à l'appel d'Eulalie*

HECTOR *demeure seul*

Il se ronge un ongle un moment. Puis, sentencieux, s'adresse au grand-père.

Quand je pense que demain matin le soleil va se lever ! Quelle dérision ! Il est sûr de lui, le soleil — il est au-dessus de tout... Et quand je pense que
25 l'homme n'a même pas une paire d'ailes ! J'ai l'impression qu'on se moque de nous... Qu'en dites-vous grand-père ? Oh ! N'essayez pas de m'attendrir avec votre paralysie. Nous sommes tous paralytiques — un peu plus, un peu moins, quelle différence ? Je me sens rigide. La vie grouille autour de moi : le règne végétal, le règne animal — et vous et moi, nous appartenons au règne
30 minéral. Nous sommes des os — essentiellement des os rigides. Je voudrais être un orchestre pour jouer une symphonie... Plus je vous regarde, plus je trouve que vous avez l'air d'un violoncelle. Mais ça ne suffit pas ! Vous entendez ! Ça ne suffit pas pour jouer une symphonie ! Et moi, de quoi ai-je l'air dans tout ça ? Je vous le demande...

Jacques Languirand
(né en 1931)

Pour agir, il faut se sentir observé.

Jacques Languirand est le représentant québécois des nouvelles tendances théâtrales appelées en France le « théâtre d'avant-garde » ou le « nouveau théâtre ». Dans *Les grands départs*, pièce créée à la télévision en 1957 et jouée par la suite un peu partout dans le monde, le dramaturge pose un regard lucide et satirique sur des gens qui préfèrent la stagnante sécurité à l'inconnu où pourrait mener l'action. L'extrait retenu propose un dialogue entre Hector, le personnage central de la pièce, et sa fille Sophie. Notons le sort particulier réservé au langage, comme gangrené par les désillusions nées de la nouvelle conscience de l'homme de ce temps. Cette remise en question qui bouscule la logique, le réalisme et la psychologie chers au théâtre traditionnel se veut le rejet d'une vision du monde jugée vétuste.

Au plaisir de lire

- *Le gibet*
- *Les insolites*
- *Les violons de l'automne*
- *Presque tout Languirand*

35 *Un temps*

J'ai l'air d'un trombone. D'un trombone à coulisse, bien glissant, bien braillard... Et ça ne suffit pas non plus...

Margot entre en coup de vent

MARGOT : Et alors ? Monsieur parle tout seul.

40 HECTOR, *solennel*, Et toi, tu as l'air d'une trompette bouchée !

Les grands départs (1957), © Éditions Pierre Tisseyre.

---

1. Prouvez, par l'analyse des associations libres et des jeux de mots, que le langage est ici une fin en soi.

2. Quel genre de comique est exprimé dans cet extrait ?

3. Qualifiez le type de vision du monde proposé par l'auteur.

4. Justifiez la présence de cet extrait dans la partie « La littérature et la réalité psychologique ».

5. Quelles ressemblances et quelles différences peut-on trouver entre Hector et le « simple soldat » de Marcel Dubé (page 112) ?

La littérature et le surréalisme

Il revient aux automatistes, nom que se donnent les surréalistes québécois, d'avoir effectué le grand balayage des valeurs périmées. Manifestée d'abord en peinture, autour de Paul-Émile Borduas, Fernand Leduc et Jean-Paul Riopelle, cette nouvelle esthétique redevable au surréalisme français déborde bientôt en littérature. L'écrivain cesse ici de se percevoir comme l'âme malheureuse de la société : il devient, au contraire, un initié qui a pour rôle d'exprimer la nature fondamentale de l'humain. Il la débusque du côté de l'intuition et de la passion, dans l'acte créateur « surrationnel », c'est-à-dire situé au-delà de la raison, effectué au hasard, idéalement de manière tout à fait libre, dégagé des intentions et des servitudes de la raison.

Pratiquer l'automatisme, c'est laisser les mots jaillir spontanément de la pensée, hors de toute préméditation, et se livrer totalement à leur pouvoir. Cette confiance inébranlable dans la liberté du langage et des mots ainsi que l'abondant recours à l'écriture automatique, à des jeux divers, aux rêves, au hasard et à un humour souvent noir mènent à une réinvention de la littérature. Désormais, les mots jouissent d'une suprématie totale par rapport à la réalité, car les mots ne sauraient mentir. Et le poète Éluard a raison quand il écrit :

La terre est bleue comme une orange
Jamais une erreur, les mots ne mentent pas

puisque, ici, la réalité est ramenée au niveau des mots.

Cette esthétique du risque, qui revendique une pratique artistique sans aucune contrainte formelle, sans but délibéré, sans préoccupation du résultat final, en se laissant porter par le geste libre sous la dictée de l'inconscient, appelle l'avènement d'un temps nouveau, d'une liberté nouvelle, où l'homme sera au centre du monde autant que de lui-même. Le peintre Fernand Leduc a bien dessiné les horizons de cette nouvelle utopie, articulée autour des mots *désir, amour* et *vertige* :

Qu'on le veuille ou non...
notre justification : le désir
notre méthode : l'amour
notre état : le vertige
[ce qui préfigure]
l'avènement prochain d'une nouvelle civilisation
qui se justifiera par : le désir sauvage
s'édifiera par : l'amour retrouvé
s'épanouira dans : le vertige qui procure l'ivresse[3].

---
3. *Refus global*, Montréal, Mithra-Mythe (Maurice Perron), 1948.

La poésie

En littérature, la révolution automatiste a surtout été le fait des poètes, pour qui la création du monde importe bien davantage que sa représentation. À l'aide de libres associations, de jeux et de fantaisies multiples, des procédés de l'humour également, ils ont voulu renouveler les voies de la poésie pour lui faire dire l'indicible. Le poème n'est donc plus le fruit d'une préméditation, d'une réflexion, mais le surgissement imprévisible de mots. Surgissement où le sens importe moins que la sonorité, les parentés sonores engendrant des parentés d'images. L'œuvre automatiste ruse avec le langage pour le détourner de son cours normal, pour en délivrer un sens jusqu'alors prisonnier. C'est l'éclatement de la matérialité du mot et la naissance d'une image imprévisible, voix de la surréalité et de l'authenticité. On se trouve à des lieues du lamento compatissant de notre poésie de naguère.

■ ■ ■

Gilles Hénault
(1920-1996)

L'homme a quitté la nuit de la préhistoire

L'âge de pierre et de cloportes

À l'entrée de la caverne

Il a planté le totem de son destin.

Les préoccupations sociales de Gilles Hénault l'amènent à faire de la justice un de ses thèmes majeurs. Aussi, constamment, tente-t-il de donner une forme à ce qui n'est qu'espoirs diffus. À cette fin, il aime voyager au pays de la mémoire, question d'établir des assises au point de départ, à la naissance de toutes les virtualités. Comme dans le recueil *Totems* (1953), où il recourt au mythe primitif de l'Amérindien pour envisager un retour à une enfance du monde. La poésie de Gilles Hénault entend davantage faire éclater le récit et le langage que produire, comme chez Claude Gauvreau, un authentique vertige verbal. Le poète livre ici une des premières images du thème du pays à construire, qui deviendra bientôt un vaste courant littéraire.

JE TE SALUE

1
Peaux-Rouges
Peuplades disparues
dans la conflagration de l'eau-de-feu et des tuberculoses
Traquées par la pâleur de la mort et des Visages-Pâles
5 Emportant vos rêves de mânes et de manitou
Vos rêves éclatés au feu des arquebuses
Vous nous avez légué vos espoirs totémiques
Et notre ciel a maintenant la couleur
des fumées de vos calumets de paix.

2
10 Nous sommes sans limites
Et l'abondance est notre mère.
Pays ceinturé d'acier
Aux grands yeux de lacs
À la bruissante barbe résineuse
15 Je te salue et je salue ton rire de chutes.
Pays casqué de glaces polaires
Auréolé d'aurores boréales
Et tendant aux générations futures
L'étincelante gerbe de tes feux d'uranium.
20 Nous lançons contre ceux qui te pillent et t'épuisent
Contre ceux qui parasitent sur ton grand corps d'humus et de neige
Les imprécations foudroyantes
Qui naissent aux gorges des orages.

3
J'entends déjà le chant de ceux qui chantent :
25 Je te salue la vie pleine de grâces
le semeur est avec toi
tu es bénie par toutes les femmes
et l'enfant fou de sa trouvaille
te tient dans sa main
30 comme le caillou multicolore de la réalité.

Belle vie, mère de nos yeux
vêtue de pluie et de beau temps
que ton règne arrive
sur les routes et sur les champs
35 Belle vie
Vive l'amour et le printemps.

Poèmes 1937-1993, © Éditions Sémaphore, 2006.

1. Trouvez les expressions empruntées à une prière connue.
   Quel sens leur donnez-vous en les situant dans le contexte des années 1950?

2. Relevez les allusions poétiques au territoire québécois et expliquez-les.

3. Quelles sont les principales images? Commentez-en trois que vous trouvez belles.

4. Donnez un titre à chacune des trois strophes et montrez l'évolution du poème.

5. On a dit de ce poème qu'il avait réinventé le sens des origines. Commentez.

6. Quelle est la portée sociale et politique de ce poème?

Météore sept, Alfred Pellan, 1954.
En moins de dix ans, et sous l'impulsion principalement d'Alfred Pellan et de Paul-Émile Borduas qui reviennent de Paris, la peinture québécoise se met au diapason des grands courants de l'art qui ont profondément influencé la peinture européenne et américaine depuis le début du siècle. Avec la publication en 1948 des manifestes *Prisme d'yeux* et *Refus global*, c'est le triomphe du surréalisme et de l'art non figuratif qui se veulent, non plus les témoins de la réalité et de la raison, mais plutôt le rejet de tout académisme par la spontanéité, l'émotion, l'impulsion créatrice, l'imagination et l'intuition.
Collection du Musée d'art contemporain de Montréal.

LA MAIN DU BOURREAU
FINIT TOUJOURS PAR POURRIR (1951)

Grande main qui pèse sur nous
grande main qui nous aplatit contre terre
grande main qui nous brise les ailes
     grande main de plomb chaud
5   grande main de fer rouge

grands ongles qui nous scient les os
grands ongles qui nous ouvrent les yeux
     comme des huîtres
grands ongles qui nous cousent les lèvres
10   grands ongles d'étain rouillé
     grands ongles d'émail brûlé

mais viendront les panaris
panaris
panaris

15 la grande main qui nous cloue au sol
finira par pourrir
les jointures éclateront comme des verres de cristal
les ongles tomberont

la grande main pourrira
20 et nous pourrons nous lever pour aller ailleurs.

L'âge de la parole (1965), © Éditions Typo et succession Roland Giguère, 1991.

---

1. Cherchez la dénotation et la connotation du mot *panaris*.

2. Relevez tous les termes appartenant au champ lexical de la main.

3. Rendez explicites tous les aspects du symbolisme de la main dans le contexte de ce poème.

4. Relevez les assonances et les allitérations, puis commentez leur effet.

5. Faites le plan de ce poème et décrivez son évolution.

Roland Giguère
(1929-2003)

L'artiste s'est volontairement lancé dans la brousse obscure sans autre boussole que la pointe vibrante du cœur constamment en éveil.

Poète, peintre et graveur, Roland Giguère aime s'abandonner aux mots, « les mots-flots [qui] battent la plage blanche », laissant les parentés sonores engendrer des parentés d'images. Il se plaît à détourner le langage de son cours normal, à ruser avec lui, à le prendre au mot, pour le mieux saisir et renouer avec sa transparence première. Sa poésie se fait souvent conscience sociale jusqu'à la révolte, comme dans *La main du bourreau finit toujours par pourrir* (1951), où l'oppression politique d'une époque est dénoncée par la force des images.

Au plaisir de lire

- *Forêt vierge folle*
- *La main au feu*

Paul-Marie Lapointe
(né en 1929)

*Je regarde ma nuit
tressée de fils
d'araignées.*

Se démarquant de toute esthétique de la description, Paul-Marie Lapointe use d'un nominalisme extrême : il nomme les choses, les énumère, pour le plus grand plaisir des mots et de leur signification. Sa technique d'écriture est celle de l'association des idées, chère aux automatistes, où la progression du poème s'apparente au procédé de la prolifération. Cette approche de la poésie n'est pas sans présenter des similitudes avec l'improvisation musicale du jazzman.

Au plaisir de lire

• Arbres

ARBRES

J'écris arbre
arbre d'orbe en cône et de sève en lumière
racines de la pluie et du beau temps terre animée

pins blancs pins argentés pins rouges et gris
5 pins durs à bois lourd pins à feuilles tordues
potirons et baliveaux
pins résineux chétifs et des rochers pins du lord
      pins aux tendres pores pins roulés dans leur
      neige traversent les années mâts fiers voiles
10   tendues sans remords et sans larmes
      équipages armés
pins des calmes armoires et des maisons pauvres
bois de table et de lit
bois d'avirons de dormants et de poutres portant
15   le pain des hommes dans tes paumes carrées
cèdres de l'est thuyas et balais cèdres blancs
      bras polis cyprès jaunes aiguilles couturières
      emportées genévriers cèdres rouges cèdres
      bardeaux parfumeurs coffres des fiançailles
20   lambris des chaleurs

[...]
j'écris arbre
arbre pour l'arbre

bouleau merisier jaune et ondé bouleau flexible
25   acajou sucré bouleau merisier odorant
      rouge bouleau rameau de couleuvre feuille-
      engrenage vidé bouleau cambrioleur à feuilles
      de peuplier passe les bras dans les cages du
      temps captant l'oiseau captant le vent

30 bouleau à l'écorce fendant l'eau des fleuves
bouleau fontinal fontaine d'hiver jet figé
bouleau des parquets cheminée du soir
      galbe des tours et des bals
      albatros dormeur
35 aubier entre chien et loup
aubier de l'aube aux fanaux

j'écris arbre
arbre pour le thorax et ses feuilles
arbre pour la fougère d'un soldat mort sa mémoire
40   de calcaire et l'oiseau qui s'en échappe avec
      un cri [...]

Pour les âmes (1964) précédé de *Choix de poèmes / Arbres* (1960),
© Éditions Typo et Paul-Marie Lapointe, 1993.

1. Étudiez la structure du poème : quel procédé de construction remarque-t-on ici ?

2. Dans la première partie (vers 1 à 20), analysez le procédé de progression et d'association des idées.

3. Quel effet l'absence des verbes produit-elle ?

4. Comment ce texte s'inscrit-il dans le mouvement surréaliste ?

5. Peut-on affirmer que le poète tente « d'inventorier » le réel ? Quelle intention pourrait-on prêter à une telle démarche ?

6. Dans cet extrait, est-ce le réalisme ou le lyrisme qui domine ?

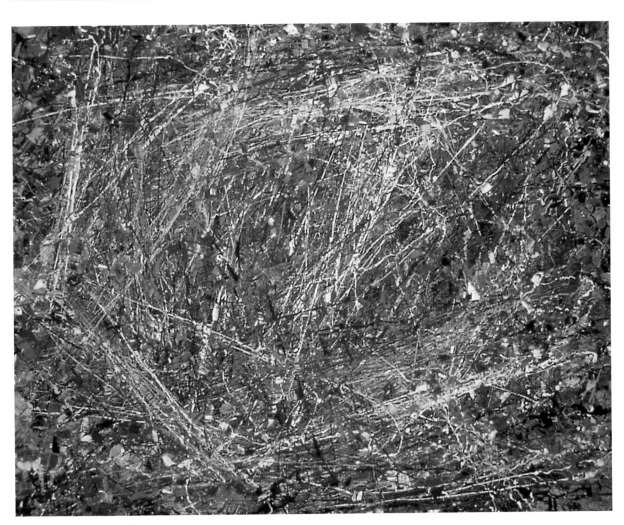

Sans titre, Jean-Paul Riopelle, 1950.
Musée d'art contemporain de Montréal.

Le théâtre

Le théâtre, en particulier avec Claude Gauvreau, entend lui aussi secouer l'imaginaire de sa torpeur et participer au nouveau foisonnement créateur. Son tissu verbal revendique une liberté dans le langage et dans les mots aussi grande qu'en poésie. Contre le contexte social et sa stagnation, on oppose l'énergie créatrice, et pour dénoncer les idées reçues, on oblige les mots à laisser tomber le masque de leur apparence.

Claude Gauvreau
(1925-1971)

L'étreinte est la seule
prière qui nous reste.

L'œuvre immense, atypique et visionnaire de Claude Gauvreau n'a cessé de grandir depuis le jour où il est décédé. Tellement que et l'homme et ses écrits prennent la figure d'un mythe. Comme pour Nelligan, dont il est si différent mais avec qui il partage un destin étonnamment semblable. Il a joué un rôle de premier plan, avec les poètes Paul-Marie Lapointe et Roland Giguère, dans la mise en valeur de l'esthétique surréaliste. Appliquant à la poésie l'automatisme du peintre Borduas, Gauvreau pousse l'éclatement des limites formelles à sa conséquence logique et crée ainsi son propre anti-langage, « l'exploréen », sorte de cri de révolte composé de suites de vocables discordants, susceptible de déclencher dans les replis inconscients du lecteur un état mental singulier. On en jugera avec le poème *Élongiaque*.

Dans le théâtre de Gauvreau, par l'intermédiaire de Yvirnig, personnage du drame poétique aux accents tragiques *Les oranges sont vertes*, pièce écrite entre 1958 et 1970 et créée en 1971, Claude Gauvreau dit, au moyen d'images éloquentes et d'un style incisif, son impossibilité de composer avec la bêtise.

Au plaisir de lire

• *Œuvres créatrices complètes*

ÉLONGIAQUE

Carnassire
Le droumel
doux
Louve
5   Luvère
Un nuf
nuffuf
fulf
le grulluf
10   du luf
a pluf
de fuluf
Les audaux
incre
15   un col
callissèthe
sol
dur
druluc
20   moche
le peu
de gourdinse

Étal mixte et autres poèmes, © Éditions de l'Hexagone
et succession Claude Gauvreau, 1994.

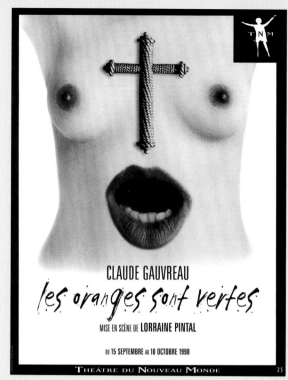

Affiche de la pièce *Les oranges sont vertes*, présentée au TNM en 1998 pour souligner le 50e anniversaire du *Refus Global* dont Claude Gauvreau était signataire.
Archives Théâtre du Nouveau Monde.

LE HACHAGE EN PERSIL DE L'UNIQUE

La censure ? La censure ! La censure, c'est la gargouille qui vomit hideusement son plomb liquide sur la chair vive de la poésie ! La censure, c'est l'acéphale aux mille bras aveugles qui abat comme un sacrifice sans défense 5 chaque érection de sensibilité délicate au moyen de ses moulinets vandales ! La censure, c'est l'apothéose de la bêtise ! La censure, c'est le rasoir gigantesque rasant au niveau du médiocre toute tête qui dépasse ! La censure, c'est la camisole de force imposée au vital ! La censure, c'est la défiguration imprégnée sur la grâce par un sourcil froncé saugrenu ! La censure, c'est le 10 saccage du rythme ! La censure, c'est le crime à l'état pur ! La censure, c'est l'enfoncement du cerveau dans un moulin à viande dont il surgit effilochement ! La censure, c'est la castration de tout ce qu'il y a de viril ! La censure, c'est la chasse obtuse à la fantaisie et à l'audace illuminatrice ! La censure, c'est la ceinture de chasteté appliquée à tout con florissant ! La censure, c'est 15 l'interdiction de la joie à poivre ! La censure, c'est le morose enduisant tout ! La censure, c'est l'abdication du rare et du fin ! La censure, c'est la maculation et le hachage en persil de l'unique toujours gaillard ! La censure, c'est l'abdication de la liberté ! La censure, c'est le règne ignorantiste du totalitarisme intolérant envers tout objet qui n'est pas monstruosité rétractile ! La 20 censure, c'est l'injure homicide à la loyauté des sens ! La censure, c'est le pet par-dessus l'encens ! La censure, c'est l'éteignement de l'esprit ! Où il y a censure, serait-elle la plus bénigne du monde, il n'y a plus qu'avortement généralisé. La censure, c'est la barbarie arrogante. La censure, c'est le broiement du cœur palpitant dans un gros étau brutal ! Oui, mille fois la censure, c'est la négation de la pensée !

Les oranges sont vertes (1958-1970), © Éditions de l'Hexagone et succession Claude Gauvreau, 1994.

1. Quel est l'effet produit par la constante répétition des mots *la censure* ?

2. Relevez quelques images typiquement surréalistes.

3. Cet extrait est-il une réplique théâtrale ou un pamphlet ?

4. Analysez l'émotivité de cette tirade : violence verbale, rythme et force des images.

5. Quelles expressions soulignent la médiocrité résultant de la censure ?

6. Quelle est la principale victime de la censure ?

7. Définissez « l'automatisme » de ce texte.

Une forme d'essai : le manifeste

Que ceux tentés par l'aventure se joignent à nous.
Au terme imaginable, nous entrevoyons l'homme libéré
de ses chaînes inutiles.
Refus global

Le manifeste, comme genre littéraire, est un écrit généralement suscité par des remous sociaux. Son auteur, porte-parole d'un groupe solidaire, réagit à un aspect qu'il estime inacceptable de la réalité. Il tente ainsi d'inciter une collectivité à l'action : au moins à une prise de conscience, mieux, à un geste susceptible de transformer la réalité. Ici la persuasion importe davantage que l'esthétisme. Aussi le ton se veut-il exacerbé, exalté même, allant souvent jusqu'à la violence verbale.

Tel est le manifeste artistique et politique du *Refus global* (1948), œuvre collective produite sous la direction du peintre Paul-Émile Borduas, où 16 artistes dont 7 femmes, des peintres et des écrivains, pourfendent tous les discours officiels et font une charge à fond de train contre le régime duplessiste et la société qu'il entend perpétuer, perçue comme sclérosée et culturellement retardataire. Conformément aux principes surréalistes, le *Refus global* appelle « l'homme libéré de ses chaînes inutiles à réaliser dans l'anarchie resplendissante la plénitude de ses dons individuels ». Afin de changer l'ordre des valeurs de la vieille société, cette parole révolutionnaire oppose la spontanéité, la liberté absolue du créateur, à toutes les contraintes. Chaque Québécois est invité à se tenir en état de transformation permanente, à devenir un créateur porteur d'inédit.

Ce texte incendiaire, rejeté parce que les créateurs tiennent des propos qui ne reflètent pas ce que les autorités auraient aimé entendre, exerce pendant longtemps une influence considérable sur l'élite québécoise et instaure, dans la littérature québécoise, la thématique de la révolte. Ce texte qui jouera un rôle capital dans l'évolution de l'essai comme genre littéraire dit l'urgence d'une révolution culturelle : elle fleurira dans le prochain chapitre.

Autoportrait, Émile Borduas, vers 1935.
Musée des beaux-arts du Canada, n° 15780.

■ ■ ■

LE MANIFESTE DU REFUS GLOBAL (1948)

Rejetons de modestes familles canadiennes-françaises, ouvrières ou petites bourgeoises, de l'arrivée au pays à nos jours restées françaises et catholiques par résistance au vainqueur, par attachement arbitraire au passé, par plaisir et orgueil sentimental et autres nécessités.

5 Colonie précipitée dès 1760 dans les murs lisses de la peur, refuge habituel des vaincus : là, une première fois abandonnée. L'élite reprend la mer ou se vend au plus fort. Elle ne manquera plus de le faire chaque fois qu'une occasion sera belle.

Un petit peuple serré de près aux soutanes restées les seules dépositaires 10 de la foi, du savoir, de la vérité et de la richesse nationale. Tenu à l'écart de l'évolution universelle de la pensée pleine de risques et de dangers, éduqué sans mauvaise volonté, mais sans contrôle, dans le faux jugement des grands faits de l'histoire quand l'ignorance complète est impraticable.

Petit peuple issu d'une colonie janséniste, isolé, vaincu, sans défense 15 contre l'invasion de toutes les congrégations de France et de Navarre, en mal de perpétuer en ces lieux bénis de la peur (c'est-le-commencement-de-la-sagesse !) le prestige et les bénéfices du catholicisme malmené en Europe. Héritières de l'autorité papale, mécanique, sans réplique, grands maîtres des méthodes obscurantistes, nos maisons d'enseignement ont dès lors les 20 moyens d'organiser en monopole le règne de la mémoire exploiteuse, de la raison immobile, de l'intention néfaste.

Petit peuple qui malgré tout se multiplie dans la générosité de la chair sinon dans celle de l'esprit, au nord de l'immense Amérique au corps sémillant de la jeunesse au cœur d'or, mais à la morale simiesque, envoûtée par le 25 prestige annihilant du souvenir des chefs-d'œuvre d'Europe, dédaigneuse des authentiques créations de ses classes opprimées.

Notre destin sembla durement fixé.

[…]

Rompre définitivement avec toutes les habitudes de la société, se désoli-30 dariser de son esprit utilitaire. Refus d'être sciemment au-dessous de nos possibilités psychiques et physiques. Refus de fermer les yeux sur les vices, les duperies perpétrées sous le couvert du savoir, du service rendu, de la reconnaissance due. Refus d'un cantonnement dans la seule bourgade plastique, place fortifiée mais trop facile d'évitement. Refus de se taire — faites 35 de nous ce qu'il vous plaira mais vous devez nous entendre — refus de la gloire, des honneurs (le premier consenti) : stigmates de la nuisance, de l'inconscience, de la servilité. Refus de servir, d'être utilisables pour de telles fins. Refus de toute INTENTION, arme néfaste de la RAISON. À bas toutes deux, au second rang !

40 PLACE À LA MAGIE ! PLACE AUX MYSTÈRES OBJECTIFS !

PLACE À L'AMOUR !

PLACE AUX NÉCESSITÉS !

Au refus global nous opposons la responsabilité entière.

L'action intéressée reste attachée à son auteur, elle est mort-née.

45 Les actes passionnels nous fuient en raison de leur propre dynamisme.

Nous prenons allègrement l'entière responsabilité de demain. L'effort rationnel, une fois retourné en arrière, il lui revient de dégager le présent des limbes du passé.

Nos passions façonnent spontanément, imprévisiblement, nécessairement 50 le futur.

Le passé dut être accepté avec la naissance, il ne saurait être sacré. Nous sommes toujours quittes envers lui.

Il est naïf et malsain de considérer les hommes et les choses de l'histoire dans l'angle amplificateur de la renommée qui leur prête des qualités inac-
55 cessibles à l'homme présent. Certes, ces qualités sont hors d'atteinte aux habiles singeries académiques, mais elles le sont automatiquement chaque fois qu'un homme obéit aux nécessités profondes de son être ; chaque fois qu'un homme consent à être un homme neuf dans un temps nouveau. Définition de tout homme, de tout temps.

60 Fini l'assassinat massif du présent et du futur à coups redoublés du passé.

Il suffit de dégager d'hier les nécessités d'aujourd'hui. Au meilleur demain ne sera que la conséquence imprévisible du présent.

Nous n'avons pas à nous en soucier avant qu'il ne soit. […]

Refus global et autres écrits, © Éditions Typo et succession Paul-Émile Borduas, 1997.

Étude détaillée

Analyse formelle
LE LEXIQUE

1. Dégagez les principaux champs lexicaux du texte. Lequel vous semble le plus important ?

2. Expliquez la présence des traits d'union dans la phrase « c'est-le-commencement-de-la-sagesse ! ».

3. Quelle connotation voyez-vous dans l'expression *petit peuple* ?

4. Que remarquez-vous de récurrent au début de chacun des cinq premiers paragraphes ?

5. Étudiez les adverbes de la deuxième partie et montrez leur importance par rapport à l'ensemble du texte.

LE STYLE

1. La violence s'exprime par deux moyens linguistiques : le vocabulaire et la construction des phrases.
   a) Le vocabulaire. Relevez les mots les plus intenses.
   b) La construction des phrases. Quels procédés donnent au texte un caractère percutant ?

2. Comparez le ton de la première et de la deuxième partie. Remarquez-vous des différences importantes ?

Analyse thématique

Le mot *global* décrit bien l'ampleur de la révolte exprimée. C'est littéralement une nouvelle société que les automatistes proposent.

1. Dégagez le thème de chaque partie du texte.

2. Étudiez la description du peuple québécois dans la première partie.
   a) Quelles institutions sont dénoncées ?
   b) Quelles sont les caractéristiques morales des Québécois ?

3. La vénération du passé : quelles sont ses conséquences ?

4. De quelle manière sont opposées l'intuition et la raison ?

5. Le *Refus global* demande qu'on fasse place aux « nécessités ». Nommez-les. Dites en quoi elles consistent.

6. En quoi ce « refus global » est-il, en fait, un appel à une action positive ?

Préparation à la dissertation critique

1. Pourquoi les automatistes rejettent-ils le passé de façon si virulente ?

2. Selon vous, le Québec a-t-il changé depuis la publication du *Refus global* ? Si oui, le changement s'est-il effectué de la manière préconisée par les automatistes ?

3. Le *Refus global* exalte l'individu au détriment de la collectivité. Discutez.

4. Ce manifeste relève-t-il de l'utopie ou, au contraire, est-il applicable ?

SYNTHÈSE

QUESTIONS

Analysez

1. Comparez le réalisme des textes de Roger Lemelin et de Gabrielle Roy : peut-on parler de techniques narratives identiques ?

2. La vérité des personnages est-elle mieux rendue si les auteurs ont recours à la langue populaire ?

Expliquez

3. Illustrez comment Anne Hébert refait la même démarche que Nelligan et que Saint-Denys Garneau, mais en la poussant plus loin.

4. Expliquez et comparez la figure de l'Amérindien chez Gilles Hénault et chez Yves Thériault.

5. Expliquez et comparez les techniques des poètes et des peintres automatistes.

6. Démontrez que les œuvres des écrivains de ce chapitre appellent implicitement la naissance du manifeste du *Refus global*.

7. Démontrez que les écrivains automatistes ont tous voué leur œuvre à la conquête de la liberté.

8. Expliquez pourquoi le courant automatiste (ou surréaliste) est le prolongement, jusque dans ses extrêmes limites, du romantisme.

Discutez

9. Comparez la situation de l'Amérindien dans les textes d'Yves Thériault et d'Antane Kapesh à celle décrite au premier chapitre.

10. Est-il juste d'affirmer que le reproche fait aux Blancs dans *Ashini* s'apparente à celui que les francophones adressent aux anglophones dans *Menaud, maître-draveur* (page 52) ?

11. Les héros de *Tit-Coq* et d'*Un simple soldat* ressentent le même désespoir. Discutez.

12. Le thème du conflit mère-fils est-il traité de façon identique chez Françoise Loranger et Anne Hébert ? Quel texte vous semble le plus violent ?

13. Le monologue contre la censure de Claude Gauvreau vous semble-t-il encore d'actualité ?

14. Peut-on rapprocher le poème de Roland Giguère et l'essai du *Refus global* ?

15. Est-il juste de dire que l'écriture automatiste est celle qui met le plus en opposition l'intuition et la raison ?

À RETENIR

Contexte sociohistorique	Littérature
Le rejet de la matrice de la survivance	**L'avènement de la modernité littéraire**
• Cette époque charnière remet en question le discours nationaliste traditionnel.	**En poésie : prise de conscience du malaise d'une époque.**
• Société transformée par le progrès de l'industrialisation et de l'urbanisation.	• La conception de la littérature est complètement bouleversée. Place à la poésie de la **subjectivité**, aux **thèmes intimes** mais plus **universels**, aux goûts esthétiques plus sûrs, aux innovations stylistiques et aux images plus hardies.
• Climat mystico-religieux.	• Valorisation excessive des choses de l'esprit au détriment du corps. Fuite dans l'**idéalisme**.
	• La forme se fait la manifestation extérieure de l'univers intérieur.

Contexte sociohistorique *(suite)*	Littérature *(suite)*

La littérature et le réalisme social

- Récents bouleversements sociaux, en partie à cause de la crise économique (krach boursier de 1929).

- Finie l'époque de l'apologie obligée de la campagne.

- Détresse morale autant que misère matérielle des ruraux transplantés dans les quartiers de la ville, écartelés entre la mémoire et l'oubli, entre leurs vieilles croyances et la vie nouvelle.

- Le romancier et le dramaturge observent la société avec un vif souci de réalisme. **Réalisme, naturalisme** et **ironie**.

- Arrivée du **roman de l'urbanité**.

- Le francophone se perçoit comme un immigrant dans son milieu, comme faisant partie d'une classe sociale défavorisée, dominée. Il doit composer avec une autre collectivité, prospère et parlant une autre langue. Dans cette première prise de conscience de l'aliénation, les questions politiques sont réduites à un affrontement linguistique.

- Dans le roman de la ville, apparaît ce qu'on nomme aujourd'hui la question nationale.

- Surtout soucieux de transformer leur société pieuse et timorée, les écrivains gomment généralement l'**aspect pluraliste de la société québécoise**.

- **Retour du théâtre** après l'interdit moral de 1694.

La littérature et la réalité psychologique

- Crise des valeurs traditionnelles à la suite de la Seconde Guerre mondiale. L'homme occidental en vient à douter du sens de la condition humaine.

- Les écrivains tournent leur regard sur les **conflits intérieurs**.

- Récentes découvertes en psychanalyse qui semblent dire que l'individu est inapte à saisir l'intégrité de sa propre identité.

- Cette perception de la perte de l'homogénéité individuelle a des échos dans la production littéraire d'ici. Quoi qu'entreprenne l'humain pour communiquer, il sera immanquablement, et tragiquement, ramené à sa **solitude originelle**.

- Société dégradée jusque dans sa culture, et qui n'arrive pas à sortir de sa Grande Noirceur.

- Religion mal enseignée et mal comprise, où domine la peur, peur de la faute et peur du jugement des autres.

- Révolte anticléricale. On parle même d'une esthétique du péché.

- Peur de la sexualité, qu'on a été incité à réprimer depuis toujours, au point d'en arriver à considérer son corps comme son plus dangereux ennemi.

- Cette période, soulignée par un **nouveau souci formel**, voit la prolifération d'œuvres majeures et ouvre toutes grandes les portes de la modernité.

- Influence manifeste du **cinéma**.

La littérature et le surréalisme

- Surréalisme français au début du xxᵉ siècle.

- L'écrivain cesse ici de se percevoir comme l'âme malheureuse de la société : il devient au contraire un initié qui a pour rôle d'exprimer la **nature fondamentale de l'humain**.

- Il revient aux automatistes, nom que se donnent les surréalistes québécois, d'avoir effectué le grand balayage des valeurs périmées.

- Société en pleine mutation.

- Esthétique du risque qui revendique une pratique artistique sans **aucune contrainte formelle**, sans but délibéré, sans préoccupation du résultat final, en se laissant porter par le geste libre sous la dictée de l'**inconscient** ou du **hasard**.

DATES REPÈRES (1960–1980)

1959 Du 10 septembre 1959 au 2 janvier 1960 : administration de Paul Sauvé (Union nationale).

1960 Élection des libéraux de Jean Lesage.

Rassemblement pour l'indépendance nationale de Marcel Chaput et André D'Allemagne ; Pierre Bourgault en prendra bientôt la direction.

Parution du livre *Les insolences du Frère Untel*.

1961 Création du ministère des Affaires culturelles du Québec, voué à la conservation et à la diffusion de la culture québécoise.

Inauguration de la Délégation générale du Québec à Paris.

Création de la Commission royale d'enquête sur l'enseignement (Commission Parent) qui aboutira à la création du ministère de l'Éducation en 1964.

Une 1re femme est élue à l'Assemblée législative du Québec : Claire Kirkland-Casgrain.

1962 Campagne électorale sur la nationalisation de l'électricité menée par René Lévesque.

Réélection des libéraux de Jean Lesage.

1963 Fondation par André Major de la revue *Parti pris*, qui se donne comme but d'élaborer une pensée révolutionnaire dont l'objectif est la formation d'un État du Québec libre, socialiste et laïque.

Premières manifestations du Front de libération du Québec (FLQ).

Mise en place de la Commission royale d'enquête sur le bilinguisme et le biculturalisme.

Assassinat du président américain John Kennedy.

1964 Le Parlement québécois vote une loi reconnaissant l'égalité juridique des femmes mariées.

Visite d'Élisabeth II au Québec : le «samedi de la matraque».

Création du ministère de l'Éducation.

1965 Pierre Elliott Trudeau, Jean Marchand et Gérard Pelletier (les «trois colombes») adhèrent au Parti libéral fédéral.

Le Canada adopte l'unifolié comme drapeau national.

Au Québec, fondation de la Société d'Exploitation minière et de la Caisse de dépôts et de placements.

1966 Au Québec, l'Union nationale de Daniel Johnson (père) prend le pouvoir. Son slogan : «Égalité ou indépendance.»

1967 Le général De Gaulle à Montréal : «Vive le Québec libre.»

Fondation du Mouvement souveraineté-association (MSA) par René Lévesque.

Inauguration du métro de Montréal.

Expo 1967 à Montréal.

Adoption par la Chambre des communes de la loi concernant le divorce.

Création des cégeps.

1968 L'Assemblée législative du Québec devient l'Assemblée nationale.

Conversion du MSA en parti politique : le Parti québécois de René Lévesque.

Pierre Elliott Trudeau devient le premier ministre du Canada.

Aux États-Unis, assassinat de Martin Luther King.

Jean-Jacques Bertrand (Union nationale) succède à Daniel Johnson.

Inauguration du gigantesque barrage Manic 5.

1969 Adoption à Ottawa de la Loi sur les langues officielles.

Premiers pas de l'homme sur la Lune.

Festival de Woodstock.

Fondation de l'Université du Québec à Montréal.

1970 Au Québec, élection du libéral Robert Bourassa ; 7 députés du Parti québécois élus.

Événements d'Octobre.

Le gouvernement fédéral impose les mesures de guerre.

Mise en place du système d'assurance-maladie garantissant la gratuité des soins de santé.

1971 Conférence constitutionnelle de Victoria : Ottawa dépose un projet de Charte constitutionnelle que Québec refuse.

1972 Par suite d'un affrontement politique, emprisonnement des trois chefs des centrales syndicales.

Création des centres locaux de services communautaires (CLSC).

1973 Réélection du libéral Robert Bourassa.

Six députés du Parti québécois sont élus et forment l'opposition officielle.

Début de la crise occidentale du pétrole.

1974 Adoption du projet de loi 22 faisant du français la langue officielle du Québec.

1975 Année internationale de la femme.

Loi canadienne imposant le contrôle des prix et des salaires ; grève générale pour protester contre cette loi.

1976 Le 15 novembre, première élection remportée par le Parti québécois.

Jeux olympiques de Montréal.

1977 Adoption de la Charte de la langue française (loi 101) qui fait du français la langue commune du Québec.

1980 Référendum sur l'avenir du Québec : 60% des Québécois rejettent la proposition de souveraineté-association de René Lévesque.

CHAPITRE 4

La recherche d'une identité nationale

UNE LITTÉRATURE QUI ACQUIERT SA SOUVERAINETÉ

Sans titre, Marcelle Ferron, 1965.
Collection du Musée d'art contemporain de Montréal.

Voici qu'un peuple apprend à se mettre debout
Debout et tourné vers la magie du pôle   debout entre
        trois océans
Debout face aux chacals de l'histoire face aux pygmées
        de la peur
Un peuple aux genoux cagneux aux mains noueuses
        tant il a rampé dans la honte
Un peuple ivre de vents et de femmes s'essaie à sa nouveauté

Jacques Brault, *Mémoire*

LA RECHERCHE D'UNE IDENTITÉ NATIONALE

*L*a décennie 1960 est une importante plaque tournante où le Québec connaît une évolution accélérée de son histoire. Durant cette période caractérisée par un enthousiasme et un désir de réformes sans précédent, le Québec sort définitivement de sa longue torpeur, celle de la Grande Noirceur dans laquelle il s'enlisait depuis 1840 ; il abandonne son regard introspectif pour prendre enfin possession de son présent et se projeter dans l'avenir. Forts de la conscience qu'ils acquièrent d'être des êtres originaux, nullement des pâles copies de Français ou d'Américains, et malgré le fait de leur situation dramatique en Amérique — une petite communauté francophone sur un continent unilingue et uniculturel, quelque chose de gratuit qui défie toute raison politique —, les Québécois décident d'assumer leur différence qualitative en se donnant un nouveau sentiment d'appartenance au territoire, à leur État qu'ils ne peuvent se résigner à voir tronqué. Non sans un certain vertige, ils avancent fièrement dans la modernité. La mentalité de la société québécoise et la perception qu'elle a d'elle-même connaissent alors une mutation radicale.

La Révolution tranquille (1960-1966)

La Révolution tranquille n'a pas procédé d'un plan arrêté. L'objectif était vu surtout en contrepartie du passé. Inverser l'histoire, ou tout au moins en infléchir le cours, telle était l'impulsion.

Fernand Dumont

La mort de Maurice Duplessis, en 1959, fait sauter les verrous ; son successeur, Paul Sauvé, donne déjà le signal d'un déblocage législatif impressionnant, dont l'amorce de la réforme de l'enseignement. Dès la prise de pouvoir du Parti libéral de Jean Lesage, en 1960, éclatent au grand jour les divers phénomènes en fermentation depuis la dernière guerre. Le gouvernement entre dès lors en mode de rattrapage, soucieux de voir le Québec s'épanouir en pleine égalité avec ses États voisins, canadiens et américains. Afin de sortir les Canadiens français de leur sous-développement et de leur situation d'infériorité, il suscite une réorganisation complète de l'appareil d'État, qui s'affranchit de son caractère provincial et se fait le catalyseur social et économique de la transformation, à un rythme

René Lévesque, Jean Lesage et Paul Gérin-Lajoie,
artisans de la Révolution tranquille.
La Presse.

sans précédent, de la société québécoise. On appelle *Révolution tranquille* cette ère de réformes institutionnelles et de chambardements dans la vie politique, cette période de rattrapage et de modernisation où l'État québécois se fait le moteur principal du développement collectif.

L'État-providence et ses réformes Visant une plus grande indépendance économique afin d'atteindre une plus grande indépendance politique, le Québec se dote d'instruments d'intervention majeurs. Il procède alors à la création de nombreuses sociétés d'État. Pour assurer un contrôle accru sur la plus vitale des richesses naturelles, il complète la nationalisation du secteur de l'électricité ; René Lévesque, le ministre des Ressources hydrauliques, est chargé de ce dossier. Hydro-Québec, qui prend en charge toute la production de l'hydro-électricité, devient l'outil privilégié pour le développement économique et la promotion du Québec. De nombreuses autres sociétés d'État sont créées ; parmi les plus importantes citons la Société générale de financement et la Caisse de dépôts et de placements. Sur le plan de la santé et des politiques sociales, le gouvernement prend le contrôle de l'administration des hôpitaux et instaure l'assurance-hospitalisation : il rend accessible tous les services hospitaliers, qui bien souvent relevaient auparavant de la charité. Il met également en place le Régime des rentes et vote une loi sur le salaire minimum.

La vie démocratique et l'administration publique sont aussi le lieu d'une profonde transformation. Pour faire obstacle au patronage et au favoritisme, la fonction publique est renouvelée : on modernise les méthodes de gestion, on procède à l'embauche de nombreux fonctionnaires et on accorde la syndicalisation aux employés de l'État. Les mœurs électorales connaissent une surveillance plus serrée avec la démocratisation des structures des partis politiques ; il y a une réforme de la carte électorale et l'âge minimum pour voter est abaissé à 18 ans. En plus de la mise sur pied de Radio-Québec et de la création d'un ministère de l'Immigration, la politique extérieure du Québec connaît également sa part de changement. Dans un objectif de répartition des pouvoirs en faveur des provinces, le gouvernement québécois adopte une attitude plus cohérente à l'égard du gouvernement fédéral en même temps qu'il accentue ses liens avec les gouvernements étrangers, en particulier la France.

L'éducation apparaît comme la clé de voûte de toutes ces réformes : elle doit permettre aux jeunes Québécois d'assumer la pleine mesure de leur talent afin de préparer l'avenir de tout un peuple. Pour répondre à la demande massive générée par l'arrivée des enfants du baby-boom et aux demandes pressantes de l'État, de l'industrie et des services, on crée un ministère de l'Éducation. Celui-ci procède à la réforme de l'enseignement primaire, secondaire et collégial, et rend bientôt accessible l'enseignement universitaire sur tout le territoire du Québec avec la mise sur pied de l'Université du Québec (1962-1968) et la création des cégeps (1967). L'accès à ces lieux de savoir est facilité par un régime de prêts-bourses. Il faut dire que cette réforme répond à un urgent besoin : en 1960, un adulte sur deux n'a pas terminé ses études primaires, la moyenne de scolarité des adultes se situant au niveau de la cinquième année. Avec le recul, on peut prendre la mesure de cette réforme : de 1968 à l'année scolaire 1986-1987, le nombre des élèves inscrits passe de 14 077 (dont 3 668 filles : 26 %) à 136 273 élèves (dont 71 565 filles : 52 %).

On a ainsi pu assister à la création d'une nouvelle classe moyenne, francophone, formée des milliers d'enseignants, recrutés en quelques années et venus de tous les horizons, de l'armée de fonctionnaires à qui on a fait appel, ainsi que des cadres, des syndicalistes, des employés des secteurs public et privé, en plus d'un grand nombre d'hommes d'affaires. De cette classe moyenne est issue une nouvelle élite, d'esprit citadin, plus instruite et plus habile à s'exprimer, une nouvelle génération de politiciens, mais aussi des gens qui prendront les postes de commande dans de nombreuses industries ; pour la première fois dans son histoire, le ministère des Finances du gouvernement québécois et la Bourse de Montréal sont dirigés par des francophones. Le système social est vraiment transformé de fond en comble.

La germination d'un nouveau nationalisme

L'ensemble des réformes de la Révolution tranquille n'est pas sans entraîner un sentiment de rupture par rapport au passé; elles amènent un grand nombre de Québécois à s'interroger sur la place du Québec dans la fédération canadienne. Pour que le Québec contrôle son économie et sa politique, surtout pour défendre ses particularités culturelles, ils en viennent à se demander si l'indépendance nationale ne serait pas la seule solution. Ce projet de société, nourri du souvenir de vexations passées, est porté en grande partie par les intellectuels et les artistes. L'affirmation de l'identité québécoise devient donc un des traits caractéristiques de cette période; on lui doit même un déplacement identitaire: le vieil ethnonyme *Canadien français*, qui remonte à l'époque du Bas-Canada, s'efface devant le vocable *Québécois*. Dorénavant les mots *nation* et *Québec* deviennent synonymes.

Désormais, le nationalisme devient un puissant ferment de changement et l'idée de souveraineté s'installe de plus en plus dans un projet politique acceptable; elle se consolidera avec la création du Parti québécois. Fondé par quelque 300 artistes et intellectuels un dimanche de 1968, ce parti, ayant à sa tête René Lévesque, incarne dès lors l'idée d'un pays québécois à construire.

Un courant venu d'ailleurs

Ces années effervescentes voient fleurir la contre-culture. La jeunesse remet en question une société qui la privilégie (sans doute plus qu'aucune génération avant elle et peut-être même après), qui lui procure tout le bien-être matériel qu'on peut désirer posséder, mais qui semble la priver de l'essentiel, qui ne peut être trouvé dans l'accumulation de biens. Ce qui amène quantité de jeunes à se laisser séduire par un vaste mouvement contestataire venu du sud: les valeurs hippies de la *beat generation* débordent bientôt sur le territoire québécois et ses ténors, qu'il s'agisse des chanteurs Bob Dylan, Jimi Hendrix, Janis Joplin, des écrivains Allen Ginsberg, William Burroughs, Jack Kerouac ou même d'un apôtre des paradis artificiels comme Timothy Leary, connaissent ici une influence certaine. Il importe de résister aux pouvoirs établis, aux codes sociaux et aux vieilles valeurs. De plus en plus de jeunes — et parmi eux des écrivains — se font *drop-out* sociaux et cultivent la marginalité. Rock, drogue, sexe et alcool, tout est appelé à contribution pour lutter contre l'uniformisation de la pensée, pour sortir du troupeau et découvrir son âme. Par-delà ses abus, ce nouveau romantisme, qui promet une société idyllique basée sur la non-violence, les instincts grégaires et l'écologie,

apparaît surtout comme une première véritable ouverture au monde, le Québec cessant d'être obsessionnellement narcissique, comme l'affirmation d'une nouvelle maturité collective.

La libération religieuse et morale

C'est toute la société qui est bientôt transformée. Depuis la fin de la guerre, chacun a déjà vu sa situation matérielle embellie d'année en année: les ménages s'équipaient, prenaient le volant, s'assoyaient devant leur premier téléviseur, accédaient à un logement décent, entraient dans la consommation de masse. Sans doute pas étranger à ce phénomène, un chambardement spectaculaire se produit dans les mœurs religieuses: la pratique religieuse fléchit et un nombre incalculable de prêtres, de frères et de sœurs sont sécularisés. En quelques années, le Québec est passé d'un monde où la religion occupait toutes les sphères, du plus intime des consciences jusqu'aux manifestations publiques les plus spectaculaires, à une société presque entièrement laïcisée. Après avoir fait office pendant plus d'un siècle de véritable organisme politique et d'instance de régulation des mœurs, l'appareil clérical se voit disqualifié comme puissance temporelle. Un vent d'émancipation souffle de partout, qui brouille les références éthiques et produit une véritable mutation collective de la morale individuelle. Ce phénomène, qui n'est pas uniquement québécois mais occidental, valorise un monde sécularisé et libéré du sacré. Dans une société où le changement devient une valeur en soi, la jeunesse transgresse allègrement les tabous traditionnels sur le mariage, la sexualité et la drogue. Cet engouement pour la nouveauté et les nouvelles expériences, où le « nous » se désagrège en un « je » multiple, met le Québec à l'heure de la jouissance immédiate par la consommation et ouvre toute grande la porte à l'influence culturelle américaine.

Des années troubles

Les années 1966-1970 sont des années troubles, aux tensions sociales allant s'accentuant. Certains voudraient aller plus en profondeur dans les changements, alors que d'autres, particulièrement dans les zones rurales plus éloignées, trouvent que tout évolue trop rapidement; ce qui peut expliquer le succès d'un parti populiste et ruraliste, le Crédit social de Réal Caouette, et l'élection de l'Union nationale de Daniel Johnson en 1966. Contre toute attente, l'Union nationale ne revient sur aucun acquis de son prédécesseur, mais Jean-Jacques Bertrand, qui succède à Daniel Johnson en 1968, signe la fin véritable de la Révolution tranquille. La grogne s'installe dans les milieux progressifs et nationalistes, qui radicalisent de plus en plus leurs discours. Un peuple muet hier encore découvre l'arme de la parole et se met à parler, associant dorénavant le social au national. Chaque groupe ou groupuscule publie un manifeste pour revendiquer ses droits : des étudiants, des animateurs sociaux, des syndicalistes, des artistes et, surtout, des femmes. Cette époque de contestation, de revendication, de révolte et de colère cristallise bientôt la ferveur nationaliste autour de la question linguistique ; la langue française, l'instrument privilégié d'une société qui n'accepte plus son statut de minorité et veut reprendre possession de son pays, se transforme en arme de combat : on revendique un McGill français alors que des affrontements se produisent dans certaines écoles de Saint-Léonard pour que les immigrants aillent à l'école française.

En 1968, Montréal connaît une émeute lors du défilé de la Saint-Jean-Baptiste, les nationalistes percevant comme un affront la présence de Pierre Elliott Trudeau. L'agitation culmine en 1970, après l'élection du libéral Robert Bourassa et de ses 102 députés sur 108. Suit une crise sociopolitique d'une extrême intensité, en octobre 1970. Croyant le recours à la violence plus efficace que la voie politique, des groupuscules de radicaux se réclamant de l'étiquette du Front de libération du Québec, qui avaient introduit l'action terroriste comme mode d'intervention pour accéder à l'indépendance politique dès 1963, enlèvent le diplomate britannique James Richard Cross ainsi que le ministre du cabinet libéral Pierre Laporte, qui y perdra la vie. Le gouvernement fédéral de P. E. Trudeau envoie l'armée à Montréal, suspend les libertés civiles et emprisonne arbitrairement quelque 500 militants de la gauche indépendantiste. Enfouis sous la Loi des mesures de guerre, les Québécois choisissent une fois de plus de se réfugier dans le silence.

Les années 1970 : une société sous tension

Après un temps d'ahurissement et de honte, il fallait à nouveau partir à la conquête de la parole, ce que firent les artistes et les poètes qui redonnèrent la fierté à leur peuple. Mais malgré la poursuite des services d'aide sociale entrepris avec la Révolution tranquille, comme la mise en place d'un système d'assurance-maladie garantissant la gratuité des soins de santé et la création des centres locaux de services communautaires (CLSC), on observe un constant durcissement des rapports sociaux. Des affrontements réguliers entre l'État et un syndicalisme d'inspiration socialiste mènent même à l'emprisonnement des chefs des trois grandes centrales syndicales (1972). En 1973, le choc pétrolier provoque une crise de l'énergie. Comme les autres pays occidentaux, le Québec est

C'est sur le terrain de l'éducation que s'amorce la bataille pour protéger le français. L'intégration des immigrants récents à la communauté anglophone provoque un débat public sur la possibilité de restreindre l'accès à l'école anglaise pour les enfants de ces nouveaux arrivants. **En 1969, l'adoption de la loi 63 autorisant le libre choix de la langue d'enseignement donne lieu à un vaste mouvement d'opposition.** *La Presse.*

frappé par les difficultés économiques les plus sérieuses depuis la crise de 1929 : les prix connaissent une hausse vertigineuse (inflation) alors que le taux de chômage élevé devient endémique ; il frappe particulièrement les jeunes qui arrivent sur le marché du travail au moment où s'accroît le taux de participation de la main-d'œuvre féminine.

Ce contexte troublé qui provoque un ralentissement de l'économie voit néanmoins progresser l'idée d'indépendance : gagnant toujours en respectabilité et en popularité, le Parti québécois, qui promet de n'enclencher la souveraineté qu'après un référendum positif sur la question, est finalement élu le 15 novembre 1976. Tous les espoirs sont permis pour ce gouvernement à la tête d'un État pourtant à bout de ressources ; l'affirmation de l'identité est maintenant au pouvoir, ce qui amène les écrivains et les artistes à abandonner leur militantisme, mettant ainsi fin à la collusion entre poétique et politique ; leur revendication se fera dorénavant plus individuelle. Dans son premier mandat, le Parti québécois affiche un vigoureux nationalisme, en particulier en matière linguistique et constitutionnelle. La Charte de la langue française, ou loi 101 (1977), constitue une importante

René Lévesque au Centre Paul-Sauvé, au terme des élections tenues au Québec en 1973. Avec six députés élus, le Parti québécois forme l'opposition officielle.
Bibliothèque et Archives Canada, PA-115039.

mesure pour l'évolution ultérieure du Québec. Mais quand arrive, en 1980, le référendum sur l'avenir du Québec, la victoire du non (à 59,6 % contre 40,4 % pour le oui) a un effet dévastateur sur les esprits en même temps qu'elle met un point final au vent de renouveau qui soufflait depuis 1960. Perdant confiance en la politique, de nombreux écrivains se tournent vers de nouveaux horizons de création.

La femme et/est le pays
L'énergie féminine est aujourd'hui libérée par une gigantesque réaction en chaîne.
Germaine Greer

Enfin, durant ces deux décennies, il faut considérer l'émancipation des femmes comme le trait majeur de l'histoire québécoise aussi bien qu'occidentale. On doit cet état de fait à la découverte, dans les années 1950 sur la côte ouest américaine, de la contraception physiologique (« la pilule »). L'usage répandu de la pilule anticonceptionnelle est le levier qui permettra à la femme de réguler sa fécondité et lui donnera la pleine possession de son corps. Cette libération de la domination masculine est un événement capital à effet économique et social.

Prenant le relais d'une petite bourgeoisie d'intellectuelles et d'artistes qui avaient jusqu'alors lutté pour la reconnaissance de l'égalité entre l'homme et la femme, massivement, dans les années 1960 et 1970, des féministes militant dans un mouvement structuré et diversifié prennent d'assaut la forteresse patriarcale. L'Année internationale de la femme, en 1975, sert de catalyseur dans ce processus de conscientisation des femmes. Pendant que les cinéastes prenaient définitivement leurs distances de la vieille culture élitiste et cléricale en « déshabillant la Québécoise », les féministes ont évalué implacablement tout le domaine des pratiques féminines où la femme était perçue comme la marginalité de l'homme. Elles ont revendiqué un enseignement public généralisé qui permette aux femmes l'accès aux professions, dénoncé toutes les injustices du passé, contesté des pratiques, inventé de nouveaux rapports sociaux. Et c'est ainsi que les femmes sont parvenues, en quelques décennies, à se libérer de tous les bâillons, notamment de la morale sexuelle. De fait, des lois égalitaires leur permettent aujourd'hui de bénéficier d'un état d'indépendance juridique vis-à-vis de leur mari, d'avoir leur propre compte en banque, de profiter d'une moins grande inégalité dans les salaires et de jouir d'une relative autonomie économique, de sorte que la femme contemporaine peut échapper à la domination des hommes.

Dans le Québec en ébullition de ces années, il sera intéressant d'établir un parallèle entre deux problématiques qui pourraient sembler indépendantes de prime abord, la nationale et la féministe.

Il y a pourtant une parenté certaine : chez les poètes, la thématique nationale présente le pays comme une femme, mère ou épouse ; la femme devient un symbole du pays, et la poésie amoureuse et érotique affiche une teinte nationale. Après une expérience historique paralysante, à l'heure où le Québec prend conscience de son état d'aliénation et part à la recherche de sa véritable identité afin de reconquérir son territoire propre, la femme part elle aussi à la conquête de son identité et de son territoire propre ; elle entend rompre avec un système culturel dominé par les valeurs patriarcales, où elle se trouvait sans cesse réduite au rôle second, et décide de prendre en main sa propre destinée.

Si la femme a réussi à redéfinir le pays à sa manière, il ne faut cependant pas croire que tous les territoires sont conquis : une violence sans précédent faite aux femmes, le carnage de Polytechnique où 14 étudiantes sont froidement abattues le 6 décembre 1989 — « Toutes des féministes », clame l'assassin —, est là pour en témoigner.

UNE LITTÉRATURE QUI ACQUIERT SA SOUVERAINETÉ

Notre pays est à l'âge des premiers jours du monde. La vie ici est à découvrir et à nommer ; ce visage obscur que nous avons, ce cœur silencieux qui est le nôtre, tous ces paysages d'avant l'homme, qui attendent d'être habités et possédés par nous, et cette parole confuse qui s'ébauche dans la nuit, tout cela appelle la lumière et le jour.

Anne Hébert

Au début des années soixante, la fin d'un certain monolithisme idéologique et l'éclatement des cadres culturels et institutionnels sont l'occasion d'une nouvelle attitude envers le statut de l'écrivain et de l'artiste. Ces créateurs culturels, exprimant chacun à sa façon la nouvelle société urbaine et industrialisée, deviendront la source principale de la nouvelle conscience québécoise. Chacun semble vouloir mettre au jour le lien étroit existant entre l'aliénation du Québec et le statut politique colonial de ce dernier dans la confédération canadienne. On dénonce ce statut comme le principal responsable des comportements sclérosants et du complexe d'infériorité collectif autant que du mal-être individuel, celui qui a muselé, parmi tant d'autres, les Nelligan et les Saint-Denys Garneau. Tant que le Québec demeurera dans ce régime politique, il se condamnera à connaître la même « vie agonique » (Gaston Miron) dans un « pays incertain » (Jacques Ferron), en constant danger d'assimilation. La question nationale polarise donc les débats : par la voix des écrivains, le désir d'être s'empare de tout un peuple qui cherche la voie de sa libération, le « pays » de son identité reconquise. Le pays tel que le dépeignent les écrivains est donc bien plus qu'un simple thème littéraire : il s'agit d'un mode d'être. C'est la terre promise de la rencontre avec soi, l'accueil de soi-même individuellement et collectivement. C'est célébrer le pays à venir et l'enraciner dans l'imaginaire collectif, dans une nouvelle vision de soi et du monde.

Un souffle historique

Les écrivains semblent avoir conscience de collaborer à une œuvre collective de libération comme s'ils portaient en eux le souffle d'un élan historique. Associant l'écriture et l'engagement politique, ils scandent avec ferveur la marche du Québec vers sa libération. Faisant, pour un temps, du texte national pratiquement le seul genre littéraire, ils créent un nouvel imaginaire typiquement québécois et permettent ainsi à la littérature de bâtir sa souveraineté. À travers leurs interrogations et leur propre quête identitaire, ils décrivent le pays en même temps que le Québec découvre sa voix dans leur prise de parole. Et c'est ainsi que les écrivains ont construit, chacun de son côté et tous ensemble, le récit qui constitue l'identité québécoise.

Un souffle esthétique

Mais à l'heure où l'existence collective semble légitimée, une fois que les écrivains ont permis un rattrapage idéologique et créé une nouvelle mythologie de temps présent, quand l'existence du pays à travers sa culture paraît enfin tangible, le nouveau climat social de contestation des années 1970 détourne bientôt l'acte créateur de sa sphère d'influence sociopolitique, amène les écrivains à abandonner l'interrogation inquiète sur le pays comme principal référent à l'œuvre littéraire. C'est que certains trouvent contre nature que la littérature soit au service d'une cause, fût-ce la cause nationale. Trop d'énergie créatrice lui a été sacrifiée depuis des siècles, alors que l'œuvre littéraire ne peut aspirer qu'à une totale indépendance. C'est ainsi que le nationalisme en vient à perdre son monopole, devant dorénavant composer avec la problématique de l'écriture.

La littérature et la contestation Après l'exploration du territoire du pays, l'époque est maintenant à l'inventaire des territoires de la page d'écriture, le texte se faisant le nouveau lieu de l'engagement de l'écrivain. C'est l'occasion des expérimentations et des transgressions. Il importe de rompre avec la culture des générations antérieures, basée sur la mémoire, et de trouver, grâce au tracé de nouvelles avenues artistiques, une prise directe sur le présent, lui-même porteur des germes du futur. En découle une véritable esthétique de la transgression, qui fait éclater les unes après les autres de vieilles frontières que l'on croyait immuables. Cette remise en question n'épargne ni les normes de l'écriture ni les codes linguistiques. Les écrivains se font perméables à des courants de pensée ayant cours à l'extérieur des frontières québécoises : les théories psychanalytiques, marxistes, linguistiques et structuralistes autant que les écritures dites d'avant-garde. Il s'agit d'un véritable détournement de l'ancienne conception de la littérature, où le monde est dorénavant moins remis en question que l'écriture elle-même. Comme si, dans un monde sans certitudes, les écrivains décidaient de briser la rassurante assurance des lecteurs, la déchirure de l'écriture traditionnelle appelant une déchirure des consciences bourgeoises.

L'émergence d'une écriture au féminin

Les femmes, on le dit, sont parfaitement libres
Mais à la condition de bien suivre vos lois
Vous les exigez étoiles du matin
Vases spirituels, mères sans tache
Vierges vénérables, tours d'ivoire
Vous rêvez messieurs beaucoup.

Pauline Julien

Dans les années 1970, pendant qu'une majorité d'écrivains conjuguent encore le pays à toutes les métaphores imaginables, le plus souvent en l'incarnant sous les traits d'une femme, épouse ou mère, comme si elle allait accoucher du pays à naître, survient une explosion phénoménale de l'écriture des femmes. Cette prise de parole massive vient dynamiser la problématique nationale en la haussant à un autre niveau : c'est moins le territoire qui importe ici qu'une présence au monde où règne l'égalité entre les femmes et les hommes, où sont repensés les rôles familiaux traditionnels et les relations sociales ; réclamant leur droit à la liberté, à l'égalité et à la création, les femmes entendent faire sortir le sexe féminin du carcan millénaire où les hommes les ont enfermées. Ce phénomène prend une telle ampleur que bientôt tout le visage littéraire du Québec s'en trouve transformé.

Dans un premier temps, la démarche féministe se fait radicale : elle presse de mettre fin à la domination phallocrate. Avec un ton souvent acerbe, sont dénoncées les injustices passées et présentes, les pratiques inégalitaires, et on tente d'instaurer de nouveaux rapports entre les sexes. Puis, une étape subséquente porte le combat sur un terrain plus proprement littéraire, faisant passer au second plan les préoccupations idéologiques ; le combat féministe cesse d'être essentiellement féminin pour devenir humain. Tout en faisant écho à la nécessaire solidarité entre les femmes, ces textes abordent des préoccupations d'ordre formel, suscitant une réflexion sur la langue, sa nature et son fonctionnement.

La littérature et le renouvellement des formes

Le Québec et sa littérature viennent d'entrer de plain-pied dans les ultimes retranchements de ce qu'il est convenu d'appeler la modernité. Chacun et chacune s'efforcent, avec une dose certaine de risque, de dépasser les frontières traditionnelles de l'écriture. Toutes les normes et tous les codes, littéraires ou autres, sont repoussés et subvertis. On peut donc parler d'une esthétique de la rupture et de la transgression, où la précarité du texte vient faire écho à la fragilité des valeurs, à moins que ce ne soit au vide existentiel de chacun. Ce temps de quête est un temps d'exploration, où il importe d'aller « au boutte de toutte », comme l'a écrit et chanté Raôul Duguay. Nous sommes en présence d'une dynamique de l'avant, où la nouveauté tient lieu de valeur et l'avant-garde, de pratique. Une quête effrénée d'inédit, de moderne, qui gomme toutes les résistances, toutes les censures.

La poésie

Comme semble loin maintenant le temps des poètes bâillonnés de naguère, prisonniers de leur tonitruant silence. Après avoir été longtemps centrée sur le moi et la solitude, dans ce qui peut sembler un long lamento où les poètes paraissaient condamnés à ne voir que l'obscurité du monde, la poésie se fait maintenant revendicatrice.

La poésie et la quête de l'identité collective

Durant cette période, les poètes, regroupés autour de la maison d'édition l'Hexagone fondée en 1953, puis autour de la revue littéraire *Parti pris*, qui existe de 1963 à 1968, montent au combat qui est celui de tout un peuple. Convaincus de la mission sociale du poète et de la poésie, ils font de leur écriture militante un phare guidant leur collectivité vers la terre promise de la liberté, de la solidarité et de la fraternité.

Le précieux miroir,
Albert Dumouchel, 1964.
Musée des beaux-arts
du Canada, nº 14756.

L'Hexagone et « l'âge de la parole »

De 1953 à la fin des années 1960, toute une génération de poètes, centrée autour de la maison d'édition l'Hexagone, se reconnaît une responsabilité sociale. Ces artistes tentent d'abord d'exorciser les carcans et les entraves du passé, condition essentielle pour s'assumer et échapper à l'étouffement. Aussi rappellent-ils les peurs et les carences, l'aliénation qui pèsent sur tout un peuple, les contradictions culturelles, jusqu'à la déperdition de la parole et de l'identité. Sont pourfendus les multiples envahissements, auxquels on n'a pu résister et qui ont mené à la pauvreté, à l'absence à soi-même. Est mise en question la place de l'individu dans la société, qu'on a laissée constamment se dégrader. Puis ils sonnent l'heure du réveil, celle de l'identité à recouvrer, du pays innommé à identifier, de la libération. C'est l'inventaire des réalités visibles, individuelles et collectives, et la revendication de la reconnaissance territoriale du Québec, l'appartenance et l'identification au pays se révélant l'assise de notre propre identité. C'est la parole investie pour forcer les mots à cerner notre identité nationale, évacuée de l'histoire depuis deux siècles. C'est la parole pour se dire et se découvrir, pour mieux être. C'est ce qu'on nomma « l'âge de la parole ».

Leur parole romantico-lyrique privilégie certains thèmes, selon une démarche entreprise dans l'intime mais débouchant sur le collectif : le pays et la liberté, la fraternité et la solidarité, l'appartenance et l'espérance, l'oralité et la mémoire et, surtout, la femme et l'amour. Car le pays, comparé à une fiancée, à une épouse, à une amante ou à une mère, se fait le lieu privilégié d'une rencontre amoureuse. Ces poètes disent l'impérieuse nécessité d'accéder à une nouvelle vision de la réalité. Leur importance sociale est si considérable qu'on les tient en grande partie responsables de la création d'un parti politique, celui qui accédera au pouvoir en 1976, promettant de combler toutes les attentes quant au pays à naître, attentes nourries par leur poésie.

■ ■ ■

Gaston Miron
(1928-1996)

Faut être capable de s'imaginer pour s'identifier et faut être capable de s'imaginer autre pour se libérer.

En tant qu'éditeur et poète, Gaston Miron a grandement contribué à sortir la littérature québécoise de son provincialisme. Premier poète québécois à qui l'État ait réservé des funérailles nationales, il s'était fait le porte-voix d'une collectivité qu'il voulait arracher à la noirceur du silence, pour sans cesse redire le pays possible et l'enraciner dans l'imaginaire des Québécois. Aussi sa poésie[1] effectue-t-elle d'importantes plongées dans les racines de l'errance historique autant que dans les contrées inconscientes du rêve, afin d'y repérer le sentier bien réel qui débouche sur la liberté. Même s'il accueille tous les vocabulaires, il se plaît à employer des mots répétés génération après génération, ceux qui portent le poids de l'histoire. Quant à son langage poétique, à la fois douloureux et flamboyant, le lieu où tout peut survenir, il se nourrit de l'ambiguïté, dans un perpétuel glissement métaphorique.

Avec les poètes de l'Hexagone, maison d'édition fondée par Miron, l'action commune est placée au-dessus des entreprises personnelles.

---

1. Les écrits épars de Gaston Miron ont été réunis une première fois dans *L'homme rapaillé* en 1970.

Un pays qui ne sera plus murmuré… mais proclamé.
La Presse.

LES SIÈCLES DE L'HIVER

Le gris, l'agacé, le brun, le farouche
tu craques dans la beauté fantôme du froid
dans les marées de bouleaux, les confréries
d'épinettes, de sapins et autres compères
5 parmi les rocs occultes et parmi l'hostilité

pays chauve d'ancêtres, pays
tu déferles sur des milles de patience à bout
en une campagne affolée de désolement
en des villes où ta maigreur calcine ton visage
10 nous nos amours vidées de leurs meubles
nous comme empesés d'humiliation et de mort

et tu ne peux rien dans l'abondance captive
et tu frissonnes à petit feu dans notre dos

L'homme rapaillé (1970), © Éditions Typo et succession Gaston Miron, 1998.

---

1. Les épithètes composant l'énumération du premier vers désignent-elles un personnage ou la terre?

2. Le second vers s'applique-t-il à des arbres ou à des hommes?

3. Quel est l'effet produit par le dernier mot de la première strophe, *hostilité*?

4. Montrez que le ton de ce poème pourrait être celui de l'incantation.

5. Quelle est l'intention de l'auteur?

6. Peut-on affirmer que la poésie a ici le pouvoir de réconcilier les contraires?

Au plaisir de lire
• *Courtepointes*

L'Octobre

L'homme de ce temps porte le visage de la flagellation
et toi, Terre de Québec, Mère Courage
dans ta longue marche, tu es grosse
de nos rêves charbonneux douloureux
5 de l'innombrable épuisement des corps et des âmes

je suis né ton fils par en-haut là-bas
dans les vieilles montagnes râpées du nord
j'ai mal et peine ô morsure de naissance
cependant qu'en mes bras ma jeunesse rougeoie

10 voici mes genoux que les hommes nous pardonnent
nous avons laissé humilier l'intelligence des pères
nous avons laissé la lumière du verbe s'avilir
jusqu'à la honte et au mépris de soi dans nos frères
nous n'avons pas su lier nos racines de souffrance
15 à la douleur universelle dans chaque homme ravalé

je vais rejoindre les brûlants compagnons
dont la lutte partage et rompt le pain du sort commun
dans les sables mouvants des détresses grégaires

nous te ferons, Terre de Québec
20 lit des résurrections
et des mille fulgurances de nos métamorphoses
de nos levains où lève le futur
de nos volontés sans concessions
les hommes entendront battre ton pouls dans l'histoire
25 c'est nous ondulant dans l'automne d'octobre
c'est le bruit roux de chevreuils dans la lumière
l'avenir dégagé
                    l'avenir engagé

L'homme rapaillé (1970), © Éditions Typo et succession Gaston Miron, 1998.

1. Relevez les mots de champ lexical d'ordre religieux et commentez.

2. Deux champs lexicaux se répondent. Lesquels ?

3. Expliquez « Mère Courage ».

4. Commentez le passage du « je » au « nous ».

5. Quelle peut être la signification du titre ?

6. Étudiez la structure du poème et expliquez l'importance de la troisième strophe.

7. Comparez ce poème avec celui de Jean-Guy Pilon, *Je murmure le nom de mon pays* (page 142). Le pays est-il évoqué de la même manière ?

**Jean-Guy Pilon
(né en 1930)**

Tu es là comme la colère d'un disparu ou l'espérance de la moisson. Je n'ai jamais vu les gestes de tes bras, ni le repos sur ton visage. Tu es ombre et absence, tu es pays à enfanter.

Le poète Jean-Guy Pilon, aussi éditeur et directeur de revue littéraire, tente constamment d'exprimer l'homme et son cœur, l'homme et son espoir ; toujours chez lui la conscience apparaît comme un devoir personnel autant que collectif. Dans *Je murmure le nom de mon pays* (1963), il dessine les espoirs d'un peuple en marche vers la reconquête de son pays et de sa parole. Dans un style laconique et d'une grande sobriété, il appelle le grand jour de la réconciliation du pays avec son peuple.

Au plaisir de lire

• *Comme eau retenue*

JE MURMURE LE NOM DE MON PAYS

Je murmure le nom de mon pays
Comme un secret obscène
Ou une plaie cachée
Sur mon âme
5 Et je ne sais plus
La provenance des vents
Le dessin des frontières
Ni l'amorce des villes

Mais je sais le nom des camarades
10 Je sais la désespérance de leur cœur
Et la lente macération
De leur vengeance accumulée

Nous sommes frères dans l'humiliation
Des années et des sourires
15 Nous avons été complices
Dans le silence
Dans la peur
Dans la détresse
Mais nous commençons à naître

20 À nos paroles mutuelles
À nos horizons distincts
À nos greniers
Et nos héritages

Oui
25 Nous sommes nus
Devant ce pays
Mais il y a en nous
Tant de paroles amères
Qui ont été notre pâture
30 Qu'au fond de l'humiliation
Nous allons retrouver la joie
Après la haine
Et le goût de laver à notre tour
Notre dure jeunesse
35 Dans un fleuve ouvert au jour
Dont on ne connaît pas encore
Les rives innombrables

Nous avons eu honte de nous

Nous avons des haut-le-cœur
40 Nous avons pitié de nous

Mais l'enfer des élégants esclaves
S'achèvera un jour de soleil et de grand vent

Je le dis comme je l'espère
Je le dis parce que j'ai le désir de mon pays
45 Parce qu'il faut comprendre
La vertu des paroles retenues

Aurions-nous seulement le droit
De serrer dans nos bras
Nos fragiles enfants
50 Si nous allions les ensevelir
Dans ces dédales sournois
Où la mort est la récompense
Au bout du chemin et de la misère

Aurions-nous seulement le droit
55 De prétendre aimer ce pays
Si nous n'en assumions pas
Ses aubes et ses crépuscules
Ses lenteurs et ses gaucheries
Ses appels de fleuves et de montagnes

60 Et la longue patience
Des mots et des morts
Deviendra parole
Deviendra fleur et fleuve
Deviendra salut

65 Un matin comme un enfant
À la fin d'un trop long voyage
Nous ouvrirons des bras nouveaux
Sur une terre habitable
Sans avoir honte d'en dire le nom
70 Qui ne sera plus murmuré
Mais proclamé

Pour saluer une ville, © Éditions Seghers, 1963.

1. Nous sommes en présence d'un style laconique. Commentez.

2. Comment le poète exprime-t-il la non-réalité du pays ?

3. Trouvez le plan de ce poème.

4. La tonalité dominante est-elle la certitude ou le doute ?

5. Quels procédés permettent à la fierté de supplanter la honte ?

6. Relevez les références à la parole.

7. Peut-on lire dans ce poème la métaphore d'un peuple en marche ?

**Gatien Lapointe
(1931-1983)**

*Phrase qui rampe
meurt au pied des
côtes.*

Dans l'œuvre de Gatien Lapointe, le pays est omniprésent, servant de lien vital entre la terre et l'homme qui l'habite. Il s'agit ici d'un pays à valeur universelle qui ne saurait se confiner dans un nationalisme étroit : en témoigne son *Ode au Saint-Laurent* (1963), qui a été traduit en plus de quinze langues. Toujours située dans les replis de l'angoisse et de l'essentiel, près de la révolte débouchant sur l'espoir, cette poésie simple mais inspirée s'approprie les éléments naturels et le monde par la puissance de la parole, qui enferme l'identité des choses dans les mots. Ici, le « je » à valeur de « nous » permet de circonscrire le lien entre l'homme et la terre, entre l'homme et son idéal.

Au plaisir de lire

- *Arbre-radar*
- *Le premier paysage :
  15 pièces / 15 dessins*

ODE AU SAINT-LAURENT

Ma langue est celle d'un homme qui naît
J'accepte la très brûlante contradiction
Verte la nuit s'allonge en travers de mes yeux
Et le matin très bleu se dresse dans ma main
5 Je suis le temps je suis l'espace
Je suis le signe et je suis la demeure
Je contemple la rive opposée de mon âge
Et tous mes souvenirs sont des présences

Je parle de tout ce qui est terrestre
10 Je fais alliance avec tout ce qui vit

Le monde naît en moi

Je suis la première enfance du monde
Je crée mot à mot le bonheur de l'homme
Et pas à pas j'efface la souffrance
15 Je suis une source en marche vers la mer
Et la mer remonte en moi comme un fleuve
Une tige étend son ombre d'oiseau sur ma poitrine
Cinq grands lacs ouvrent leurs doigts en fleurs
Mon pays chante dans toutes les langues

20 Je vois le monde entier dans un visage
Je pèse dans un mot le poids du monde

Je balise le premier jour de l'homme

L'homme de mon pays pousse et grandit
Telle une jeune plante dans la terre
25 Tous les chemins se croisent sur son front
Toutes les saisons s'accrochent à ses épaules
Flammes et flots se heurtent sur sa tempe
Et cela oscille dans le vent violent
Et cela pleure et rit dans l'éphémère
30 Et cela parle d'un jour infini

Je définirai l'homme en un pas quotidien

Dans mon pays il y a un grand fleuve
Qui oriente la journée des montagnes

Je dis les eaux et tout ce qui commence
35 Dans ma chair dans mon cœur
Je dis ce mot qui s'éveille en mes paumes
Je lancerai un chant dans l'univers
J'entre dans le temps je borne l'espace
Je dispose couleurs et formes

40 J'unis et j'agrandis j'abrège et je dénude
Je me construis un abri ici-bas

Ode au Saint-Laurent (1963), © Écrits des Forges, 2000.

1. Relevez les images de l'eau et de la nature, puis commentez-les.

2. Comment le lyrisme s'exprime-t-il ? Est-il servi par l'amplitude des vers ?

3. Étudiez le thème de la parole : sa puissance et son pouvoir.

4. La juxtaposition et la répétition sont des procédés importants ici. Précisez.

5. Prouvez que ce poème propose la vision grandiose d'un monde à construire.

6. En quoi ce texte se rapproche-t-il de celui de Pierre Perrault (page 146) ?

Le fleuve, le fleuve que j'aime tellement, Marc-Antoine Nadeau, 1992.

Pierre Perrault
(1927-1999)

*Il se passe des choses
capitales dans le
cloître des racines.*

Pierre Perrault a acquis une renommée internationale grâce au
cinéma où, film après film, il est
parvenu à associer la parole d'une
nation aux images de son pays.
Le cinéaste-documentariste a su
nourrir la trame de ses films de la
parole même des gens sur lesquels s'attardait sa caméra, des
hommes et des femmes à la mémoire et à l'imaginaire féconds,
frères et sœurs des chantres des
grands espaces des écrits coloniaux. Ce talent exceptionnel, Pierre
Perrault le tient de sa poésie, qu'il
a voulue au service de la parole
vraie et quotidienne du peuple
québécois. Dans son recueil *Toutes
îsles* (1963), suite de poèmes en
prose qui réconcilient le temps,
l'espace et l'histoire d'un « pays
sans bon sens », le poète reprend
une des plus anciennes thématiques de la littérature québécoise,
celle du fleuve et des îles, intro-
duite par Jacques Cartier. Il refait,
île par île, le voyage du découvreur, parfaisant par la parole la
prise de possession du pays par
l'occupation.

Au plaisir de lire
• *Toutes îsles*
• *Chroniques de terre et de mer*
• *Chouennes* (Poèmes, 1961-1971)

LE GRAND ARBRE EXORBITANT DES OISEAUX

*des ouaiseaulx desqueulx y a si grant numbre
que c'est une chose incréable qui ne le voyt*   Jacques Cartier

C'est sur les bords du St-Laurent une grande réserve de paysages et de
découvrances où nous allons ancrer nos barques et notre connaissance.

5 D'abord un relief horizontal, fortement ridé, creusé de sillons, bercé de
sablons, ébloui de pierres à fleur d'eau, d'arbres nains et de mousses géantes...

Mais pour tromper la vigilance des marins le grand arbre exorbitant des
oiseaux de plein vol, et surtout la foule obscure des oiseaux posés sur la
pierre comme une assemblée.

10 [...]

Et Cartier vit ce que ne verrons plus... oiseaux qui ne s'envolent pas et
presque viennent à la rencontre, prenant des allures significatives et hospi-
talières, faisant croire à leur humanité. Cartier les raconte avec la précision
de ses étonnements :

15 *Iceulx ouaiseaulx sont grans comme oies, noirs et blancs, et ont le bec comme
ung corbin.*

*Et sont toujours en la mer, sans jamais povair voller en l'air pource qu'ils ont
petites aesles, comme la moitié d'une main de quoy ilz vollent aussi fort dedans
la mer, comme les aultres ouaiseaulx font en l'air.*

20 *Et sont iceulx ouaiseaulx si gras, que c'est une chose merveilleuse.*

Oiseaux merveilleux et par trop humains les grands pingouins noirs et
blancs, gras et bruyants, sans ailes ni dents, abondaient dans ces parages
d'îles et de glaces.

Mais ils n'avaient pas prévu l'arrivée de trois navires qui estoient de Saint-
25 Malo, les grands pingouins sans ailes du temps des découvrances.

*Nous descendismes au bas de la plus petite isle, et en prinmes, en noz barques,
ce que nous en voullinmes. L'on y eust chargé, en une heure, trente icelle barques.*

*Icelle ysle étant si très plaine d'oiseaulx que tous les navires de France y
pourroient facilement charger sans que on s'apperceust que l'on en eust tiré.*

30 Le conseil fut bientôt suivi et tous navires de France et de Navarre ou bien
d'ailleurs passant par là s'arrêtaient sur l'île des oiseaux pour ravitailler de
frais les provisions de viande et continuer la pêche ou les découvrances.

Car les oiseaux ne suffisent pas à peupler la terre !

Toutes îsles (1963), © Éditions de l'Hexagone et Pierre Perrault, 1990.

1. Quel effet produit le présentatif *C'est* dans la première phrase ?

2. Trouvez la tonalité principale de ce texte.

3. Comment s'exprime le lyrisme ? Et le merveilleux ?

4. Montrez que Pierre Perrault cherche ici les composantes originelles de l'âme québécoise.

5. Comparez l'écriture de Pierre Perrault avec celle de Jacques Cartier (page 9). Peut-on
dire que les deux auteurs éprouvent le même enthousiasme ?

SUITE FRATERNELLE (1965)

Je me souviens de toi   Gilles   mon frère oublié dans la
terre de Sicile   je me souviens d'un matin d'été à Montréal
je suivais ton cercueil vide   j'avais dix ans
je ne savais pas encore

5 Ils disent que tu es mort pour l'Honneur   ils disent   et
flattent leur bedaine flasque ils disent que tu es mort
pour la Paix   ils disent   et sucent leur cigare long
comme un fusil

Maintenant je sais que tu es mort avec une petite bête
10 froide dans la gorge   avec une sale peur aux tripes
j'entends toujours tes vingt ans qui plient dans les herbes
crissantes de juillet

Et nous   nous demeurons pareils à nous-mêmes   rauques
comme la rengaine de nos misères
15 Nous
          les bâtards sans nom
          les déracinés d'aucune terre
          les boutonneux sans âge
          les clochards nantis
20   les demi-révoltés confortables
          les tapettes de la grande tuerie
          les entretenus de la Saint-Jean-Baptiste

Gilles   mon frère cadet par la mort Gilles dont le sang
          épouse la poussière

25 Suaires et sueurs nous sommes délavés de grésil
et de peur la petitesse nous habille de gourmandises flottantes

Nous
          les croisés criards du Nord
nous qui râlons de fièvre blanche sous la tente
30   de la transfiguration
nos amours ombreuses ne font jamais que des orphelins
nous sommes dans notre corps comme dans un hôtel
nous murmurons une laurentie pleine de cormorans châtrés
nous léchons le silence d'une papille rêche
35 et les bottes du remords

Nous,
          les seuls nègres aux belles certitudes blanches
          ô caravelles et grands appareillages des enfants-messies
nous les sauvages cravatés
40 nous attendons depuis trois siècles pêle-mêle
          la revanche de l'histoire
          la fée de l'Occident
          la fonte des glaciers

[...]

45 Il n'a pas de nom ce pays que j'affirme et renie au long
          de mes jours

mon pays scalpé de sa jeunesse
mon pays né dans l'orphelinat de la neige

Jacques Brault
(né en 1933)

*Le temps coule sa pâte
en chaque fissure.*

Même s'il a signé des recueils de poèmes et de nouvelles, un roman, des pièces dramatiques, des essais et des critiques, Jacques Brault est d'abord et avant tout un poète polyvalent. Son œuvre, traversée par un souffle puissant, a grandement influencé les écrivains de la génération de Parti pris. Dans un poème qui compte parmi les plus importants des années 1960, *Suite fraternelle* (1965), le récit personnel lutte corps à corps avec le drame collectif, la perte d'une frère faisant écho à la cassure du pays. Un texte d'une grande sensibilité à la violence contenue, canalisée par le lyrisme, où la mémoire se fait ciment entre la tendresse et la colère, la haine et la réconciliation.

Au plaisir de lire

• *Poèmes choisis, 1965-1990*

mon pays sans maisons ni légendes où bercer ses enfançons
50   mon pays s'invente des ballades et s'endort l'œil tourné
            vers des amours étrangères

Je te reconnais bien sur les bords du fleuve superbe
            où se noient mes haines maigrelettes
        des Deux-Montagnes aux Trois-Pistoles
55 mais je t'ai fouillé en vain de l'Atlantique à l'Outaouais
            de l'Ungava aux Appalaches
        je n'ai pas trouvé ton nom
        je n'ai rencontré que des fatigues innommables
            qui traînent la nuit entre le port et la montagne
60   rue Sainte-Catherine la mal fardée

Je n'ai qu'un nom à la bouche et c'est ton nom Gilles
        ton nom sur une croix de bois quelque part en Sicile
        c'est le nom de mon pays un matricule un chiffre
            de misère une petite mort sans importance un cheveu
65   sur une page d'histoire

Emperlé des embruns de la peur tu grelottes en cette
            Amérique trop vaste   comme un pensionnat
            comme un musée de bonnes intentions
        Mais tu es nôtre tu es notre sang tu es la patrie
70   et qu'importe l'usure des mots
        Tu es beau mon pays   tu es vrai avec ta chevelure
            de fougères et ce grand bras d'eau qui enlace
            la solitude des îles
        Tu es sauvage et net de silex et de soleil
75 Tu sais mourir tout nu dans ton orgueil d'orignal roulé
            dans les poudreries aux longs cris de sorcières

Tu n'es pas mort en vain Gilles et tu persistes
            en nos saisons remueuses
        Et nous aussi nous persistons comme le rire des vagues
80   au fond de chaque anse pleureuse

Paix sur mon pays recommencé dans nos nuits
            bruissantes d'enfants
        Le matin va venir il va venir comme la tiédeur soudaine
            d'avril et son parfum de lait bouilli
85 Il fait lumière dans ta mort Gilles il fait lumière
            dans ma fraternelle souvenance
        La mort n'est qu'une petite fille à soulever de terre je
            la porte dans mes bras comme le pays nous
            porte Gilles

90 Voici l'heure où le temps feutre ses pas
    Voici l'heure où personne ne va mourir

    Sous la crue de l'aube   une main à la taille fine des ajoncs
    Il paraît
    Sanglant
95 Et plus nu que le bœuf écorché
    Le soleil de la toundra
    Il regarde le blanc corps ovale des mares sous la neige
    Et de son œil mesure le pays à pétrir

Nu de femme de dos, Gaston Boisvert, 1966.
Musée Pierre Boucher.

Ô glaise des hommes et de la terre comme une seule
100   pâte qui lève et craquelle

Lorsque l'amande tiédit au creux de la main
       et songeuse en sa pâte se replie
Lorsque le museau des pierres s'enfouit plus profond
       dans le ventre de la terre
105 Lorsque la rivière étire ses membres dans le lit de la savane
Et frileuse écoute le biceps des glaces étreindre le pays
       sauvage

Voici qu'un peuple apprend à se mettre debout
Debout et tourné vers la magie du pôle   debout entre
110   trois océans
Debout face aux chacals de l'histoire face aux pygmées
       de la peur
Un peuple aux genoux cagneux aux mains noueuses
       tant il a rampé dans la honte
115 Un peuple ivre de vents et de femmes s'essaie à sa nouveauté

L'herbe pousse sur ta tombe Gilles et le sable remue
Et la mer n'est pas loin qui répond au ressac de ta mort

Tu vis en nous et plus sûrement qu'en toi seul
Là où tu es nous serons   tu nous ouvres le chemin

120 Je crois Gilles je crois que tu vas renaître   tu es mes
camarades au poing dur à la paume douce tu es notre

secrète naissance au bonheur de nous-mêmes tu es l'enfant
que je modèle dans l'amour de ma femme tu es
la promesse qui gonfle les collines de mon pays ma femme ma
125 patrie étendue au flanc de l'Amérique

Mémoire, © Éditions du Noroît / La Table Rase, 1986.

Étude détaillée

Analyse formelle

LE LEXIQUE

1. Jacques Brault se fait le chantre du paysage. Relevez les adjectifs qui qualifient le Québec. Quelle image du pays émerge de l'ensemble ?

2. Relevez les noms communs qui expriment l'aliénation du peuple québécois.

3. Repérez les mots qui appartiennent au champ lexical de la terre, du sol. Comment la terre devient-elle le symbole de la renaissance d'un peuple ? Quelle image renvoie explicitement au récit de la création du monde dans la Genèse ?

4. L'auteur construit plusieurs images à partir des parties du corps. Relevez ces images et expliquez-les.

5. Relevez les mots qui livrent des renseignements sur le frère du poète.

LA STRUCTURE DU POÈME

1. Analysez la cinquième strophe. Quel procédé stylistique est utilisé par l'auteur ? Quel effet est ainsi créé ?

2. Cernez un autre procédé stylistique fréquemment employé par Jacques Brault. Justifiez votre réponse par deux exemples.

3. Le rythme du poème est-il toujours le même ? Répondez à cette question en analysant la construction des vers et des strophes.

4. Quel vers indique un changement, une rupture dans le destin collectif des Québécois ?

Analyse thématique

Le destin du frère mort à la guerre se confond avec celui du pays.

1. Comment l'auteur met-il en parallèle la mort de son frère et celle de son pays ?

2. Comment transforme-t-il la mort de son frère en sacrifice héroïque ?

3. Comment Jacques Brault explique-t-il l'aliénation des Québécois ? Illustrez votre réponse par des extraits du texte.

4. Le poème est animé d'un grand espoir : lequel ? Quelle métaphore illustre cet espoir ?

Préparation à la dissertation critique

1. Démontrez que la mémoire tient directement son souffle de la mort comme l'espoir le tient de la défaite.

2. Quel lien peut-on établir entre ce poème et le Testament politique de Marie-Thomas Chevalier de Lorimier (page 28) ?

3. Quelle tonalité vous semble dominer ce texte : celle du lyrisme ou celle de la proclamation ?

4. Quelle émotion anime le poète : la tendresse ou la colère ? Commentez.

Parti pris et la gauche militante

Autour de Parti pris, nom d'une revue littéraire (1963-1968) et d'une maison d'édition, se sont regroupés des militants de gauche — poètes, romanciers et essayistes — engagés pour obtenir l'émancipation des Québécois. Essentiellement, ces écrivains associés aux luttes des classes ouvrières s'efforcent, dans un souci de démocratisation et d'égalité, de promouvoir l'indépendance du Québec, d'établir un pays socialiste, d'où serait exclu le cléricalisme sous toutes ses formes. C'est à ces auteurs, qui sont parvenus à aiguillonner une génération complète, celle des moins de trente ans, que l'on doit, précisément en 1964, l'abandon systématique de l'appellation *Canadien français* au profit de « Québécois ».

Pour les principaux animateurs de cette tendance, les poètes Paul Chamberland et Gérald Godin, la poésie se fait résolument militante. Il importe d'exorciser le malheur historique de la domination anglo-saxonne, qui a exilé le peuple de son destin, l'incitant à vivre en marge de l'Histoire et à l'ombre de l'Autre. Cet autre, dans la honte de soi, on l'a démesurément grandi, au point de devenir totalement dépendant de ce regard qu'on lui porte, et de ne plus se définir que par rapport à cet usurpateur ou, pis, de lui permettre de définir notre propre identité. Jugement que, par la suite, on intériorisa.

Le plus grand succès de l'autre, c'est d'avoir réussi à nous imposer une présence tellement contraignante que nous l'avons assimilée pour en faire une moitié de notre surmoi collectif. [...] Nous avons délivré l'autre de l'odieux, nous nous sommes faits nos propres bourreaux[2].

Ceci peut aisément expliquer le silence et la solitude de nos écrivains passés, contraints à d'impitoyables soliloques, et éclaire notre fascination pour les mythes compensateurs de toutes sortes. Sans oublier l'attrait qu'exercent sur nos auteurs les thèmes de l'errance et de l'ailleurs. Ni le goût prononcé que nous avons acquis pour les légendes, jusque dans le sport où nous prenons plaisir à nous identifier à d'autres plutôt qu'à nous assumer. Et comment oublier la place que, dans nos vies, nous réservons à l'humour et à son détournement de la réalité. Autant de rassurantes passivités et de modes de refus de vivre l'ici et maintenant. Dotés d'une vive conscience sociopolitique, les artisans de Parti pris s'engagent, au contraire, à affronter la réalité, à assumer l'histoire au présent.

2. Paul Chamberland, *Un parti pris anthropologique*, Montréal, Éditions Parti pris, 1983.

■ ■ ■

Sans titre, œuvre tirée de l'album « Naturellement », Roland Giguère, 1968.
Collection Musée d'art contemporain de Montréal.

Gérald Godin
(1938-1994)

Nous sommes pris pour sauver le pays. L'écrivain est la conscience malheureuse de la société dont il fait partie.

Déjà poète, romancier, essayiste, journaliste et fondateur d'une maison d'édition, Gérald Godin a réussi en plus un exploit rarissime : concilier la politique et la littérature, en demeurant un politicien et un poète au-dessus de tout soupçon. Dans sa vie comme dans son œuvre, cet homme fougueux et chaleureux a osé être simple, modeste et familier : il n'en est que plus émouvant. Sa poésie, qui prend le contre-pied de la poésie pour esthètes que publie l'Hexagone, excelle à dire le quotidien dans une langue d'une étonnante verdeur ; elle a redonné aux Québécois une langue maternelle qu'ils étaient venus à considérer avec honte. Les mots quotidiens, avec leur bagage d'archaïsmes, de néologismes et d'anglicismes, accèdent ici à la dignité du langage, et le « joual » se retrouve bientôt en habit d'apparat.

Au plaisir de lire

• *Ils ne demandaient qu'à brûler*
(Poèmes, 1960-1986)

CANTOUQUE D'AMOUR

C'est sans bagages sans armes
qu'on partira mon steamer à seins
ô migrations ô voyages
ne resteront à mes épouses
5 que les ripes de mon cœur
par mes amours gossé

je viendrai chez vous un soir tu ne m'attendras pas
je serai dressé dans la porte comme une armure
haletant je soulèverai tes jupes pour te voir avec mes mains
10 tu pleureras comme jamais
ton cœur retontira sur la table
on passera comme des icebergs dans le vin de gadelle et de mûre
pour aller mourir à jamais paquetés
dans des affaires catchop de cœur et de foin

15 quand la mort viendra
entre deux brasses de cœur
à l'heure du contrôle
on trichera comme des sourds
ta dernière carte sera la reine de pique
20 que tu me donneras comme un baiser dans le cou
et c'est tiré par mille spanes de sacres
que je partirai retrouver mes pères et mères
à l'éternelle
chasse aux snelles

25 quand je prendrai la quille de l'air
un soir d'automne ou d'ailleurs
j'aurai laissé dans ton cou à l'heure du carcan
un plein casso de baisers blancs moutons
quand je caillerai comme du vieux lait
30 à gauche du poêle à bois
à l'heure où la messe a vidé la maison
allant d'venant dans ma barçante en merisier
c'est pour toi seule ma petite noire
que ma barçante criera encore

35 comme un cœur
quand de longtemps j'aurai rejoint mes pères et mères
à l'éternelle
chasse aux snelles

mon casso de moutons te roulera dans le cou
40 comme une gamme
tous les soirs après souper
à l'heure où d'ordinaire chez vous j'ai ressoud
comme un jaloux

chnaille chnaille que la mort me dira
45 une dernière fois j'aurai vu ta vie
comme un oiseau enfermé mes yeux courant fous du cygne
au poêle
voyageur pressé par la fin je te ramasserai partout
à pleines poignées

50 et c'est dans mille spanes de sacres que je partirai
trop tôt crevé trop tard venu
mais heureux comme le bleu de ma vareuse
les soirs de soleil

c'est entre les pages de mon seaman's handbook
55 que tu me reverras fleur noire et séchée
qu'on soupera encore ensemble
au vin de gadelle et de mûre
entre deux cassos de baisers fins comme ton châle
les soirs de bonne veillée

Cantouques & Cie (1991), © Éditions Typo et succession Gérald Godin, 2001.

Cybèle, Claude LeSauteur, 1982.
Musée Louis-Hémon.

1. Le sous-titre affirme que ce recueil se compose de « poèmes en langue verte, populaire et quelquefois française ». Commentez.

2. Comment l'oralité se manifeste-t-elle dans l'écriture ?

3. Quelle est la tonalité dominante ?

4. Relevez les images et commentez-les.

5. La gravité des thèmes vient faire contraste à l'apparente insouciance du style. Commentez.

Paul Chamberland
(né en 1939)

nous sommes dieu
nous sommes l'homme
nous sommes
la Réalité
Totale

Deux grands courants traversent la poésie de Paul Chamberland : la ferveur nationaliste, qui dénonce les bâillons d'un peuple pour mieux l'amener à la parole, et la contre-culture, qui se plaît à observer le chaos et la beauté du monde, faisant éclater tous les tabous pour que l'homme retrouve son identité et son harmonie perdues. Ce courant débouchera sur la recherche d'une humanité libérée, réconciliée, par le recours aux forces cosmiques universelles. Toujours, l'être humain – et son quotidien – est au centre de cette poésie, qui préfère proposer une action plutôt que de se livrer à des épanchements lyriques. Ainsi, dans *L'afficheur hurle* (1964), Paul Chamberland décrit la poésie comme un privilège à dénoncer : cette écriture, qui est ici autant poème que manifeste, située à la frontière de la prose et de la poésie, doit s'effacer devant l'acte politique, celui qui détient la clé de la libération collective autant qu'individuelle.

Au plaisir de lire

• *Compagnons chercheurs*

L'AFFICHEUR HURLE (1964)

j'écris à la circonstance de ma vie et de la tienne et
       de la vôtre ma femme mes camarades
j'écris le poème d'une circonstance mortelle inéluctable
ne m'en veuillez pas de ce ton familier de ce langage
5   parfois gagné par des marais de silence
je ne sais plus parler
je ne sais plus que dire
la poésie n'existe plus
que dans des livres anciens tout enluminés belles voix
10   d'orchidées aux antres d'origine parfums de dieux
      naissants
moi je suis pauvre et de mon nom et de ma vie
je ne sais plus que faire sur la terre
comment saurais-je parler dans les formes   avec les
15   intonations qu'il faut les rimes les grands rythmes
      ensorceleurs de choses et de peuples

je ne veux rien dire que moi-même
cette vérité sans poésie moi-même
ce sort que je me fais cette mort que je me donne
20 parce que je ne veux pas vivre à moitié dans
      ce demi-pays

dans ce monde à moitié balancé dans le charnier
      des mondes
         (et l'image où je me serais brûlé « dans la
25   corrida des étoiles » la belle image instauratrice
        du poème
je la rature parce qu'elle n'existe pas qu'elle
      n'est pas moi)
et tant pis si j'assassine la poésie
30 ce que vous appelleriez vous la poésie
et qui pour moi n'est qu'un hochet
car je renonce à tout mensonge
dans ce présent sans poésie
pour cette vérité sans poésie

35 moi-même

[...]

j'habite en une terre de crachats de matins haves et
      de rousseurs malsaines les poètes s'y suicident et
      les femmes s'y anémient les paysages s'y lézardent et
40   la rancœur purulle aux lèvres de ses habitants

non non je n'invente pas je n'invente rien   je sais
      je cherche à nommer sans bavure tel que c'est
      de mourir à petit feu tel que c'est de mourir poliment
      dans l'abjection et dans l'indignité tel que c'est
45   de vivre ainsi
tel que c'est de tourner retourner sans fin dans
      un novembre perpétuel dans un délire de poète fou
      de poète d'un peuple crétinisé décervelé

vivre cela le dire et le hurler en un seul long cri
    de détresse qui déchire la terre du lit des fleuves
    à la cime des pins
vivre à partir d'un cri d'où seul vivre sera possible

Terre Québec suivi de *L'afficheur hurle* et de *L'inavouable*, © Éditions Typo et Paul Chamberland, 2003.

1. Comment le poète peut-il affirmer que la poésie n'existe pas?

2. Quelle image exprime le caractère factice de la poésie?

3. Relevez et commentez les envolées lyriques.

4. Quelle est la tonalité dominante?

5. Nous sommes moins en présence de la parole que d'un cri exacerbé. Discutez.

Un rouge, deux bleus, trois blancs, Serge Lemoyne, 1975.
Collection du Musée d'art contemporain de Montréal.

Une poésie qui se remet en question

La poésie des années 1970 est aussi marquée par une grande ardeur polémique. Toutefois, influencée par la contre-culture et partagée en de nombreux courants, entre autres formalistes, marxistes et féministes, elle dénonce unanimement les valeurs et la poétique qui avaient inspiré les « poètes du pays ». Avec eux, la réflexion se fait sociale bien davantage que nationale.

Arme de transgression par excellence, la poésie sort alors définitivement de la clandestinité pour se donner en spectacle et renouer avec l'oralité, lieu premier de la culture et de la littérature québécoises. De 1968 à 1973, les trois mégareprésentations de *Poèmes et chants de la résistance* ont un impact considérable sur le public. En 1970, on célèbre la première *Nuit de la poésie*, qui sera reprise tous les dix ans et imitée à de nombreuses occasions. Janou Saint-Denis instaure, en 1975, ses premières soirées hebdomadaires de Place aux poètes, qui sont toujours aussi populaires trois décennies plus tard. Sans oublier les nombreux poètes, tel Raôul Duguay, Claude Péloquin et Pierre Léger, dit Pierrot le fou, qui animent et donnent des spectacles de poésie. Outre qu'elle se fait événement, la poésie voit la transformation matérielle de ses recueils, rejoints eux aussi par la société de consommation : certains deviennent de véritables objets artistiques alors que d'autres se contentent de faire une place aux dessins, photos, collages, autographies, etc. Le poème lui-même occupe fréquemment une disposition spatiale particulière dans la page.

La contre-culture et la transgression des valeurs

Ainsi des poètes dits de la contre-culture remettent en question les valeurs du temps présent et y recherchent ce qui semble en être évacué : le bonheur d'exister. Sans racines, animés par la seule impulsion du désir de changement, dans une langue spontanée et souvent provocante, ces rebelles rappellent les urgences du quotidien. Leur poésie se fait nomade et abolit les frontières, géographiques autant que psychiques. Jusqu'aux titres des recueils qui portent en eux le germe de la transgression : de *Drive-in* à *Empire State Coca Blues*, de *Irish Coffees au No Name Bar & vin rouge Valley of the Moon* à *Pornographic Delicatessen*, *Lesbiennes d'acid*, *Le clitoris de la fée des étoiles* ou *Filles-commandos bandées*. L'éclatement des rassurantes certitudes se teinte des couleurs psychédéliques dans l'espoir d'une régénération de la société.

La transgression idéologique

À partir de 1975, la problématique féministe monopolise un très grand nombre de forces créatrices, au point de devenir un des thèmes les plus productifs. Ici la poésie se fait un lieu de contestation idéologique, appelant la naissance de l'homme et de la femme libérés. Ces femmes développent une véritable mystique de l'écriture et de la modernité, l'émancipation souhaitée imposant des transformations tant dans la vie quotidienne que dans l'imaginaire, et dans la façon même d'écrire. Ce qui nécessite une émancipation des anciens canons esthétiques et thématiques. Aussi toutes les ressources de l'écriture sont mises à contribution pour conscientiser les lecteurs et, surtout, puisqu'il y a péril en la demeure, pour lever l'interdit posé sur le féminin depuis des millénaires, pour mettre au jour tout ce que l'Histoire a censuré du féminin, nouveau territoire qu'il est urgent de conquérir. Les écrivaines, pour qui « le privé devient politique », établissent un dialogue — une intertextualité — entre la poésie et la théorie (philosophique, psychanalytique, marxiste, etc.) ; elles transgressent allègrement les genres littéraires, la fusion des genres fondue dans le quotidien permettant l'expression des multiples voix intérieures et témoignant du foisonnement de la vie ; elles écrivent une prose hachurée, elliptique et enfreignent la syntaxe, permettent aux rythmes et aux tons les plus divers d'exprimer les pulsions et l'irrationnel, et elles laissent la truculence et la trivialité des mots et des tournures refléter la richesse insondable des désirs du corps.

La transgression du code linguistique

Quant aux poètes dits formalistes, qui comptent un grand nombre d'écrivaines, ils partent à l'aventure du texte, à la recherche d'un nouveau rapport avec les mots. La poésie se fait alors exploration des mécanismes de la machinerie textuelle, devenue le nouveau référent pour le sens. À la forme traditionnelle de la poésie, ces « poèmes textués » opposent des syntagmes désarticulés, fragmentés, souvent en prose, une syntaxe généralement éclatée, des tracés narratifs déroutés par des parenthèses, des tirets ou des blancs dans le texte, la fusion de divers univers discursifs et de jeux formels aussi nombreux que déroutants. C'est un parti pris pour l'aventure, l'exploration de zones inconnues, afin de lutter contre les mensonges de la transparence, fissurer le mur des vieilles certitudes et combattre l'engourdissement de l'imaginaire. Les deux thèmes privilégiés sont l'écriture elle-même ainsi que le corps sexué et libéré. Considérés l'un et l'autre comme les sources premières de la connaissance et du plaisir, le désir sexuel et le plaisir textuel fusionnent dans l'homophonie et dans une célébration de la vie. Il faut toutefois reconnaître que cette poésie souvent froidement hermétique se coupe de plus en plus de son public, n'intéressant plus guère que les spécialistes.

ENTOURÉ DE CEUX QUI N'Y SONT PAS

On guérit seul
on guérit pauvre de sa naissance,
mais surtout seul.

Je ne regrette pas l'isolement.
5 C'est une identité morale.
On ne meurt qu'entouré
de ceux qui n'y sont pas.
La solitude est toujours la faute des absents,
ceux qui n'ont pas de voix
10 pour murmurer au chevet de personne.

Même les jours sont seuls,
pleurant dans les ruelles de gazoline,
les matins de nuits blanches immaculées
qui ne tacheront pas les draps
15 ni plus tard les mouchoirs.

Des vautours sont cloués
aux portes épaisses
de celles qui pleurent le long des jambes
les larmes de race prisonnière,
20 en criant que même les enfants ont peur
des ténèbres de leurs ventres,
encore trop innocents pour savoir
que la mort est le contraire de la solitude.

Je le sais, qu'on est seul,
25 comme de ne pas bander au Paradis
avec les panthères de fudge,
enfermées avec personne
dans les armoires de la garderie.

Hôtel Putuma, © Éditions de la Huit, 1991.

1. Quel thème est développé ici ?

2. Pourquoi l'auteur recourt-il fréquemment à la négation ?

3. Relevez les différentes figures de style.

4. Comment le poète exprime-t-il sa marginalité ?

5. Quelle vous semble être l'intention de l'auteur ?

Denis Vanier (1949-2000)

L'art doit tendre à devenir un acte de terrorisme ; il nous faut tout dynamiter.

Denis Vanier est le poète québécois le plus identifié à la contre-culture. Auteur iconoclaste, il puise son inspiration dans l'exaspération des sens, demandant à la sensation les moyens « d'un immense et raisonné dérèglement de tous les sens » (Rimbaud). Aussi drogue, sexualité et violence sont-elles souvent des thèmes de sa poésie d'écorché vif, qui ne dédaigne ni la laideur ni le vulgaire. Cet extrait du recueil autobiographique *Hôtel Putama* (1991) – troublante relation des suites d'une crise d'« épilepsie toxicomaniaque » où Vanier fut déclaré cliniquement mort – témoigne d'une poésie de la tension, située entre le désir et le délire, la raison et la déraison, la solitude et l'instinct grégaire.

Au plaisir de lire

• *Pornographic Delicatessen*
• *Lesbiennes d'acid*
• *Le clitoris de la fée des étoiles*

Lucien Francœur
(né en 1948)

Nous prions toujours la bouche pleine des autres dans l'eucharistie du rut millénaire.

Le poète et rockeur Lucien Francœur a inscrit l'Amérique dans une problématique québécoise. Ses écrits, situés hors des sentiers battus, tentent de concilier des univers avant lui jugés disparates, voire opposés, le rock et la poésie. Ce qu'il a d'ailleurs fort bien réussi, son recueil éclaté *Les rockeurs sanctifiés* lui ayant valu le prix de poésie Émile-Nelligan en 1983. L'appropriation de l'américanité comme territoire de son errance permet un voyage initiatique au pays d'une nouvelle mythologie contemporaine. Beaucoup d'autres auteurs d'une tendance plus intimiste reprendront bientôt ce thème.

Au plaisir de lire

• *Minibrixes réactés*
• *Les rockeurs sanctifiés*

L'AMÉRIQUE INAVOUABLE

Et sur les merveilleux highways
Les enfants de la pensée sauvage
Poursuivent d'obstinés itinéraires :
Routes décousues, cafés de routiers
5 Fêtes foraines, tombolas d'antan

Périples wagnériens en Amérique
Où les jeux de reptiles sont des rituels
Pour les rockeurs nietzschéens
Les superbes cobras-cracheurs

10 Nous sommes à tous les rendez-vous interdits
Depuis toujours et jusqu'à la fin des temps
Un spleen bleu denim au fond des yeux
Pour mieux signifier notre addiction existentielle

L'Amérique est le territoire absolu de notre errance

Exit pour nomades (1985), © Écrits des Forges, 1991.

L'invitation au voyage, Edmund Alleyn, 1990.
Musée des beaux-arts de Montréal.

1. Faites ressortir l'aspect narratif de ce texte. Quel effet produit-il ?

2. Nommez les créateurs auxquels Lucien Francœur fait référence.

3. Comment l'américanité s'exprime-t-elle sur le plan du lexique ?

4. Quelle valeur est associée au thème de l'errance ?

5. Comment chaque strophe annonce-t-elle le dernier vers du poème ?

6. Étudiez le lexique de ce poème. Pensez-vous que l'univers évoqué est plutôt abstrait ou plutôt concret ?

DES HEURES TÉNÉBREUSES

Des heures ténébreuses
des faces longues
des bruits démoniaques sous la veilleuse
des fenêtres hurlant l'angoisse des murs

5 notre vie se traînait frileuse
à travers les décès
une odeur de hold-up heureusement flottait
sur l'avoir des notables

et même les étoiles avaient du noir au ventre

PoéVie, © Éditions Typo et succession Gilbert Langevin, 1997.

JE SUIS LE PRODUIT DE VOTRE FIASCO (1968)

Je suis un produit de votre fiasco
une page brûlée de votre intimité

j'ai du néant dans le sang
et le futur noyé au préalable

5 Je me fais crieur assez souvent
pour une clef qui brille
mais ne peux oublier que je représente
l'écho d'un rendez-vous qui tourna mal

PoéVie, © Éditions Typo et succession Gilbert Langevin, 1997.

---

1. Analysez la structure syntaxique du poème *Des heures ténébreuses*.

2. Quelles associations de mots vous semblent audacieuses ?

3. Quel est le thème dominant ?

4. Dans *Je suis le produit de votre fiasco*, qui est désigné par l'adjectif possessif *votre* ?

5. Quelle est l'intention du poète ici ?

6. Dans ces deux poèmes, où se situe la transgression ?

Gilbert Langevin
(1938-1995)

Comme un frère humain, comme un frère nues mains.

Gilbert Langevin, troubadour solitaire, pathétique et génial, a participé à de nombreux courants littéraires, mais la révolte constante qu'il a menée contre la bêtise de toutes les forces répressives le situe dans la tendance contre-culturelle. Mieux que tout autre, cette figure nocturne de la bohème montréalaise a su incarner l'image du poète itinérant et rebelle, sorte de « clochard céleste ». Avec une grande économie de moyens, il renouvelle constamment la lecture de la réalité, contestée et transfigurée par l'irruption du rêve. Passant de la plus vive tendresse (« le repos te va / comme un vent sucré ») au lyrisme le plus noir, ce poète[3] aux phrases lapidaires rappelle sans cesse que la poésie est le lieu de la subversion du quotidien. La poésie de Gilbert Langevin est aussi un des plus bouleversants et des plus généreux appels à la fraternité de toute la poésie québécoise.

---

3. Ce poète est aussi parolier : il a composé les textes de quelque 300 chansons, interprétées par les Pauline Julien, Marjo, Gerry Boulet, Dan Bigras, etc.

Au plaisir de lire

- *Origines 1959-1967*
- *Stress*
- *Entre l'inerte et les clameurs*

Madeleine Gagnon
(née en 1938)

Imagine-toi une vie lisse, sans fragments, il n'y aurait alors que des textes sans sujet, anonymes, des lettres avortées.

Madeleine Gagnon est une figure de proue parmi les écrivaines féministes. Constamment, ses textes denses et concentrés, prose poétique ou poésie narrative, portent les marques d'une exploration formelle, conceptuelle ou charnelle et tentent de restaurer la place abîmée de la féminité. Dans cet extrait du recueil *Antre* (1978), l'auteure cherche chez sa mère la filiation du sang aussi bien que de la parole. Le travail syntaxique vise ici à déranger le lecteur dans ses vieilles habitudes.

Au plaisir de lire

- *Retailles, complaintes politiques*
- *Antre*
- *Les fleurs de catalpa*

ELLE ÉTAIT UNE FOIS

Elle m'a parlé de son sang et du mien

Elle était une fois, ma mère. Elle savait tout de ce qui me quittait. M'échappait, du sang. Face à ma mort qui m'éprend sous cette forme que je refuse, pourquoi. Ma mère morte en moi m'instruit de ses labeurs, de ses
5 malheurs. Mes mots d'elle qui m'étreignent à mon tour. À ses maux, à ses heures, je m'attarde. M'attache de toutes mes fibres à ses meurtrissures. Me meurs d'elle qui. De celle qui s'allonge en moi. Se longe et se coule sur mes parois. Palpite et nous méprend, du lait au sang, du sang au sel à l'eau. Quand l'utérus rond se perd, mamelles du dedans, ma mémoire en allée,
10 suinte mère à moi. Ma mort précoce, mon ombre gravée, cette plaie vive, mais refermée. Ma mie si belle, ma mi-pleine, mon abyssale peine, mamour de toi. Ma parole réveillée, par toi, ce jour où tu parlais. Tu me pris dans tes mots comme alors dans tes bras. Tu m'appelas dans ton vertige et je reconnus ta voix du dedans. Dans ta coupure sanglante, je me suis glissée. Dans ta rup-
15 ture d'âge, cet entre-deux de toi, à mon tour, je parlai.

Autographie 1. fictions, © VLB éditeur et Madeleine Gagnon, 1982.

---

1. Quelles phrases ne sont pas conformes au code de la syntaxe ? Quel but est visé par ce procédé ?

2. Relevez une allitération et expliquez son effet.

3. Comment le corps et la parole se rejoignent-ils ?

4. Quel lien y a-t-il entre le début et la fin du poème ?

5. Quel sens trouvez-vous à l'ensemble ?

6. Dans ce texte, quel type de transgression domine ? Appuyez votre réponse sur deux exemples.

Mère et l'enfant,
François Déziel, 1966.
Musée Pierre Boucher.

Le roman

À l'image de la société, le roman connaît sa révolution. Depuis une vingtaine d'années, la production romanesque proposait une littérature de constat et de prise de conscience : dans les romans de mœurs urbaines et ceux de l'interrogation psychologique, les romanciers portaient majoritairement leur regard sur la problématique sociale, peignant la domination socio-économique dont était victime la collectivité canadienne-française, puis scrutant les moindres replis de la conscience pour illustrer l'aliénation tant sociale que culturelle qui en découlait. Voici que, dans la période de grande effervescence qui débute en 1960, se produit une rupture radicale avec ce qui a précédé. Les romanciers passent du constat au combat, exprimant leur révolte contre les conditions qui ont rendu incertaine l'identité tant individuelle que collective. Pendant les deux prochaines décennies, cette rupture radicale avec le passé s'exprimera par une dissolution toujours plus grande de l'orthodoxie romanesque traditionnelle.

Les récits de la révolte et de la rupture

À partir de 1965, le roman en vient à occuper une fonction sociale et un espace littéraire beaucoup plus importants que la poésie ; c'est surtout à lui qu'il revient d'accompagner la Révolution tranquille. Ces romans dits de la contestation, de la révolte contre l'ordre établi qui nous maintient dans un statut de colonisés, appellent une libération. Soucieuses d'amener leurs lecteurs à une prise de conscience, les fictions romanesques dressent la liste des empêchements à vivre, qui ont tous leurs racines dans le passé.

L'institution la plus contestée est la famille : hier encore considérée comme un refuge, elle est maintenant perçue comme un lieu de frustration et de contrainte, qui étouffe l'individu, l'empêche de parvenir à son autonomie. Dans de nombreux romans, le héros est un adolescent qui affirme son droit à la dissidence et part à la conquête de sa liberté. Ailleurs, le roman pourra se faire une mordante critique sociale qui dénonce la tyrannie familiale. Mais la ville, où l'Anglais a les meilleures places, ne vaut guère mieux que le corps familial. Aussi institue-t-on son procès. En réaction contre l'interdit qui pèse depuis si longtemps contre elle, la sexualité submerge une partie importante de la production romanesque, l'apprentissage de la liberté se faisant d'abord par l'appropriation de son corps, la découverte de la chair et des pulsions sexuelles. Enfin, alors que les romans d'avant 1960 présentaient le plus souvent des individus ayant maille à partir avec leur collectivité et dont l'action se résume à contester l'emprise que les diverses institutions sociales exercent sur eux, le héros d'aujourd'hui prend conscience qu'il vit dans une absence de pays, qu'il est membre d'une collectivité dont l'identité même est menacée ; c'est précisément ce qui l'amène à contester les valeurs traditionnelles qui vouaient à un échec les héros d'avant 1960, qui se croyaient soumis à une fatalité.

Les moyens utilisés pour exprimer la contestation

L'invention formelle dans le roman, bien loin de s'opposer au réalisme comme l'imagine trop souvent une critique à courte vue, est la condition sine qua non *d'un réalisme plus poussé.*

Michel Butor

Autrefois, le roman s'inscrivait naturellement dans l'histoire et la réalité sociale, dans une linéarité chronologique. Mais au sein d'une société que tout vient ébranler, où les vérités d'hier sont perçues comme des mensonges, les nouveaux romans ne sauraient procurer l'impression de solidité et de vérité qui caractérisait les œuvres de leurs prédécesseurs. Aussi, comme l'ensemble de la société, le roman se remet-il en question. Superposant les temps et les décors, il met fin au vieil ordre des choses, à la linéarité temporelle, pour produire des récits éclatés en apparence déstructurés, en réalité structurés différemment. Cette contestation de la forme du roman a permis des œuvres plus riches, mieux écrites, plus habiles dans les jeux formels. Par ailleurs, ces romans donnent préséance à la durée subjective sur le temps historique. Hier l'écrivain se mettait au service de la société, d'un « nous » collectif ; aujourd'hui il se dédouble dans un narrateur mal à l'aise dans sa propre histoire, qui n'a plus aucune prétention à l'objectivité. Ce « je » propose sa vision personnelle de la réalité et met ainsi fin au corset idéologique où il n'y avait qu'une seule vérité. Désormais, chez les personnages, tous les comportements sont admis, même les plus imprévisibles. Mieux, le romancier devient bientôt le premier de ses personnages ; il ne raconte plus une histoire, il fait lui-même l'histoire quand il écrit un livre. Il va de soi qu'un style renouvelé accompagne tous ces bouleversements. Indiscutablement modernes, mais non à la façon du nouveau roman français, les romanciers traitent la langue en virtuoses ; avec un sans-gêne rafraîchissant, ils multiplient les jeux de mots et les jeux formels les plus extravagants. Ce qui ne les empêche pas d'écrire d'une façon pragmatique, visuelle, apparentée à la manière américaine.

Le conflit idéologique autour du joual

Écrire c'est alors choisir de mal écrire,
parce qu'il s'agit de réfléchir le mal vivre.
C'est le bien écrire qui est le mensonge, c'est
la correction qui est l'aberration, c'est
la pureté du style qui est, ici et maintenant,
l'insignifiance.

Paul Chamberland

Une grande partie des romanciers innovent par un usage soutenu de la langue populaire, le joual, cette langue abâtardie par la présence suffocante de l'anglais : à un peuple agressé, une langue agressée, blessée, avariée ; à une société en conflit avec ses vieilles valeurs, avec les vérités du passé, une langue en conflit avec les vérités de la grammaire. La langue « cassée » de ces romans se veut une image de la condition misérable, de la vie cassée de leurs personnages. Symbole des contraintes qui pèsent sur un peuple, le joual se fait le symbole d'une culture malade, qui ne peut s'épanouir en français dans un milieu dominé par de grandes institutions anglo-saxonnes. En témoigne ici le tout début du roman de Claude Jasmin, *Pleure pas Germaine* (1965) :

> *Se faire bardasser. Partir sur une baloune tous les vendredis soirs. On vient qu'on en a plein le casque. J'suis pas le diable fier. J'ai quarante ans. Déjà. Où c'est que ça m'a mené de me faire mourir à travailler comme un maudit cave toutes ces années. Vingt-cinq ans de sueurs. De job en job. Mal payé, malcontent. Y a pas un plant, pas un trou d'usine où j'ai pas sué, pas une manufacture de Montréal où j'ai pas un peu bavé pour ma pitance. Et là, j'ai eu envie de changer. D'aller me laver, d'aller plus loin. Je me sens plein de poux, sale à mort, de la morve. Puant. Et la femme qui me répète son idée, sa maudite idée, sa Gaspésie.*
> *— Faudrait s'en aller ailleurs, Gilles. C'est trop grand, trop paqueté, la ville. On devrait tenter sa chance à campagne, en Gaspésie.*

(Lanctôt Éditeur, 1997)

Présent dans un nombre phénoménal d'œuvres écrites, le joual sert d'abord d'arme de contestation du passé ; il témoigne de l'aliénation d'un peuple. Mais ainsi haussée au niveau littéraire, cette langue populaire cesse bientôt de véhiculer l'image négative d'une dépossession collective et témoigne plutôt d'une société réconciliée avec son passé, même dans ce qui était perçu comme une honte, son univers verbal. Ce qui amène certains, qui y voient la représentation de l'âme d'un peuple, à militer pour un projet de langue nationale purement québécoise ; ce à quoi d'autres s'opposent vivement, dénonçant au contraire le joual comme étant la langue menant le plus sûrement à l'assimilation. Ce débat aura surtout servi à vivifier la langue des romanciers comme de la majorité des écrivains québécois. En très grand nombre, ils naturalisent des expressions typiquement québécoises et utilisent un style s'apparentant à celui de la langue populaire, ce qui ne manque pas de créer un effet identitaire. Abandonnant son corset rigoriste et s'éloignant de la norme française et littéraire, cette parole prend le pari de la liberté.

À joual sur la langue,
caricature de Girerd.
La Presse, 28 septembre 1974.

Le PAYSagiste

Tout au long du jour, il bâillait, pris par l'espace qui bâillait plus grand, par les couleurs, les lignes, le mouvement et les harmoniques sonores du tableau. Lorsqu'il faisait beau, il peignait en plein air, autrement derrière un carreau sur une vitre dont il prenait grand soin qu'elle adhérât à l'espace. Le
5 soir il était libre; on venait causer avec lui. Comme il peignait par projection, en direct, pourrait-on dire, suivant à la perfection la réalité qu'il épousait, les badauds étaient déjà renseignés sur son dernier paysage, l'un pour y avoir flâné, l'autre péché, tous pour l'avoir vu. Cette participation grandissait l'œuvre, édifice d'autant plus étonnant qu'il était la cathédrale
10 d'un jour que la mer engloutissait, la nuit, édifice d'air et d'eau dont la fluidité périssable était justement la merveille. Jérémie savait se mettre à la portée de ces comparses qui n'avaient retenu de l'œuvre que les cristallisations croustillantes la tapissant, les détails, des riens, des accidents; l'inspiration de l'artiste les laissait-elle indifférents, du moins ils n'en parlaient jamais.
15 « Pas mal, disaient-ils, cette ondée! Bien réussi, ton vent! Pas fameuse, ta bruine du matin! » Appréciation, compliment ou reproche, Jérémie écoutait tout humblement car tout de son œuvre le touchait, même le reflet fugace dans des yeux indifférents. Ces menus bavardages occupaient la soirée, puis un à un les amateurs se retiraient et Jérémie allait se coucher le dernier, seul.
20 Naguère maigre, mangeant du bout des lèvres, inquiet le jour mais dormant bien la nuit, il avait épaissi, ne se gênait plus pour manger à sa faim et devenait bel homme mais, la nuit, se tourmentait. Le vent de terre qui le soir se met à ruisseler le long des montagnes et peu à peu grossit, torrents d'oiseaux stridents déployant leurs ailes pour éviter le toit des maisons, ce
25 vent lui semblait lugubre. Ce n'étaient plus les ailes blanches du jour couronnant sa création. La malice de la nuit le troublait. Ses terreurs dataient du concordat: l'acceptation des siens l'avait banni de soi, mais ne pouvant s'exprimer en eux selon les coutumes de l'espèce, il restait en peine et ne trouvait de repos que sous le soleil. Il dormait peu, mal ou pas du tout;
30 parfois alors il se levait, sortait de la maison et que rencontrait-il? Des décombres, des noirs amas, le vide, la plainte profonde du vent. Et jusqu'à l'aube il errait sur le rivage, dans les ruines de son œuvre; une de ces nuits-là, il se noya.

Le lendemain et toute la semaine qui suivit, il y eut brume. Puis le paysage
35 reparut; désormais il se succéda jour après jour, saison après saison. C'était le paysage que Jérémie avait peint jour après jour, saison après saison, depuis des années et dont il laissait provision pour toujours. Personne ne le reconnut. L'artiste avait oublié de signer.

Contes, © Éditions Hurtubise HMH, 1968.

Jacques Ferron
(1921-1985)

Souvent on se cherche faute de savoir s'aimer.

Ce conteur, romancier, dramaturge et essayiste compte parmi nos plus grands écrivains. Le mot clé de son œuvre est sans doute *dialogue*. Ce peintre de la chaleur humaine affirme sans cesse que la vie se situe toujours au niveau de l'échange, entre les humains, entre artistes et société, parents et enfants, rire et sérieux, ville et campagne, passé et présent, raison et folie... Dans cet extrait de son conte « Le paysagiste » tiré des *Contes du pays incertain* (1962), le paysagiste du Québec qu'est Ferron précise le rôle de l'artiste à l'égard du pays. Son personnage, qui doit son nom au prophète Jérémie, exerce son art en Gaspésie; il y a conclu une entente – « un concordat » – : on subvient à ses besoins matériels et lui éclaire les gens de ses paysages.

Au plaisir de lire

---

1. Le paysagiste doit son nom à un personnage biblique. Qui était Jérémie?

2. Pourquoi Jérémie va-t-il se coucher « le dernier, seul »?

3. Expliquez : « Ses terreurs dataient du concordat ».

4. Pourquoi l'artiste a-t-il oublié de signer?

5. Si Jérémie symbolisait le rôle de l'artiste dans l'édification d'un pays, quel serait ce rôle?

6. Selon vous, qu'est-ce qui rapproche ou éloigne cet extrait des « récits de la révolte et de la rupture »?

Gérard Bessette
(1920-2005)

Ce qui fait un littérateur, c'est une certaine distanciation de la réalité. Les écrivains doivent vivre dans un autre monde.

Gérard Bessette se plaît à observer la société et la fragilité de ses idéaux. Dans son roman réaliste *Le libraire* (1960), qui tient à la fois du *Tartuffe* de Molière et de *L'étranger* de Camus, il fait le triste constat d'une société où n'importent que les apparences. Où les éléments normalement les plus actifs, tel le lucide Hervé Jodoin, personnage central de l'ouvrage et narrateur de l'extrait, sont privés de leurs moyens. Jodoin, véritable symbole de la désespérance tranquille, est amené au désœuvrement le plus complet, dans un milieu sclérosé, vivant toujours sous la férule d'un clergé tatillon.

Au Plaisir de lire

- *La bagarre*
- *L'incubation*
- *Le cycle*
- *Le semestre*

LA TAVERNE

Je m'installe d'ordinaire dans un coin, contre une bouche d'air chaud, près des latrines. Il y flotte naturellement une odeur douteuse quand la porte s'ouvre ; mais c'est l'endroit le plus chaud et celui qui me demande le moins de déplacement quand je dois aller me soulager. D'ailleurs je commence à
5 m'habituer à cette odeur. Je fume un peu plus de cigares, voilà tout. En somme je ne me plains pas de mes séances à la taverne.

Le seul inconvénient sérieux, c'est que mon organisme supporte difficilement la bière. Je m'explique : ce n'est pas l'absorption qui me gêne, mais l'élimination. À partir du septième ou huitième bock, j'éprouve des brûle-
10 ments dans la vessie. Pendant quelques jours, j'ai cru vraiment qu'il me faudrait renoncer à la bière. Mais, en parcourant le journal, j'ai découvert l'annonce d'un sel anti-acide vraiment remarquable, le sel *Safe-All*. J'en ai acheté une bouteille. Une bonne dose entre le troisième et le cinquième verre, et mon malaise se limite à un échauffement fort bénin.

15 À première vue, il pourrait sembler plus simple de ne pas boire, ou de boire moins. Car je ne suis nullement alcoolique. Avant de m'installer ici, je buvais en somme très peu, sauf quand j'assistais à des réunions d'anciens confrères. Elles n'avaient lieu heureusement qu'une fois par année. Peu importe. Je n'ai pas commencé ce journal pour ressasser des souvenirs. Je l'ai
20 entrepris pour tuer le temps le dimanche quand les tavernes sont fermées...

[...] J'occupe toujours une table à moi seul. J'ai averti les garçons que je voulais la paix. De plus, il ne faut pas oublier que je passe en moyenne sept heures par jour *Chez Trefflé*. Cela crée tout de même une certaine obligation morale de consommer raisonnablement.

25 De toute façon, j'en suis arrivé à une moyenne de vingt bocks par soirée sans autre malaise que celui ci-dessus mentionné. Naturellement, je n'ai pas atteint cette quantité le premier soir. Parti de six ou huit verres, j'ai mis trois semaines pour grimper progressivement au niveau actuel.

Le libraire (1960), © Éditions Pierre Tisseyre.

1. Quels passages illustrent la misanthropie de Jodoin ?

2. Commentez la longueur des phrases et le rythme qui en découle.

3. La rédaction de ce journal n'a pas été faite pour communiquer mais pour tuer le temps. Prouvez-le.

4. Quelle importance prennent les gestes quotidiens ? Dans quel but ?

5. Est-il juste d'affirmer que cet extrait est plus satirique que réaliste ?

LE DÉSESPOIR COMME UNE DROGUE

Philomène, c'est plus une image dans sa tête comme tout à l'heure. Non.
C'est devenu simplement quelqu'un qu'il attend, qu'il n'a pratiquement
jamais connu... Mais c'est l'obsession qui est bonne... Y en démord pas, Ti-
Jean... Il se sent vivre... Ça enfle aux aines, son goût du massacre... Ça enfle le
5 ventre, ça dilate la gorge, il plisse le front, baisse la tête, sippe le café... Ça s'en
vient... Tout à l'heure, Philomène, ma Mémène, ma charogne, ma chienne...

Ti-Jean méprise avec hargne les gens autour de lui, surtout la féfille. Ils
n'ont pas comme lui, une idée qui les mène, une obsession qui les hante, une
bonne obsession, compacte, palpable... Ils n'ont pas de passion... Et c'est Ti-
10 Jean le seul habitant de ce monde écœurant... Il prend les décisions qu'il veut
bien...

Il fait ce qu'il veut... Personne ne peut venir l'en empêcher... Ils sont trop
médiocres...

Gagne de crosseurs !

15 Ils dissertent, ils s'amusent. Ils ne sont pas désespérés, ceux-là, comme
lui, Ti-Jean, désespérés au point de s'en saouler, d'en vivre, du désespoir, le
désespoir comme une drogue et la haine comme une soupape, un barbi-
turique qui vaut toutes les gouffes à Bouboule... Tout le monde parle de tout
le monde, peu leur importe la haine, la folie à leurs côtés, un bonhomme
20 poussé à bout, bourré d'explosifs, une bombe humaine avec un cœur qui fait
un tic-tac gras, rouge, nerveux, une bombe qui va leur sauter dans les pattes
comme un rat égaré... Qui va mordre et déchirer les tendons... Gruger les
restes de sandouitches comme un affamé du port, déchiqueter les piasses, les
dix, les vingt, les cinq, tout ça est chronométré, prêt à sauter, à bondir à la
25 face des imbéciles... Comme un rat égaré, comme un chat aussi... Comme
n'importe quoi d'affolé, d'éperdu ; comme un homme...

Le cassé (1964), © Jacques Renaud, 2006.

Jacques Renaud
(né en 1943)

*Je suis un écrivain
qui défend toutes
les libertés.*

Le cassé (1964) de Jacques Renaud
est le premier ouvrage publié aux
Éditions Parti pris et le premier
texte paru en langue populaire.
C'est le cri désespéré d'un jeune
chômeur montréalais, Ti-Jean, dépossédé de tout, qui entend régler
son compte à la société. Le langage y est violenté pour le forcer
à dire ce dont auparavant il s'était
bien gardé : le sexe, la haine, la
violence, la mort. Pendant longtemps, ce court récit[4] souleva une
vive polémique, au point que des
enseignants de cégep — et ce
jusqu'en 1983 — furent contraints
de le retirer de leurs cours. On
préférait encore se scandaliser de
la violence physique et langagière
du récit, plutôt que de s'interroger
sur les causes du désespoir et de
la laideur sociale.

---

4. Il s'agit en fait d'un recueil de nouvelles.

---

1. Quelle peut être la signification du titre *Le cassé* ?

2. Pourquoi l'auteur a-t-il voulu privilégier le réalisme linguistique ?

3. Montrez que la narration, au premier paragraphe, suggère la montée de l'instinct de
   violence chez Ti-Jean.

4. En quoi le personnage de Ti-Jean semble-t-il pathétique ?

5. On a dit de ce récit que son terrorisme littéraire faisait écho à l'action terroriste du FLQ.
   Commentez.

André Major
(né en 1942)

Comme c'est fatigant de rester à la même place, on finit toujours par avancer.

Fréquemment, les récits d'André Major traduisent la quête d'un ailleurs, où la vie pourrait se modeler sur un sens ; ils disent la nécessité de la recherche, afin de faire surgir les possibles à fleur de réalité. Dans son premier roman, *Le cabochon* (1964), le romancier donne la parole à des marginaux qui viennent témoigner de leur dépossession du réel. Des adolescents y clament leur droit à l'existence et au rêve. Y sont dénoncées les idées reçues, qu'elles relèvent du monde de l'éducation, de la culture ou de la politique. La langue fruste, mais vraie, permet une première prise en charge du pays.

Au plaisir de lire

• *La chair de poule*
• *Le vent du diable*
• *L'épouvantail*

DES DOMESTIQUES MESQUINS

La journée a passé, comme d'habitude ; et Antoine n'a pas encore décidé ce qu'il ferait. La seule chose qui est certaine, c'est qu'il n'appellera pas Lise. Il n'a pas le goût de discuter, ni surtout celui de se justifier. « Je lui écrirai. Pour qu'elle sache au moins que je suis parti... Si je pars... » Partir ou rester,
5 tel est donc son seul et grand problème ce mardi soir du mois d'avril dans sa petite chambre de la rue Ontario à Montréal dans la belle province. Il lui reste quatre piastres et cinquante ; il a dépensé cinquante cennes pour dîner, parce qu'il ne pouvait vraiment pas faire autrement.

C'est le soir, et il écrit. Une lettre d'adieu... « Ma chère Lise... » Non, pas
10 ça. Il rature et prend une autre feuille. « Ma Lise... » Il contemple les mots, les rature. Une autre feuille. « Chère Lise... » Là, c'est bien. Plus simple. « Chère Lise, écrit-il, j'ai hésité longtemps avant de prendre la plume, mais me voilà, puisqu'il le faut bien, en train de t'annoncer la décision que j'ai cru devoir prendre ». Il rature « que j'ai cru devoir prendre », et continue : « que j'ai
15 prise. Tu te demanderas sans doute quel démon me possède et me pousse à agir comme un insensé ; c'est normal, étant donné que pour toi vivre c'est s'adapter à la société. Et que pour moi c'est tout le contraire : je crois, et cette conviction est de plus en plus profonde, que pour s'affirmer et développer son aptitude à la liberté, il est nécessaire de se soustraire aux impératifs et
20 conventions de la société et même de leur opposer un refus absolu. Comment t'expliquer ? Regarde autour de toi : notre misère sociale, notre misère morale, nos chefs... Rien que de la médiocrité. Pas d'hommes libres dans notre pays. Nous n'avons pas d'Histoire, mais une suite de défaites. Menacés et affaiblis, nous n'avons même pas la volonté de résister, la volonté
25 de devenir des hommes. Serons-nous toujours des domestiques mesquins et satisfaits ? Ce sont là, Lise, des questions vitales, et j'aimerais que tu en tiennes compte. Parce que ça te concerne, toi aussi. Tu vas me dire que tu m'aimes, et que je devrais t'aimer simplement, sans histoires, avec mon cœur, en oubliant ce qui se passe autour de moi. M'occuper des Loisirs avec
30 toi, selon toi, ce serait une manière d'échapper à l'égoïsme ; mais justement, ces Loisirs, c'est peut-être une manière de ne pas voir plus loin que la paroisse. Amuser les jeunes quand notre pays n'a même pas les moyens de leur fournir du travail. Quand le gouvernement de notre pays ne nous appartient même pas...
35 Comprends-tu ma colère ? Comprends-tu que je n'aspire pas, moi, à une bonne petite vie tranquille, comme celle que tu me proposes. »

Le cabochon (1964), © Éditions Typo et André Major, 1989.

1. Comment pouvez-vous comprendre qu'Antoine préfère s'expliquer par écrit ?

2. Pourrait-on affirmer qu'Antoine est un idéaliste ?

3. Quel lien voyez-vous entre ce texte et la repossession du pays ?

4. Qualifiez le style. Qu'est-ce qui le distingue de celui de l'extrait précédent ?

5. Les héros d'André Major et de Jacques Renaud vivent-ils le même désespoir ?

UNE NÉVROSE ETHNIQUE

[…] Je suis le symbole fracturé de la révolution du Québec, mais aussi son reflet désordonné et son incarnation suicidaire. Depuis l'âge de quinze ans, je n'ai pas cessé de vouloir un beau suicide : sous la glace enneigée du Lac du Diable, dans l'eau boréale de l'estuaire du Saint-Laurent, dans une
5 chambre de l'hôtel Windsor avec une femme que j'ai aimée, dans l'auto broyée l'autre hiver, dans le flacon de Beta-Chlor 500 mg, dans le lit du Totem, dans les ravins de la Grande-Casse et de Tour d'Aï, dans ma cellule CG19, dans mes mots appris à l'école, dans ma gorge émue, dans ma jugulaire insaisie et jaillissante de sang ! Me suicider partout et sans relâche, c'est là ma
10 mission. En moi, déprimé explosif, toute une nation s'aplatit historiquement et raconte son enfance perdue, par bouffées de mots bégayés et de délires scripturaires et, sous le choc noir de la lucidité, se met soudain à pleurer devant l'immensité du désastre et l'envergure quasi sublime de son échec. Arrive un moment, après deux siècles de conquêtes et 34 ans de tristesse
15 confusionnelle, où l'on n'a plus la force d'aller au-delà de l'abominable vision. Encastré dans les murs de l'Institut et muni d'un dossier de terroriste à phases maniaco-spectrales, je cède au vertige d'écrire mes mémoires et j'entreprends de dresser un procès-verbal précis et minutieux d'un suicide qui n'en finit plus. Vient un temps où la fatigue effrite les projets pourtant
20 irréductibles et où le roman qu'on a commencé d'écrire sans système se dilue dans l'équanitrate. Le salaire du guerrier défait, c'est la dépression. Le salaire de la dépression nationale, c'est mon échec ; c'est mon enfance dans une banquise, c'est aussi les années d'hibernation à Paris et ma chute en ski au fond du Totem dans quatre bras successifs. Le salaire de ma névrose ethnique,
25 c'est l'impact de la monocoque et des feuilles d'acier lancées contre une tonne inébranlable d'obstacle. Désormais, je suis dispensé d'agir de façon cohérente et exempté, une fois pour toutes, de faire un succès de ma vie. Je pourrais, pour peu que j'y consente, finir mes jours dans la torpeur feutrée d'un institut anhistorique, m'asseoir indéfiniment devant dix fenêtres qui
30 déploient devant mes yeux dix portions équaniles d'un pays conquis et attendre le jugement dernier où, étant donné l'expertise psychiatrique et les circonstances atténuantes, je serai sûrement acquitté.

Prochain épisode (1965), © Bibliothèque québécoise, 1995.

---

1. Relevez les figures de style et nommez-les.

2. Quels parallèles le héros de *Prochain épisode* établit-il entre sa propre vie et celle du pays ?

3. Démontrez comment l'écriture d'Hubert Aquin oscille constamment entre le réel et l'onirique, entre la cohérence et l'incohérence.

4. Peut-on affirmer que ce texte est un cri d'amour d'un écrivain pour son pays ?

5. Un pays meurtri ne peut produire que des artistes meurtris. Commentez.

Hubert Aquin
(1929-1977)

Je ne m'accomplirai que dans la catastrophe.

Avec l'écriture baroque de mise en abîme d'Hubert Aquin, la littérature jouxte la réalité. C'est ainsi qu'il affirme, à propos de son roman *Prochain épisode* (1965) : « Ce livre défait me ressemble. Cet amas de feuilles est un produit de l'histoire, fragment inachevé de ce que je suis moi-même et témoignage impur, par conséquent, de la révolution chancelante que je continue d'exprimer, à ma façon, par mon délire institutionnel. Ce livre est cursif et incertain comme je le suis. » Dans cette mise en fiction d'une réalité politique, le romancier, servi par une écriture éminemment personnelle et d'une richesse structurale et symbolique exceptionnelle, dit la difficulté de s'assumer et de s'aimer tant comme individu que comme peuple. D'où le constant report à plus tard – à un « prochain épisode » – de la libération. Le lecteur ne peut qu'être ému par l'aliénation du narrateur, « symbole fracturé de la révolution du Québec », et par sa quête, qui emprunte les techniques du roman d'espionnage.

Au plaisir de lire

- *Trou de mémoire*
- *L'antiphonaire*
- *Neige noire*
- *Blocs erratiques*

Réjean Ducharme
(né en 1941)

Nos horreurs et nos dégoûts ne font qu'empirer le mal qui nous est fait et améliorer le plaisir de ceux qui nous le font.

Avec son regard d'une intelligence implacable, Réjean Ducharme résume le superbe désespoir de qui veut vivre et n'arrive qu'à survivre. Sa prose virtuose décape la réalité, masquée par des couches de compromis et de conventions accumulées depuis l'enfance ; « Devenir adulte, c'est entrer dans le royaume du mal », a-t-il écrit. Pas étonnant alors que ses personnages importants, surtout de jeunes déserteurs sociaux, se situent du côté de la révolte, s'opposant à tout ce qui détruit l'être humain, à toutes les valeurs de la vieille société. Ils cherchent à s'évader de la tragédie du quotidien dans le territoire de la langue, le seul qui donne un sens. Jeux de mots, parodies, pastiches, calembours, constamment les mots jouent avec la langue et la mordent.

La narratrice de *L'avalée des avalés* (1966), Bérénice, fillette amorale et révoltée, mais encore bien plus désespérée d'être mal aimée, laisse ici délirer son imaginaire, demandant aux mots de donner vie à une nouvelle réalité, la seule qui importe. Celui qui occupe ses pensées, Christian, est son frère.

Au plaisir de lire

- *Le nez qui voque*
- *L'Océantume*
- *La fille de Christophe Colomb*
- *L'hiver de force*
- *Les enfantômes*

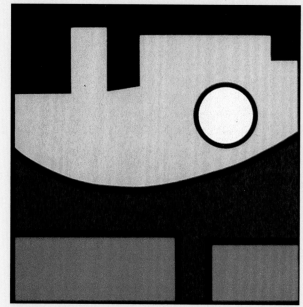

Souffle du désert, Gaston Petit, 1970.
Musée Pierre Boucher.

L'AVALÉE DE L'AVALÉ

Il ne faut pas souffrir. Mais il faut prendre le risque de souffrir beaucoup. Mais j'aime trop les victoires pour ne pas courir après toutes les batailles, pour ne pas risquer de tout perdre. Va te coucher. Vacherie de vacherie !

Cette semaine, être l'amie de Christian est facile, va tout seul, entraîne
5 même. C'est si facile que ça n'en vaut presque pas la peine. Mais plus tard, ce sera dur, épuisant, presque impossible. J'ai des plans. Nous ne nous inspirerons rien, comme deux cailloux. Il faudra que nous nous construisions de l'amitié au fur et à mesure. Nous ne serons amis que par orgueil, que pour la beauté de construire quelque chose, de créer, de mener le bal. Je veux qu'à la
10 longue Christian en vienne à me répugner et à me mépriser. Alors il sera mon ami envers et contre nous. Alors les efforts d'âme que nous déploierons pour rester amis nous feront suer à grosses gouttes, nous feront saigner les yeux, nous brûleront. La vie ne se passe pas sur la terre, mais dans ma tête. La vie est dans ma tête et ma tête est dans la vie. Je suis englobante et
15 englobée. Je suis l'avalée de l'avalé.

Christian a une façon d'aimer qui désarme. Il aime les petites choses, les choses qui n'ont ni force, ni forme, ni poids, ni beauté. Il se penche sur elles et, sous mes yeux, je les vois bientôt rayonner du meilleur de l'homme. Il les fouille, les découvre. Il n'a qu'à les désigner du doigt ou les prendre dans sa
20 main pour qu'aussitôt, sous l'effet de son amour, elles deviennent merveilleuses. Il rendrait un barreau de chaise irrésistible à un boa constrictor.

Quand je suis seule et que je vois courir des araignées sur l'eau du marais, ça ne me fait rien. Quand je suis avec Christian, les araignées emplissent mes yeux comme autant de navires, elles s'allument pour que je les voie et j'ouvre
25 mon regard pour les laisser entrer. Les bouts de jonc qu'il ramasse sont des maisons. Il les ouvre et on voit s'enfuir un insecte, un petit animal, une sorte de minuscule être humain, un rhinocéros pas plus gros qu'une tête d'épingle.

L'avalée des avalés (1966), © Éditions Gallimard.

Étude détaillée

Analyse formelle

LE LEXIQUE

1. Sachant que Christian et Bérénice (la narratrice) sont frère et sœur, donnez le sens du mot *amitié* dans cet extrait.

2. De violents contrastes sont présentés dans cet extrait. Relevez les mots qui participent à ce jeu d'oppositions.

LA NARRATION

1. Qualifiez le style et démontrez son adéquation au propos du texte.
Relevez et classez les figures de style.

2. Relevez un jeu de mots. Donnez la forme attendue et commentez le nouveau sens obtenu.

3. Quelle est la tonalité dominante de ce texte? Quels éléments formels le confirment?

Analyse thématique

1. L'amour est un thème important.
   a) Définissez chacune des façons d'aimer que contient ce texte.
   b) L'amour est-il généreux? Facile?
   c) Que représente Christian pour Bérénice?

2. Une révolte habite la narratrice.
   a) Comment s'exprime cette révolte?
   b) Expliquez la phrase suivante : «Mais il faut prendre le risque de souffrir beaucoup. »
   c) Décrivez l'ambivalence du personnage de Bérénice, qui charme malgré sa démesure.

3. La vie prend des dimensions mystiques.
   a) «Je suis l'avalée de l'avalé. » Expliquez.
   b) Montrez que le thème de la révolte et celui de la vie sont intimement liés.

Préparation à la dissertation critique

1. Prouvez, à l'aide de cet extrait, que ce roman fait bien partie des «récits de la révolte et de la rupture ».

2. L'intérêt de ce texte réside-t-il dans les mots ou dans les personnages?

3. Comparez le deuxième et le troisième paragraphe. Est-ce que Christian est évoqué de la même façon? Donnez trois citations qui appuient votre réponse.

**Marie-Claire Blais
(née en 1939)**

Il me semblait que la malédiction de l'ignorance, non seulement faisait partie de moi, pour m'empêcher d'écrire, mais qu'elle habitait tout le monde insulaire autour de moi.

Le plus grand succès de Marie-Claire Blais, auteure très prolifique qui construit son univers romanesque à partir de la souffrance morale et physique d'adolescents en rupture de ban avec une société étouffante, est sans contredit *Une saison dans la vie d'Emmanuel* (1965), traduit en une quinzaine de langues, dont le chinois. Ce roman noir et touffu se fait le miroir de la société québécoise d'avant la Révolution tranquille. Le personnage de la grand-mère, qui incarne toute la rigidité du passé, domine le récit. Elle est perçue à travers le regard de son petit-fils Emmanuel. L'extrait contient un procédé cher à Marie-Claire Blais, la confrontation : entre vieillesse et jeunesse, dureté et tendresse, réalité et rêve, laideur et beauté... On notera l'usage particulier des parenthèses, qui recèlent le plus souvent des propos d'une dureté sans pareille, implacable.

DES PIEDS COMME DES BÊTES

Les pieds de Grand-Mère Antoinette dominaient la chambre. Ils étaient là, tranquilles et sournois comme deux bêtes couchées, frémissant à peine dans leurs bottines noires, toujours prêts à se lever : c'étaient des pieds meurtris par de longues années de travail aux champs, (lui qui ouvrait les
5 yeux pour la première fois dans la poussière du matin ne les voyait pas encore, il ne connaissait pas encore la blessure secrète à la jambe, sous le bas de laine, la cheville gonflée sous la prison de lacets et de cuir...) des pieds nobles et pieux, (n'allaient-ils pas à l'église chaque matin en l'hiver ?) des pieds vivants qui gravaient pour toujours dans la mémoire de ceux qui les
10 voyaient une seule fois — l'image sombre de l'autorité et de la patience.

Né sans bruit par un matin d'hiver, Emmanuel écoutait la voix de sa grand-mère. Immense, souveraine, elle semblait diriger le monde de son fauteuil. (Ne crie pas, de quoi te plains-tu donc ? Ta mère est retournée à la ferme. Tais-toi jusqu'à ce qu'elle revienne. Ah ! Déjà tu es égoïste et méchant,
15 déjà tu me mets en colère !) Il appela sa mère. (C'est un bien mauvais temps pour naître, nous n'avons jamais été aussi pauvres, une saison dure pour tout le monde, la guerre, la faim, et puis tu es le seizième...) Elle se plaignait à voix basse, elle égrenait un chapelet gris accroché à sa taille. Moi aussi j'ai mes rhumatismes, mais personne n'en parle. Moi aussi, je souffre. Et puis, je
20 déteste les nouveau-nés ; des insectes dans la poussière ! Tu feras comme les autres, tu seras ignorant, cruel et amer... (Tu n'as pas pensé à tous ces ennuis que tu m'apportes, il faut que je pense à tout, ton nom, le baptême...)

Il faisait froid dans la maison. Des visages l'entouraient, des silhouettes apparaissaient. Il les regardait mais ne les reconnaissait pas encore. Grand-
25 Mère Antoinette était si immense qu'il ne la voyait pas en entier. Il avait peur. Il diminuait, il se refermait comme un coquillage. (Assez, dit la vieille femme, regarde autour de toi, ouvre les yeux, je suis là, c'est moi qui commande ici ! Regarde-moi bien, je suis la seule personne digne de la maison. C'est moi qui habite la chambre parfumée, j'ai rangé les savons sous le lit...) Nous
30 aurons beaucoup de temps, dit Grand-Mère, rien ne presse pour aujourd'hui... (Sa grand-mère avait une vaste poitrine, il ne voyait pas ses jambes sous les jupes lourdes mais il les imaginait, bâtons secs, genoux cruels, de quels vêtements étranges avait-elle enveloppé son corps frissonnant de froid ?)

Une saison dans la vie d'Emmanuel (1965), © Marie-Claire Blais.

1. Quel effet la première phrase produit-elle ? Quelle symbolique pourrait-on associer aux pieds ?

2. Aux deuxième et troisième paragraphes, qui s'exprime principalement dans les passages entre parenthèses ? Quelle signification peut-on donner à ces propos ?

3. Relevez les éléments du récit qui évoquent le Québec à l'époque du terroir. Pourquoi ne peut-on pas parler de roman de la terre ?

4. Dans cet extrait, est-il possible de soutenir que c'est la noirceur qui domine ?

Au plaisir de lire

• La belle bête
• Manuscrits de Pauline Archange
• Les nuits de l'Underground
• Soifs

Vécrire

Le soleil aujourd'hui est plus cru encore qu'hier. Un soleil cru qui cuit. Je
ne vois pas comment j'ai pu me passer aussi longtemps d'écrire, je veux dire
je faisais des poèmes bien sûr, mais sans forcer... j'attendais que vienne l'inspiration. Des fois, je patientais trois semaines, c'était de la chasse à l'arc...
5 Noircir ces cahiers, c'est autre chose : ils sont là, ouverts, derrière le poêle, ou
pliés proprement dans la poche de mon veston, ou empilés sur le dessus du
poste de télévision, dans la toilette, au grenier. Ils me suivent, me rattrapent,
me sollicitent, chaque être humain devrait être forcé de remplir des cahiers :
au bout de l'instruction obligatoire, il devrait y avoir l'écriture obligatoire, il
10 y aurait moins de méchancetés, vu qu'on aurait tous le nez dans des cahiers.
C'est peut-être d'ailleurs ce qu'ils appellent l'éducation permanente, une
éducation frisée, comme si on ne passait pas sa vie à s'instruire, à se faire
beau, à dévorer ce qui se présente.

À la radio, il y a Gilles Vigneault qui chante, le cœur dans la gorge, ça lui
15 donne une drôle de voix. Papa chantait mieux que lui, il avait aussi mal au
pays, comme on dit j'ai mal au ventre, je vais prendre un Eno's fruit salt ; je
n'ai pas digéré les Anglais ni les curés, je vais sucer des Tums, ça va passer. Si
ça ne passe pas, je vais dégueuler, renvoyer comme on fait dans la neige, à la
porte des tavernes.

20 Ils avaient probablement tout prévu : dès ma naissance, ils savaient que je
glisserais dans un trou sans demander mon dû, ma joie, ma place. Je ne suis
pas de ceux qui clouent des oiseaux aux érables. Mais j'en ai une folle envie.
Mon frère Jacques a bien tourné : il les amuse. Mon frère Arthur a bien
tourné : il a fait de la charité un système économiquement rentable. Moi
25 aussi, j'ai bien tourné : je suis là au bord de la route, prêt à les nourrir de
mon mieux s'ils daignent s'arrêter, je suis le cuisinier du pays, leur fidèle
serviteur. Mais ça commence à m'ennuyer. Bien sûr, si je faisais fortune je
pourrais m'acheter une automobile et tuer le temps ou quelques passants,
mais au bout d'un réservoir d'essence, qu'est-ce qu'il reste ? Le vide. Tu remplis
30 à nouveau : donnez-moi de l'Esso extra. Toute ta vie tu remplis un réservoir
qui continue de se vider. Un jour, tu dois avoir envie d'aller à pied, et quand
t'es à pied tu peux ruer, t'abandonnes ta *Toronado* sur le bord de la route, tu
te couches dans un champ de chiendent, la tête vers le ciel, tu te dis : celui
qui mérite le plus gros coup de pied au cul c'est celui qui m'a créé. Je veux
35 dire... j'aime mieux vivre aujourd'hui qu'hier. Je pense qu'il n'y a rien de
plus beau qu'une salle de bains jaune vif avec un rideau de douche orange,
des carreaux de céramique jusqu'au plafond, une toilette Crane, la plus
basse, la Royale, un lavabo Impérial avec trois chantepleures chromées, la
baignoire à ras du sol comme une piscine de motel, des serviettes-éponges
40 mauves, épaisses comme plumes de poule, des chandeliers de cuivre, des
prises de courant discrètes pour le rasoir électrique, des lampes à ultra-violet
pour brunir le dos, chauffer les pieds. Il n'y a rien de plus beau qu'une belle
salle de bains dans une belle maison dans une belle rue. Seulement c'est de
se la payer et puis, surtout, c'est la façon de s'en servir qui m'écœure. Tu
45 tournes en rond, garçon, dans le sens des aiguilles. Tu vieillis, tu pourris,
tu... fumier !

Salut Galarneau !, © Éditions du Seuil, 1967, coll. *Points*, 1995.

Jacques Godbout
(né en 1933)

C'est trop facile de s'appuyer sur les autres, un jour on se retrouve devant un champ de béquilles.

Les héros romanesques de la décennie précédente étaient habités
par des questions métaphysiques ;
ceux de la présente décennie, et en
particulier François Galarneau, le
protagoniste de *Salut Galarneau !* [5]
(1967), roman de Jacques Godbout,
découvrent l'importance du langage et de l'écriture, ce qui leur
permet de mieux exprimer leur
révolte contre la société aliénante.
Pour occuper ses loisirs entre deux
fritures, celui qui tient un snack-
bar – le « Roi du hot dog » – dans
un vieil autobus rédige un journal
où il écrit sa vie quotidienne (il
« vécrit »). Cette prise en main de
son identité par l'écriture permet
surtout au narrateur de vivre le
rêve et l'imaginaire, d'imaginer
une vie quotidienne transfigurée
et de naître ainsi à une nouvelle
conscience de soi. Sous sa plume
transparaît un réquisitoire moqueur
contre la société de consommation
ainsi qu'une facette importante
même si longtemps gommée de
notre identité : l'américanité.

---

5. L'auteur a fait vivre un autre épisode
à son héros et donné une suite à
ce roman : *Le temps des Galarneau*
(1993).

Au plaisir de lire

- *L'aquarium*
- *Le couteau sur la table*
- *Les têtes à Papineau*
- *D'Amour P.Q.*

1. Que représente l'écriture pour le narrateur?
2. Quelle métaphore exprime l'absurdité de l'existence?
3. Relevez les jeux de mots : à quel registre appartiennent-ils?
4. De quelle manière Galarneau exprime-t-il son rapport au pays?
5. La route de Galarneau ne mène nulle part ailleurs qu'à soi-même. Commentez.
6. Comparez le désabusement de Galarneau avec celui d'Hubert Aquin (page 167).

La déconstruction du roman

Genre littéraire majeur des années 1970, le roman est en continuité avec la discontinuité amorcée dans la décennie précédente. Qu'il s'agisse du style, du langage ou de la thématique, les frontières du roman éclatent de toutes parts. Déconstruction de l'intrigue linéaire, hétérogénéité des styles et des tons, fusion des genres narratifs, superposition des époques, désaffection à l'égard de l'analyse psychologique, profonde mutation des personnages, tout contribue à clamer la fin des règles canoniques du roman.

Le pays dépaysé Autre particularité de ces romans : si le Québec demeure leur espace privilégié, on assiste cependant à une désertion du thème de la quête du pays. Dorénavant, le référent principal du pays n'est plus l'histoire ni le passé mais un pays de mots et de papier, imaginé ou rêvé par chaque écrivain. Les récits de la révolte et de la rupture ont décrit le pays comme incertain et équivoque; l'écrivain d'aujourd'hui, conscient d'habiter un pays improbable, un pays littéralement dépaysé, en propose sa propre vision, dont la réalité est confinée dans l'écriture de chacun. Un pays qui n'existe que le temps de l'écriture et de la lecture, dans un territoire subjectif où se rencontrent la vision personnelle du romancier et celle du lecteur. Ces récits sont le plus souvent sombres et désespérés.

Les romans au féminin Les romans au féminin reflètent la mutation sociale effectuée grâce à l'idéologie féministe. Ces œuvres originales et intuitives permettent l'émergence d'une nouvelle subjectivité féminine, d'un nouveau regard féminin sur soi et sur le monde, d'une imagerie différente de celle des hommes. Tournés vers l'être qui agit plutôt que vers le monde sur lequel on agit, ces êtres de chair qui décrivent leur corps désirant, mais aussi leur corps menacé, mettent à contribution toutes les ressources de l'écriture. Avides de décliner l'univers au féminin, elles reconquièrent

une langue qui s'est toujours écrite au masculin; le ton et le rythme, des éléments primordiaux ici, amènent fréquemment la déroute de la syntaxe; laissant exprimer les multiples voix en soi, elles transgressent les genres littéraires, fusionnant roman, poème, récit, essai, journal quotidien et autobiographie. Ces créatrices de la vie expriment ainsi son foisonnement.

Les romans de la marge Cette époque qui voit l'éclatement généralisé des modèles culturels cultive les fuites de toutes sortes, projections en avant comme dans le passé. Ce qui permet à la littérature des marges, telle une vaste contre-culture, d'acquérir une honorabilité aux dépens de la littérature classique et dominante. C'est l'occasion d'un retour en force du fantastique, avec des thèmes complètement renouvelés, de la naissance de la science-fiction québécoise, du roman policier et du récit parodique, autant de moyens qui permettent de dénoncer les formes traditionnelles de l'aliénation et de dire la déroute du temps présent.

Le renouvellement de la forme romanesque On assiste donc à une véritable mutation du genre romanesque. Le roman nouveau peut aussi bien prendre l'aspect d'un conte, d'une longue lettre, d'un journal personnel qu'amalgamer tout ensemble roman, poème et conte. Le recours à l'intertextualité y est répandu, qui permet au roman de se faire biographie, autobiographie ou critique littéraire ou psychanalytique. Cette appropriation de l'œuvre d'un autre que permet l'intertextualité rappelle que tout texte s'élabore dans le sillage des écrits qui l'ont précédé. La narration, fréquemment à la première personne du singulier, peut être l'occasion, pour le romancier, de laisser la parole à un de ses doubles, un personnage d'écrivain lui aussi en situation d'écriture. Dans ce processus d'autoreprésentation, l'auteur devient le premier de ses personnages, son propre narrateur. Ce dernier s'exprime au moyen d'un « je » multiforme, situé tantôt dans la mémoire, tantôt dans le présent, prenant parfois les contours de l'imaginaire et à d'autres moments ceux du réel. Le roman a cessé d'être une habile construction de la raison pour se faire la voix de l'inconscient.

Comme en poésie, il est possible de parler ici de « l'aventure textuelle », où il importe de brouiller les pistes de l'ancienne lisibilité. Certains romanciers font de l'écriture elle-même l'origine et le but du texte. Ces recherches formelles confient au travail sur la langue le rôle autrefois dévolu à l'intrigue, l'aventure de l'écriture prenant la place des péripéties et aventures des romans de naguère. On trouve généralement dans ces récits multiformes une pluralité de voix narratrices, symbole de l'éclatement de l'autorité du narrateur, une narration fragmentée, un humour propre à désamorcer le sérieux du récit — et du réel —, la suppression de la syntaxe traditionnelle et une ponctuation libéralisée, sans oublier un ton pouvant allier le lyrisme et la bouffonnerie.

Le renouvellement de la langue romanesque Cette transformation du roman s'accompagne du renouvellement de la langue romanesque, qui emprunte beaucoup à l'oralité. Alors qu'hier encore on opposait la langue québécoise à la norme parisienne, la langue écrite et savante à la langue orale, voici que le français québécois cesse de se questionner pour s'affirmer et s'imposer. La nouvelle langue romanesque, en prise directe sur la réalité quotidienne, se ressource à la parole de ses personnages, au point de procéder à une fusion entre la langue parlée et les passages narrés. Il importe maintenant de parler comme tout le monde pour suggérer à tout le monde de prendre possession de sa parole et de s'assumer. Avec humour et impertinence, la langue des romanciers se fait donc délinquante, usant abondamment d'expressions du terroir et de mots anglais, se jouant des codes et des puristes.

Image et verbe,
Irène Chiasson, 1966.
Collection privée.

Yolande Villemaire
(née en 1949)

L'âme collective de notre peuple bat à tout rompre dans notre propre cœur, car le peuple tout entier est dans l'individu, l'arbre dans ses feuilles et toute l'humanité dans un seul être humain.

L'œuvre de Yolande Villemaire est aussi abondante que diverse : poésie, roman policier, romans initiatiques, écriture radiophonique, etc. C'est son roman *La vie en prose* (1980) qui la fit véritablement connaître du public. Ce récit, joyeux et passionné, nourri des événements prosaïques du quotidien, tente d'abolir la distinction entre l'élaboration d'une œuvre et son résultat, entre le pré-texte et le texte. Ce qui vaut une synthèse fictive du processus de l'écriture, où le roman semble une réalité parallèle. C'est écrire la vie pour la vivre ou vivre la vie en l'écrivant. Pas étonnant que l'écriture porte les marques de l'oralité.

Au plaisir de lire

• *Meurtres à blanc*
• *La constellation du cygne*
• *Le Dieu dansant*

JE SUIS RENDUE À LA PAGE CENT

Je suis rendue à la page cent. Ça commence à avoir l'air d'un roman quand t'es rendue à la page cent ! Leila, qu'est-ce que tu veux encore ? Pourquoi est-ce que tu brailles tout le temps, hein, ma belle minoune lilas ? T'aimes pas ça le bruit du dactylo hein ?

5 Le téléphone sonne. C'est Solange. Elle dit qu'elle a peur. Je dis : ben non Solange, c'est pas dangereux. C'est-tu comme l'autre fois ? Elle dit que non non, c'est pas ça. Que c'est moins pire que ça mais qu'a sait pas trop quoi faire. Je dis que y a rien à faire, qu'il faut juste pas avoir peur. Qu'elle a bien fait de me téléphoner.

10 Elle dit : non, tu comprends pas. C'est parce qu'y a quelqu'un ici qui me fait peur. Je dis : qui ça ? A dit : tu le connais pas. Y s'appelle Bryan. Y est ben le fun, mais c'est un fou. Je dis : c'est fini avec ton jumeau comme ça ? Solange dit : je sais pas, j'aime mieux pas y penser, je comprends pus rien. Je lui demande de quoi elle a peur. Elle dit que ben là, y est tranquille, mais que

15 tout à l'heure y s'est fait attaquer par les soleils pis que ça y a fait peur. Je dis : comment ça « attaqué par les soleils » ? Elle dit : ben, je sais pas. C'est peut-être à cause des électro-chocs. Y dit qu'y en a eu pendant quatre ans. Je demande : y a quel âge ce gars-là ? Solange dit : vingt-deux ans. Je dis : ouen, tu te spécialises dans les petits jeunes ma vieille ! Solange dit : arrête donc, j'ai rien

20 que vingt-six ans, c'est pas si vieux que ça. Je dis : écoute, tu penses pas que tu pourrais le mettre à porte si y te fait peur tant que ça ? Solange dit : ben, y est deux heures du matin... Je dis, pis ? Elle dit : ben, c'est parce qu'il reste nulle part, chus quand même pas pour le mettre à porte pendant une tempête de neige ! Je dis : comment ça « y reste nulle part » ?

25 Solange dit qu'elle n'a pas trop compris, parce qu'a comprend pas la moitié de ce qu'il dit ; mais qu'elle en a déduit qu'il vit dans la rue, que c'est une sorte de clochard. Je demande : pis, où est-ce que t'as pêché ça cet agrèslà ? Elle dit : à la Place Desjardins.

La vie en prose (1980), © Les Herbes rouges et Yolande Villemaire, 1980, © Éditions Typo, 1993.

1. Quel niveau de langue est utilisé ?

2. Relevez les marques de la langue orale.

3. Montrez que l'auteure veut donner l'impression que son roman s'écrit spontanément, au hasard des circonstances.

4. Comment l'auteure transcrit-elle les dialogues ? Quelle convention est éliminée ?

5. Que pensez-vous de cette approche romanesque ?

LA GOUTTE DE SANG A GERMÉ

Depuis une semaine, le téléphone sonne peu. J'en profite pour écrire. Le roman Trestler allonge. J'en jette des bouts et je recommence, tandis que Catherine court dans les herbes et les ajoncs, sa robe me faisant signe à distance comme une trace à saisir malgré les mots qui se refusent. À ne pas
5 servir, la langue s'affadit. Le corps trahi par la bouche, c'est la première des inexactitudes.

Je consulte souvent le dictionnaire afin de trouver l'expression juste. Ce souci m'importe d'autant plus que Catherine n'est pas née du sexe de ses parents. Elle est une création de mon esprit. Elle est n'importe quelle phrase
10 à qui je peux faire dire n'importe quoi. Bientôt elle prendra corps et vivra des hasards qui l'ont tirée de l'oubli. L'émigration de son père en terre québécoise, l'achat de la maison Trestler par Benjamin et Eva, le reportage d'un magazine, la curiosité portée à la visite de Monsieur B.

Quinze jours plus tard, je retourne à la maison Trestler comme on revient
15 sur les lieux du crime. La goutte de sang recueillie dans mon rêve a germé. Ma taille n'a pas bougé, mais Catherine mûrit dans mes flancs et ma tête. Portant jour et nuit l'enfant de ma chair et de mes mots, je vis une grossesse de rêve pour laquelle je me cherche des témoins.

À peine entrée, je dépose les deux premiers chapitres du roman Trestler
20 sur la table de la cuisine, mais Eva y jette à peine un coup d'œil. Cette gestation me concerne. Lorsque j'essaie de reconstituer la vie et les traits de Catherine Trestler à partir des indices fournis par les actes notariés du père, l'essentiel m'échappe toujours. Son visage, sa démarche, sa voix, la couleur de ses yeux et de ses cheveux me sont toujours un mystère. Eva me ramène sur terre
25 chaque fois que je m'emballe à propos d'une hypothèse farfelue. Ma méfiance à l'égard des dates et de la chronique la scandalise. Elle ne sait pas que les écrivains mentent pour mieux dire la vérité. Elle ne sait pas que les mots trahissent le réel aussi sûrement que le réel trahit les mots et les chiffres.

Elle ignore également les motifs qui m'ont conduite à prendre parti pour
30 Catherine. J'ai aussi des comptes à régler avec mon père, ma famille, et une famille qui ne s'arrête pas à la troisième ou quatrième génération. Quand je porte des douleurs vieilles de trois siècles, je deviens dangereuse. Quand je suis malade de l'Amérique, je cherche des coupables. […]

Ma colère de trois cents ans se réveille. Ça ne se passera pas comme ça. Je
35 les tiens responsables d'avoir fondé une colonie. Ouvrir un pays, c'est comme accoucher, on ne peut fermer les yeux ensuite et dire merci, c'est terminé. Eva se défend, les défend. Elle précise que dans ce cas-ci il s'agissait d'une paternité, non d'une maternité. Une mère a de la tendresse pour ses petits. Elle les aime, les protège, mais l'enfant doit quand même s'autonomiser. Et puis,
40 l'administration d'un pays, ce n'est pas une affaire de cœur.

Le corps épanoui d'Eva avoue des maternités heureuses, des relevailles parfaites. Mais nous ne sommes pas les enfants comblés dont elle parle. Nous sommes des bâtards du Nouveau Monde en transit entre deux continents. « Ni Français, ni Canadiens, ni Américains, mais alors quoi ? » — « Québécois, et ça
45 suffit. » — « Kébé quoi ? » — « Qué-bé-cois, c'est ça oui, ça vient de Québec, mot de deux syllabes qui signifie, en Indien, une ville haut perchée. »

Trois siècles d'absence, et nous épelons le mot qué-bé-cois à tout venant, comme si les vertus de la répétition pouvaient nous conférer l'existence. Eva, écoute-moi bien, nous nous racontons des histoires de femme. Nous bar-
50 bouillons d'encre blanche des archives invisibles, mais ce n'est pas nous qui faisons les lois, les guerres, les gouvernements.

La maison Trestler ou le 8e jour d'Amérique (1984), © Madeleine Ouellette-Michalska.

Madeleine Ouellette-Michalska (née en 1930)

J'écris comme on pose un geste heureux. Comme on lance dans l'espace soudain touffu, soudain gorgé d'odeurs, un regard détaché de la nécessité.

Poète, essayiste, critique littéraire et romancière, Madeleine Ouellette-Michalska a écrit un remarquable roman à caractère historique, dont la trame est centrée sur la maison Trestler, qui existe encore à Dorion, et ceux qui l'habitèrent au XIXe siècle. Constant va-et-vient entre le passé et le présent, ce récit à la forme éclatée laisse la parole à la narratrice et à Catherine Trestler, une ancienne occupante de la maison, deux femmes qui partagent les mêmes angoisses et la même féminité malgré les distances temporelles. *La maison Trestler ou le 8e jour d'Amérique* (1984) tente de subvertir l'Histoire et de réécrire la littérature. Les valeurs de *Maria Chapdelaine* sont décidément bien périmées.

Au plaisir de lire

• *La femme de sable*
• *L'échappée du discours de l'œil*
• *L'amour de la carte postale*

1. À quelles difficultés la narratrice doit-elle faire face ?

2. Quel rapport unit Catherine à l'auteure ?

3. Commentez : « Les écrivains mentent pour mieux dire la vérité. »

4. Tentez de trouver, dans la narration, le point de vue qui se veut autobiographique et celui relevant uniquement de la fiction.

5. Quel rôle, relié à la transgression, est attribué à l'écriture ?

Sous-bois, Joseph Giunta, 1969.

CETTE PRODIGIEUSE IMPOSSIBILITÉ

Dans mon petit pays, ce qui ne cesse pas de venir mais n'arrive jamais, tout ce qui se refuse à n'être que québécois comme, en Melville, tout ce qui se refusait à n'être qu'américain. Par ma race, je suis en retard. Par ma race, je suis cette course désespérée vers ce qui, partout ailleurs, a été aboli. Je suis
5 finitude avant même que de commencer — cette prodigieuse impossibilité qui m'a tant fasciné chez Melville parce que, tout simplement, elle se trouve à être inscrite en moi, depuis les commencements équivoques de mon pays. Toute écriture n'est rien de plus que de la mort. Mort de soi-même parce que mort de toutes les images de soi-même. Mort de tout avenir linéaire
10 parce que mort de tout ce qui en moi me possède. Bientôt, je le sens, il ne restera plus rien — plus de Melville. Toute lecture est abandon et par cela même je suis vaincu, à la limite de ma désastreuse schizophrénie. Ce que je cherche en Melville, c'est ce que je ne trouve pas en moi, c'est cette vie pitoyable, c'est cet échec fabuleux. Mais moi je n'ai jamais commencé. Mais moi
15 je suis comme mon pays, je suis la demi-mesure même de mon pays — un grand fleuve pollué marchant vers sa mort de fleuve. Même si le fleuve devait continuer, ce ne serait plus ce fleuve auquel je pense, et qui m'habite comme ce n'est pas possible, qui me boxe et me laisse étrangement mou, sans possibilité de défense. Je sombre et je n'arrive plus à nager. Je sombre et
20 ce ne sera toujours que cela, une chute sans fin dans les eaux du non-être : il n'y a ni temps ni espace québécois, que de la présence américaine, ce par quoi je suis annihilé, ce par quoi je suis bâillonné, et ligoté, et torturé. Américain mais sans l'Amérique, consommateur mais sans capital, esclave de l'Empire et sans d'autres armes que ce pitoyable livre pour me continuer
25 dans ma pâle énergie.

Monsieur Melville 3. L'après Moby-Dick ou la souveraine poésie, © Victor-Lévy Beaulieu, 1978.

1. Décrivez le procédé d'intertextualité.

2. Commentez la syntaxe de la première phrase. Quel effet produit-elle ?

3. Analysez le lyrisme du narrateur.

4. Quelle est la tonalité dominante ?

5. Comment l'auteur décrit-il le paradoxe qu'est l'existence du Québec en Amérique ?

6. Comparez cet extrait avec celui d'Hubert Aquin (page 167). L'absence de pays génère-t-elle les mêmes sentiments et s'exprime-t-elle avec les mêmes mots ?

Victor-Lévy Beaulieu (né en 1945)

Quand il ne reste plus rien, il reste toujours le langage.

Déjà apparenté à Louis Fréchette et à Jacques Ferron, Victor-Lévy Beaulieu s'est trouvé un frère jumeau en la personne de l'Américain Herman Melville. Cette lumineuse rencontre entre Beaulieu et Melville nous vaut le très beau *Monsieur Melville* (1978), roman hybride en trois tomes où fusionnent, dans un somptueux délire, le récit, la biographie, l'autobiographie, la chronique, la critique et l'essai. Roman de l'intertextualité au baroque exacerbé où la réalité se dérobe dans la fiction pendant que le fictif se pare des atours du réel. Comme toujours chez Victor-Lévy Beaulieu, le roman se fait prodigieuse aventure du langage, où le lyrisme devient un fil conducteur avec lequel l'auteur tente d'arrimer au réel un pays défaillant, peu vraisemblable et en dérive.

Au plaisir de lire

- *Race de monde*
- *Les grands-pères*
- *Jack Kérouac*
- *L'héritage*

Michel Tremblay
(né en 1942)

Quand j'ai commencé à lire, ça m'énervait que les gens parlent la même langue que le narrateur. Je veux que l'œil entende, que le lecteur fasse la différence, qu'il entende un parfum différent de celui du narrateur.

Après avoir connu la célébrité au théâtre, Michel Tremblay, devenu personnage public et consacré écrivain « superstar », effectue un voyage romanesque à rebours dans le passé des personnages de ses pièces. Et la réussite est tout aussi phénoménale. À l'aide de sa mémoire, mais bien davantage de la mémoire collective, avec sensibilité et inventivité il parvient à mettre le passé sur le chantier du présent. Le lieu privilégié du souvenir est le Plateau Mont-Royal, sorte de gros village dont Montréal serait la banlieue. Michel Tremblay a de plus fixé un des aspects du roman des années 1970 en faisant une large place à l'oralité, ce qui a définitivement légitimé le langage populaire québécois. La parole, qui prend une dimension ludique, intègre les dialogues aux passages narratifs, ce qui diminue l'écart entre le niveau de langue du narrateur et celui des personnages.

Dans ce tableau du deuxième roman des chroniques du Plateau Mont-Royal, retenons le souci du détail et le réalisme de la langue.

J'ARAIS JAMAIS OSÉ RÊVER ÇA

« La Sainte Vierge ! Toé ? » Rita Guérin retira du feu la poêlée de baloney qu'elle était en train de faire rissoler — un des mets favoris de Pierrette : le baloney en petits chapeaux — et s'essuya la figure avec son tablier. « Comment ça, la Sainte Vierge ! » Pierrette était appuyée contre le chambranle de la porte, rose d'émotion. « Ben oui... J'ai dû arriver la première en
5 religion ou quequ'chose, mais en tout cas j'ai été élue Sainte Vierge pour c't'année ! » « Pour la parade ? » « C'est pas une parade, moman, c'est une procession ! Pis tu sais ben que la Sainte Vierge, a' reste dans le parterre tout le temps... » Rita Guérin s'était approchée de sa fille qu'elle n'osait pas toucher tant elle était impressionnée. « Ma p'tite fille qui va faire la Sainte Vierge !
10 J'arais jamais osé rêver ça ! Faut que j'appelle les autres ! » « Tu les appelleras plus tard, moman, j'ai faim ! » Rita Guérin se tourna brusquement vers son poêle. « Mon Dieu ! La Sainte Vierge va t'être pognée pour manger du béloney ! Ça l'a pas de bon sens ! Veux-tu du jambon ? Y m'en reste... Veux-tu que j'te fasse cuire du steak haché ? Hon... j'en n'ai pas ! » Pierrette furetait
15 maintenant autour du poêle de fonte. « Des p'tits chapeaux c'est parfait, moman ; tu sais comment c'que j'aime ça ! » Rita remit la poêle sur le feu. « C'est vrai qu'avec des p'tites patates pilées c'est pas bête... » Pierrette s'empara d'un bout de carotte qu'elle trouva au fond de l'égouttoir. « La sœur, a' te fait dire de me laver les cheveux, aussi... A' dit qu'y sont raides comme un
20 nid d'oiseau... » Rita Guérin esquissa un geste d'impatience. « Est ben bête, c'te sœur-là ! » « Est pas bête, moman, a' m'a élue Sainte Vierge ! » « Sainte Vierge tant que tu voudras, a' l'a pas d'affaire à me dire quand c'est laver la tête de mes enfants ! Chus pas une cochonne, j'le sais quand laver la tête de
25 mes enfants ! » « Pompe-toé pas, là, moman... »

Thérèse et Pierrette à l'école des Saints-Anges (1980), © Leméac.

1. Quelle réplique ramène Rita Guérin à la réalité ? Étudiez le changement de ton.
2. Comparez la langue utilisée pour la narration avec la langue des dialogues.
3. Comment l'auteur traduit-il la misère morale du personnage de la mère ?
4. Étudiez l'humour de cet extrait. Qu'est-ce qui provoque le rire ?
5. Peut-on dire que les personnages de Rita et de Pierrette sont également porteurs de l'aspect humoristique du texte ?
6. Quelle semble être l'intention de l'auteur ?

Au plaisir de lire

- *Contes pour buveurs attardés*
- *La grosse femme d'à côté est enceinte*
- *Le cœur découvert*
- *Douze coups de théâtre*

Le théâtre

À l'instar des autres genres littéraires, le théâtre, qui connaît un essor remarquable, participe à la remise en question générale qui secoue toutes les couches de la société. Stimulé par le rythme rapide des changements, il fait d'abord siennes les préoccupations identitaires collectives de la société, avant d'éclater bientôt dans toutes les directions.

Le théâtre en service national

Étant de par sa forme même un outil privilégié de contestation, le théâtre poursuit en l'amplifiant la dénonciation de la famille[6], courroie de transmission de tous les conservatismes. La famille apparaît comme la pire entrave à l'épanouissement collectif, de plus en plus présent comme toile de fond. Dès lors, les préoccupations sociales des dramaturges se font plus prononcées : démasquer l'imposture de la famille, c'est lutter contre tous les abus de pouvoir,

c'est dénoncer une conception de l'amour qui s'appelle bien plutôt dépendance, c'est condamner un héritage de peur et de résignation qui mène à l'impuissance.

Après avoir dénoncé ce qui semble le dépositaire de la source de toutes les aliénations, certains dramaturges se donnent comme rôle de faire évoluer la société et invitent à faire des gestes concrets pour arriver à s'assumer individuellement, condition indispensable pour parvenir à une conscience collective, voire nationale. Françoise Loranger excelle en ce domaine : ses pièces servent le plus souvent d'exorcisme à la peur qui nous tenaille depuis la petite enfance, legs transmis et amplifié génération après génération. D'autres auteurs, nombreux, font revivre certaines pages de notre histoire, question d'établir un nouveau pacte entre le passé et le présent. Certains arrivent même à mettre en scène les deux grandes options politiques qui divisent notre société, les partisans d'un pays québécois à construire et les tenants d'un pouvoir fédéral fort. Tous les moyens sont donc mis en branle pour susciter le sentiment d'appartenance.

---

6. Ce thème était déjà présent dans *Tit-Coq* et *Un simple soldat*.

Représentation de la pièce *Les belles-sœurs* de Michel Tremblay en 1968.
Archives du Théâtre du Rideau Vert.

Françoise Loranger
(1913-1995)

La vie deviendrait vite odieuse s'il fallait se charger de la détresse des autres.

La recherche de l'identité personnelle en même temps que nationale est au cœur de la dizaine de pièces de théâtre écrites par Françoise Loranger au cours des années 1960. Ainsi, *Double jeu* (1969), pièce audacieuse pour l'époque qui défraya la chronique judiciaire, s'adresse expressément à « la génération sacrifiée, celle qui n'a jamais rien reçu et qui ne savait même pas demander ». L'extrait laisse la parole à « l'arpenteur », un des cinq personnages importants de ce psychodrame, qui tente de faire prendre conscience à « la jeune fille », le personnage central, que le pays n'est aucunement une notion abstraite.

Au plaisir de lire

• *Une maison... Un jour...*
• *Encore cinq minutes* suivi de *Un cri qui vient de loin*
• *Le chemin du Roy*
• *Médium saignant*

TU ES LE PAYS

L'ARPENTEUR

Ce pays je le connais dans toutes ses dimensions ! Cette rive et l'autre, et toutes les forêts et les rivières et tous les villages et toutes les villes. Pas un coin que je n'aie exploré, arpenté, prospecté, sondé, fouillé ! Pas une seule de
5 ses richesses ou de ses misères qui me soit inconnue. J'ai découvert des mines dont personne ne soupçonnait l'existence. Je sais même un endroit où le fer jaillit du roc presqu'à l'état pur. Une montagne de fer.

Par ailleurs, j'ai vu... J'ai vu des villages croupir dans l'ignorance et la pauvreté, j'ai vu des familles entières lutter à cœur d'années, même pas pour
10 vivre, mais pour survivre. Pour survivre, dans ce pays si riche ! Oui, ce pays, je le connais. Assumer ce pays est aussi difficile que de s'assumer soi-même.

LA JEUNE FILLE

Je ne sais pas de quoi tu parles...

L'ARPENTEUR
15 Hé ! Non, tu ne le sais pas...

Vous êtes des milliers à ne pas le savoir et tout le problème est là ! C'est de toi que je parle !

LA JEUNE FILLE

De moi ?

20 L'ARPENTEUR

Oui, de toi ! Oui, réveille-toi ! Ce pays, c'est toi, qu'est-ce que tu attends pour t'en apercevoir ? C'est toi, c'est moi, tes frères, ta famille... la mienne !... Aussi les milliers d'Indiens qu'on a parqués dans des réserves. Je parle de l'air que tu respires, de la terre qui te porte, de la rivière que tu viens de traverser, des
25 chansons que tu chantes, de la langue que tu parles, d'une certaine façon d'être qui ne se retrouve nulle part ailleurs dans le monde... Je te parle de ce qui est la réalité, je te parle de toi !

Double jeu (1969), © Leméac.

1. Dans sa première réplique, l'arpenteur décrit une situation absurde : laquelle ?
2. Quel effet les énumérations produisent-elles ?
3. Quelle phrase pourrait à elle seule résumer le problème identitaire de ces personnages ?
4. Montrez la portée symbolique de la profession d'arpenteur.
5. Qu'est-ce qui est le plus important aux yeux de l'arpenteur ? L'individu ou le pays ?

Mort triomphale de Chénier

MITHRIDATE. Les vitraux s'étaient mis à bouger et les saints à danser. De la voûte, des piliers, de la cascade des jubés rouges, l'illumination convergeait vers le chœur.

FRANÇOIS. Hé ! Tu mets les voiles, grand-père !

5 MITHRIDATE. Comme un tison qui s'entoure de ses cendres, l'église se concentrait sur elle-même. L'ostensoir comme un grand soleil, Dieu dans la fleur des sauvages.

FRANÇOIS. (*debout sur son banc*) Cependant, au-dehors, une épaisse fumée obscurcissait l'église. La cérémonie s'achevait, les saints ont cassé le vitrail et
10 les patriotes, à la file indienne, se sont mis à sauter par la fenêtre, du côté du cimetière.

MITHRIDATE. Chénier est sorti le dernier. Quand il s'est relevé, il a retombé ; il avait la cheville brisée. Alors, il s'est agenouillé, il a épaulé son fusil, cent coups partirent avant le sien.

15 FRANÇOIS. Tu nous avais dit : « prenez votre temps, visez bien, ne manquez pas votre coup ».

MITHRIDATE. Il ne le manqua pas : il mourut en criant : Vive la liberté !

FRANÇOIS. La belle légende !

MITHRIDATE. Elle s'empara de son pauvre corps, criblé de balles. C'est le
20 grand cérémonial qui commençait. Écoute, petit, le cochon des avents qu'on égorge. On ouvrit le corps de Chénier : le cœur on lui arracha pour le mettre au bout d'un bâton.

FRANÇOIS. J'imagine que les Chinois, ils s'en racontent, eux aussi, des choses invraisemblables sur les morts de la pagode.

25 MITHRIDATE. La vérité est qu'il n'y a pas de bombe si rapide qu'elle empêche de parler ceux qu'elle tue. Le peuple, qui s'est conçu dans ce cérémonial, attend désormais son heure. Étrange destinée et suprême honneur, c'est le premier peuple blanc qui cède au métissage et se lève avec le Tiers-Monde ! Voilà des siècles que la force cherchait à s'imposer à la faiblesse : elle a obtenu
30 pour résultat que le faible s'impose au fort. Le général Colborne marchait à la défaite. C'est Chénier qui triomphe et avec lui le Fils contre le Père. Petit, enlève ton battle dress : c'est la livrée de Barabas.

Théâtre 1, © Éditions de l'Hexagone et succession Jacques Ferron, 1990.

Jacques Ferron
(1921-1985)

*L'âge est un simulacre.
Au plus profond de
soi, il n'y a de vif
et de vrai que son
enfance et sa jeunesse.*

Pour Jacques Ferron, la date capitale de notre histoire nationale n'est pas 1760 mais 1838, année de la défaite des Patriotes, qui mit en berne tous nos espoirs. Dans *Les grands soleils* (1958), un « grand cérémonial » qui confond le Saint-Eustache de 1838 et le parc Viger de la fin des années 1950, le dramaturge évoque, en l'actualisant, le glorieux épisode de Chénier qui signa la fin de la rébellion. La défaite d'hier y porte le germe d'une victoire future. Dans l'extrait, Mithridate, un poète populaire, rappelle au jeune François Poutré, mercenaire revenu depuis peu de la Corée, la fin sanglante de la bataille de Saint-Eustache.

Au plaisir de lire
• *Théâtre II*

---

1. Comparez les niveaux de langue et la psychologie des deux personnages.

2. Relevez les images, groupez-les et commentez-les.

3. Comment lumière et obscurité s'opposent-elles dans les premières répliques ?

4. Expliquez : « Le peuple, qui s'est conçu dans ce cérémonial. »

5. Qu'ont en commun De Lorimier (page 28) et Chénier ?

Jean-Claude Germain
(né en 1939)

*On fait le meilleur
théâtre québécois
au monde.*

Auteur prolifique, metteur en scène, directeur et animateur de troupes, conteur et historien populaire, Jean-Claude Germain se sert du théâtre comme d'un exorcisme. Il n'hésite pas à réécrire l'histoire avec pittoresque, le rire servant de moyen de distanciation à l'égard de l'aliénation du passé. Dans la « grande gigue épique » qu'est *Un pays dont la devise est je m'oublie* (1976), l'auteur tourne en dérision le mercantilisme de la religion. L'extrait met en scène le curé d'une paroisse et « le monsignor », émissaire de l'évêque.

Au plaisir de lire

- *Diguidi, diguidi, ha ! ha ! ha !*
- *Mamours et Conjugat. Scènes de la vie amoureuse québécoise*
- *A Canadian Play / Une plaie canadienne*
- *Les nuits de l'Indiva. Une mascapade*
- *Le roi des mises à bas prix*
- *Les hauts et les bas dla vie d'une diva : ...*

ÉGLISE ET SEX-APPEAL

*le Monsignor fait un sourire pincé, referme le livre des
comptes de la fabrique et laisse échapper un long soupir*

LE MONSIGNOR. Ouais !... Ouais, ben, le bon vieux temps, c'est fini ! J'y peux rien mais... mais y va falloir prendre les mesures qui s'imposent... pour rendre
5 l'opération REN-TA-BLE !

*il se tourne vers le curé dparoisse qui l'écoute avec un air
d'innocence amusée et incrédule*

Y FAUT CHANGER, MONSIEUR LCURÉ !...Pis squ'y faut changer... çé NOTTE IMAGE !

*d'un geste qui englobe toute la scène, il désigne l'église où
10 ils se trouvent*

Parce que pour la clientèle...L'IMAGE... çé squi compte ! Ça peut représenter 50 pour 100 de l'achalandage !

LE CURÉ DPAROISSE. Ah bon ! Mais... eh... ça va garder lmême nom ?

LE MONSIGNOR. La paroisse ?

15 LE CURÉ DPAROISSE. Non, non... jveux dire l'édifice ici... ça va toujours s'appler une église ?

LE MONSIGNOR. On s'est posé la question... au Co-mi-té... parsque pour ête franc avec vous... de nos jours... É-G-L-I-S-E... ça manque un peu de...

*il jette un coup d'œil vers ce qu'on présume être les murs
20 et la décoration intérieure de l'église*

... ça manque définitivement de sexxe-appille... À côté dla génération Pepsi, la génération Paul Sisse... ça fait pas lpoids !

*à l'instar d'un gérant des ventes qui s'apprête à démolir
les idées reçues de ses vendeurs, il fait un temps*

25 Monsieur lcuré, chsais pas si vous avez djà pris conscience de l'ampleur de notte problème !

LE CURÉ DPAROISSE. Sûrement pas !

LE MONSIGNOR. On a un produit à vendre ! LE CIEL !... Pis on l'offre à nos clients ! LES FIDÈLES !... Jusques là ! Ça va ! On est COM-PÉ-TI-TIFS !... Mais
30 après... on dmande à nos clients... LES FIDÈLES... de payer cash un produit... LE CIEL... dont on peut pas leu-z-assurer la livraison... ni même leu garantir que lproduit E-X-I-S-S-E !

*avant de conclure par un effet bœuf, il s'arrête un instant
pour ménager sa chute*

35 Çé pas... travel now, pay later ça... ni même... pay now, travel later !... CÉ PAY NOW... IN CASE... YOU TRAVEL ! Payez tou-suitte AU CAS où vous auriez à voyager !

*l'œil ironique, le curé dparoisse joue à être plus naïf qu'il
ne l'est*

LE CURÉ DPAROISSE. Dans ltemps... y-z-applaient ça... la foi ?

40 *appréciant fort peu d'être rappelé à l'ordre théologique,
le Monsignor répond sur un ton glacial*

LE MONSIGNOR. Ben y dvaient êtte des meilleurs vendeurs que nous-z-auttes, monsieur lcuré ! Pis lsecret s'est pardu !

Un pays dont la devise est je m'oublie (1976), © Jean-Claude Germain.

1. En quoi le langage est-il anachronique ?

2. Relevez les mots du vocabulaire du commerce et montrez leur portée satirique.

3. Montrez que les entorses à la langue écrite dépassent ici la simple transcription de l'oralité. Quel pourrait être le but recherché par l'auteur ?

4. Comparez les répliques du curé et du monsignor : quelle partie du clergé est surtout critiquée ?

Et du Très-Haut il te regarde sans relâche, Normand Hudon, 1981.

Un théâtre qui s'éclate

En même temps que la poésie et le roman, le théâtre, genre plus naturellement contestataire, prend ses distances à l'égard de ce qu'il fut, jusqu'à vouloir se démarquer de la littérature. Toute la culture théâtrale est en redéfinition ; elle tend à minimiser, voire à abolir, les frontières entre l'auteur et les acteurs, entre les artistes et le public, entre la scène et la salle. Un théâtre où le geste tente de s'approprier les prérogatives du mot. Un parti pris pour l'inédit et le spontané, pour le vécu quotidien, pour le plastique bien davantage que pour le psychologique. Ici aussi il importe de déstabiliser le spectateur, de l'attirer hors du conformisme de ses attentes. À cette fin, dans une langue qui ne souffre plus aucune retenue, où la liberté d'expression ne connaît plus de limites, le risible et le loufoque sont abondamment exploités.

Michel Tremblay est le grand détonateur de cette émancipation du genre théâtral. Cet écrivain, à n'en pas douter le plus marquant de sa génération, s'octroie une liberté de langage devant laquelle plus aucune entrave ne subsiste. Et cette parole libérée, il la confie à des couches prolétariennes, en très grande partie féminines et marginales, qui ne savaient même pas qu'elle pouvait leur être accessible. Ce faisant, Michel Tremblay renouvelle les structures dramatiques ; le monologue prend la place du dialogue, pour traduire la solitude de chacun et l'impossibilité de communiquer ; le chœur et les récitatifs, procédés antiques, sont réintroduits, afin de mettre en valeur des aliénations collectives.

Puis, désireux de dénouer tous les bâillons qui pèsent sur l'identité féminine, le théâtre n'hésite pas à porter la bannière féministe. Il s'agit moins de militer pour l'égalité entre les sexes que de revendiquer, pour les femmes, le droit de pleinement s'assumer dans leurs différences. Bien terminée l'époque où les droits et les rôles féminins étaient définis à travers les fantasmes masculins. Cette tendance culmine dans *La nef des sorcières* (1976), un collectif qui invite à la subversion des rôles traditionnels, et surtout *Les fées ont soif* (1978), pièce qui soulève une telle controverse qu'elle s'attire les foudres de la censure ecclésiastico-juridique.

Parallèlement au théâtre d'auteurs, de très nombreuses troupes de jeunes comédiens poussent plus avant le questionnement et l'expérimentation formels. À partir de l'époque dite du « jeune théâtre », à la fin des années 1960, le théâtre voit le texte dramatique se désacraliser et se marginaliser, d'abord au profit de l'improvisation et des créations collectives[7], puis, plus tard, à celui de la mise en scène et des modes actuels de communication. Théâtre engagé à conscientiser les jeunes travailleurs, comme dans les années 1970, ou spectacles fastueux des Gilles Maheu, Jean-Pierre Ronfard et Robert Lepage deux décennies plus tard, à son contact, le spectateur doit réapprendre son rôle parce que tous les points de repère de jadis qui faisaient de lui un témoin tranquille sont disparus.

_____
7. Selon la revue *Jeu* (n° 4, hiver 1977), entre 1965 et 1974, il y aurait eu au Québec plus de 415 créations collectives.

Antonine Maillet
(née en 1929)

*Un jour, j'ai fermé
toutes les portes
de mon cerveau
et j'ai ouvert les
portes du ventre.*

Auteure acadienne réputée, Antonine Maillet a écrit des romans et des pièces de théâtre à fortes composantes mythiques. Sa pièce *La Sagouine* (1972) fut saluée comme une véritable révélation. Une Acadienne rendue au bout de son âge y propose, dans un long monologue, une sorte de bilan de sa vie. Ce personnage humble mais gigantesque, résigné mais d'une grande sagesse, vient rappeler aux Acadiens la richesse de leur culture. En ce sens, Antonine Maillet pourrait être comparée aux Pierre Perrault et Gilles Vigneault. On retient l'authenticité et la beauté de la langue, qui a contribué à la régénération du texte théâtral.

Au plaisir de lire

- *Gapi et Sullivan*
- *Évangéline Deusse*
- *Pélagie-la-Charrette*

DES PETITS TOURS AU BON DJEU

Ils m'appelont la Sagouine, ouais. Et je pense, ma grand foi, que si ma défunte mére vivait, a' pourrait pus se souvenir de mon nom de baptême, yelle non plus. Pourtant j'en ai un. Ils m'avont portée sus les fonds, moi itou, coume je suis là. J'avais même une porteuse, t'as qu'à ouère, une marraine
5 pis un parrain. Toutes des genses de par chus nous. Même de la parenté, que mon pére contait. Ondoyée, baptisée, emmaillotée, j'ai passé par tout la sarémonie avant d'aouère les yeux rouverts. C'est pour dire, hein ? Je sons tout du monde pareil, à c't âge-là. C'est pus tard que... Vous êtes mieux de bouère votre thé tant qu'il est chaud. Ça vous lave l'estoumac pis les rognons. Moi,
10 c'est là que je suis le pus faible. La nuit, je sens du mal, c'est sans bon sens. Icitte, en bas de l'échine. Pareil coume si j'avais les pigrouines tordues et que ça se mettait à détordre, ça, coume un ressort, toutes les nuits que le Bon Djeu amène.

... C'est peut-être pas lui pantoute qu'amène les nuits, pis le mal... Quand
15 c'est que Gapi parle de même, je le fais taire. Faut pas dire ça, que j'y dis. Le Bon Djeu counaît son affaire. ... Gapi, lui, il prétend que c'est pas juste. Il dit que si le Bon Djeu était si bon que ça, qu'il laisserait pas souffri' le pauvre monde sans raison. Mais je le fais taire. J'allons pas nous mettre à blasphémer, sacordjé ! Et pis, si j'endurons du mal, c'est que j'en avons fait. C'est juste...
20 Gapi, lui, il trouve que le mal que le monde fait, c'est pas du vrai mal, mais rien que des petits tours au Bon Djeu pour s'amuser ; et que le Bon Djeu arait pas besoin de tant s'énarver et nous traiter comme si j'étions du mauvais monde qui cherchions à mal faire pour mal faire. [...]

... Quand je nous avons mariés, j'avons d'abord été trouver le prêtre et j'y
25 avons demandé de faire la sarémonie. Mais il a refusé. Par rapport à la parenté. Je peux pas vous marier, qu'il a dit, vous êtes parents. C'est vrai que j'étions un petit brin parents : mon défunt pére pis sa mére, ben c'était frére et sœur. Alors il a dit : Par rapport à la loi qui guérit les mariages, je peux pas marier des cousins adjermés. Ça fait que Gapi m'a avisée, et je l'ai avisé, pis il m'a
30 dit : Si t'es contente, j'allons aller nous marier au ministre. J'avons été trouver le ministre qu'a point fait d'histoires pantoute, et je sons sortis de là houme et femme.

La Sagouine (1971), © Leméac.

1. Relevez des particularités de la langue acadienne.

2. Comparez les croyances religieuses de la Sagouine avec celles de son mari.

3. À qui s'adresse la Sagouine ?

4. Pourriez-vous brosser un portrait psychologique de ce personnage ?

5. Qu'est-ce qui permet à cette pièce de s'inscrire ici ?

6. Selon vous, où réside la beauté de ce texte ?

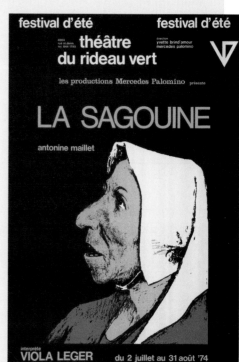

La Sagouine, Affiche de spectacle, 1974.
Musée de la civilisation.

DÉPLOGUÉE DU VIDE

LES TROIS ENSEMBLE. Nous som-mes des pri-son-niè-res po-li-ti-ques
Nos lar-mes n'usent pas les bar-reaux de nos pri-sons

MADELEINE. Un jour, le lapin dit à Alice : « Arrête de pleurer, sinon tu vas te noyer dans tes larmes. »

5 MARIE. Si je remontais le cours de chacune de mes larmes, à quelles sources j'aboutirais ? Bof ! D'un déluge à l'autre, j'en ai assez. J'en ai assez de tous ces murs ! Je vais ma la sasser, cette vie-là.

MARIE. Pourriez-vous me garder les enfants pour un p'tit bout de temps ? J'ai quelque chose de très important à faire.

10 LA STATUE. Calvaire ! Vous allez pas faire comme vos frères ! Vous allez pas vous libérer sur le dos de vos mères !

[…]

MADELEINE. Tiens-toé ben, Marie ! J'ai r'trouvé mes souliers. À soir, je r'tourne célibataire.

15 LA STATUE. Voulait que ne paraissent que mes fragilités afin que je passe mon temps à m'en inquiéter. Proverbisait : « Le silence est d'or », pour coucher sous leurs pieds les majorités silencieuses. Voulait que je me taise sans cesse pour n'écouter que lui toujours. Lui fallait un sourire de Bouddha, une tête de Sphinx, un œil de Vierge. Me voulait Mona Lisa et se gardait la *poker face*.

20 MADELEINE. Me persuadait avec son sourire de vendeur de chars usagés que l'amour est impossible. Disait que sous mon œil de velours se cache un vagin plein de dents et de morts.

MARIE. J'ai saigné chacun de mes silences. Je me suis débranchée du vide.

LA STATUE. Loup, y es-tu ?

25 MADELEINE. M'entends-tu ?

LES TROIS ENSEMBLE. Paré pas paré, j'sors pareil !

Les fées ont soif (1978), © Éditions Typo et Denise Boucher, 1989.

Denise Boucher
(née en 1935)

Nous sommes en train de créer notre propre civilisation.

Avant tout poète, Denise Boucher a, entre autres, écrit des recueils, composé des chansons, notamment pour Gerry Boulet, publié des réflexions et fait jouer des pièces de théâtre. Les textes inspirés, denses et poétiques de cette femme engagée entendent lutter contre les aveuglements qui tiennent la conscience sous le boisseau. Cette auteure s'est surtout fait connaître par sa pièce *Les fées ont soif* : au moment de sa représentation en 1978, ce pavé féministe dans la mare patriarcale a créé tout un émoi chez les bien-pensants et soulevé une mémorable controverse dans les médias. On releva même la présence de chrétiens qui récitaient leur chapelet près du théâtre où la pièce était jouée, afin de réparer les torts faits à la Vierge. Certains parlèrent d'une pièce poétique de qualité exceptionnelle ; d'autres n'y virent que contenu et langage blasphématoires. En fait, les trois personnages qui se donnent la réplique, la mère (Marie), la putain (Madeleine) et la statue (la Vierge), font éclater des stéréotypes. On doit chercher l'intrigue bien davantage dans l'aliénation séculaire des femmes que dans la pièce elle-même. Cette œuvre dont le texte fut un temps interdit de vente a, depuis, été traduite en plusieurs langues et connaît toujours un indéniable succès de vente.

1. Relevez les particularités lexicales et syntaxiques. Commentez-les.

2. Expliquez la symbolique des trois personnages.

3. Comment peut-on comprendre l'expression « prisonnières politiques » ?

4. Commentez les références au lapin et au loup.

5. De quelle façon se manifeste le désir de libération ?

6. Analysez le degré de la transgression tant formelle que thématique.

Au plaisir de lire

- *Retailles. Complaintes politiques*
- *Lettres d'Italie*
- *Paris Polaroïd et autres voyages*
- *Les divines*

Michel Tremblay
(né en 1942)

*Je suis peut-être
le seul écrivain au
monde à avoir un
tel statut en son pays.*

Le théâtre de Michel Tremblay,
l'auteur québécois le plus traduit,
est joué aussi bien à Broadway
qu'à Paris ou en Hollande. Tout
commença avec le choc sans
précédent de la pièce *Les belles-
sœurs* (1968). Cette tragi-comédie
s'inscrit comme une rupture totale avec tout ce qui s'était fait ici
dans le domaine théâtral : des propos d'une grande crudité, l'usage
de monologues, des techniques
incantatoires au cours desquelles,
la pièce étant suspendue, les personnages mettent leur âme à nu.
Avec *Les belles-sœurs*, ce n'est
pas seulement le joual qui monte
sur la scène, ce sont les femmes
et les prolétaires montréalais.

Au plaisir de lire

• *À toi, pour toujours, ta Marie-Lou*
• *Bonjour, là, bonjour*
• *L'impromptu d'Outremont*
• *Albertine en cinq temps*

CHUS TANNÉE

LES CINQ FEMMES (*ensemble*). Quintette : Une maudite vie plate ! Lundi !

LISETTE DE COURVAL. Dès que le soleil a commencé à caresser de ses rayons les
petites fleurs dans les champs et que les petits oiseaux ont ouvert leurs petits
becs pour lancer vers le ciel leurs petits cris...

5 LES QUATRE AUTRES FEMMES. J'me lève, pis j'prépare le déjeuner ! Des toasts, du
café, du bacon, des œufs. J'ai d'la misère que l'yable à réveiller mon monde.
Les enfants partent pour l'école, mon mari s'en va travailler.

MARIE-ANGE BROUILLETTE. Pas le mien, y'est chômeur. Y reste couché.

LES CINQ FEMMES. Là, là, j'travaille comme une enragée, jusqu'à midi. J'lave.
10 Les robes, les jupes, les bas, les chandails, les pantalons, les canneçons, les
brassières, tout y passe ! Pis frotte, pis tord, pis refrotte, pis rince...
C't'écœurant, j'ai les mains rouges, j't'écœurée. J'sacre. À midi, les enfants
reviennent. Ça mange comme des cochons, ça revire la maison à l'envers, pis
ça repart ! L'après-midi, j'étends. Ça, c'est mortel ! J'haïs ça comme une
15 bonne ! Après, j'prépare le souper. Le monde reviennent, y'ont l'air bête, on
se chicane ! Pis le soir, on regarde la télévision ! Mardi !

LISETTE DE COURVAL. Dès que le soleil...

LES QUATRE AUTRES FEMMES. J'me lève, pis j'prépare le déjeuner. Toujours la
même maudite affaire ! Des toasts, du café, des œufs, du bacon... J'réveille
20 le monde, j'les mets dehors. Là, c'est le repassage. J'travaille, j'travaille,
j'travaille. Midi arrive sans que je le voye venir pis les enfants sont en maudit
parce que j'ai rien préparé pour le dîner. J'leu fais des sandwichs au baloné.
J'travaille toute l'après-midi, le souper arrive, on se chicane. Pis le soir, on
regarde la télévision ! Mercredi ! C'est le jour du mégasinage ! J'marche toute
25 la journée, j'me donne un tour de reins à porter des paquets gros comme ça,
j'reviens à la maison crevée ! Y faut quand même que je fasse à manger.
Quand le monde arrivent, j'ai l'air bête ! Mon mari sacre, les enfants braillent...
Pis le soir, on regarde la télévision ! Le jeudi pis le vendredi, c'est la même
chose ! J'm'esquinte, j'me désâme, j'me tue pour ma gang de nonos ! Le
30 samedi, j'ai les enfants dans les jambes par-dessus le marché ! Pis le soir, on
regarde la télévision ! Le dimanche, on sort en famille : on va souper chez la
belle-mère en autobus. Y faut guetter les enfants toute la journée, endurer les
farces plates du beau-père, pis manger la nourriture de la belle-mère qui est
donc meilleure que la mienne au dire de tout le monde ! Pis le soir, on
35 regarde la télévision ! Chus tannée de mener une maudite vie plate ! Une
maudite vie plate ! Une maudite vie plate ! Une maud...

Elles se rassoient brusquement.

Les belles-sœurs (1968), © Leméac, 1972.

Étude détaillée

Analyse formelle
L'ÉCRITURE

1. Comparez le niveau de langue de la première réplique de Lisette de Courval avec celui de la réplique suivante. Quel effet est ainsi créé ?

2. Quels champs lexicaux pouvez-vous dégager dans cet extrait ?

3. Comment l'orthographe simule-t-elle la langue parlée ?

4. Quelles sont les caractéristiques du joual dans cet extrait et quel but l'auteur lui assigne-t-il ?

5. Montrez, dans cet extrait, l'importance du rythme.

LA FORME DRAMATIQUE

1. La distribution des répliques entre les personnages est-elle traditionnelle ?

2. L'usage du chœur est un emprunt à la dramaturgie de la Grèce antique. Quel effet est créé par ce procédé ?

Analyse thématique

« Une maudite vie plate ! » Par cette formule-choc, les cinq femmes expriment leur lassitude, leur amertume face à la monotonie de la vie.

1. Comment l'auteur réussit-il à créer l'impression de la routine ? Comment s'amorce la journée ? Par quelle « activité » se conclut-elle inévitablement ?

2. Quel effet la routine a-t-elle sur les relations interpersonnelles ?

3. Comment expliquez-vous la fin brusque de la dernière réplique ?

Préparation à la dissertation critique

1. Quel lien pouvez-vous faire entre ce texte et la remise en question de la société ?

2. Peut-on parler d'un texte féministe ? Justifiez votre réponse.

3. Comparez cet extrait avec celui de Denise Boucher, *Déploguée du vide* (page 185). Reconnaissez-vous les mêmes femmes dans les deux textes ?

4. Tentez d'expliquer le succès phénoménal de cette pièce.

L'essai

L'essai est assurément le genre littéraire le plus propice pour exprimer et expliquer le climat social et intellectuel d'une société. Ainsi le voit-on, jusqu'à l'époque du *Refus global*, faire écho au monolithisme idéologique d'une communauté à l'esprit doctrinal, qui se permet de contrôler jusqu'au contenu des essais. Puis, quand la collectivité canadienne-française entame son processus de remise en question, sa marche vers la pluralité et la libre expression des idées, les essayistes cessent d'être simplement des témoins, pour se permettre de soulever des débats et, même, d'amener leurs lecteurs à des prises de position. C'est le moment de l'émergence de l'essai québécois comme genre majeur qui, dès lors, connaît une floraison qui n'a de cesse depuis.

L'essai : creuset du changement

De 1960 à 1975, le destin collectif accapare toutes les énergies. Les essayistes s'interrogent sur la réalité sociale, littéraire, linguistique, historique, politique et intellectuelle des Québécois ; ils se questionnent sur notre identité véritable et élaborent une nouvelle fiche signalétique nationale où le Québécois peut trouver l'accord avec lui-même par suite de la ré-appropriation de ses libertés collectives, qu'il avait laissées filer dans le passé. Ici comme partout ailleurs, le lecteur est aux prises avec le projet de libération, basé sur des préoccupations identitaires ; il est invité à reprendre son évolution, laissée en friche depuis deux siècles. Bien plus qu'un thème, le pays monopolise toutes les énergies.

Soulignons que, comme dans les autres genres littéraires, l'usage de la première personne du singulier s'affirme de plus en plus, même s'il n'est pas encore généralisé. Mais un fait est acquis : alors qu'hier le « je » était étouffé dans un « nous » communautaire dépressif qu'il fallait promouvoir envers et contre tout, aujourd'hui, le « nous » est formé d'une multitude de « je » autonomes qu'il importe de préserver.

Pierre Vadeboncœur
(né en 1920)

L'avenir ne nous a jamais inspirés ; il sera beau de voir ce qu'il advient d'un peuple qui soudain élève pour s'en instruire le projet monumental de son futur.

Pierre Vadeboncœur qui a endossé, dès le début des années 1960, l'option indépendantiste compte parmi les essayistes les plus importants du Québec. Il se fait un devoir de dire l'urgence d'une décision aussi radicale que définitive pour les Québécois : agir maintenant « ou se résigner à périr. Il n'y a plus de milieu ». Ce que rappelle *La dernière heure et la première* (1970) : l'heure est venue pour un peuple d'actualiser ses possibles.

Au plaisir de lire

- *La ligne du risque*
- *L'autorité du peuple*
- *Un génocide en douce*

UN PEUPLE PARADOXAL

À René Lévesque

La situation des Canadiens français dans l'histoire fut un paradoxe constant. Ce peuple, depuis le début, semble posséder une curieuse permanence, malgré les conditions extérieures qui le menacent et parfois le condamnent, et malgré l'insignifiance de ses moyens, qui ne l'a jamais empêché de pré-
5 tendre à persister dans l'histoire. Il s'agit d'un peuple bizarrement posé dans la durée et comme installé dans l'histoire une fois pour toutes, en dépit de tous les aléas et de la vraisemblance. Il ne s'agit pas, autant qu'on pourrait penser, d'un peuple inexistant à l'origine, plus tard menacé mais s'affirmant, puis à d'autres moments sur le point de vaincre ou de périr, et dont la courbe
10 historique aurait quelque lien serré avec les événements et les situations. Son sentiment de permanence n'a jamais eu qu'un rapport assez lointain avec sa position réelle et avec ses virtualités. On ne trouve pas pour ainsi dire de fin ni de commencement dans cette histoire. Les Canadiens français, d'une certaine
15 façon, dirait-on, ne sont pas dans l'histoire. [...]

Nous ne possédons pas les moyens du pays ; c'est l'étranger qui, en quelque sorte, les possède ; mais, contrairement à lui, nous *avons un pays*. Nous sommes un peuple ; il n'est qu'une caste. Le langage ne s'y trompe pas, qui appelle les conquérants les Anglais et réserve aux seuls Français le nom
20 de Canadiens. Nous sommes un peuple, mais qui n'a même pas pour lui le nombre. Nous ne sommes encore rien que déjà, et comme par nature, par une assurance et une conviction sans rapport avec notre peu de pouvoir, nous nous comportons d'une manière instinctivement souveraine, mais sans posséder les attributs de la souveraineté, ou comme une nation, mais sans
25 gouvernement qui nous soit propre, sans protection du droit des gens, sans ambassadeurs, sans armée, sans affaires, sans constitution à nous, sans alliances, sans projets, bref sans les mille instruments, les perspectives et les rôles multiples qui font qu'un peuple non seulement existe mais agit et s'affirme. C'est là une position très fausse.

30 Voilà donc le paradoxe : constituer très profondément un peuple, mais un peuple dépouillé, investi, et qui dure et veut durer comme s'il possédait effectivement ce qu'il faut pour se compter comme une nation. La colonisation, ici, a si bien réussi qu'elle a donné très tôt naissance à un pays distinct, mais gouverné par d'autres et privé, en nous, de presque tout ce qui peut en faire
35 un pays véritable. [...] La question est de savoir si nous pourrons encore vivre dans cette condition paradoxale. Ma réponse est négative. La contradiction, il faut maintenant la résoudre ou se résigner à périr. Il n'y a plus de milieu.

Gouverner ou disparaître, © Éditions Typo et Pierre Vadeboncœur, 1993.

---

1. Résumez l'argumentation de Pierre Vadeboncœur et critiquez-la.

2. Quelle est la tonalité dominante ? Quel but l'auteur vise-t-il ?

3. Expliquez le titre *La dernière heure et la première*.

4. Comparez la langue de Pierre Vadeboncœur avec celle de Pierre Vallières (page 190).

UNE LANGUE DÉSOSSÉE

Nos élèves parlent joual, écrivent joual et ne veulent pas parler ni écrire autrement. Le joual est leur langue. Les choses se sont détériorées à tel point qu'ils ne savent même plus déceler une faute qu'on leur pointe du bout du crayon en circulant entre les bureaux. « L'homme que je parle » — « Nous
5 allons se déshabiller » — etc. ne les hérisse pas. Cela leur semble même élégant. Pour les fautes d'orthographe, c'est un peu différent ; si on leur signale du bout du crayon une faute d'accord ou l'omission d'un s, ils savent encore identifier la faute. Le vice est donc profond : il est au niveau de la syntaxe. Il est aussi au niveau de la prononciation : sur vingt élèves à qui vous demandez
10 leur nom, au début d'une classe, il ne s'en trouvera pas plus de deux ou trois dont vous saisirez le nom du premier coup. Vous devrez faire répéter les autres. Ils disent leur nom comme on avoue une impureté.

Le joual est une langue désossée : les consonnes sont toutes escamotées, un peu comme dans les langues que parlent (je suppose, d'après certains disques)
15 les danseuses des Îles-sous-le-Vent : oula-oula-alao-alao. [...]

Cette absence de langue qu'est le joual est un cas de notre inexistence à nous, les Canadiens français. On n'étudiera jamais assez le langage. Le langage est le lieu de toutes les significations. Notre inaptitude à nous affirmer, notre refus de l'avenir, notre obsession du passé, tout cela se reflète dans le
20 joual, qui est vraiment notre langue. Je signale, en passant, l'abondance, dans notre parler, des locutions négatives. [...]

Bien sûr qu'entre jouaux, ils se comprennent. La question est de savoir si on peut faire sa vie entre jouaux. Aussi longtemps qu'il ne s'agit que d'échanger des remarques sur la température ou le sport ; aussi longtemps
25 qu'il ne s'agit de parler que du cul, le joual suffit amplement. Pour échanger entre primitifs, une langue de primitif suffit ; les animaux se contentent de quelques cris. Mais si l'on veut accéder au dialogue humain, le joual ne suffit plus. Pour peinturer une grange, on peut se contenter, à la rigueur, d'un bout de planche trempé dans de la chaux ; mais pour peindre la Joconde, il faut
30 des instruments plus fins.

On est amené ainsi au cœur du problème, qui est un problème de civilisation. Nos élèves parlent joual parce qu'ils pensent joual et ils pen-
35 sent joual parce qu'ils vivent joual, comme tout le monde par ici.

Les insolences du Frère Untel (1960),
© Éditions de l'Homme.

Couverture du livre *Les insolences du Frère Untel*, Les Éditions de l'Homme, 1960.

1. Nommez les principales caractéristiques du joual, selon l'auteur.

2. Pourrait-on parler ici d'un manifeste ?

3. Pour l'auteur, la langue est à l'image du peuple qui la parle. Quelle image des Québécois peut-on voir dans le joual ?

4. La situation décrite est celle de 1960. Comparez-la avec celle d'aujourd'hui.

Jean-Paul Desbiens / Frère Untel (1927-2006)

Libertaire, c'est peut-être ça, si on a vraiment besoin d'une étiquette, qui me conviendrait le mieux.

Le clerc enseignant Jean-Paul Desbiens, sous son pseudonyme de Frère Untel[8], ouvre véritablement la Révolution tranquille avec un essai à l'impact exceptionnel, *Les insolences du Frère Untel* (1960). Avec un humour cinglant, il attaque tous les tabous québécois — le système d'instruction publique qu'il estime pourri, la langue populaire, la croyance religieuse imposée par la peur, l'absence de formation à la liberté — et dénonce le vide de la pensée. À l'époque de la grande remise en question des vieilles structures sociales, scolaires et religieuses, ce livre devient le symbole de la Révolution tranquille. Étonnant mais rassurant que ce soit un membre du clergé — qui a si longtemps tenu le Québec en tutelle — qui sonne le début d'un temps nouveau. Ce texte douloureux dit le mal-être collectif, jusque dans notre langue.

---

8. L'auteur était frère mariste.

Au plaisir de lire

• *Sous le soleil de la pitié*

Pierre Vallières
(1938-1998)

Je crois en l'utopie. Car sans solution de remplacement face au système américain de domination et d'exploitation, il n'y aurait tout simplement pas de liberté humaine.

L'écrivain politique Pierre Vallières s'est surtout fait connaître lors de sa participation aux activités du Front de libération du Québec (FLQ). Ce socialiste impénitent a composé, entre autres, un essai percutant où il précise sa pensée révolutionnaire et indépendantiste : *Nègres blancs d'Amérique* (1968) ; ces nègres blancs, ce sont les Québécois francophones, les assujettis, les floués.

NÈGRES BLANCS

Être un « nègre », ce n'est pas être un homme en Amérique, mais être l'esclave de quelqu'un. Pour le riche Blanc de l'Amérique yankee, le « nègre » est un sous-homme. Même les pauvres Blancs considèrent le « nègre » comme inférieur à eux. Ils disent : « travailler dur comme un nègre », « sentir mau-
5   vais comme un nègre », « être dangereux comme un nègre », « être ignorant comme un nègre »... Très souvent, ils ne se doutent même pas qu'ils sont, eux aussi, des nègres, des esclaves, des « nègres blancs ». Le racisme blanc leur cache la réalité, en leur donnant l'occasion de mépriser un inférieur, de l'écraser mentalement, ou de le prendre en pitié. Mais les pauvres blancs qui
10 méprisent ainsi le Noir sont doublement nègres car ils sont victimes d'une aliénation de plus, le racisme, qui, loin de les libérer, les emprisonne dans un filet de haines ou les paralyse dans la peur d'avoir un jour, à affronter le Noir dans une guerre civile.

Au Québec, les Canadiens français ne connaissent pas ce racisme irra-
15 tionnel qui a causé tant de tort aux travailleurs blancs et aux travailleurs noirs des États-Unis. Ils n'ont aucun mérite à cela, puisqu'il n'y a pas, au Québec, de « problème noir ». La lutte de libération entreprise par les Noirs américains n'en suscite pas moins un intérêt croissant parmi la population canadienne-française, car les travailleurs du Québec ont conscience de leur
20 condition de nègres, d'exploités, de citoyens de seconde classe. Ne sont-ils pas, depuis l'établissement de la Nouvelle-France, au XVIIe siècle, les valets des impérialistes, les « nègres blancs d'Amérique » ? N'ont-ils pas, tout comme les Noirs américains, été importés pour servir de main-d'œuvre à bon marché dans le Nouveau Monde ? Ce qui les différencie : uniquement la couleur de
25 la peau et le continent d'origine. Après trois siècles, leur condition est de-meurée la même. Ils constituent toujours un réservoir de main-d'œuvre à bon marché que les détenteurs de capitaux ont toute liberté de faire tra-vailler ou de réduire au chômage, au gré de leurs intérêts financiers, qu'ils ont toute liberté de mal payer, de maltraiter et de fouler aux pieds, qu'ils ont
30 toute liberté, selon la loi, de faire matraquer par la police et emprisonner par les juges « dans l'intérêt public », quand leurs profits semblent en danger.

Nègres blancs d'Amérique (1968), © Éditions Typo et succession Pierre Vallières, 1994.

Scène du film de Denys Arcand, *On est au coton*, 1970.
Office national du film du Canada.

1. Qu'est-ce qu'un « nègre blanc » ?

2. Comment l'auteur décrit-il le racisme ?

3. Quelle doctrine politique a inspiré Pierre Vallières ?

4. Comparez cet extrait avec celui de Pierre Vadeboncœur (page 188). Les deux auteurs sont-ils aussi habiles l'un que l'autre à défendre leurs idées ?

Au plaisir de lire
• L'urgence de choisir

Mutation tri-violet, Guido Molinari, 1966.
Musée des beaux-arts du Canada, n° 14945.

L'essai : un genre qui ne se reconnaît plus

Alors que, dans les années 1960, l'essayiste se faisait l'observateur attentif et privilégié de la réalité, qu'il dénonçait dans une réflexion à forte teneur idéologique, dans la décennie 1970, la réflexion sociopolitique cesse, pour plusieurs, d'être le principal référent de leurs écrits. Dorénavant, la critique sociale doit passer par le crible d'une subjectivité avouée, la réalité extérieure important dans la mesure où elle est intériorisée. C'est un revirement total du point de vue de l'essayiste : hier il importait de rendre compte du cheminement d'une collectivité, aujourd'hui cette même collectivité ne peut être perçue que par ses reflets dans la personne de l'essayiste.

De nouveaux thèmes prennent le relais de la question nationale, même si cette dernière conserve la faveur de certains, au moins jusqu'au référendum de 1980. Nombreuses sont les femmes qui font de l'essai le lieu idéal de leurs interrogations et de leurs revendications ; la voix féministe en arrive même à imposer sa propre sensibilité, de même que la richesse thématique et formelle du genre. Leur questionnement déborde bientôt dans la dimension esthétique de ce genre littéraire et dans son aptitude à inventer de nouveaux rapports avec la réalité. L'essai mêle bientôt prose et poésie, théorie et récits narratifs, créations et critiques littéraires.

**Suzanne Lamy
(1929-1987)**

*Des mots, tu naîtras
plus sûrement
que de ta mère.*

Questionnant les frontières entre la théorie et la fiction, Suzanne Lamy a constamment exploré les multiples dimensions de la parole et de l'écriture féminines. Dans un essai situé à la frontière de la théorie et de la fiction, *D'elles* (1979), l'auteure cerne plus particulièrement l'émergence et la nature de l'énoncé féminin, en le confrontant avec celui des hommes. L'extrait fait l'éloge du bavardage, cette « énonciation sans énoncé », cette échappée lyrique entre le corps et la vie, ces mots qui donnent la vie.

Au plaisir de lire

• *Quand je lis, je m'invente*
• *La convention*

PAROLE DE DÉSIR

Aussitôt que produit, l'énoncé disparaît[1], se fond dans l'énonciation d'une nouvelle parole. Éphémère, sans laisser plus d'empreinte que le vol premier de l'oiseau ou que de fugaces étreintes. Définie par sa forme et son mode de production. Par la jouissance tirée de son fonctionnement.

5   Ne sont-elles pas des phénoménologues nées (qui s'ignorent), celles qui s'abreuvent à cette pluie sonore, qui, l'oreille tendue à la mesure précise des choses, ont leur sang qui palpite au rythme des soirs mauves ou des nuages bas ? N'ont-elles pas une conscience de leur corps bien différente des rapports que la plupart des hommes entretiennent avec leur propre corps ?

10   Si le langage est fondé sur le manque et oscille vers le trop-plein, si la fiction et l'activité symbolique sourdent d'un creuset qui ne peut être que du corps, comment écarter l'omniprésence du désir de ce lieu qui est d'échange, d'appel et de tension, de langage d'un corps avec un autre corps ? Parole de désir et désir de la parole s'enfantant tour à tour. À l'infini.

15   [...]

En suspens ou évité le risque de l'aventure dans sa totale nudité. Le corps n'en est pas moins complément, appui, contrepoint, redondance, hyperbole, antithèse, métaphore... des mots. Parce que la femme vit plus (et mieux, semble-t-il) que l'homme sa sexualité dans l'intégralité de son corps, parce

20   que, de chaque parcelle, elle peut faire un absolu et un(e) air(e) de jouissance, son corps ne se présente plus comme une toile de fond où s'inscriraient des signes, mais investi dans un échange qui a le pouvoir d'enrayer quelques codes et plusieurs interdits, de faire choir prothèses et postiches. Rien là de naturel ou d'instinctif. Bien peu du corps, rien du langage qui ne relève du

25   culturel. Seule l'absence de valeur dévolue au bavardage permet ces échappées duelles.

[...]

Pas plus que d'autres paroles, celle-ci ne s'édifie hors des idéologies en cours et des habitudes de pensée. Plus brutale précisément, elle tend, de peine

30   et de misère, à traverser les moules. Plus expressivité qu'instrument, elle fascine.

---

1. Celui du bavardage.

D'elles, © Éditions de l'Hexagone, 1979.

1. Expliquez : « Parole de désir et désir de la parole s'enfantant tour à tour. »

2. Départagez la part de la théorie et celle de la fiction.

3. Décrivez l'importance du bavardage.

4. Quelles comparaisons sont faites entre les hommes et les femmes ?

5. Quel pouvoir de la parole est décrit ici ?

DÉSIR DE DÉRIVE

Aussi pourrait-on dire, d'une part, que jusqu'ici la réalité a été, pour la plupart des femmes, une fiction, c'est-à-dire le fruit d'une imagination qui n'est pas la leur et à laquelle elles ne parviennent pas *réellement* à s'adapter. Nommons ici quelques fictions : la guerre, la montée du prix de l'or, le Télé-
5 journal, la pornographie, l'érotisme ou les charmes discrets du viol. Les hommes, ceux du pouvoir et ceux de la rue, donc en général, savent de quoi il s'agit. C'est leur actualité ou le comment de leur actualisation. La vie quoi !

D'autre part, on peut dire aussi que la réalité des femmes a été perçue comme fiction. Nommons ici quelques réalités : la maternité, le viol, la pros-
10 titution, la fatigue chronique, la violence subie (verbale et physique). Les journaux vous diront que cela relève du *fait divers* et non pas de l'information.

C'est donc à la limite du réel et du fictif, entre ce qui paraît possible mais qui s'avère souvent, au moment de l'écrire, impensable ; entre ce qui semble évident et qui apparaît à la dernière seconde inavouable que se trace une
15 écriture de *dérive*. Désir de dérive / désir dérivé de.

Désir de dérive : désir qui dévie du sens qu'on aurait cru que le texte prendrait — censure quant à une première intention du texte, parfois censure intégrale : silence.

Désir dérivé de : soit ce qui a son origine dans une certitude intérieure et
20 qui fait en sorte que l'écriture traverse alors une mémoire gyn/écologique. Traversant et traversée par cette mémoire, on peut présumer de l'écriture d'une femme qu'elle dérive de ce qui est rivé par le symbolisme patriarcal.

De cette mémoire gyn/écologique découlent une approche et une connais-sance inédite qui supposent pour celle qui écrit une forme de recueillement
25 et de concentration que j'appelle la pensée de l'émotion et l'émotion de la pensée. Un espace mental rempli des possibilités d'une perspective qui déplace allègrement le sens. Tout est glissement dans le texte, comme une peau de femme sur une peau de femme, et cela occasionne un plaisir qui anime l'intel-ligence et qui ranime toutes celles qui en participent.
30 Cet espace mental est aussi un espace où, sans nécessairement *faire d'his-toire*, la biographie et le quotidien peuvent circuler de manière à ce qu'ainsi soit transformés *l'épreuve* (vivre / écrire) et son déploiement (penser).

« Désir de dérive » in *La lettre aérienne* (1985), © Nicole Brossard.

1. En quoi s'opposent fiction et réalité dans la pensée de Nicole Brossard ?

2. Relevez les inversions et analysez-les.

3. L'écriture au féminin peut-elle être une transgression ici ?

4. Cet essai pourrait-il être considéré comme un poème ?

5. Comparez cet extrait avec celui de Suzanne Lamy. A-t-on raison de dire que, dans les deux textes, la parole est libératrice ?

Nicole Brossard (née en 1943)

J'ai envie d'être lue par des yeux de femmes, par un angle de vision femme.

Phare du mouvement féministe québécois, Nicole Brossard est vraisemblablement l'auteure la plus prolixe, assurément la plus commentée et étudiée. La plus marquante mais aussi la plus con-troversée. Elle est devenue, avec sa trentaine de livres parus depuis 1965 et le sérieux de sa réflexion sur la langue et son fonctionne-ment, une véritable référence dans le milieu littéraire québécois. Dans cet extrait d'un article paru en 1980 dans la revue qu'elle a fondée et dirigée, *La Nouvelle Barre du jour*, elle s'interroge sur les particula-rités de l'imaginaire féminin et sur le type de rapport qu'il établit entre la femme et l'écriture.

Au plaisir de lire

- *Le centre blanc*
- *Sold-out. Étreinte/illustration*
- *L'amèr ou Le chapitre effrité*
- *Le désert mauve*
- *Baroque d'aube*

La chanson

La fin des années 1950 voit la naissance de ceux que l'on appelle les chansonniers, des auteurs-compositeurs qui interprètent leurs propres créations dans des « boîtes à chanson » qui vont se multipliant et auxquelles fait fête la jeunesse québécoise. La chanson suscite une véritable passion, tant auprès du public que des créateurs[9]. Cette fascination, qui n'a guère cessé depuis, marque la première relation vitale entre les artistes et le public, entre les intellectuels et la masse.

Le chant du pays

Chacun se passionne pour ce lyrisme chanté, avec les mots et avec l'âme du pays, qui invite au partage des joies et des angoisses, des émotions et des rêves ; sans souci d'imiter ce qui se fait ailleurs. La chanson réussit à identifier les Québécois comme distincts ; avec elle, naît la certitude d'une culture qui leur est propre. En ce sens, elle ne peut être qu'éminemment nationaliste.

Ce sont très majoritairement des jeunes, d'abord des étudiants puis bientôt de jeunes travailleurs, qui permettent l'épanouissement de cette faste période de la chanson poétique. Hier encore, les aînés et leurs

certitudes — qui ont bien pâli depuis — monopolisaient la société ; aujourd'hui, la jeunesse trouve dans la chanson le dernier refuge de la tendresse, du lyrisme et de l'espoir, et elle lui demande de traduire ses aspirations quant à la place qu'elle pourrait occuper dans la nouvelle société. La chanson, dont les jeunes se sont saisis comme s'il s'agissait de leur culture propre, leur paraît un moyen de s'approprier le pays, dont ils se sentent particulièrement dépossédés. Elle fut donc un instrument de libération nationale.

Les thèmes des chansons sont fort nombreux, allant de la célébration des premiers émois de l'amour jusqu'aux rêves de mer et d'îles lointaines. Sans négliger l'évocation de la difficulté d'être soi dans la ville. Mais il est un thème qui, ici aussi, se fait particulièrement récurrent, celui de l'enracinement au pays, un pays qu'il presse de construire. La chanson situe donc le public aux premières loges de la conscience politique.

---

9. Dans les années 1960, le tirage moyen d'un roman est d'environ 2000 exemplaires. Pour leur part, Vigneault, Léveillée et Ferland vendent chacun jusqu'à 30 000 microsillons. C'est dire que les chansonniers sont pratiquement les seuls artistes à pouvoir vivre de leur art.

Claude Léveillée, Yvon Deschamps, Jean-Pierre Ferland, Gilles Vigneault et Robert Charlebois lors d'un concert en plein air dans les années 1970.
Éditeur officiel du Québec.

LE TOUR DE L'ÎLE

Pour supporter le difficile et l'inutile
Y a l'tour de l'île quarante-deux milles de choses tranquilles
Pour oublier grande blessure dessous l'armure
Été hiver y a l'tour de l'île l'île d'Orléans
5 L'île c'est comme Chartres c'est haut et propre avec des nefs
Avec des arcs des corridors et des falaises
En février la neige est rose comme chair de femme
Et en juillet le fleuve est tiède sur les battures...

Au mois de mai à marée basse voilà les oies
10 Depuis des siècles au mois de juin parties les oies
Mais nous les gens les descendants de La Rochelle
Présents tout l'temps surtout l'hiver comme les arbres
Mais c'est pas vrai mais oui c'est vrai écoute encore...

Maisons de bois maisons de pierre clochers pointus
15 Et dans les fonds des pâturages tout est silence
Les enfants blonds nourris d'azur comme les anges
Jouent à la guerre imaginez... imaginons

L'île d'Orléans un dépotoir un cimetière
Parc à vidanges boîte à déchets U. S. Parking
20 On veut la mettre en mini-jupe and speak English
Faire ça à elle l'île d'Orléans notre fleurdelise
Mais c'est pas vrai mais oui c'est vrai raconte encore...

Sous un nuage près d'un cours d'eau c'est un berceau
Et un grand-père au regard bleu qui monte la garde
25 I'sait pas trop ce qu'on dit dans les capitales
L'œil vers le golfe ou Montréal guette le signal

Pour célébrer l'indépendance quand on y pense
C'est-i en France c'est comme en France le tour de l'île
Quarante-deux milles comme des vagues et des montagnes
30 Les fruits sont mûrs dans les vergers de mon pays
Ça signifie l'heure est venue si t'as compris...

© *Le tour de l'île*, paroles de Félix Leclerc, avec l'aimable autorisation de Olivi Musique.

Félix Leclerc (1914-1988)

*Tomber a été inventé
pour se relever.
Malheur à ceux qui
ne tombent jamais.*

Félix Leclerc est le chef de file de tous les chansonniers québécois. Après avoir incarné pendant long-temps la sagesse du paysan qui trouve la sérénité dans l'attache-ment aux réalités quotidiennes, le chanteur manifeste, après la crise d'Octobre 1970, une conscience nettement plus militante, qui lui confère une aura de prophète. Constamment il rappelle, avec amour et chaleur, les valeurs essentielles à un pays en voie de devenir. *Le tour de l'île*, composée en 1975, parle du pays idéal, toujours fidèle à ses origines, en plus de dénoncer une menace de déperdition écologique : le projet d'investisseurs de construire un centre commercial sur l'île.

---

1. Les vers sont construits de manière elliptique. Expliquez.

2. Relevez les différents symboles associés à l'île.

3. Étudiez la construction du poème : le thème associé à chaque strophe.

4. Quels éléments de la première strophe trouvent un écho dans la dernière ?

5. Qu'est-ce qui confère de la solennité à cette chanson ?

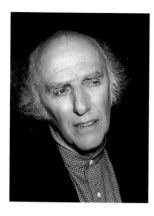

Gilles Vigneault
(né en 1928)

Comme peuple,
nous avons le tragique
honneur de ne pouvoir
compter que sur nous.

Venu tout juste après Leclerc, Gilles Vigneault a poursuivi dans la même veine du conteur traditionnel en y ajoutant un style, une richesse et une finesse inconnus avant lui. Toutes ses chansons sont pénétrées de l'esprit du pays. On lui doit, notamment, une galerie d'« hommes forts » où le chansonnier chante, en le poétisant et en le magnifiant, l'homme québécois. L'enracinement dans le pays passé se fait ici gage de confiance et de réussite dans le présent. Cet auteur a même composé une chanson qui, pendant un certain temps, a pris figure d'hymne national auprès des nationalistes : *Gens du pays*. Le pays, chez Vigneault, qu'il s'agisse d'une réalité physique ou sociale, est toujours considéré comme une terre d'accueil, de solidarité. La chanson *Mon pays* le rappelle.

MON PAYS

Mon pays ce n'est pas un pays c'est l'hiver
Mon jardin ce n'est pas un jardin c'est la plaine
Mon chemin ce n'est pas un chemin c'est la neige
Mon pays ce n'est pas un pays c'est l'hiver

5   Dans la blanche cérémonie
Où la neige au vent se marie
Dans ce pays de poudrerie
Mon père a fait bâtir maison
Et je m'en vais être fidèle
10   À sa manière à son modèle
La chambre d'amis sera telle
Qu'on viendra des autres saisons
Pour se bâtir à côté d'elle

Mon pays ce n'est pas un pays c'est l'hiver
15   Mon refrain ce n'est pas un refrain c'est rafale
Ma maison ce n'est pas ma maison c'est froidure
Mon pays ce n'est pas un pays c'est l'hiver

De mon grand pays solitaire
Je crie avant que de me taire
20   À tous les hommes de la terre
Ma maison c'est votre maison
Entre mes quatre murs de glace
Je mets mon temps et mon espace
À préparer le feu la place
25   Pour les humains de l'horizon
Et les humains sont de ma race

Mon pays ce n'est pas un pays c'est l'hiver
Mon jardin ce n'est pas un jardin c'est la plaine
Mon chemin ce n'est pas un chemin c'est la neige
30   Mon pays ce n'est pas un pays c'est l'hiver

Mon pays ce n'est pas un pays c'est l'envers
D'un pays qui n'était ni pays ni patrie
Ma chanson ce n'est pas une chanson c'est ma vie
C'est pour toi que je veux posséder mes hivers...

Mon pays de Gilles Vigneault, © Éditions de l'Arc, 1964.

1. Quel est le rôle du refrain et quelle modification lui fait subir l'auteur ?

2. Faites l'étude formelle : vers, rimes et rythme.

3. Quelles figures de style sont utilisées ici ?

4. Expliquez le sens de la dernière strophe.

BOZO-LES-CULOTTES

Il flottait dans ses pantalons
De là lui venait son surnom :
Bozo-les-culottes,
I' avait qu'une cinquième année
5 Il savait à peine compter,
Bozo-les-culottes,
Comme il baragouinait l'anglais
Comme gardien d'nuit il travaillait,
Bozo-les-culottes,
10 Même s'il était un peu dingue
I' avait compris qu' faut être
   bilingue,
Bozo-les-culottes,
Un jour quelqu'un lui avait dit
15 Qu'on l'exploitait dans son pays
Bozo-les-culottes,
I' a pas cherché à connaître
Le vrai fond de toute cette affaire
Bozo-les-culottes,
20 Si son élite, si son clergé
Depuis toujours l'avaient trompé,
Bozo-les-culottes,
I' a volé de la dynamite
Et dans un quartier plein
25   d'hypocrites,
Bozo-les-culottes !
A fait sauter un monument
À la mémoire des conquérants

Bozo-les-culottes.
30 Tout le pays s'est réveillé
Et puis la police l'a poigné,
Bozo-les-culottes.
On l'a vite entré en dedans
On l'a oublié depuis ce temps,
35 Bozo-les-culottes.
Mais depuis que tu t'es fâché,
Dans le pays ç'a bien changé,
Bozo-les-culottes.
Nos politiciens à gogo
40 Font les braves, font les farauds,
Bozo-les-culottes.
Ils réclament enfin nos droits
Et puis les autres refusent pas
Bozo-les-culottes.
45 De peur qu'il y en aurait d'autres
   comme toi,
Qu'aient le goût de recommencer ça,
Bozo-les-culottes.
Quand tu sortiras de prison
50 Personne voudra savoir ton nom,
Bozo-les-culottes,
Quand on est de la race des pionniers
On est fait pour être oublié,
Bozo-les-culottes.

Paroles de Raymond Lévesque,
© **Les Éditions Gamma.**

Raymond Lévesque (né en 1928)

Quand les hommes vivront d'amour (…) Nous, nous serons morts, mon frère.

Généralement, les chansons de Raymond Lévesque sont socialement engagées. Ce chansonnier se situe du côté des petites gens, des humbles, des sacrifiés. Dans *Bozo-les-culottes*, qui fait écho à l'action d'un groupuscule, les felquistes (FLQ), qui avait cru pouvoir accélérer la venue du pays par des moyens radicaux (les bombes), l'auteur dit sa sympathie pour ces personnes qui assument l'aliénation et la solitude de tout un peuple.

---

1. Quels éléments appartiennent à la langue orale ?

2. Relevez les signes de l'aliénation du personnage central.

3. Peut-on établir des liens entre le style de l'auteur et le personnage de Bozo ?

4. Quelles sont les deux idées contenues dans la dernière strophe ?

5. Le pays de Raymond Lévesque est-il le même que celui de Gilles Vigneault ?

Claude Léveillée
(né en 1932)

Je tente de toutes mes forces de voyager à travers le temps, l'espace, le verbe et la musique, afin d'y rejoindre mes frères et sœurs de cette planète, si petite, qu'est la terre.

Claude Léveillée, dont l'apport à la chanson québécoise est remarquable sur le plan de la musique, excelle à chanter l'amour et la nostalgie, à créer des atmosphères où le quotidien est rehaussé au niveau de la poésie. Un des premiers chantres de la ville et des citadins, Claude Léveillée a aussi composé des chansons nationalistes, certaines évoluant au gré de l'actualité politique, comme *Les Patriotes*.

LES PATRIOTES

Ils étaient peu vers 1640
Une poignée de braves venus en Nouvelle-France
Pourquoi partaient-ils de si loin naguère
Pourquoi traverser une si grande mer
5 C'était pour apporter une vie nouvelle
En ces lieux superbes de mon grand pays
Âme de géant courage immortel
Vous nous avez permis de survivre ici
Ici

10 Ici l'on se bagarre depuis 300 ans
Déportation grand-mère n'avez-vous rien dit
Je sais que la vie d'antan n'était pas bien rose
Faut croire que les enfants
Ça réclame autre chose
15 Autre chose que des canons liberté de presse
Autre chose que des canons liberté française
Autre chose que des canons liberté chez soi
Autre chose que des canons c'est fini les rois...

Mon amour si tu le veux
20 Nous irons dans une île
Non loin des côtes
Y comprendre quelque chose

Ils étaient peu vers 1640
Une poignée de braves morts en Nouvelle-France
25 Nous sommes très nombreux en ce soir d'attente
Nous sommes trop nombreux faut se faire entendre

Portez très haut votre drapeau
Nous n'en avons pas nous n'en avons guère
Alors portez très haut vos oripeaux
30 Ceux que vous aurez au prix d'une guerre

En 1971, la finale est modifiée :

Portez très haut votre drapeau
Nous n'en avons pas nous n'en avons guère
Alors portez très haut votre pays
35 Celui que nous sommes en train de refaire

Paroles et musique de Claude Léveillée, © Éditions de l'Aube, 1971.

1. Quel est l'effet produit par l'anaphore des vers 15 à 18 ?

2. Quel est le rôle assigné à la troisième strophe ?

3. Dans « Nous sommes trop nombreux faut se faire entendre », commentez les pronoms personnels.

4. En quoi les ancêtres sont-ils idéalisés ?

5. Expliquez le sens de la modification à la dernière strophe.

LE PLUS BEAU VOYAGE

J'ai refait le plus beau voyage
de mon enfance à aujourd'hui
sans un adieu sans un bagage
sans un regret ou nostalgie

5 J'ai revu mes appartenances
mes trente-trois ans et la vie
et c'est de toutes mes partances
le plus heureux flash de ma vie

Je suis de lacs et de rivières
10 je suis de gibier de poissons
je suis de roches et de poussière
je ne suis pas des grandes moissons
je suis de sucre et d'eau d'érable
de pater noster de credo

15 je suis de dix enfants à table
je suis de janvier sous zéro...

Je suis d'Amérique et de France
je suis de chômage et d'exil
je suis d'octobre et d'espérance
20 je suis une race en péril
je suis prévu pour l'an deux mille
je suis notre libération
comme des millions de gens fragiles
à des promesses d'élection
25 je suis l'énergie qui s'empile
d'Ungava à Manicouagan

je suis Québec mort ou vivant...

Paroles de Claude Gauthier,
musique d'Yan Ouellet
© Les Éditions Gamma, 1993.

---

1. Quels mots expriment la fierté et quels autres, la fragilité de l'espoir ?

2. Quel effet les nombreuses répétitions produisent-elles ?

3. Quel est, selon vous, le sens du dernier vers ?

4. Comment expliquez-vous le grand succès de cette chanson ?

5. Peut-on soutenir que, dans cette chanson, c'est l'espoir qui domine ?

Claude Gauthier
(né en 1939)

J'essaie de décrire mes sentiments, ce qui me fait mal et ce qui me fait du bien. À mon avis, retourner aux sources s'inscrit comme une implication sociopolitique.

Au milieu de chansons traitant de l'amour ou des voyages et de la mer, très tôt, chez Claude Gauthier, la thèse nationaliste s'est développée, au point de devenir prédominante. Plusieurs de ses chansons excellent à dresser la fiche identitaire des Québécois : depuis *Le Grand Six-Pieds*, dont un vers s'est modifié au rythme de l'évolution de notre conscience collective :

Je suis de nationalité canadienne-française (1960)

Je suis de nationalité québécoise-française (1965)

Je suis de nationalité québécoise (1970)

jusqu'à *Le plus beau voyage*, qui figure parmi les plus belles chansons du répertoire québécois.

Des chansons pour secouer la torpeur

Cette époque de rupture avec le passé voit se multiplier les spectacles d'envergure : *L'Osstidcho* en 1968, les trois soirées de *Poèmes et chants de la résistance* de 1968 à 1973, *L'Automne Show* en 1974, puis les grandes festivités de la *Superfrancofête* et de la *Chant'Août* à Québec en 1974 et 1975, sans oublier les fastueuses célébrations de la Saint-Jean en 1975 et 1976. La chanson se voit ainsi confier un nouveau rôle : hier encore elle était le lieu d'une rencontre intime entre le chansonnier et des spectateurs qui lui étaient tout à fait dévoués, elle se fait aujourd'hui prétexte à des fêtes de solidarité collective.

Si les groupes de chanteurs se multiplient, entre autres Offenbach, Aut'Chose, Octobre et Harmonium, un nom se démarque cependant, l'équivalent de Michel Tremblay pour le théâtre, Robert Charlebois. Il apporte la preuve qu'on peut faire du rock — et du bon — en français. Car, dorénavant, dans l'univers de la chanson, la musique prend de plus en plus d'importance, qui n'hésite pas à se faire écho à l'underground américain. Ajoutons enfin que c'est aussi l'époque où la chanson féminine et féministe connaît ses plus beaux fleurons.

**Clémence
DesRochers
(née en 1933)**

*Il faut bien que
quelqu'un les nomme
ces femmes qui
parlent tout bas,
qui ne veulent
déranger personne.*

Clémence DesRochers a écrit des récits, des poèmes, des comédies musicales, des monologues et des chansons ; elle aborde les sujets les plus graves comme les plus tristes, les plus quotidiens autant que les inusités, avec humour et poésie. Première humoriste à exploiter systématiquement les thèmes féminins, Clémence DesRochers a devancé la vague féministe des années 1970 et lui a ouvert la voie. Tantôt tendre, tantôt délirante, mais toujours émouvante, elle parle avec réalisme d'un autre versant du féminisme, les femmes anonymes qui parlent tout bas et craignent de déranger, des femmes peu fières d'elles, certes, mais pas nécessairement malheureuses pour autant. Comme les travailleuses des manufactures, des « factries ».

Au plaisir de lire

• *Le monde sont drôles*
• *J'ai des p'tites nouvelles pour vous autres*
• *Le monde aime mieux...*

LA VIE D'FACTRIE

J'suis v'nue au mond'seul' comm'tout l'monde
C'est seul' que j'continue ma vie
À Dieu le Pèr' j'pourrai répondre
C'est jamais moi qu'a fait le bruit
5 Pour imaginer mon allure
Pensez à novembr'sous la pluie
Et pour l'ensembl' de ma tournure
Au plus long des longs ormes gris.

Comme on dit, dans la fleur de l'âge
10 J'suis entrée à factrie d'coton
Vu qu'les machin's font trop d'tapage
J'suis pas causeus'de profession
La seul' chos' que j'peux vous apprendre
C'est d'enfiler le bas d'coton
15 Sur un séchoir en form'de jambe
En allant d'la cuisse au talon.

Si je pouvais mett'boute à boute
Le ch'min d'la factrie à maison
Je serais rendue, y'a pas d'doute
20 Faiseuse de bébelles au Japon
Pourtant, à cause de mes heures
J'peux pas vous décrir' le parcours
J'vois rar'ment les chos's en couleurs
Vu qu'il fait noir aller-retour.

25 Quand la sirèn' crie délivrance
C'est l'cas de l'dir', j'suis au coton
Mais c'est comm' dans ma p'tite enfance
La cloch' pour la récréation
Y'a plus qu'un' chos' que je désire
30 C'est d'rentrer vite à la maison
Maint'nant j'ai plus rien à vous dire
J'suis pas un sujet à chanson...

Tout Clémence. Tome I : 1957-1974, © VLB Éditeur et Clémence DesRochers, 1993.

1. Quelles images trouve-t-on ici ?
2. Relevez les marques de l'humour.
3. Quelle est la tonalité dominante ? Expliquez.
4. Commentez le paradoxe du dernier vers.
5. Dessinez le portrait moral de la narratrice.

LE VOYAGE

Vouloir savoir être au pouvoir de soi
Est l'ultime avoir

Il n'y a de repos que pour celui qui cherche
Il n'y a de repos que pour celui qui trouve
5 Tout est toujours à recommencer

Mais dites-moi encore où trouver le chemin
Que je ne cherche plus et que j'aille plus loin

La vérité la vérité la vérité
Est une poignée de sable fin
10 La vérité la vérité la vérité
Qui glisse entre mes doigts

Il n'y a de repos que pour celui qui trouve
Il n'y a de repos que pour celui qui cherche
Tout est toujours à recommencer

15 Tu marches au fond de toi et derrière tes pas
Et tu ne bouges pas seul ton regard avance

La vérité la vérité la vérité
Est une petite poignée d'eau de la source
La vérité la vérité la vérité
20 Qui coule entre tes mains

Il n'y a de repos que pour celui qui cherche
Il n'y a de repos que pour celui qui trouve
Tout est toujours à recommencer

Il marche sur ses pieds et parfois sur sa tête
25 Il traîne un gros boulet qui est comme lui-même

La vérité la vérité la vérité la vérité
Est une petite poignée d'air pur
La vérité la vérité la vérité
Qui siffle entre ses dents

30 Il n'y a de repos que pour celui qui trouve
Il n'y a de repas que pour celui qui mange
Tout est toujours à recommencer

Nous marchons sur nous-mêmes comme un bétail perdu
Le mensonge est collé aux semelles de nos souliers

35 La vérité la vérité la vérité
Est comme la fumée
La vérité la vérité la vérité
Qui monte dans nos mots

Il n'y a de repos que pour celui qui cherche
40 Il n'y a d'oasis que pour celui qui boit
Tout est toujours à recommencer

Vous est-il arrivé de voir dedans vos yeux
Le chemin du retour qui coule avec amour

Raôul Duguay
(né en 1939)

Tôuseul ak tôulmonde
Tout Poète Travaille
à la Désaliénation de
l'Homme, à l'Élucida-
tion de la Réalité, à la
Floraison de l'Esprit.

Raôul Duguay est sans doute le plus ésotérique de nos poètes et de nos chansonniers. D'abord et avant tout un homme libre, il tente de convaincre chacun de renouer avec l'essentiel qui réside en soi. À vrai dire, Raôul Duguay est moins un chanteur qu'un communicateur, et tous les moyens sont utilisés, depuis le déguisement jusqu'à la propension à faire parler les sonorités, pour communiquer à d'autres sa quête d'absolu, un absolu dont l'homme est le centre. Ce poète passeur, illuminé par une merveilleuse bonne humeur, laquelle participe de l'hymne à la vie qui traverse son œuvre, utilise des images d'une grande simplicité pour inviter chacun à cesser de n'être qu'un brouillon de ce qu'il pourrait être.

Au plaisir de lire

- Nu tout nu, le rêveur réveillé
- L'Infonie, le bouttt de touttt
- Entre la lettre et l'esprit

La vérité la vérité la vérité
45 Est comme le soulier
La vérité la vérité la vérité
Que l'on a délacé

Il n'y a de repos que pour celui qui trouve
Il n'y a de repos que pour celui qui part
50 Tout est toujours à recommencer

Ils ont mis des cailloux dans le bout des souliers
Et puis ils sont montés sur leurs propres épaules

La vérité la vérité la vérité
Est comme une lumière
55 La vérité la vérité la vérité
Qui pointe à l'horizon

Il n'y a de repos que pour celui qui marche
Il n'y a de repos que pour celui qui va

Mais dites-moi où est-il celui qui ne passe pas

Paroles de Raôul Duguay, musique de Michel Garneau. Enregistré le 23 février 1978
au Théâtre Saint-Denis à Montréal. Disque *Monter en amour*, EMI Capitol, © Raôul Duguay.

1. Commentez l'usage des pronoms personnels.

2. Relevez et classez les images poétiques.

3. Expliquez la dernière strophe.

4. Quelle est l'intention du chanteur?

Scène du film *Ô ou l'invisible enfant* réalisé par Raôul Duguay en 1972. Office national du film du Canada.
« Ce premier film de Raôul Duguay vide l'existence de son poids quotidien et l'exhausse jusqu'à la poésie. Progressivement, il remonte le cours des ans et rejoint le temps où l'homme n'était qu'un enfant capable de s'émerveiller et d'admirer les choses belles qui l'entourent, de redécouvrir sans cesse la nouveauté du premier jour » (ONF).

QUÉ-CAN BLUES

Ça fait longtemps qu'j'ai rien écrit
J'vais vous lâcher mon dernier cri
Y'en a qui pensent que j'ai tout dit
Qui s'imaginent que chu fini
5   Les autres attendent la fin d'ma phrase
Ym' trouvent moins « hip » depuis que j'me rase
Y'aimaient mieux ça quand j'me fâchais
Dans l'temps qu'j'faisais peur aux Français
D'autres qui trouvent que l'joual c'est ben laid
10   Pi qui chialent quand j'chante en anglais

Des fois chu pu sûr de ma race
J'lève mon collet j'me cache la face
J'nous r'garde vieillir entr'deux grosses « Mol »
Le corps raide pi les oreilles molles
15   J'nous vois nous mirer d'in vitrines
Des deux bords d'la rue Ste-Catherine
J'entends nos « quand qu'on si j'aurais »
On a pu les chansons qu'on avait
On est des « Gypsies » oubliés
20   Par les amis de Jacques Cartier

C'est pu l'moment d'faire des « party »
Nous avons notre identité
Au lieu de s'en féliciter
Le temps est venu d'éclater
25   Arrêtons d'nous r'garder l'nombril
C'est un chapitre déjà écrit
Faut pu s'contenter des croûtes
Faut dev'nir les meilleurs en « toute »
Ç'a fait trois cents ans qu'on se berce
30   Au lieu d's'occuper d'not'commerce
Pendant qu'Mon oncle SAM suce le Québec
Sous l'œil de « CONNAIS RIEN FRONT SEC »

Si les États prennent le terrain
Y va nous rester moins que rien
35   Sans pays sans patrie sans « job »
On va se r'trouver pauvres comme Job
Faut leur montrer qu'on est « capab »
Faire mieux qu'les Juifs et les Arabes
Faut s'appuyer, faut s'entraider
40   Bâtir une grande armée d'idées
Et faire de la Nouvelle France
La terre promise de l'espérance.

Paroles et musique de Robert Charlebois, © Éditions Conception.

1. Expliquez le titre de la chanson.
2. Quels termes dépréciatifs relevez-vous dans ce texte ?
3. Quel niveau de langue est privilégié ici ? Commentez.
4. Serait-il possible de lire une certaine critique sociale ?
5. En quoi cette chanson se démarque-t-elle de celles associées aux chants du pays ?

Robert Charlebois (né en 1944)

Tout ça a commencé sur les plaines d'Abraham La chicane a pogné, t'as mangé ta volée...

En 1968, Robert Charlebois commence à chanter, et bientôt tout l'univers de la chanson québécoise est profondément transformé. Ce nouveau porte-parole de la jeunesse, vite sacré superstar, innove dans tous les domaines : la musique électronique, influencée par le rock américain, prend autant de place que les paroles, et le sens de la dérision vient désacraliser les questions les plus graves. Les thèmes, souvent apparentés à ceux de la contre-culture, comme la société de consommation, la violence, la perte d'identité individuelle et collective, le travail routinier, ont bien peu à voir avec les valeurs d'hier. Avec Charlebois, la chanson se modernise jusque dans la langue, drue et crue, urbanisée, qui n'hésite pas à emprunter aux jeunes ni leurs jurons ni leurs anglicismes.

Claude Péloquin
(né en 1942)

Devant mon style de vie et ma forme de pensée, on m'a même demandé, un jour, si j'avais un père et une mère, comme tout le monde... J'ai tout de suite vérifié si j'avais un nombril moi aussi.

Poète en marge des différentes écoles, Claude Péloquin est considéré comme un fumiste par certains, un poète de grand talent par d'autres. Mais les générations futures retiendront au moins de lui une phrase-choc qui a fait couler beaucoup d'encre et de salive, inscrite dans le béton de la murale du Grand Théâtre de Québec : « Vous êtes pas écœurés de mourir bande de caves ! C'est assez ! » Péloquin a aussi écrit une des chansons les plus populaires du répertoire québécois, *Lindberg !!!* (1968), à l'origine chantée par Louise Forestier et Robert Charlebois. La chanson québécoise s'inscrivait dès lors dans la modernité et assumait son américanité.

Au plaisir de lire

- *Manifeste infra*
- *Œuvres complètes*

LINDBERG !!!

Des hélices : astro-jets, whisper-jets, clipper-jets,
Turbos, à propos :
Chu pas rendu chez Sophie
Qui a pris l'avion St-Esprit
5 de Duplessis
Sans m'avertir.
Alors chu parti sur
Québec Air, Transworld, Northern, Eastern, Western
Pi Pan Américan !
10 Mais, ché'pu...

Où chu rendu.
J'ai été :
Au Sud du Sud
Au soleil bleu blanc rouge
15 Les palmiers et les cocotiers glacés
Dans les pôles aux esquimaux bronzés
Qui tricottent des ceintures fléchées farcies
Et toujours la Sophie
Qui venait de partir.

20 Alors chu r'parti
Sur Québec Air, Transworld, Northern, Eastern, Western
Pi Pan Américan !
Mais, ché'pu...
Où chu rendu.

25 Y'avait même une compagnie qui engageait
Des pigeons qui volaient en dedans
Et qui faisait le balan
Pour la tenir dans le vent
C'était absolument, absolument, absolument
30 Très salissant.

Alors, chu r'parti sur
Québec Air, Transworld, Northern, Eastern, Western
Pi Pan Américan !
Ma Sophie a pris une compagnie
35 Qui volait sur des tapis de Turquie
C'est plus parti. Et moi à propos
Chu rendu à dos de chameau...

Je préfère
Mon Québec Air, Transworld, Northern, Eastern, Western
40 Pi Pan Américan !
Mais je ne sais plus où je suis rendu
Pi j'ai fait une chute, une kriss de chute, en parachute
Et j'ai retrouvé ma Sophie
Elle était dans mon lit
45 Avec mon meilleur ami,

Et surtout
Mon pot de biscuit
Que j'avais ramassé
Sur Québec Air, Transworld, Northern, Eastern, Western
50 Et Pan Américan

Paroles de Claude Péloquin, musique de Robert Charlebois (1968),
© Les Éditions Gamma, 1997.

1. Analysez le réseau du rythme et de la musicalité.

2. Quel est l'effet produit par les mots anglais ?

3. Relevez les thèmes.

4. Quel sens pouvez-vous donner à cette chanson ?

Murale du Grand Théâtre de Québec, Jordi Bonnet, 1969.
Tant par son utilisation de la phrase de Claude Péloquin que par sa conception, cette murale fait réfléchir et appelle à la liberté.

Plume Latraverse /
Michel Latraverse
(né en 1946)

Détachée du monde
extérieur la vie se
dépouille de ses heures
... morte lumière.

Par sa poésie inconvenante, inso-
lente et irrévérencieuse, parfois à
saveur scatologique, Plume aime
provoquer, semer l'inconfort, dire
les droits de la révolte et de la liberté. Avec son personnage de
clochard, ce chanteur à l'humour
caustique transgresse et dynamite
tout : il se plaît à décaper la misère du poids des convenances.
Dans un joual qui se veut parfois
galopant, il effectue une véritable
autopsie poétique de la décadence.

Au plaisir de lire

• *Contes gouttes*

LES PAUVRES

Les pauvres ont pas d'argent
Les pauvres sont malades tout l'temps
Les pauvres savent pas s'organiser
Sont toujours cassés

5 Les pauvres vont pas voir de shows
Les pauvres sont ben qu'trop nonos
En plus, les pauvres y ont pas d'argent
À mettre là-d'dans

Les pauvres sont su'l Bien-Être
10 Les pauvres r'gardent par la f'nêtre
Les pauvres, y ont pas d'eau chaude
Checkent les pompiers qui rôdent
Les pauvres savent pas quoi faire
Pour s'sortir d'la misère
15 Y voudraient ben qu'un jour
Qu'un jour, enfin, ce soit leur tour

Les pauvres ont du vieux linge sale
Les pauvres, ça s'habille ben mal
Les pauvres se font toujours avoir
20 Sont donc pas d'affaires !

Les pauvres s'achètent jamais rien
Les pauvres ont toujours un chien
Les pauvres se font prendre à voler
Y s'font arrêter

25 Les pauvres, c'est d'la vermine
Du trouble pis d'la famine
Les pauvres, ça couche dehors
Les pauvres, ça l'a pas d'char
Ça boé de la robine pis ça r'garde les
30   vitrines
Pis quand ça va trop mal
Ça s'tape sa photo dans l'journal...

Les pauvres, ça mendie tout l'temps
Les pauvres, c'est ben achalant
35 Si leur vie est si malaisée
Qui fassent pas d'bébé ! ! !

Les pauvres ont des grosses familles
Les pauvres s'promènent en béquilles
Y sont tous pauvres de père en fils
40 C't'une manière de vice...

Les pauvres sortent dans la rue
C'est pour tomber su' l' cul
Y r'çoivent des briques s'a tête
Pour eux, le temps s'arrête
45 Les pauvres ça mange le pain
Qu'les autres jettent dans l'chemin
Les pauvres, c' comme les oiseaux
C'est fait pour vivre dans les pays
   chauds

50 Icitte, l'hiver, les pauvres gèlent
Sont maigres comme des manches
   de pelles
Leur maison est pas isolée
Pis l' gaz est coupé

55 Les pauvres prennent jamais
   d'vacances
Les pauvres, y ont pas ben d'la chance
Les pauvres, y restent toujours chez
   eux
60 C'est pas des sorteux

Les pauvres aiment la chicane
Y vivent dans des cabanes
Les pauvres vont pas à l'école
Les pauvres, c'pas des grosses bolles
65 Ça mange des s'melles de bottes
A'ec du beurre de pinottes
Y sentent la pauvreté
C'en est une vraie calamité
Les pauvres...

70 ... mais y ont tous la t.v. couleur

Tout Plume (... ou presque),
© Éditions Typo et Plume Latraverse, 2001.

---

1. Commentez l'usage de la négation.

2. Relevez les préjugés contenus dans ce texte.

3. À travers quel procédé l'humour se manifeste-t-il dans cette chanson ?

4. Pourquoi le dernier vers crée-t-il un malaise ?

5. Quelle pourrait être l'intention de l'auteur ?

6. Est-il juste d'affirmer que cette chanson est plus triste que comique ?

Le monologue

Un genre appartenant à la tradition orale populaire, et qui a longtemps fait le bonheur du public des cabarets, est maintenant reconnu à part entière comme genre littéraire : le monologue humoristique. Il faut dire que son pendant moins populaire est au cœur de notre tradition théâtrale : à titre d'exemple, *La nef des sorcières* est constituée de la simple juxtaposition de six monologues. Les spectacles des monologuistes — avec, parmi tant d'autres, Yvon Deschamps, Clémence DesRochers et Sol — prennent une part particulièrement importante de l'activité scénique québécoise. Des personnages, hommes ou femmes, des anti-héros auxquels le public se plaît à s'identifier, viennent confier leur fragilité et dire leurs blessures, leur mal de vivre dans le temps présent. Ils prendront bientôt une place aussi importante que celle des chansonniers, se faisant à leur tour les porte-parole d'une génération.

En effet, à la fin des années 1970, et encore plus après l'échec du référendum de 1980, on assiste à une étonnante mutation dans les goûts du public : les chansonniers qui étaient les porte-parole privilégiés des jeunes depuis l'aube des années 1960 se verront déclassés par les humoristes, parmi lesquels se trouvent un très grand nombre d'imitateurs. Pourquoi, dans cet âge du paraître, aller voir et entendre l'original quand on peut avoir, dans un seul spectacle, plusieurs dizaines de copies ? Le rire, phénomène de société (faute de projet de société ?), deviendra une habitude de consommation culturelle. Mais ce qui, chez Yvon Deschamps dans les années 1970, était provocation et subversion, appel à la conscience et à la transformation sociale, sera bientôt réduit à des clins d'œil, des flashes, du délire et de l'absurde.

Le rire sera bientôt tellement triomphant que l'humour deviendra une industrie. Évacuant les problèmes sociaux et la politique de leur répertoire, ces humoristes s'intéressent, pour la plupart, à des petits riens qui font rire, aux comportements et attitudes des individus bien plus qu'aux idées abstraites et aux nobles causes. Usant de l'ironie et de la dérision, composant à l'occasion avec la grossièreté, ils prennent plaisir à réduire les drames du quotidien en simples pantalonnades. Il va de soi que la vie sexuelle y est abondamment exploitée, comme si on voulait mettre du piquant dans ce qui en manque. Quantité d'humoristes, qui vivent bien dans un système qu'ils ne veulent pas remettre en question, cherchent à plaire et à flatter leur ego, sans susciter de remous. Ils sont devenus de simples artistes de variétés, et leur rigolade emballée sous vide aura fait perdre à l'humour sa dimension subversive.

Et le public de les célébrer avec avidité, car le rire est maintenant devenu du sérieux : il sert à masquer le tragique en soi et autour de soi, il empêche d'étouffer, d'« éclater en sanglots ». Comme l'affichait la devise du journal humoriste *Croc*, « c'est pas parce qu'on rit que c'est drôle ».

D'autres, beaucoup plus rares, tenteront de traquer la sottise dans ce qui sert de confort pour plusieurs, leur « petite vie » ronronnante de banalité. Ces derniers, des comiques de l'absurde, parviennent à décrire, mine de rien, notre sous-développement culturel ; chez eux, le sens naît du non-sens. Claude Meunier se situe dans cette classe à part. Dans une société où les valeurs sûres sont évacuées, son rire résolument absurde vient mettre en relief la vacuité et le sens du tragique d'une époque. Ses Paul et Paul puis Ding et Dong vêtus de leurs chics vestons en peau de vache auront fait école. Et que dire de son ineffable succès télévisuel *La Petite Vie* ? Ces personnages rient des travers de la société en débitant des stupidités sans queue ni tête, comme si le Québec vivait à l'ère d'un grand vide. Leur absurde recyclé traite de problèmes sociaux, mais le public n'a pas nécessairement besoin de les prendre au sérieux, se satisfaisant le plus souvent de rire au premier niveau.

Yvon Deschamps
(né en 1935)

*J'aime le rire jaune
parce que ce n'est pas
un rire d'inconscience.*

La carrière d'humoriste d'Yvon Deschamps commence en 1968 avec le spectacle culte joué avec Robert Charlebois, Louise Forestier et Mouffe, *L'Osstidcho*. Pour la première fois, le personnage du pauvre diable né pour un petit pain, exploité inconsidérément par son « bon boss », monte sur la scène et demande : « Les unions, qu'ossa donne ? » Et c'est ainsi que débute une nouvelle tradition d'humour au Québec. Depuis, l'humoriste n'a cessé d'accompagner les bouleversements sociaux et politiques du Québec, les commentant à sa façon inimitable, repoussant les traditionnelles frontières de l'humour. Son discours engagé socialement et politiquement, parfois controversé mais toujours hilarant, qui prend plaisir à bousculer les tabous et à déstabiliser le public, pousse toujours à bout la logique de l'intolérance. Ses textes d'une grande intelligence, qui dénoncent tout mépris du bon sens et toute entrave à la conscience, ne cessent d'appeler des réflexions et des remises en question. Avec Yvon Deschamps, le rire sert de potion pour faire partager des préoccupations sociales.

PÉPÉRE

Eille quand j'tais p'tit moé, j'avais un pépére. On l'appelait d'même parce que si on l'aurait appelé mémére, y se s'rait choqué…

Pépére lui, ça s'trouvait à être le père de mon père. Y restait chez nous parce qu'y avait cassé maison quand mémére a l'vé les pattes. Ben, en faite, y
5 restait à maison pour deux raisons. Comme mon père disait : « Des fois, y est ben achalant mais tant que je s'rai en vie, y s'ra pas dit qu'mon vieux père va moisir à l'hospice. » Pis la deuxième raison, c'est qu'on aurait jamais trouvé une famille qui aurait voulu d'un pépére qui était pas à eux autres.

Moé quand j'tais p'tit, j'tais assez étrivant, ça avait pas d'bon sens… Fa
10 qu'des fois je r'gardais des portraits de mémére — moé je l'avais pas connue parce qu'était morte trop jeune — et pis je r'gardais des portraits de mémére, pis j'disais à pépére : « Pépére, j'comprends pas qu'mémére aye marié un vieux comme vous. » Ah ben là, ça, ça l'choquait ! Pis t'sais, comme y faisait de l'apse, quand y s'choquait y toussait pis y v'nait bleu… On avait
15 ben du fun avec !

Des jours quand y était ben, y nous parlait. Y parlait de tout l'temps du bon vieux temps, y disait : « Dans l'temps… Dans l'temps… » J'disais : « Pérére, vous parlez de "dans l'temps" parce que c'temps-là, vous étiez capable de faire queque chose pis là vous êtes pus bon à rien. C'est toute ! » Non
20 c'est vrai, y était ben smatte mais nous autres, y nous servait pus à grand-chose… Y s'berçait un peu, c'est toute. Des fois y allait répondre à porte. Mais fallait l'watcher parce que nous autres, on était habitués, mais le monde qui l'connaissaient pas, des fois y en avaient peur. Eille, y était vieux là, ça pas d'bon sens c't'homme-là ! Pis y était paralysé d'un côté pis y shakait d'même
25 pis y était pus beau beau beau à voir… J'sais pas, y se r'tenait pareil. On aurait dit qu'y voulait pas partir. C'est drôle à c't'âge-là les vieux, han ? Ça s'accroche pis on sait pas trop pourquoi.

Eille des jours là, y était ben. Des jours, y était pareil comme du monde ordinaire. Dans c'temps-là, y voulait toujours faire queque chose. Y disait :
30 « Si on avait un jardin ou bedon si j'pouvais rentrer l'bois ! » Ben c'est parce que nous autres dans c'temps-là, on restait à Montréal-Nord dans un deuxième étage et pis quand tu rentrais, t'arrivais face à face avec la fournaise à l'huile, fa que… Pis comme mon père disait : « Des carottes, ça pousse pas vite su l'prélat d'la cuisine ! » Fa qu'ma mère à y disait : « Pépére, vous êtes ben ! On
35 vous fait pas la vie dure ! Y en a qui donneraient ben cher pour être à vot' place ! » Ou bedon y voulait aller prendre des marches. Ben nous autres on aimait pas ça qu'y sorte parce qu'y s'faisait crier des noms. Après ça nous autres quand on sortait, nos chums riaient de nous autres…

Ben y s'berçait. Tranquille. Pis ma mère à l'aimait ben gros quand y était
40 d'même : tranquille. Pis ma mère à l'comprenait bien, à l'comprenait très bien. Des fois à y disait : « Pépére, si l'bon Dieu pouvait v'nir vous chercher, han ? Pauvre vieux, vous vous ennuyez à mourir… » Eille, des fois nous autres les p'tits, on y jouait des tours. Eille, on avait du fun avec ! T'sais, y couchait dans salle à dîner. Et pis nous autres on savait qu'la nuit y se l'vait
45 et pis y allumait pas les lumières. Ça fait qu'un soir on a attendu que tout l'monde soye couché. Pis là, on s'est l'vés tranquillement, et pis dans porte d'la salle à dîner, on a mis un p'tit banc que ma mère se sert pour étendre dans maison, pis on est r'tournés dans not' chambre pis on attendait, pis on attendait…

Pis d'un coup : beding ! bedang ! Eille, le vieux à terre ! Ah ben là on a ri, c't'écœurant ! Mais quand mon père s'est l'vé, là on en a mangé une maudite ! Parce que pépére, y s'était cogné la tête su l'cadre de porte pis y saignait, toute… Ben t'sais, quand t'es p'tit, t'es pas grand. Fa que des fois tu fais des affaires…

Eille, c'te vieux-là y s'berçait assez, y aurait pu gagner des concours ! Mais c'est drôle les vieux, han ? Des fois, les vieux c'est comme les p'tits : t'sais, c'est pas propre… Et pis ma mère, à l'a été obligée de l'arrêter d'fumer, y j'tais sa cendre n'importe où pis y aurait pu mettre le feu dans maison ! Eille, ça paraît pas mais les vieux, ça pense, t'sais ! Eille, c'te vieux-là, ça pensait ! Moé j'disais à ma mère : « Veux-tu ben m'dire à quoi qu'y peut penser, pépére, quand y s'berce de même ? » À disait : « Ben, y s'prépare pour le grand voyage. C'est comme qui dirait qu'y fait sa valise pour le grand voyage. » Eille, c'est pas croyable tout c'qu'y mettait dans sa valise chaque jour. Chaque jour y mettait trois chapelets ordinaires, un chapelet d'saint Joseph, un chapelet d'saint Antoine, deux actes de contrition, un acte de foi, un bénédicité — parce qu'y mangeait inque une fois par jour. Fa qu'moé, j'y faisais des farces. J'ai toujours aimé faire des farces t'sais, j'y disais : « Pépére, si vous partez pas ben vite, votre valise fermera pus ! » Lui y riait pas, rien. Nous autres on avait ben du fun avec.

Une fois… une fois y était mort. Ça fait que quand mon père a vu ça, y l'a faite exposer. Mais deux trois jours après, on a été obligés de l'enterrer. Après, c'tait pus pareil dans maison. C'est comme que si y aurait manqué queque chose, euh… Mon père, lui, y parlait pus, rien. Même moé j'me sentais drôle, t'sais, comme quand tu sens queque chose de bizarre dans l'estomac. C'est dur à expliquer, mais j'me sentais un peu comme quand mon chien s'était faite frapper par un char.

Un soir, mon père s'est choqué, y est rentré dans salle à dîner, y a sacré un coup d'pied sua chaise berçante, y a dit : « Qu'ossa donne, c'te maudite chaise berçante-là dans salle à dîner ? Sacrez-moé ça dehors, j'veux pus voir ça dans maison ! »

Tout Deschamps. Trente ans de monologues et de chansons, © Lanctôt Éditeur, 1998.

---

1. Le thème principal est la vieillesse. Quels sont les thèmes secondaires ?

2. Identifiez les passages où l'humour est feint et sert en fait de révélateur.

3. Faites le portrait moral du narrateur.

4. Quelle est l'intention de l'auteur ?

5. Comparez ce texte avec celui de Marc Favreau (page 210). A-t-on raison de penser que les deux auteurs font le même portrait de la vieillesse ?

Sol / Marc Favreau
(1929-2005)

Le français est une langue très imagée. Les mots contiennent en eux beaucoup de folie. Il suffit de les écouter.

Clown-poète, Sol est un véritable obsédé textuel. Après les Rabelais, Vian, Prévert et autres Devos, avec humour et poésie, il recrée et régénère la langue française, en inventant un monde nouveau. Sa virtuosité verbale l'amène à démonter la mécanique des mots pour en créer de nouveaux, revus et améliorés, affichant avec superbe leur contenu de folie et de liberté. Chez Sol, les mots virevoltent et fraternisent, font valser les superlatifs, se renversent dans des calembours, complotent avec des idées pour débusquer le dérisoire.

Au plaisir de lire

• *Je persifle et je singe*

LE CRÉPUSCULE DES VIEUX

Des fois j'ai hâte d'être un vieux :
ils sont bien les vieux,
on est bon pour eux,
ils sont bien,
5   ils ont personne qui les force à travaller,
on veut pas qu'ils se fatiguent,
même que la plusspart du temps on les laisse pas
finir leur ouvrage,
on les stoppe, on les interruptionne,
10 on les retraite fermée,
on leur donne leur appréhension de vieillesse
et ils sont en vacances...

Ah, ils sont bien les vieux !

et puis, comme ils ont fini de grandir,
15 ils ont pas besoin de manger tant tellement beaucoup,
ils ont personne qui les force à manger,
alors de temps en temps
ils se croquevillent un petit biscuit
ou bien ils se ratartinent du pain
20 avec du beurre d'arrache-pied
ou bien ils regardent pousser leur rhubarbe
dans leur soupe...

Ils sont bien...
Jamais ils sont pressés non plus,
25 ils ont tout leur bon vieux temps,
ils ont personne qui les force à aller vite,
ils peuvent mettre des heures et des heures
à tergiverser la rue...
Et pluss ils sont vieux, pluss on est bon pour eux,
30 on les laisse même plus marcher,
on les roule...

Et puis d'ailleurs ils auraient même pas besoin
de sortir du tout,
ils ont personne qui les attendresse...

35 Et l'hiver... Ouille, l'hiver
c'est là qu'ils sont le mieux, les vieux,
ils ont pas besoin de douzaines de quatorze soleils...
non
on leur donne un foyer,
40 un beau petit foyer modique
qui décrépite,
pour qu'ils se chaufferettent les mitaines...
Ouille, oui l'hiver ils sont bien,
ils sont drôlement bien isolés...

45 Ils ont personne qui les dérange,
personne pour les empêcher de bercer
leur ennuitouflé…
Tranquillement ils effeuillettent
et revisionnent leur jeunesse rétroactive
50 qu'ils oubliettent à mesure
sur leur vieille malcommode…

Ah ils sont bien !

Sur leur guéridon par exemple
ils ont toujours une bouteille
55 petite
bleue
et quand ils ont des maux, les vieux,
des maux qu'ils peuvent pas comprendre
des maux myxtères
60 alors à la petite cuiller
ils les endorlotent et les amadouillettent…

Ils ont personne qui les garde malades,
ils ont personne pour les assister soucieux…

Ils sont drôlement bien.

65 Ils ont même pas besoin d'horloge non plus
pour entendre les aiguilles
tricoter les secondes…

Ils ont personne qui les empêche d'avoir
l'oreillette en dedans
70 pour écouter leur cœur
qui greline
et qui frilotte
pour écouter leur cœur se débattre tout seul…
Ils ont personne qui…
75 ils ont personne…

personne

Presque tout Sol (1997), © Éditions Internationales Alain Stanké. Droits dérivés.

1. Décrivez la langue de Sol.

2. Analysez la structure de ce texte. Comment l'auteur passe-t-il de « ils sont bien les vieux » à « ils ont personne… » ?

3. Qu'y a-t-il de particulier dans le regard que Sol pose sur notre société ?

4. Peut-on affirmer que l'humour permet de mieux dénoncer les problèmes sociaux ?

5. Expliquez les trois dernières lignes de l'extrait.

SYNTHÈSE

QUESTIONS

Analysez

1. Les transgressions du code linguistique servent parfois à transcrire l'oralité, parfois à marquer une rupture, une révolte. Elles peuvent aussi s'inscrire dans une démarche exploratoire. Trouvez des exemples parmi les extraits qui illustrent ces différents cas.

Expliquez

2. À partir des poèmes de Gatien Lapointe et de Gaston Miron, montrez que le pays est décrit comme une figure maternelle.

3. Prouvez que la poésie de Jacques Brault, avec sa tendresse et sa fragilité, celle de Paul Chamberland, avec sa colère, et celle de Gaston Miron, avec sa véhémence revendicatrice, sont trois aspects d'une même quête.

4. Qu'ont en commun les jeunes personnages de Réjean Ducharme, Jacques Renaud et André Major ?

5. Établissez une parenté entre les textes de Pierre Vallières et ceux de Victor-Lévy Beaulieu.

6. Quels traits communs pouvez-vous noter entre le Tremblay romancier et le Tremblay dramaturge ?

7. Prouvez que les extraits de Pierre Perrault et d'Antonine Maillet viennent, chacun à sa manière, dire l'importance de la culture.

8. Montrez de quelle manière, chez Madeleine Ouellette-Michalska et Yolande Villemaire, l'écriture romanesque se nourrit essentiellement du quotidien.

9. Comparez la critique sociale chez Plume Latraverse et chez Sol en montrant ce qui les distingue.

10. Dans quelle mesure Victor-Lévy Beaulieu et Lucien Francœur ont-ils le même rapport à l'Amérique ?

Discutez

11. Est-il juste d'affirmer que les extraits de Jacques Renaud et de Pierre Vallières dépeignent le même portrait du colonisé ?

12. La contribution de l'artiste à la redéfinition du pays est-elle identique dans le conte de Jacques Ferron et dans le poème de Paul Chamberland ?

13. Les figures du pouvoir dans le théâtre de Jean-Claude Germain et le roman de Marie-Claire Blais se rejoignent-elles ?

14. Pourrait-on affirmer que le Jérémie de Jacques Ferron est l'antagoniste du Hervé Jodoin de Gérard Bessette ?

15. Comparez le thème de la solitude chez Émile Nelligan (page 73), Saint-Denys Garneau (page 95) et Denis Vanier. Est-il traité de la même façon ?

16. Peut-on affirmer que Michel Tremblay et Clémence DesRochers évoquent la même déshumanisation de la femme ?

17. Comparez le thème de la découverte de soi chez Denis Vanier et Raôul Duguay.

À RETENIR

Contexte sociohistorique	Littérature
La recherche d'une identité nationale	**Une littérature qui acquiert sa souveraineté**
La Révolution tranquille (1960-1966)	**Un souffle historique**
• Élection des libéraux de Jean Lesage. La décennie 1960 est une importante plaque tournante où le Québec connaît une évolution accélérée de son histoire.	• **La poésie de la quête et de l'identité collective :** De 1953 à la fin des années 1960, toute une génération de poètes, centrée autour de la maison d'édition de l'Hexagone, se reconnaît une responsabilité sociale. « Âge de la parole. » D'autres auteurs militants de gauche se retrouvent autour de la revue *Parti pris* (1963-1968).
• Ère de réformes institutionnelles et de chambardements dans la vie politique. L'État québécois se fait le moteur principal du développement collectif : réforme de l'éducation, développement de l'État-providence, nationalisation de l'électricité.	

Contexte sociohistorique *(suite)*	Littérature *(suite)*

Contexte sociohistorique *(suite)*

- Germination d'un nouveau nationalisme. Le vocable *Canadien français* s'efface devant celui de *Québécois*. Création du Parti québécois par René Lévesque.

Un courant venu d'ailleurs

- Ces années effervescentes voient fleurir la contre-culture. Le Québec s'ouvre au monde.

Libération religieuse et morale

- En quelques années, le Québec est passé d'un monde où la religion occupait toutes les sphères, du plus intime des consciences jusqu'aux manifestations publiques les plus spectaculaires, à une société presque entièrement sécularisée.

Des années troubles (1966-1970)

- Cette époque de contestation, de revendication, de révolte et de colère cristallise bientôt la ferveur nationaliste autour de la question linguistique.

- L'agitation culmine en 1970, après l'élection du libéral Robert Bourassa. Crise d'Octobre 1970.

Les années 1970 : une société sous tension

- Affrontements réguliers entre l'État et un syndicalisme d'inspiration socialiste. Choc pétrolier en 1973. Inflation. Taux de chômage endémique.

- Élection du Parti québécois (1976).

- Charte de la langue française (1977).

- Référendum sur la souveraineté (1980). Victoire du non à 59,6 %.

- Cette époque qui voit l'éclatement généralisé des modèles culturels cultive les fuites de toutes sortes, projections en avant comme dans le passé.

La femme et/est le pays

- Durant ces deux décennies, il faut considérer l'émancipation des femmes comme le trait majeur de l'histoire québécoise aussi bien qu'occidentale.

- Des féministes militant dans un mouvement structuré et diversifié prennent d'assaut la forteresse patriarcale.

- Année internationale de la femme (1975).

Littérature *(suite)*

- **Les récits de la révolte et de la rupture** : À l'image de la société, le roman connaît sa révolution. Les romanciers passent au combat. Éclatement des formes. Le roman supplante la poésie dans l'espace littéraire. Conflit idéologique autour du joual.

- **Le théâtre en service national** : Le théâtre connaît un essor remarquable en faisant siennes les préoccupations identitaires collectives de la société. Dénonciation de la famille. Exorcisme des peurs qui nous tenaillent. Mise en scène de pages de notre histoire.

- **L'essai, creuset du changement** : Les essayistes cessent d'être simplement des témoins pour se permettre de soulever des débats et amènent le lecteur à prendre position. La question nationale accapare toutes les énergies.

- **Le chant du pays** : Naissance, à la fin des années 1950, d'une génération de chansonniers qui s'approprient la cause nationale. Première relation vitale entre les artistes et le public, entre les intellectuels et la masse.

Un souffle esthétique

- **Une poésie qui se remet en question** : Influencée par la contre-culture et partagée en de nombreux courants, cette poésie se fait sociale bien davantage que nationale.

- **La déconstruction du roman** : Continuité de la décennie précédente, mais désertion du thème de la quête du pays. Romans au féminin. Développement des genres marginaux. Renouvellement de la forme romanesque.

- **Un théâtre qui s'éclate** : Le théâtre prend ses distances à l'égard de ce qu'il fut, jusqu'à vouloir se démarquer de la littérature. Il n'hésite pas à porter la bannière féministe. Expérimentation formelle.

- **L'essai, un genre qui ne se reconnaît plus** : De nouveaux thèmes prennent le relais de la question nationale. Subjectivité avouée, voix féministes. L'essai mêle bientôt prose et poésie, théorie et récits narratifs, créations et critiques littéraires.

- **Des chansons pour secouer la torpeur** : La musique prend de plus en plus d'importance. Spectacles d'envergure. Échos à l'underground américain. Époque où la chanson féminine et féministe connaît ses plus beaux fleurons.

- **Un nouveau genre, le monologue** : Cette tradition orale populaire, humoristique, ayant fait le bonheur des cabarets, est maintenant reconnue comme genre littéraire.

DATES REPÈRES : Depuis 1980

1980 Défaite du oui au référendum.

1981 Pierre Elliott Trudeau annonce qu'il procédera au rapatriement unilatéral de la Constitution.

1981 Réélection du Parti québécois.

1981 Naissance du marché des ordinateurs personnels.

Fondation du Cirque du Soleil.

1981-1985 Très grave récession économique, durs affrontements syndiqués/État.

1982 Adoption de la nouvelle Constitution canadienne.

1983 Jeanne Sauvé est la 1re femme nommée gouverneure générale du Canada.

1984 Élection à Ottawa du Parti conservateur de Brian Mulroney.

1985 Démission de René Lévesque à qui succède Pierre Marc Johnson.

Élection du libéral Robert Bourassa.

1986 Désastre écologique de Tchernobyl.

1987 Accord du lac Meech ; sera invalidé en 1990.

Mort de René Lévesque.

1988 Accord de libre-échange entre le Canada et les É.-U.

Jacques Parizeau prend la tête des troupes souverainistes.

1989 Chute du mur de Berlin.

Le 6 décembre, tuerie de Polytechnique où 14 étudiantes sont froidement abattues.

Salman Rushdie est condamné à mort par l'ayatollah Khomeiny.

1990 Les Mohawks de Kanesatake (Oka) et Kahnawake revendiquent une certaine forme d'indépendance territoriale. Crise d'Oka.

1990 La Cour suprême du Canada invalide les dispositions de la loi 101 qui imposent l'unilinguisme français dans l'affichage public.

Effondrement des régimes socialistes en Europe de l'Est.

1990-1993 Deuxième récession.

1991 Dissolution de l'Union soviétique.

Guerre du Golfe (Irak).

1992 Génocide au Rwanda.

1993 Création de l'ALENA (Canada, Mexique et États-Unis).

1994 Élection du Parti québécois de Jacques Parizeau, avec la promesse d'un référendum sur la souveraineté.

1995 Le 30 octobre, deuxième référendum sur l'avenir du Québec.

Jacques Parizeau annonce sa démission le 31 octobre.

1996 Lucien Bouchard devient chef du Parti québécois et premier ministre.

1999 Début du mouvement altermondialiste : à Seattle, des jeunes gens s'en prennent aux vitrines d'un magasin Nike, perçu comme l'un des grands symboles de la mondialisation néolibérale et du fétichisme marchand.

2001 Bernard Landry succède à Lucien Bouchard comme premier ministre.

2003 Élection du libéral Jean Charest.

2005 La Grande Bibliothèque du Québec ouvre ses portes.

André Boisclair prend la tête du Parti québécois.

2006 Élection à Ottawa du conservateur Stephen Harper.

Reconnaissance par Ottawa que les Québécois constituent une nation.

2007 Élection du libéral Jean Charest à la tête d'un gouvernement minoritaire ; l'Action démocratique de Mario Dumont forme l'opposition officielle ; le Parti québécois d'André Boisclair est relégué au 3e rang.

CHAPITRE 5

L'ouverture au monde du Québec

UNE LITTÉRATURE POSTNATIONALE

Images finlandaises I, Louis-Pierre Bougie, 2004.
Galerie Madeleine Lacerte.

La vraie souveraineté est celle de l'individu.

Michel Morin

L'OUVERTURE AU MONDE DU QUÉBEC

En quelques décennies, l'État québécois s'est structuré, développé et modernisé en profondeur.

L'éducation est accessible à tous les niveaux sur l'ensemble du territoire, des établissements de santé desservent tous les centres importants et les sociétés d'État se sont multipliées. Le Québec est devenu une société démocratique, égalitaire et laïque. Mais, au lieu d'insuffler des sentiments de fierté et d'assurance pour l'avenir, cette réussite est suivie d'une désillusion, d'un essoufflement et du doute. Après des années de lutte, le Québec a semblé s'installer dans une période de transition. Individuellement, après le référendum de 1980, les Québécois, ressentant comme une lassitude civique, sont moins ouverts aux grandes idéologies de changement social et aux débats de société qu'elles avaient suscités. L'échec du grand projet collectif qu'était la souveraineté du Québec a entraîné une dépolitisation, un repli de la population vers la sphère privée, individuelle ; il semble avoir fait perdre aux Québécois la faculté de rêver à ce que pourrait devenir le Québec. Ce repli postréférendaire est observé jusqu'au sein des groupes promoteurs de changement social, comme le mouvement féministe, qui se fait moins bruyant et prolifère en une multitude de regroupements et associations aux objectifs et discours les plus divers, tout en conservant la même volonté fondamentale d'égalité.

La relève des hommes d'affaires

En 1981, contre toute attente, le Parti québécois est réélu, mais la conjoncture économique et politique est fort différente. À partir de 1981, il est rappelé à l'ordre par la réalité économique. Une première période de récession très grave[1] entraîne la fermeture de nombreuses usines et un taux de chômage particulièrement élevé, alors que les taux d'intérêt atteignent des niveaux usuraires. Pendant ce temps, l'écart entre les riches et les pauvres se creuse et les disparités régionales s'accentuent. L'État, lourdement endetté et obligé de procéder à des compressions budgétaires, est amené à de douloureuses remises en question : après avoir été interventionniste, le gouvernement du Parti québécois est contraint d'adopter

---

1. Durant cette période se produisent deux graves récessions économiques : en 1981-1982 et en 1990-1993.

un discours et des pratiques néolibéraux, ce qui sera la cause de durs affrontements avec la fonction publique syndiquée : il gèle la rémunération des travailleurs des secteurs public et parapublic, impose par décret des conditions de travail et inflige des sanctions particulièrement sévères aux enseignants grévistes. C'est la fin de l'État-providence, de l'État outil et moteur du développement collectif ; le développement économique du Québec doit dorénavant être pris en main par l'entreprise privée. Quand les libéraux de Robert Bourassa reprendront le pouvoir en 1985, on pourra observer une nette collusion entre les gens d'affaires et le gouvernement, alors que l'État jouera un rôle de moins en moins important dans la vie socioéconomique. On se préoccupe dorénavant de problèmes quotidiens, très matériels, comme la gestion de la dette et la crise dans le réseau de la santé.

Sur le plan constitutionnel

L'État québécois est également affaibli sur le plan constitutionnel. Au lendemain du référendum, le premier ministre canadien Pierre Elliott Trudeau annonce qu'il procédera au rapatriement unilatéral de la Constitution. Un accord constitutionnel est conclu entre un gouvernement fédéral à majorité de langue anglaise et les neuf provinces anglophones, mais le Québec est exclu de l'entente. Dès lors, la compétence du seul gouvernement démocratique de langue française en Amérique du Nord se voit réduite : peu après, la loi 101 est modifiée, jugée inopérante en divers domaines, comme dans celui de la langue d'enseignement (tout immigrant anglophone ayant étudié au Canada peut aller à l'école anglaise) et de la langue

Brian Mulroney et les premiers ministres des provinces lors de la signature de l'Accord du lac Meech.
Presse Canadienne.

d'affichage. Puisque le Québec n'a pas signé l'accord, on discute, après l'élection du gouvernement conservateur de Brian Mulroney, de nouvelles ententes constitutionnelles. Mais cette tentative d'« entente du lac Meech » sera elle aussi un échec, toute concession en faveur du Québec étant perçue comme une injustice envers les autres provinces. Cette attitude donne un regain d'appui à l'idée d'indépendance. En 1995, un second référendum sur la souveraineté du Québec est remporté, de justesse cette fois, par le camp du non avec 50,5 % des voix.

Un Québec pluraliste

Le droit à l'identité, c'est le droit à la différence, ce qui n'est pas un droit mais une obligation : être, c'est être différent.

Serge Bouchard

Le débat sur l'identité culturelle a connu un changement phénoménal : la réalité socioculturelle de Montréal est passée en une trentaine d'années d'une ambiance de vase clos à celle que l'on connaît aujourd'hui, riche et unique ; nous parlons de Montréal parce que c'est dans cette région que s'installent 80 % des nouveaux arrivants du Québec, mais c'est toute la société québécoise qui est profondément transformée. Enrichie des apports de plusieurs autres cultures, la culture québécoise cherche à se réinventer dans l'intégration souple des différences ; aux racines du passé se mêle désormais la promesse de nouvelles boutures qui prennent source en terre québécoise. Implantant sur son territoire des goûts nouveaux, des perceptions et des idées nouvelles, les immigrants contribuent à changer le Québec, tout en étant eux-mêmes soumis à des forces de changement. La littérature donne de nombreux exemples de cette volonté d'échange, d'interaction, de mutation. Ce qui fait que l'aventure québécoise n'est plus une aventure ethnique, mais une aventure culturelle commune, avec prédominance d'un fonds traditionnel français. On doit considérer la loi 101 comme le facteur principal d'intégration des nouveaux arrivants. C'est ainsi que, en 2005, la Commission scolaire de Montréal compte quelque 75 000 élèves parlant un total de 150 langues et provenant de 180 pays ; de ce nombre, 24 % ne sont pas nés au Québec. Ces jeunes ont beaucoup d'amis de plusieurs communautés, ce qui crée une culture très différente de celle que le Québec a connue jusque-là. Il suffit de se promener dans certains

Une garderie multiethnique de Montréal.

quartiers montréalais lors des matchs de la Coupe du monde de football pour s'en convaincre. Une fois de plus, le Québec a procédé à un réaménagement identitaire : le vocable *Québécois* se définit toujours par référence à la langue française, mais il cesse d'être ethnocentrique, admettant toute la diversité ethnique et culturelle. Intégrer les minorités culturelles autour du français et non les fondre, dans le plus grand respect des droits de chacun et l'égalité des sexes, tel semble bien le principal impératif social québécois.

Une civilisation en mutation

De New York à Tokyo tout est partout pareil (...)
On prend tous les mêmes métros vers
les mêmes banlieues.
Starmania, Luc Plamondon

Non seulement le tissu de la société québécoise s'est transformé de l'intérieur mais, à la fin du XXᵉ siècle, le Québec a participé à l'émergence d'un nouvel ordre social international. Dans la foulée des percées fulgurantes de la science et des technologies, cette période historique a en effet assisté à une troisième révolution industrielle, celle du passage d'une société manufacturière à une société de l'information, accompagnée d'une nouvelle avancée de la mondialisation financière et culturelle : financière par l'implantation d'une économie multinationale ; culturelle par l'expansion, à l'échelle mondiale, des communications et télécommunications (Internet), et par une hégémonie croissante des médias de masse qui placent le savoir au cœur de l'activité humaine, du développement et des transformations sociales. De la même manière que l'imprimerie avait contribué à l'émergence de la Renaissance, le changement de technologie que constituent les médias électroniques engendre une nouvelle ère.

Cette mondialisation de l'économie, des communications et de la culture semblait pleine de promesses : tout en réduisant les distances et en faisant tomber les frontières, elle devait permettre d'arriver à un meilleur partage des richesses des sociétés les plus nanties avec les peuples les plus pauvres de la planète ; elle devait garantir un minimum de justice et une relative prospérité, en plus de répandre partout les connaissances et d'enrayer les famines et les épidémies.

Or, dans les années 1990, la mondialisation prend une signification nouvelle avec l'effondrement du communisme : l'américanisation du monde, une homogénéisation quasi planétaire. Les multinationales qui dominent le marché mondial marginalisent les productions locales sur leur propre territoire en leur imposant des formes de développement économique et technique, des produits culturels et des systèmes de valeurs qui remettent en cause leur existence même. De Québec à Bombay, de Tokyo à Florence, partout on écoute la même musique, on danse aux mêmes rythmes, on mange le même *fast-food*, on diffuse les mêmes films, on porte les mêmes vêtements griffés, on subit les mêmes annonces publicitaires et on partage les mêmes loisirs ; même les contenus de nos frigos se ressemblent. Cette civilisation internationale « anglo-mondialisée », où l'humain est constamment menacé d'être ravalé au rang de « particules élémentaires », n'est pas sans transformer les mentalités, qui perdent leurs points de repère traditionnels, alors que les identités culturelles se sentent menacées par la culture dominante.

Le marché mondialisé et la société de consommation

En plus des guerres ethniques au sein de ses diverses républiques, l'écroulement de l'URSS aura laissé libre cours à un capitalisme agressif et sauvage. L'économie triomphante du profit boursier échappe à la tutelle des États, ce qui nécessite d'importants réaménagements dans la définition de la nation et de ses attributs. Il arrive souvent qu'une gouvernance se substitue au gouvernement. L'environnement planétaire se dégrade et une minorité de « grands prédateurs » impose ses lois à la majorité maintenue en situation de survie. La mondialisation économique engendre donc son lot de perdants, à commencer par les pays pauvres qui voient leurs dettes augmenter, le grand capital fonctionnant dans l'intérêt des pays industrialisés avancés. La nouvelle économie libérale multiplie les concentrations d'entreprises et les empires industriels ou bancaires ; c'est dire qu'elle progresse grâce à des mises à pied ; s'ensuivent les crises économiques et le chômage. Elle favorise de plus un groupe sélect d'employés hautement qualifiés, une classe déjà avantagée, ce qui défavorise les autres ; on observe même une nouvelle classe de pauvres, celle des intermittents et des précaires. Loin de réduire l'écart entre les nantis et les démunis, les progrès technologiques semblent plutôt avoir élargi cet écart.

Appelant à grand renfort la propagande publicitaire et médiatique, le discours néolibéral a réussi à créer la culture dominante de l'avoir et du dépenser. En jouant astucieusement sur des ressorts émotionnels plutôt que logiques, la machine capitaliste nous fait croire qu'il nous faut une quantité de choses pour être libres, alors qu'au contraire nous sommes les esclaves de cette machine. C'est ainsi que dans la culture narcissique et consumériste du « je-veux-tout-tout-de-suite », quantité de gens croient s'affirmer par ce qu'ils consomment, alors que, en réalité, ils sont consommés comme du *fast-food* par le système. En plus de vampiriser les rapports humains, cette course à l'argent rétrécit chaque jour un peu plus la conscience, le jugement, la mémoire et l'horizon de l'avenir.

La dictature de l'éphémère et le règne du relatif

C'est le début d'un temps nouveau
La terre est à l'année zéro
La moitié des gens n'ont pas trente ans
Les femmes font l'amour librement
Les hommes ne travaillent presque plus
Le bonheur est la seule vertu

Stéphane Venne

L'aventure techno-scientifique donne fréquemment l'impression d'être incontrôlée : la haute technologie militaire permet maintenant des « guerres propres », tels ces « cyberassauts » utilisés par les États-Unis contre l'Irak ; sans compter que cet arsenal militaire peut être réquisitionné par des terroristes.

On parle aussi de manière peu rassurante de manipulations génétiques, alors que des maladies « mondialisées » se répandent sur la planète : après le sida sont apparus la pneumonie atypique, la grippe aviaire, le syndrome respiratoire aigu sévère (SRAS), l'Ebola, la crise de la vache folle, sans oublier l'Alzheimer, une maladie phare pour notre époque. Dans les villes, la pauvreté a généré la criminalité, indissociable de la drogue et de la violence. La Terre subit une crise environnementale sans précédent, où planent de graves menaces sur ses écosystèmes, à commencer par les changements climatiques qu'on dit responsables de graves cataclysmes ; sans négliger le rôle néfaste des déchets polluants. Des milliards d'êtres humains s'abîment toujours dans les pénuries, les disettes et

Fire in your cities, André Fournelle, 1983.
Fournelle, par ses projets éphémères et ses interventions publiques, prolonge l'engagement social de sa démarche. Ici il raye d'un X un édifice de la rue Bleury à Montréal voué à la disparition.

la précarité, privés d'accès à des biens aussi essentiels que l'alimentation. Au sein des sociétés occidentales, il y a bouleversement de nombreuses donnes que l'on a crues longtemps immuables, notamment en ce qui concerne l'avortement et la contraception, et le mariage ; même le clonage est à vue d'horizon. Dans un monde devenu de plus en plus complexe et difficile à appréhender, pour quantité de gens, ne demeure plus qu'une seule certitude : celle de l'incertitude. Comme si la planète était en panne d'avenir.

Déstabilisé, pour échapper à la contingence totale, le moi opère un repli défensif : les individus se réfugient dans le présent, au plus près des choses, au plus près du quotidien. Le temps est réduit à l'immédiat, à l'événementiel, comme dans l'univers médiatique où les faits divers se chassent l'un l'autre, tout devenant éphémère et s'équivalant, la consommation aussi bien que les potins ou les éléments de culture. Et ce qui a rapport avec la durée devient problématique : comme les rapports humains, l'éducation et le vieillissement. C'est ce qu'on a appelé le postmodernisme : une rupture avec l'idée du progrès, qui prétendait que l'économie était au service du bien-être de l'homme et que l'humanité allait constamment vers un mieux-être. Or, aujourd'hui, nous assistons à la dissolution de toute vérité absolue ; le passé et l'histoire sont discrédités, l'autorité n'est plus reconnue, même le savoir canonique a perdu de son aura. Ainsi, dans le monde de l'enseignement, parallèlement à la société de consommation qui promeut un monde de plaisir et de satisfactions faciles, on a voulu croire que pour être heureux, il ne faut pas de contraintes : un minimum de devoirs et de travail à la maison ; le moins possible de dictées et de grammaire ; l'orthographe est jugée difficile, on la simplifie. Dans un autre domaine, il y a eu éclatement de l'esthétique, ce qui a brouillé les frontières entre la culture savante ou d'élite et la culture populaire ou de masse. Le suspense de l'anodin et du rien des nombreux succès de la téléréalité illustre l'extrême revanche du quotidien et du relatif ; ici l'image extérieure prime tout : les spectateurs guettent le moment où ils auront l'impression d'avoir accès à l'intimité des concurrents, alors que ces derniers, en représentation, croient que pour exister il suffit d'être vu.

On ne peut passer sous silence, enfin, une des « libérations » de l'époque présente : une génération découvre son corps, hier encore usé par le travail et la faim, et si longtemps rejeté au nom de la suprématie de l'esprit. Au terme du XXᵉ siècle, l'homme semble avoir hérité d'un corps nouveau aux limites inédites, lieu des fantasmes et de la représentation, lieu de projections. D'abord mutilé et cruellement déformé par les peintres, de Picasso à Otto Dix, au moment où son intérieur livre son identité la plus obscure grâce aux analyses d'ADN, le corps est maintenant soumis au triple régime cosmétique, diététique et plastique ; il est violenté et célébré, faisant l'objet d'un quasi-culte, comme s'il renouait avec la statuaire antique. Sa mise à nu et ses frénésies ont généré des normes nouvelles de la pudeur et de la décence, tant privées que publiques. Ce corps est devenu le « produit » et le lieu de l'identité, comme si on faisait fi de la transcendance. Pourrait-on y lire l'échec d'une âme devenue corps ? On vit dans un monde où tout est montré. On a l'impression qu'il n'y a plus de tabous. Mais le plus grand tabou de l'humanité persiste : la mort. On n'en parle plus, comme si on était immortel, comme si elle n'existait plus. Un silence qui parle fort.

Le 11 septembre 2001

Nous sommes à la rupture des temps.

Kant

Puis arrive le 11 septembre 2001. Pendant que la civilisation occidentale vogue allègrement vers de nouveaux horizons, la conjonction du progrès technique et du fanatisme fait réapparaître les figures de la barbarie : une attaque dévastatrice contre les tours jumelles du World Trade Center de New York, symbole de la puissance financière et du libéralisme mondial, marque l'entrée officielle de la planète dans le XXIᵉ siècle. Instaurant un nouvel ordre ou désordre mondial, le fanatisme du djihad ouvre une grande crise de la civilisation occidentale. On avait cru la paix accessible avec la fin de la guerre froide, mais voici qu'une autre forme de guerre apparaît, le terrorisme de masse, qui ne fait plus de distinction entre les civils et les militaires. Comme si la guerre froide avait cédé la scène au choc des civilisations. Plus qu'une organisation, le mouvement extrêmement violent, nihiliste et dévastateur d'al-Qaida devient une source d'inspiration pour des groupes islamistes radicaux qui se réclament de son idéologie ; de fait, après le 11 septembre, l'attentat suicide devient l'un des types d'attaques les plus prisés par les terroristes. L'histoire vient d'entrer dans un nouveau monde désarçonné, secoué par l'irrationnel, où il n'y a plus d'ancrage, plus de centre, plus de référence au passé, les amarres semblant larguées, comme si on était entré dans une navigation à vue. Ce qui ne manque pas d'exacerber le désarroi et le pessimisme lancinant qui taraudent une grande partie de l'humanité. Certains ont l'impression de vivre une sorte de Moyen Âge, époque où les voyageurs étaient constamment menacés par des bandits de grand chemin.

Le massacre des prétendants. Le 11 septembre 2001. In memoriam, Louise Prescott, 2001.

Par ailleurs, alors que la sécularisation progressive des institutions et des normes dans la société moderne était depuis longtemps interprétée comme un processus à la fois inéluctable et universel, le religieux, redevenu un repère identitaire, connaît maintenant un regain quasi universel et joue un rôle prééminent dans différents conflits. Pendant que l'islamisme progresse d'une manière inéluctable dans les contrées arabo-musulmanes, des mouvements conservateurs, intégristes ou traditionalistes émergent presque partout. Ce vaste mouvement, qui procède à la redéfinition des grandes religions sur la base d'un rejet de la modernité et du retour à la tradition, n'épargne pas les États-Unis. Même au Québec, où le religieux avait été évacué du domaine public dans les années 1960, on assiste à son retour par l'intermédiaire du militantisme immigré : revendication du port du voile et du kirpan, de piscines non mixtes, de salles réservées à la prière dans les collèges et universités, de l'*erouv*[2] tendu autour des quartiers... Les théories créationnistes figurent même au cœur de l'enseignement de certaines écoles.

Néanmoins, l'espoir

Malgré tout, un nouveau monde semble sur le point de surgir des décombres fumants des tours jumelles pulvérisées du World Trade Center. L'agressivité rapace des multinationales qui ravagent la nature pour une maximisation du profit est en train de susciter une résistance, une conscience mondiale qui commence à se coaliser. Pour riposter à la mondialisation marchande et instaurer une société plus humaine, des activistes « alter » proposent un type de mobilisation totalement inédit dont l'irrésistible déploiement se joue des frontières. On note également une nouvelle conscience écologique. Un peu partout, des associations se forment autour de diverses causes environnementales ; ce faisant, elles luttent contre la fragmentation sociale par la formation de projets collectifs efficaces. Au Québec, les artistes et les chanteurs, jadis si prompts à se mobiliser pour la nation, préfèrent aujourd'hui les causes vertes. Même dans les commerces, de nouvelles solutions sont esquissées pour cesser de subordonner le bien public au profit financier, comme le marketing éthique, le consommateurisme écologique et le commerce équitable. On s'intéresse de plus en plus à l'agriculture biologique, certains pratiquent avec détermination

la simplicité volontaire, d'autres remplacent l'auto par le vélo : autant de pratiques qui dénotent l'urgent désir des humains de troquer ce mode de vie destructeur pour des habitudes plus respectueuses de la nature.

Par ailleurs, la mondialisation a totalement transformé notre monde. Aujourd'hui, n'importe qui peut télécharger gratuitement Google Earth et se retrouver virtuellement à n'importe quel endroit de la planète ; un simple zoom permet de passer en quelques secondes de sa maison à la Grande Muraille de Chine ou au site de quelque catastrophe écologique. La Terre est devenue notre quartier, ce qui change totalement notre perception du monde ; et les Occidentaux ont une vision moins égocentrique, ils ont cessé de percevoir leur civilisation comme *la* civilisation, celle supérieure aux autres. S'est aussi développée dans les dernières décennies une forme moderne de pèlerinage qui favorise les relations entre les hommes autour des objets patrimoniaux ou artistiques : le tourisme culturel. Ce lieu d'éducation et de partage, qui construit des passerelles entre les cultures et les individus, donne une meilleure connaissance des autres, tout en mettant en relief l'authenticité et la durée des œuvres humaines ainsi que la précarité de la vie. Observons enfin le nouveau mode d'être des jeunes nés depuis les années 1980, ceux natifs de la technologie numérique et modelés par elle : habités par le sentiment exaltant et tout-puissant de tenir le monde au bout de leur souris-télécommande, ils ont accès à un nouveau savoir, incommensurablement plus grand que celui auquel avaient droit les jeunes gens des générations précédentes.

L'ouverture au monde du Québec

Après une longue étape où elle a dépensé ses énergies à survivre, avant d'arriver à se structurer comme État et à prendre sa place dans le monde au moment de la Révolution tranquille, la société québécoise est maintenant parvenue à une nouvelle phase de son émancipation : elle manifeste la volonté d'affirmer son identité en s'ouvrant sur le monde, tout en relevant le défi de préserver son identité culturelle. L'État du Québec consolide donc sa place au niveau international et se solidarise avec les grandes causes internationales, comme l'écologie et l'enlisement de milliards d'êtres humains dans les pénuries et les disettes. Il se donne aussi des munitions face aux nouveaux enjeux imposés par la mondialisation et la concurrence intense des économies émergentes en multipliant les missions économiques et culturelles, où sont pleinement reconnues les qualités de pacifisme, de tolérance, d'humilité et de cordialité, qui

---

2. Dans certains quartiers à densité juive, un fil symbolique est dressé à l'extérieur ; et l'espace laïque ainsi délimité devient un espace religieux. Lors du sabbat et d'autres fêtes traditionnelles, cet *erouv* permet la réalisation de quelques activités normalement interdites.

ont appris aux Québécois à avoir une vision nuancée du métier de vivre. Devenu une référence internationale en matière de production hydroélectrique, le Québec est aussi l'une des contrées les plus innovatrices en technologie de pointe : centre névralgique dans le domaine de l'aéronautique, du multimédia et des biotechnologies, Montréal peut aussi revendiquer le titre de capitale internationale de l'animation numérique ; ses effets spéciaux se retrouvent dans un très grand nombre des films et des séries télé d'envergure. Et que dire des très nombreux succès obtenus de haute lutte sur les scènes du monde, dans un secteur où la compétition fait rage ? Depuis la fondation de sa compagnie La La La Human Steps, Édouard Lock (mais aussi d'autres danseurs) parcourt le monde avec des chorégraphies qui ont révolutionné la danse contemporaine ; partout dans les grandes capitales culturelles, Robert Lepage est recherché pour la créativité et la qualité de ses mises en scène ; pour sa part, Denys Arcand obtient un Oscar pour son film *Les invasions barbares* ; des livres de certains éditeurs sont vendus à des millions d'exemplaires sur toute la planète ; sans oublier le succès des dramaturges et des chanteurs québécois sur la scène internationale, et celui du Cirque du Soleil. Cette énumération fort parcellaire de la présence outre-frontière des Québécois montre comment l'époque présente, où le monde semble en recomposition, peut être exaltante particulièrement si on a vingt ans.

Le Cirque du Soleil.

UNE LITTÉRATURE POSTNATIONALE

Au début des années 1980, l'action collective s'use, se désagrège, et les grandes causes sociales de l'époque précédente s'estompent au profit de préoccupations plus personnelles. Même dans les milieux artistiques et intellectuels, on perçoit un glissement vers l'indifférence politique. La problématique nationale elle-même semble vouloir quitter le domaine de l'imaginaire pour se déployer dans le monde de la politique et des affaires. Dans la littérature comme ailleurs, on cherche une orientation nouvelle au devenir collectif. C'est la fin du thème du pays en tant qu'utopie artistique, le nationalisme et la quête identitaire devenant un thème parmi d'autres. Chez les féministes, les démarches collectives se font moins fréquentes, ce qui entraîne un éclatement de la voix féministe : les batailles deviennent alors individuelles. Les femmes sont nombreuses à se détourner du militantisme, alors que cette cause ne suscite plus chez les jeunes qu'un intérêt mitigé. Elles n'arrêtent certes pas d'écrire, mais leurs voix changent de tonalité, se décontractent, explorent des modes de vie restreints, marginaux. La lutte pour l'émancipation des femmes, tout en dynamisant le vieux répertoire des relations masculin/féminin, aura néanmoins irrigué tous les domaines de la littérature et dessiné les contours d'une nouvelle modernité littéraire.

Moins soucieuse de définir la société québécoise, la production littéraire actuelle, douée d'une rare vitalité, arrive de moins en moins à dire son principe de rassemblement. Avec un réel plaisir et une belle diversité, les écrivains expriment ce qui en eux est le plus personnel, le plus urgent à dire, tout en aspirant à rejoindre un public à la recherche de ce qu'il y a de plus intime en lui. Un éventail d'attitudes personnelles, où chacun s'attarde à décrire le tourment d'être un humain en cette période de changements profonds, mais qui débouche sur une problématique universelle. En contradiction avec son époque et les notions de performance et de rentabilité qui font loi, le créateur se tourne plutôt vers les valeurs de fraternisation et de solidarité, occupé qu'il est à « préparer le feu la place pour les humains de l'horizon » (Gilles Vigneault).

Les littératures migrantes
C'est comme éclairer les autres sur eux-mêmes.
Dany Laferrière

Après l'échec du référendum de 1980, les écrivains sont sous le choc et la littérature est amenée à se remettre en question, comme l'ensemble de la société. À Montréal, ville cosmopolite et principale terre d'élection de la littérature québécoise, vivent, parmi les Québécois de souche, des écrivains d'origines et de langues diverses, autres que francophones et anglophones, qui ont choisi de venir ici et d'y écrire en français. De même que la société québécoise, devant la présence de communautés allogènes, a été amenée à mettre fin à l'homogénéité de son cantonnement ethnique, de même la littérature voit l'occasion de redéfinir ses limites et de chercher de nouveaux horizons. Devenue plurielle comme la société, la littérature nationale, ouverte sur l'avenir, intègre donc la voix des écrivains néo-québécois qui, à leur tour, ne manquent pas de la dynamiser.

Tous ces écrivains nés ailleurs, produits d'une société mobile et moderne, établissent des ponts entre les différentes cultures. Ils investissent et enrichissent l'imaginaire québécois en le truffant d'images d'Haïti, d'Italie, du Brésil, du Liban, de la Chine... Eux qui portent le poids de leur mémoire et non de celle de la culture dominante, ils reconstruisent leur identité à travers leur terre et leur ville d'accueil et, ce faisant, leurs regards remodèlent le Québec. C'est la reconstitution de leur identité fracturée que leurs écrits donnent à lire, liée aux tensions provoquées par la rencontre de la culture d'origine avec celle du pays d'accueil et les inévitables problèmes d'acclimatation ; c'est surtout l'espoir et le refus de se laisser écraser par la chape du passé. Le questionnement identitaire d'avant 1980 tendait plutôt à exclure ; le nouveau questionnement d'identité devient un point de rencontre où les gens sont rassemblés par leurs différences. À l'heure de la mondialisation, ces littératures, porteuses des questions fondamentales, proposent d'importantes réflexions sur le métissage, sur le mélange des langues et des cultures.

La nouvelle maturité autant littéraire que sociale a même permis une ouverture à l'Autre, cet Autre qui demeure depuis 1760 le plus difficile à intégrer, le voisin anglophone. Montréal est aussi la ville de Leonard Cohen et de Mordecai Richler ; acclamées dans le monde entier, leurs œuvres, même si elles sont encore largement méconnues au Québec, séduisent de plus en plus de lecteurs francophones. Quant à Mavis Gallant, une anglophone née à Montréal en 1922, bien que couverte d'honneurs et de récompenses de par le monde depuis de nombreuses décennies, elle ne reçoit une juste reconnaissance qu'en 2006, quand le gouvernement du Québec lui décerne la plus haute distinction littéraire, le prix Athanase-David. Par ailleurs, longtemps après Yves Thériault, on porte enfin un nouveau regard, plus respectueux de leur altérité, sur les Amérindiens : parmi d'autres, l'œuvre de Robert Lalonde leur accorde droit de cité ; Florent Vollant chante et affirme leur identité et la sienne propre.

On le constate, pendant que le Québec s'ouvre au monde, sa littérature s'affranchit de ses anciennes sujétions. Dans cette période exaltante de l'histoire, le Québec, à l'exemple de l'humanité entière, est désormais appelé à se concevoir différemment qu'il ne l'a fait depuis les temps ancestraux, à établir un nouveau rapport de l'être-au-monde. Et un petit peuple de six millions d'habitants que l'histoire a placé, dans son grand roman, au beau milieu des géants américains et européens, arrive ainsi à donner un point de vue original au sein des grandes cultures occidentales.

La poésie

Après la poésie militante et les savantes édifications des formalistes, les grandes causes sociales, idéologiques ou esthétiques sont maintenant mises en veilleuse. À l'époque contemporaine, la parole poétique, qui fait rimer quantité et diversité, demeure néanmoins engagée : interrogeant le lecteur sur sa façon de saisir le réel, elle ne craint pas de l'agresser pour l'amener à voir les choses de manière différente ; elle élargit sa sensibilité et le stimule en faisant naître chez lui l'intuition qui pousse à la réflexion.

La poésie dans tous ses états

Dans le prolongement de l'écriture au féminin, le poète se choisit dorénavant comme sujet de ses écrits. L'émotion recouvre alors ses droits, et la poésie, en renouant avec un imaginaire plus intime, revient à des préoccupations plus proprement littéraires. Alors que les poètes féministes avaient affermi l'usage du « je » et que le corps était déjà au centre des préoccupations des formalistes, le lyrisme devient ici le principe moteur de la nouvelle poésie. De plus, alors que chez les féministes elle relevait du domaine politique,

∎∎∎

c'est plutôt la vie privée qui est ici poétique : pour dessiner la trame de leur vécu, de nombreux poètes intègrent dans leur poésie des éléments narratifs quasi romanesques. Quant aux féministes, elles explorent maintenant la condition de la femme sur le mode de la confidence ou de la projection du drame personnel. Depuis l'époque de Nelligan et des autres idéalistes, poésie et vie intime n'auront jamais été si bien amalgamées.

Ce choix de la subjectivité et du quotidien intériorisé comme centre de sa poésie et de son questionnement permet au poète de témoigner de sa présence au monde, dans un lieu et une époque où le sens se dérobe. C'est l'écriture qui met au monde, qui permet à l'écrivain de trouver son centre au sein d'une collectivité qui a perdu le sien. Il s'agit de magnifier l'instant privilégié de l'intense confrontation entre le « je » et les aléas du quotidien, afin d'y trouver des réponses à ses crises d'identité. Il importe donc, au moment où le social est ravalé au simple rang de cadre et de décor, d'explorer minutieusement tout le territoire intérieur, les émotions et les sentiments, les sensations et les pulsions, les fantasmes et les obsessions.

Cette poésie tournée vers l'intérieur prend la mesure de l'instant qui passe, porteur de bonheur ou d'angoisse. L'amour devient un thème particulièrement récurrent, où le plaisir est interpellé comme élément essentiel. Il arrive fréquemment que cet amour au quotidien qui se nomme et se raconte se situe dans la marge des valeurs morales de l'époque. L'enfance est aussi abondamment scrutée, dans les traces actuelles des blessures passées, de même que la mort, qui réussit à s'infiltrer dans tous les pores du quotidien. Ce lyrisme, à forte composante urbaine, qui jouxte fictif et vécu, privé et public, porte un regard particulier, reliquat du précédent courant, sur les liens entre l'écriture et la vie. Notons, pour terminer, que la poésie contemporaine aime interroger le lecteur sur sa façon de saisir le réel ; elle combat son penchant à ne voir les choses que sous son angle habituel ; elle développe sa sensibilité en l'amenant en des lieux inexplorés.

...

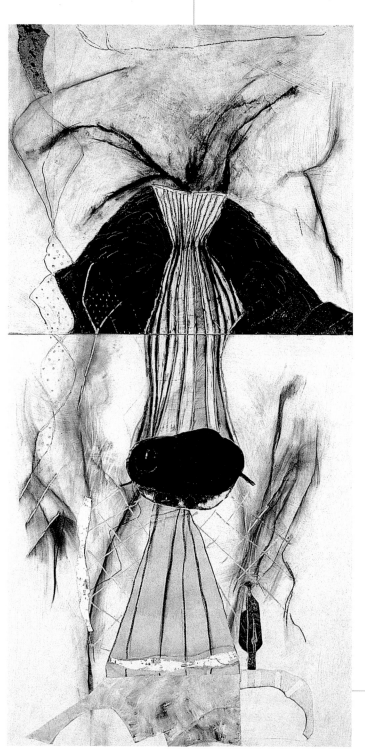

Le séisme, Marc Garneau, 2005.
Galerie Madeleine Lacerte.

SON CORPS NE S'OUVRAIT PLUS

Son corps
ne s'ouvrait plus.
Qu'importaient ses ombres !
Il s'était tourné
5 vers l'intérieur...
Pour le vrai départ.
Le dedans inviolable
était le seul espace
du passage,
10 ou l'infini
de la dérive.
Là se concentraient
les oiseaux de l'âme.
Aucune métaphore
15 n'aurait su
les piéger.
Les esprits seuls
pouvaient ouvrir
la volière.
20 Mais lui,
il ressemblait peut-être,
loin de nos regards,
au grand arbre
qui se balance sur la colline.
25 Ses désirs
avaient bien étalé
leur éventail.
Pour le moment
il paraissait monologuer
30 avec sa frayeur.
À vrai dire il s'était engagé
dans le seul courant
ascendant du dialogue.
Il n'avait cure
35 des paroles.
Il n'avait qu'à s'imaginer
ainsi qu'un cheval de neige
qui franchit l'autre versant.

Les heures (1986), © Éditions de l'Hexagone et Fernand Ouellette, 1988.

Fernand Ouellette
(né en 1930)

*L'écriture sera
ma seule respiration,
mon seul espoir d'être.*

Le premier recueil de poésie de Fernand Ouellette, qui est aussi romancier et essayiste, date de 1955. Plus de trois décennies plus tard, l'inspiration se montre toujours aussi féconde et l'exaltation, aussi fraîche et spontanée. Constamment, le poète explore les voies de la réconciliation entre le temps et la passion, entre la vie et la mort. Dans *Les heures* (1986), l'écrivain apparaît au chevet de son père. Avec sensibilité, il suit les progrès de la faucheuse en même temps que l'irrémédiable déclin de l'homme qui fut tant pour lui. Un style elliptique qui prend la mesure de la vie qui se retire.

Au plaisir de lire

- *Les actes retrouvés*
- *Poésie* (Poèmes, 1953-1971)
- *Journal dénoué*
- *L'inoubliable*

---

1. Relevez les périphrases qui désignent la mort.

2. Relevez et commentez les autres figures de style.

3. Montrez que la mort est un moment d'intense vie intérieure.

4. Qualifiez les particularités syntaxiques des vers. Quel effet produisent-ils ?

5. Quel est le thème principal : la mort ou la solitude ?

Michel Garneau
(né en 1939)

*je m'assois dans
les mots comme dans
un tas de feuilles
et j'attends*

Le dramaturge et poète Michel Garneau est un cas exceptionnel : il a pris le pari de l'enthousiasme. Son langage charnel et cordial se plaît à raconter les rapports au quotidien. Sa plume au lyrisme sensible rappelle l'ivresse susceptible d'être contenue dans le moindre geste, la moindre attention. Le plaisir de lire est, chez lui, associé à la découverte de la saveur des mots, des mots pourtant simples encore attachés à leurs racines populaires et empreints de leur oralité. Le poète a la volonté de rendre la poésie accessible à un plus vaste auditoire. Une poésie qui ne dit rien d'important, hormis l'essentiel.

Au plaisir de lire

- *Les voyagements*
- *Les petits chevals amoureux*
- *Poésies complètes*
- *Le dessin des mots*

J'AI REGARDÉ LE MONDE UN INSTANT

j'ai regardé le monde un instant
celui d'ici et maintenant pour toujours
le monde se tenait tranquille
un moment
5 les gens n'avaient pas encore
l'air méchant qui me trouble tant
et je parmi les gens ti-pit poète
parmi les loups les gens me sens bien ici
j'attends de te rencontrer
10 je mange des smoked meat chez schwartz
je me fais du thé
l'eau bout comme un gazou
c'est fou la terre est en misère
je continue d'être heureux
15 taureau content dans un champ
de projets d'avenir dressé devant moi
j'ai juste à grimper dedans
même si je me sens tout nu
pour toujours
20 l'eau bout comme un gazou
je me fais du thé et je vais boire
au mystère
la terre est en misère
et la vie est bien belle

La plus belle île suivie de *Moments*, © Éditions de l'Hexagone et Michel Garneau, 1988.

1. Relevez les marques de l'oralité et celles du quotidien.
2. Quel effet produisent-elles ?
3. Analysez les réseaux de sonorités.
4. Le poète se sent-il en accord avec « le monde » ? Commentez.
5. Comment l'auteur exprime-t-il le plaisir de vivre ?

FLEURONS GLORIEUX : 2

tu vas
tu vaques à tes affaires
les heures passées derrière
la table de travail
5 derrière arrêtes-tu la quatrième
ligne écrite et pourquoi
pas devant pas le long de l'un
des longs côtés les lignes
où s'appuie la calligraphie tracent
10 un treillis contre l'opacité
du papier du lignage qui ne révèle
nulle transparence
et tu seras rentré trop tard

pour les informations le début
15 du dernier film un livre
attend que tu t'étendes plus tard
quand les mots ne s'offriront plus
ni les visions saisies dans leur
déchirante proximité
20 leur approximation
ni l'étape suivante du voyage
et chaque fois tu te demandes
à quoi bon voir demain
seulement le voir
25 que la peau rayonne entre les doigts.

Kaléidoscope, 1984, © Éditions du Noroît.

Michel Beaulieu
(1941-1985)

les troncs ne frémissent plus dans l'écorce

Michel Beaulieu, romancier, dramaturge, critique et poète, est habile à saisir la couleur de l'instant ; l'amour et la vie quotidienne sont les points de départ pour ses interrogations sur l'existence. Son écriture, située au cœur de l'angoisse et du « spasme de vivre », sait conférer de la mémoire à l'anecdote. Une poésie intime comme une confidence mais traversée par le souffle de la passion, qui s'empare des moments lumineux de la vie pour mieux dessiner les parcours du territoire intérieur.

Au plaisir de lire

- *L'octobre* suivi de *Dérives*
- *Desseins* (Poèmes, 1961-1966)

Œuvre parue dans *Natalités*, 1984, livre d'artiste comprenant cinq eaux-fortes de Monique Voyer, accompagnées de poèmes inédits de Michel Beaulieu.

1. Commentez la composition syntaxique des vers.

2. Quel lien remarquez-vous entre le rythme et le thème du poème ?

3. Quelles sonorités sont privilégiées ici ? Quel est leur effet ?

4. Quelle est la signification du « tu » ?

5. Comment le poète décrit-il son rapport avec les mots dans le processus créateur ?

6. En quoi s'agit-il d'une poésie de l'intimité et de l'instant présent ?

Pierre Morency
(né en 1942)

J'écris ce qui chantait,
ce qu'on attend
au bord des fleuves...

Pierre Morency, poète et dramaturge, se passionne pour la nature,
en particulier pour l'ornithologie.
Quantité de ses poèmes décrivent
les états de grâce que sont ses rencontres avec les oiseaux, comme
autant de célébrations de la vie.
Ses phrases sont remarquables
pour la force d'enchantement de
leurs images, souvent puisées à la
source du surréalisme. Le poète
ne cesse de mettre en lumière « le
vrai des choses [qui] grésille sous
les apparences », ces moments qui
conjurent l'angoisse de vivre.

Au plaisir de lire

• *Au nord constamment l'amour*
• *Torrentiel*

SOYONS

Ce matin il n'y aura pas de poème. Seulement l'hiver en grippe, le hurlement
des neiges poudreuses, la nuit déchiquetée, on casse des miroirs près du
fleuve, un gémissement glacial, la fracture du corps sensible, on tournoie, on
déferle, passage de la comète, son déchirement, révélation des ferveurs prises
5 en pain, et puis une torche au loin, un œil de braise, le tissu nouveau sous
l'écorchure. Pas de poème. Il y aura seulement la relation aussi exacte que
possible de ce moment : un oiseau commença de chanter dans la montagne.
Tu saisis ma main et l'enfouis avec la tienne dans la grande poche de ton
manteau.

Poèmes (1966-1986), © Éditions du Boréal, 2004.

LE FROID

Au pays de pierre fendre, l'année commence par une infinité de matins
couchés en rond de chien sous les poêles, sourds à ce qui monte dehors,
même à l'appel cassé des vieilles corneilles. Les heures sont figées au fond
des bols. Un diamant trace et trace sur les vitres une flore impossible et
5 superbe. Dans cette maison-là vous pensez souvent à la solitude et à la santé
des territoires. En ce moment, immobile à la fenêtre, vous vous demandez.
Plus tard, vers les quatre heures, les lointains s'enflammeront, la plaine frisera
de vent, un fleuve de farine déferlera dans les plis de la neige durcie. Vous
deviendrez peu à peu la force de l'horizon, glisserez hors de vous, filerez sur
10 le totalement neuf, contre l'écume qui éveille. Vous brûlerez.

Les paroles qui marchent dans la nuit, © Éditions du Boréal, 1994.

1. Relevez les images associées à l'hiver. Le point de vue est-il le même dans les deux
   poèmes ?

2. Comment s'effectue le passage du réel au poétique ?

3. Comment le poète s'identifie-t-il avec la nature ?

4. Quelle est l'importance du moment présent ?

5. Une phrase du deuxième poème pourrait-elle correspondre à un vers de *Soir d'hiver*
   d'Émile Nelligan ?

LE BRUIT DU RÊVE TOMBE SOUVENT

1

Le bleu était si intense que
nous pouvions le manger. Le bruit
du rêve au-dessus de nos têtes lorsque
nous parlons, comme la peau, tombe souvent.
5 Pas si facile d'entrer dans la nuit, dans ses
étranges linges muets. Mais quelque part, toujours
les ventres pleurent, les images glissent.

2

Dans le monde qui est ce qu'il n'est plus,
les êtres comme un trou bleu et les voix
10 qui pèsent si peu. L'heure souple, oui souple,
se penche sur nous ; nos petites âmes devenues
sonores lorsque la nuit les comprend. Les
ténébreux que nous sommes quand l'air est
si lisse que nous y briserions nos noms
15 à tout instant. Le mot air est si fatal.

3

Midnight blue. Nous, ramassés dans le
temps qu'ils nous ont fait, minuit à notre
hauteur, les couleurs rampant autour de nos
cous. La terre de plus en plus saccagée
20 ressemble parfois à un oiseau mort. Le mot
« mort » entre dans nos vêtements au moment où
l'espace perd son souffle. De l'autre côté
de soi, plus loin, les matières attendent,
vouées à l'ancienne beauté qui oublie tout.

« C'est encore le solitaire qui parle » in *Les Herbes rouges*, © Les Herbes rouges, 1986.

André Roy
(né en 1944)

*La mémoire surprise
dans les vêtements,
on cherche la peur
dans le mot amour.*

André Roy, qui publie depuis 1973, est un des plus importants poètes de sa génération. Il a choisi le huis clos de l'intimité comme lieu où doit s'inscrire son œuvre poétique. Ses poèmes, axés sur le corps et les pulsions amoureuses, affleurent le réel en analysant les tremblements de l'être et la charge d'intensité contenue dans les gestes du désir. Une poésie éloquente, qui célèbre des amours masculines en tissant des liens entre la matière et la beauté, entre la terre et l'infini.

1. Relevez les passages qui créent des liens entre le matériel et l'immatériel.

2. Étudiez les sonorités et expliquez leur effet.

3. Pourquoi l'adverbe *si* est-il répété à plusieurs reprises ?

4. Peut-on affirmer que l'écriture d'André Roy est influencée par le surréalisme ?

Au plaisir de lire

• *Action writing*
• *Le cœur est un objet noir caché en nous*

Jean-Paul Daoust
(né en 1946)

La quête de l'amour aujourd'hui, c'est le Graal moderne et la poésie est le journal intime de la planète.

Jean-Paul Daoust, qui publie depuis 1976, a remporté de prestigieux prix littéraires. Avec lui, l'amour se moque des conformismes. Bien ancrée dans le territoire urbain, sa poésie habite le terrain autobiographique, jusqu'à la plus totale mise à nu, comme c'est le cas dans *Les cendres bleues* (1990), long poème narratif de plus de 2000 vers. Dans cette histoire d'amour et de mort aussi belle que terrible, où le poète raconte les marques indélébiles d'une cassure de l'enfance, le non-dit habituel se plaît à apparaître au jour. Un poème impudent et tragique, à l'image d'une fin de millénaire.

Au Plaisir de lire

• *Les saisons de l'ange*
• *Le désert rose*

J'AI ÉTÉ UN ENFANT VIOLÉ

Être un homme blessé
D'avoir connu le sexe enfant
Six ans et demi
Puis la mort trop vite
5　Quand le bois brûle penser
Dans ma bouche agitée
À l'époque où les doigts des autres enfants apprenaient
La grammaire les miens épelaient
Les noms de mes amants surtout un
10　Baptisé du péché de la chair avant l'âge
De raison
J'ai été un enfant violé
Dans le plus beau des paysages
Dans le carré de sable prince oublié
15　Là des cobras royaux sillonnaient mes cuisses
Le combat des enseignements
Pourtant j'aimais voir ce sexe content
De ma présence
Même si l'idée de l'amour m'était inconnue
20　Certains corps devraient se taire
Quand l'enfant violé dans un hangar
Découvre des décors insensibles
Des mains vulgaires
Mon sexe si jeune
25　Dans l'âtre le feu est un ange anonyme
Amours aux poèmes maudits
Comme tout enfant j'étais curieux
Mais de ces amants il y en avait un
Aux yeux de harpe
30　Il me rappelait l'ange derrière l'autel
De l'église Notre-Dame-de-Bellerive
Celui qui chasse du paradis terrestre
Un rythme endiablé fouette le sang
Des histoires à ne pas raconter
35　Mais des mains alertes consument plus
　　d'un désir
Mon corps a accueilli plus d'un pirate
Maintenant que je suis seul avec mon âge
Ces souvenirs d'histoires me hantent
40　Des désirs enracinés dans le vertige

Les cendres bleues, © Écrits des Forges, 1990.

Night watch #1, Evergon.

1. Quels passages illustrent l'innocence de l'enfant?

2. Relevez les mots ou expressions qui forment le champ lexical de la religion.

3. Ce poème oscille entre le sordide et le sublime. Prouvez-le.

4. Indiquez le passage qui montre les conséquences psychologiques de ce drame.

5. Peut-on affirmer que le poète a une attitude ambivalente face au drame qu'il a vécu?

ELLE N'EST PAS MORTE

Elle n'est pas morte.
Elle fait semblant.
Comme toutes ces choses que
nous avons l'air de faire.

5 Elle lit ceci par-dessus mon
épaule.
Je sens sa main
maternelle et glaciale
sur mon épaule.
10 Elle dit mon nom.
Elle répète mon nom, comme
une litanie.
Elle se répète.
Je me répète.
15 J'écris ceci avec l'efface de mon
crayon, comme une cassette qui
se rembobine.
Je me sers un autre verre de
scotch.
20 Je la sens derrière moi.
Je me retourne et elle est
partie.

Je retourne.
Je me répète.
25 Je me rappelle.
Des places.
Des faces.
Une place.
Une ville.
30 Au sud du vrai nord où
le ciel mord la terre.
Cette ville n'est pas morte.
Elle fait semblant.
Cette ville n'est pas facile.

35 Elle est porte.
Elle est prologue et
épilogue.

J'écris ceci :
Elle n'est pas vivante.
40 Elle fait semblant.
Comme un rêve.
Elle est vraie comme un
rêve.
Comme un livre.

45 Je suis tout petit.
Je suis dans la maison de ma
mère comme si j'étais dans
son ventre.
J'ai chaud.
50 Je suis bien.
Je ne me rappelle de rien.
Je joue avec mes Dinky Toys sur
un lit à couverte rouge.
Les plis dans la couverte forment
55 des montagnes et des vallées où je
les fais promener.
Où je les fais vivre des vies et des morts
sans corps et sans pays.
Je suis présent dans le passé.
60 Ma mère me regarde jouer avec mes
Dinky Toys en préparant le déjeuner.
J'écris ceci :
ce mot :
soupane.
65 Je ne vois rien.
J'ai faim.
J'ai les mains sales d'avoir tellement
joué à la guerre.

Un pépin de pomme sur un poêle à bois,
© Prise de paroles, 1995.

1. Faites l'analyse des allitérations et des assonances dans ce texte.

2. Quels sont les éléments qui créent le rythme ?

3. Qu'est-ce qu'une « soupane » ? Pourquoi ce mot apparaît-il à cet endroit ?

4. Étudiez les verbes et montrez leur importance dans la structure du texte.

5. Donnez votre interprétation des deux derniers vers.

Patrice Desbiens (né en 1948)

Le cœur pesant comme un blues et l'atmosphère chargée comme un douze.

Originaire de l'Ontario, Patrice Desbiens, renommé pour les lectures publiques qu'il a données en solo ou accompagné à la guitare par René Lussier, aime jouer avec les mots et leurs effets sonores. Son approche très musicale du poème explique sans doute pourquoi des musiciens et chanteurs (Richard Desjardins et Chloé Sainte-Marie) s'intéressent à son travail. *Un pépin de pomme sur un poêle à bois* regroupe des poèmes écrits entre 1988 et 1994 et comprend trois recueils en un : *Le pays de personne*, ponctué par un humour parfois corrosif, qui dit le dérisoire et l'ordinaire du quotidien ; *Grosse guitare rouge*, un long poème d'amour aux envolées lyriques ; enfin *Un pépin de pomme sur un poêle à bois*, un hymne touchant, un poème narratif où l'auteur essaie de redonner vie à sa mère par l'écriture. L'extrait retenu est tiré de ce dernier recueil.

Au plaisir de lire
• *La fissure de la fiction*
• *Amour ambulance*

Marie Uguay
(1955-1981)

ton regard a
la douceur de qui
pense à autre chose

Le film de Jean-Claude Labrecque[3] et, plus récemment, la publication du *Journal* [4] de Marie Uguay ont grandement contribué à faire connaître sa vie et sa poésie.

Chez cette auteure, dont le temps était compté, la poésie tient tête au silence et à la maladie. Dans un langage simple mais séduisant et efficace, Marie Uguay prend la mesure des instants et le poids des désirs. Jusqu'aux portes de la mort (leucémie), elle témoigne des puissances d'affirmation du langage et de la vie.

---

3. Moyen métrage intimiste tourné pour l'ONF intitulé *Marie Uguay*.
4. Publié en 2005 aux Éditions du Boréal.

Au plaisir de lire

- *Journal*
- *Signe et rumeur*
- *L'outre-vie*
- *Autoportraits*
- *Poèmes en marge*
- *Poèmes en prose*

Il fallait bien parfois

il fallait bien parfois
que le soleil monte un peu de rougeur aux vitres
pour que nous nous sentions moins seuls
il y venait alors quelque souvenir factice de la beauté des choses
5 et puis tout s'installait dans la blancheur crue du réel
qui nous astreignait à baisser les paupières
pourtant nous étions aux aguets sous notre éblouissement
espérant une nuit humble et légère et sans limite
où nous nous enfoncerions dans le rêve éveillé de nos corps

Il y a ce désert acharnement de couleurs

il y a ce désert acharnement de couleurs
et puis l'incommode magnificence des désirs
il faut se restreindre à dormir à attendre à dormir encore
j'ai fermé la fenêtre et rentré les chaises
5 desservi la table et téléphoné il n'y avait personne
fait le lit et bu l'eau qui restait au fond du verre
toutes les saisons ont été froissées comme de mauvaises copies
nos ombres se sont tenues immobiles
c'était le commencement des destructions

Poèmes, 2005, © Succession Marie Uguay.

---

1. Dans *Il fallait bien parfois*, quel est l'effet produit par l'usage de l'imparfait ?

2. Relevez et commentez les antithèses.

3. Étudiez le thème du couple : comment est-il suggéré ?

4. Quel est le thème principal de ce court poème ?

5. Dans le second poème, comment est décrit le désir ?

6. Commentez le recours à « il y a », « il faut » et « c'était ».

7. Quelles images sont contenues dans ce poème ?

8. Expliquez l'importance que prennent les gestes du quotidien.

FRAGILES DE LA MAIN QUI MANQUE

[1er poème]

Pas de bord, pas de bout du monde.
La main pose ses chemins
sur le corps, comme une bouche
la main, comme une parole
5 mêlée de silence.

Un chant redevient possible
qui nous accomplit.

[2e poème]

Nous marchons, tenant la main
de ceux qui avancent avec nous.
10 Parfois la main de l'un abandonne
et relâche celle de l'autre
pour éteindre la lampe.

L'enfant retrouve le chemin de ses jeux.

Au milieu du silence, nous marchons encore
15 plus fragiles de la main qui manque.

[3e poème]

Vient le jour où il n'y a pas de plus grand jour.

Le jour où nous pouvons aller de l'autre côté
de la faille, avancer
dans le noir
20 trouver une éclaircie.

Vient le jour où l'on entend
le chant du monde, où l'amour
arrive à quai.

Vient le jour où un visage nous ramène
25 aux autres visages.

Sans bord sans bout du monde, © Éditions de la Différence, 1995.

1. Qui est désigné par le « nous » ?

2. Expliquez le rôle de la main dans ces poèmes.

3. Voyez-vous un lien thématique entre ces trois poèmes ?

Hélène Dorion
(née en 1958)

Les mots creusent dans le corps autant de fissures d'où s'écoule le sens du monde ; alors il faut les refermer une à une.

Depuis 1983, Hélène Dorion a publié plus d'une dizaine de recueils de poèmes. Elle est aujourd'hui éditée en France – Hélène Dorion dirige elle-même la maison d'édition le Noroît – et traduite en anglais, allemand et portugais. Cette écriture au style dépouillé se met à l'écoute des plus petits bruissements de vie comme des questions les plus profondes. Et c'est toujours le même sentier qui est tracé, celui de la conscience et de la lucidité, de l'amour et de l'harmonie, menant à la découverte du sens de la vie individuelle en relation avec celui de l'aventure humaine. Cette poésie apparemment simple – mais combien il faut de labeur pour arriver à une telle simplicité ! – et au ton méditatif observe le réel avec les yeux de l'âme. Trois courts poèmes en témoignent.

Au plaisir de lire

• *Un visage appuyé contre le monde*
• *États du relief*
• *Ravir les lieux*

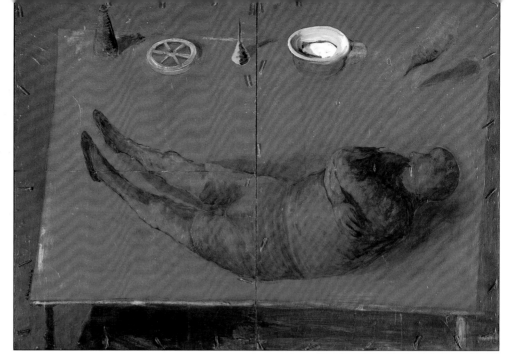

Soliloque, Kamila Wozniakowska, 1990.
Musée national des beaux-arts du Québec, CP.93.23.

Des poètes sans frontières

La poésie a toujours refusé de se cantonner dans des limites territoriales. Aussi, depuis toujours, des poètes de culture et parfois de langue d'origines différentes ont-ils investi l'imaginaire poétique québécois. Déjà avant 1970, les Alain Horic, Claude Haeffely, Michel Van Schendel, Patrick Straram, Juan Garcia et, parmi d'autres, Serge Legagneur avaient prouvé que l'identité culturelle québécoise avait cessé de reposer sur la vétuste référence à une généalogie aux sonorités reconnues.

Parmi les écrivains qui ont le plus contribué au rapprochement des diverses communautés et des différentes écritures, il faut rappeler l'apport notoire des Italiens, les Fulvio Caccia, Antonio D'Alfonso et Marco Micone, qui sans cesse s'efforcent de maintenir le dialogue entre les cultures voisines qui forment la mosaïque culturelle québécoise. À de nombreuses occasions, ils ont traduit en français et fait connaître les textes de poètes anglophones du Québec ou de créateurs italo-québécois. Ils ont surtout contribué à prouver que, peu importe leur origine, les hommes et les femmes de bonne volonté arrivent toujours à communier sur le plan des émotions, plus particulièrement dans le partage de la solitude inhérente à la condition humaine.

La poésie québécoise actuelle s'approprie avec fierté le pays intérieur des écrivains issus d'autres cultures, venus des horizons les plus divers, pour écrire ici et en français leurs propres versions du réel. Il va de soi que cette sensibilité aux altérités culturelles n'a pu germer que dans un sol fécond, amoureusement travaillé par des poètes francophones d'origine qui se sont intéressés au dialogue entre les cultures. Comme Jacques Brault qui, dans *Poèmes des quatre côtés*[5], où il propose la traduction de poèmes de quatre auteurs de langue anglaise, affirme la priorité de la poésie — « le sol verbal recouvre le sol natal » — et fait la preuve que la découverte du différent est essentielle à la connaissance de soi. Par son parti pris d'ouverture à l'autre et d'accueil des différents possibles, la poésie québécoise est en train de dessiner la trame de la destinée de l'homme et de la femme de ce temps.

5. Jacques Brault, *Poèmes des quatre côtés*, Montréal, Éditions du Noroît, 1975.

Suzanne

Suzanne t'emmène écouter les sirènes
Elle te prend par la main pour passer une nuit sans fin
Tu sais qu'elle est à moitié folle c'est pourquoi tu veux rester
Sur un plateau d'argent elle te sert du thé au jasmin
5 Et quand tu veux lui dire que tu n'as pas d'amour pour elle
Elle te prend dans ses ondes et laisse la mer répondre
Que depuis toujours tu l'aimes
Tu veux rester à ses côtés maintenant tu n'as plus peur
De voyager les yeux fermés
10 Une flamme brûle dans ton cœur

Il y avait un pêcheur venu sur la terre
Qui a veillé très longtemps du haut d'une tour solitaire
Et quand il a compris que seul les hommes perdus le voyaient
Il a dit qu'on voguerait jusqu'à ce que les vagues nous libèrent
15 Mais lui-même fut brisé bien avant que le ciel s'ouvre
Délaissé et presque un homme il a coulé sous votre sagesse
Comme une pierre
Tu veux rester à ses côtés maintenant tu n'as plus peur
De voyager les yeux fermés
20 Une flamme brûle dans ton cœur

Suzanne t'emmène écouter les sirènes
Elle te prend par la main pour passer une nuit sans fin
Comme du miel le soleil coule sur Notre-Dame des pleurs
Elle te montre où chercher parmi les déchets et les fleurs
25 Dans les algues il y a des rêves des enfants au petit matin
Qui se penchent vers l'amour, ils se penchent comme ça
toujours
Et Suzanne tient le miroir
Tu veux rester à ses côtés maintenant tu n'as plus peur
30 De voyager les yeux fermés
Une blessure étrange dans ton cœur

Paroles et musique Leonard Cohen, traduction française : Graeme Allwright, © Sony/ATV Music Publishing Canada.

1. Le thème principal de cette chanson est l'amour. Pouvez-vous dégager des thèmes secondaires ?

2. Reconnaissez-vous le pêcheur de la deuxième strophe ?

3. Quelle est la tonalité du texte ? Quels passages vous permettent de répondre à cette question ?

Leonard Cohen (né en 1934)

Le poème n'est pas autre chose que de l'information. C'est la Constitution du pays intérieur.

Seul Québécois à trôner au firmament de la contre-culture américaine, l'Anglo-Québécois Leonard Cohen a poursuivi une carrière internationale de chanteur qui n'a fait qu'empiéter sur celle du poète.

Ses chansons, d'une lancinante mélancolie, perdurent par-delà les modes, les décennies et les dérisoires clôtures linguistiques. Telle *Suzanne*, un chant d'une grande beauté amère. Quant à sa poésie, elle a été traduite par le poète Michel Garneau dans le recueil *Étrange musique étrangère*. Rédigés de la fin des années 1950 au milieu de la décennie 1980, ces poèmes, plus complexes que ses chansons du point de vue formel et plus cruels de lucidité, sont ceux d'un homme qui n'a pas de certitude, mais un doute en marche.

UNE FEMME MERVEILLEUSE

une nuit merveilleuse
une femme merveilleuse
se sont mariés en hiver
se sont séparés au printemps
5 elle a jeté son anneau de mariage
dans le lac des Décisions
elle a continué
il a continué
ils se sont rencontrés
10 dans le sud de la France
elle vivait seule
mais en grande beauté
il lui est apparu
tel un crapaud
15 elle l'a chassé
hors du XVIIIe siècle
il pense à elle tout le temps
mais en hiver
il devient fou
20 il fait les cent pas
chantant Hank Williams
la police met des contraventions sur son auto
les ramasseurs de neige
la couvrent de neige
25 à la fin elle est touée
dans un immense champ blanc
de chiens gelés

Étrange musique étrangère, © Traduction française : Éditions
de l'Hexagone, Leonard Cohen et Michel Garneau, 2000.

Un soir de neige, Montréal, 2003.

1. Relevez les répétitions dans ce poème et expliquez l'effet qu'elles produisent.

2. Pourquoi le sujet est-il absent dans les vers 3 et 4 ?

3. Étudiez la progression des vers. Dans quelle direction va ce poème ?

LA LINGUA SOLA

La langue du cœur
en espagnol, on dit corazon
en grec, on dit gardia
en italien, on dit cuore
5 en français, on dit cœur
en anglais, on dit heart
en allemand, on dit herz
en portugais, on dit coraçaon
en yiddish, on dit herts
10 Dans toutes les langues, on parle du cœur
la racine est le mot sanscrit Kerd
les humains ne parlent qu'une seule langue
quand ils laissent parler leur cœur
Dans ma ruelle, deux enfants ismaéliens
15 construisent un bonhomme de neige
avec les mêmes gestes que deux cents ans d'enfants québécois
la langue de mon pays, c'est l'hiver
mais les gestes sont toujours les mêmes
et le cœur humain, il est partout le même

« La lingua sola », in *Lectures plurielles. Coexistence et cultures*, © Éditions Logiques, 1991.

---

1. Quel est l'effet produit par l'énumération contenue dans les neuf premiers vers ?

2. Montrez la symbolique reliée aux enfants.

3. Quel vers est un clin d'œil à la chanson *Mon pays* de Gilles Vigneault ? Les deux poèmes ont-ils le même message ?

4. Pourquoi le poète a-t-il choisi un titre dans une langue étrangère ?

**Gérald Godin
(1938-1994)**

*J'ai pour « matrie »
la terre et Kébèk est
mon point d'attache
à la matrie terrestre.*

Le poète Gérald Godin a été pendant de nombreuses années le ministre responsable de l'immigration au gouvernement québécois. Il fut un des rares politiciens francophones à faire l'unanimité auprès des Néo-Québécois. Celui qui a eu à cœur la cause immigrante parle ici de la seule langue capable de réunir tous les Québécois.

Le festival du jazz, rue Saint-Denis, Miyuki Tanobe, 1985.

Marco Micone
(né en 1945)

Plus qu'un miroir de l'espace urbain et pluriethnique, je veux faire de mon écriture un questionnement.

Né en Italie, Marco Micone est installé au Québec depuis 1958. Surtout connu comme dramaturge, cet intellectuel qui touche aux différents genres littéraires se trouve souvent en première ligne quand il s'agit de défendre la culture québécoise, une culture qu'il voit en mutation, se nourrissant de toutes les autres cultures sur son territoire. Il répond ici au poème-affiche nationaliste de Michèle Lalonde, *Speak white*. L'entente avec l'autre nécessite d'abord un face à face avec sa différence.

Au plaisir de lire

- *Gens du silence*
- *Addolorata*
- *Déjà l'agonie*

SPEAK WHAT

Il est si beau de vous entendre parler
de *la Romance du vin*
et de *l'Homme rapaillé*
d'imaginer vos coureurs des bois
5 des poèmes dans leurs carquois

nous sommes cent peuples venus de loin
partager vos rêves et vos hivers
nous avions les mots
de Montale et de Neruda
10 le souffle de l'Oural
le rythme des haïku

speak what now
nos parents ne comprennent déjà plus nos enfants

nous sommes étrangers
15 à la colère de Félix
et au spleen de Nelligan
parlez-nous de votre Charte
de la beauté vermeille de vos automnes
du funeste octobre
20 et aussi du Noblet
nous sommes sensibles
aux pas cadencés
aux esprits cadenassés

speak what

25 comment parlez-vous
dans vos salons huppés
vous souvenez-vous du vacarme des usines
and of the voice des contremaîtres
you sound like them more and more

30 speak what now
que personne ne vous comprend
ni à St-Henri ni à Montréal-Nord
nous y parlons
la langue du silence
35 et de l'impuissance

speak what
« productions, profits et pourcentages »
parlez-nous d'autres choses
des enfants que nous aurons ensemble
40 du jardin que nous leur ferons

délestez-vous des maîtres et du cilice
imposez-nous votre langue
nous vous raconterons
la guerre, la torture et la misère
45 nous dirons notre trépas avec vos mots
pour que vous ne mouriez pas
et vous parlerons
avec notre verbe bâtard

et nos accents fêlés
50 du Cambodge et du Salvador
du Chili et de la Roumanie
de la Molise et du Péloponnèse
jusqu'à notre dernier regard

speak what

55 nous sommes cent peuples venus de loin
pour vous dire que vous n'êtes pas seuls.

© Marco Micone, 1989.

1. Relevez les références à quatre poètes québécois et celles concernant l'histoire du Québec.

2. L'auteur est-il prêt à abandonner sa langue ?

3. Quelle est l'intention de Marco Micone ?

4. Jusqu'à quel point les deux derniers vers confirment-ils ou infirment-ils le contenu général du poème ?

Regard vers le sud, Giuseppe Fiore, 1990.

**Filippo Salvatore
(né en 1948)**

*Jamais je ne
me suis senti
aussi démuni,
aussi homme.*

Cet Italien s'est établi à Montréal en 1964. Poète, il écrit dans sa langue maternelle. Ses œuvres ont d'abord été traduites en anglais, puis en français, comme c'est le cas pour *Nous, les rapaillés*. Ce poème, dédié à Gaston Miron, est un exemple du dialogue en train de s'instaurer entre les cultures dans le Québec contemporain.

NOUS, LES RAPAILLÉS

À Gaston Miron

Cher frère méconnu,
tu rêves de victoire,
de lendemains lumineux,
et tu cries, glaneur de dignité,
5   ton amour déchirant
à la jeune fille volage
au cœur d'or. Cette imprudente
se laisse acheter pour quelques
        dollars,
10 et se fâche ensuite
si tu l'appelles putain.

J'ai bu un jour de gel
le feu qui couve sous la neige
et qui coule sans cesse dans tes
15   veines.
Je m'en suis enivré.

Hôte venue des terres brûlées
de l'autre rive,
depuis des années je mange
20 chez ta mère à ma faim,
mais sans ôter le pain
de la bouche de tes frères.

Homme provisoire, tu cherches
le vrai passé dans ton avenir.

25 Tu te soûles, éternel
troubadour, en voyant
les premières gelées caresser
les courbes des Laurentides
revêtues d'arc-en-ciel.

30 Feuille de bouleau solitaire,
tu planes au-dessus des penthouses
du centre-ville, cassés
par des explosions incessantes.
Ton père buvait la moelle
35 de l'érable sucrée comme une femme,
et se berçait en respirant
la chaude haleine du bétail et du fumier.
Les rives du Saint-Laurent s'emmitouflent
dans le costume blanc du Bonhomme
40   National.
Et l'écho de la hache
de ton père s'estompe.

Cher héros de la défaite, reste.
L'âme qui se nourrit de douleur,
45 survivra. L'herbe verte
reviendra au printemps.

« Nous, les rapaillés », in *Quêtes. Textes d'auteurs italo-québécois*, © Éditions Guernica, 1983.

---

1. Expliquez la dédicace à Gaston Miron en comparant les poèmes des deux auteurs (page 140).

2. Pourquoi l'« Hôte venue des terres brûlées » est-elle une femme ?

3. Relevez les images associées au Québec et commentez-les.

4. Pour quelle raison les vers de la dernière strophe sont-ils hachurés ?

5. Le poète s'adresse-t-il aux nouveaux Québécois ou à ceux nés ici ?

CE QUI DE MOI S'ÉVADE

Différente dès la venue au monde. différente dissemblable marginale aussi.
qui suis-je multipliée par trois : femme — immigrante — handicapée. de
tous mes yeux bleus verts bruns. de toutes mes langues et couleurs de toutes
mes peaux moi qui ne suis ni noire ni blanche mais entre deux.

5 toujours entre deux.

jamais unie dans toutes mes différences mais jamais déchirée non plus.
entière dans un corps fracturé blessé mais dans la moelle avant tout seule
entourée JE suis là me réclame de tout ce qui m'est advenu.

se dire ceci.

10 rien n'est en moi possible sans mes trois vies mes trois paires d'yeux

sans mes trois couleurs mes trois langues et mes trois peaux.
sans mes *trois* je ne suis pas.
si mes yeux verts tombent je ne vois plus même si restent mes yeux bleus et
yeux bruns et si ma langue arabe tombe alors ma langue française ne répond
15 plus et si ma couleur noire ne vit pas sur une de mes trois peaux je deviens
invisible.

je vis multiple parle d'abondance regarde tous pays qui à voir se
donnent — il y a aussi cela — les voyages !
vivre de voyages je deviens intérieure je cherche
20 creuse trouve aussi ce qui — de moi — s'évade fuit s'en va sans m'emporter.

« Ce qui de moi s'évade », in *Lectures plurielles. Coexistence et cultures*, © Éditions Logiques, 1991.

---

1. Étudiez les particularités stylistiques liées à la ponctuation, aux majuscules et à l'italique.

2. Relevez les particularités d'ordre syntaxique et trouvez leur effet.

3. Pourriez-vous repérer une allitération dans la dernière strophe ?

4. Groupez tous les triplets.

5. Quel message l'auteure veut-elle livrer ?

Anne-Marie Alonzo (1951-2005)

Écrire. Pour respirer. Sans autre choix de vie possible. Entrer en religion, en prison. Faire vœu de soumission à ce qui dicte, qui n'est pas soi.

Née en Égypte d'une famille francophone, Anne-Marie Alonzo a adopté le Québec en 1963. À 14 ans, un accident d'auto la laisse handicapée pour la vie. Poète et éditrice, Anne-Marie Alonzo fut très active dans le milieu littéraire québécois. Elle dit ici comment, par l'écriture, elle arrive à tirer profit d'une triple marginalité. La singularité même de l'écriture se fait l'expression d'états d'âme intérieurs.

Au plaisir de lire

- *Geste*
- *Bleus de mine*
- *Écoute, sultane*

**Antonio D'Alfonso
(né en 1953)**

*Il n'y a pas de pays
pur, nous sommes
tous d'ailleurs.*

Né à Montréal de parents d'origine italienne et d'abord éduqué en anglais, Antonio D'Alfonso, poète, romancier, scénariste et éditeur, publie ses poèmes en anglais, en français et en italien. On ne s'étonne donc pas de trouver la langue au centre de la problématique de sa poésie. Dans son recueil *L'autre rivage* (1987), il décrit un pays où réside une partie de son être, un rivage à jamais abandonné. Confronté à l'éclatement de son identité, ce poète voit dans l'écriture la clé de l'unité recouvrée. Il énumère ici les maux et les mots qui l'ont définitivement éloigné du rivage italien.

Au plaisir de lire

- *Quêtes. Textes d'auteurs italo-québécois*
- *Voix-off Québec anglophone*
- *Comment ça se passe*

ITALIA MEA AMORE

Ils m'ont jeté hors de ma maison,
ils m'ont lancé à gauche et à droite,
d'une chambre à une autre,
d'un pays à un autre.
5 Ils ont changé mon nom,
ils ont coupé les boucles de mes cheveux.
Ils ont ri de moi
parce que je ne m'habillais pas comme eux,
parce que je ne parlais pas comme eux,
10 parce que je n'étais ni noir ni blanc.
Ils m'ont forcé à travailler
pour un salaire de misère.
Ils m'ont demandé de nettoyer leurs toilettes
dans leurs usines, leurs hôpitaux, leurs cimetières.
15 Ils ont violé ma grand-mère, ma mère,
ma sœur, ma fille, ma petite-fille.
Ils ont violé mon père, mon frère, mon fils.
Ils m'ont enjôlé, cajolé,
ils m'ont enculé.
20 Ils m'ont mis le pain dans la bouche
pour me dire ensuite que je l'avais volé.
Ils ont volé mes meubles, mon argent,
mon emploi, ma femme, mes enfants.

Ils m'ont envoyé à l'école
25 pour apprendre le sens de l'amour,
de l'argent, du travail.
Ils m'ont envoyé à l'université pour apprendre
que l'amour, l'argent, le travail sont absurdes.
Ils m'ont donné un diplôme pour avoir désappris
30 ma langue maternelle et mon histoire.
Ils m'ont appris à parler, blasphémer, étudier
voler, travailler, penser
avec leur langue, avec leur histoire.
Ils m'ont donné comme toute nourriture
35 du pain et de l'eau.
Ils m'ont dit que je n'étais personne,
ils m'ont dit que je ne serais quelqu'un
qu'en étant comme eux.
Ils m'ont dit que j'étais mort,
40 ils m'ont dit que tu étais morte,
ils m'ont dit que tu n'étais pas mienne.
Ils m'ont drogué pour oublier la couleur de tes yeux,
la douceur de ta peau, la chaleur de ton sein.
Ils t'ont appelée putain, voleuse, ivrogne, droguée,
45 hypocrite, terroriste, fanatique.
Et lorsque je les ai traités
comme ils t'avaient traitée
ils m'ont craché à la figure.
Mais il ne m'a fallu qu'un regard,
50 un baiser, une caresse,
une nuit près de toi
pour me découvrir et comprendre qui je suis.

Maintenant, lorsqu'ils me demandent mon nom,
je prends l'encre de la terre
55 et à côté de Antonio D'Alfonso
je signe *Amore*.

L'autre rivage (1987), © Éditions du Noroît, 1999.

1. Quel effet est produit par la répétition des « ils », et qui ce pronom désigne-t-il ?

2. Pourquoi l'auteur compare-t-il la violence à une agression sexuelle ?

3. Comment s'effectue la dépersonnalisation ?

4. Prouvez que ce poème est surtout un grand chant d'amour.

Le roman

À partir du début des années 1980, c'en est fait de l'association du roman à la problématique nationale. Éclatant dans toutes les directions, ce genre littéraire semble allergique à quelque définition. D'une grande diversité, les romans sont de plus en plus nombreux et de plus en plus accessibles. Un des faits marquants de ces années est l'apparition sur le marché romanesque de *best-sellers* québécois. Romans d'aventures, romans historiques, romans sociaux, ils occupent un champ longtemps réservé à la production étrangère. S'ils sont comparables pour le nombre de pages aux *best-sellers* destinés à la consommation rapide, ils s'en démarquent toutefois par un travail littéraire original. Des parcours heureux, où le pur plaisir de conter prend la place des œuvres porteuses d'une idéologie d'enracinement ou d'exclusion. Assurés de chiffres de vente exceptionnels, plusieurs sont traduits en d'autres langues, deviennent même des séries télévisées ou des films.

La vie est un roman

Nombreux sont les romans qui permettent l'émergence de l'intime et s'attachent à fouiller les émotions. Plusieurs romanciers s'inspirent d'expériences personnelles où la vie au quotidien semble servir de substitut idéologique. Il y a ici réduction de l'intrigue au profit du héros et de sa quête — il faudrait plutôt parler de l'anti-héros —, un être le plus souvent marginal, sans héritage et sans espoir, dont les faits et gestes sont soigneusement consignés. Il s'agit souvent de paysages intérieurs tout en nuances, œuvres d'atmosphère, qui renouent avec les romans psychologiques de la période 1945-1960. D'autres valorisent le sentiment communautaire de l'existence ; ils donnent de la durée au monde du fugace, de la profondeur aux menus événements de la vie quotidienne. Le lieu de ces romans qui excellent à traduire les pensées les plus intimes est encore et toujours la langue, explorée dans toutes ses richesses, mais d'une manière moins opaque que dans le courant précédent, l'imaginaire reprenant sa priorité sur la forme.

Quant aux plus jeunes, confrontés à une société qui a bien peu à leur offrir, ils lui portent un regard critique ; ils font le procès de certaines attitudes jugées irresponsables, comme l'abdication de la raison, l'adoption de pseudo-valeurs qui masquent les problèmes réels. Mais leur désillusion est désamorcée par l'humour, l'ironie et les jeux de mots de toutes sortes. Ils échappent ainsi au réel et au tragique d'une condition refusée. Dans ces romans du désarroi et du mal de vivre, les personnages sont aux prises avec la désespérance de leurs pensées et une désillusion telle qu'ils ne sentent même plus sourdre la violence en eux : c'est la résignation, l'état de quasi-indifférence. Le romancier Jean-Yves Dupuis a titré un de ses romans *Bof génération* pour décrire ces gens qui n'attendent plus rien de la vie. Ces êtres pourtant lucides ne se rejoignent souvent que dans leur désarroi commun ou, ce qui revient au même, dans la consommation, de bière ou de sexe. Il s'agit généralement de jeunes, du moins quant à leur âge mental, qui refusent de vieillir, craignant d'affronter l'âge adulte et ses horizons bouchés.

Ces récits qui s'enracinent profondément dans la réalité font une large place à Montréal, en tant que lieu d'ancrage des actions quotidiennes, mais également, et sans doute même davantage, parce que cette ville exerce une véritable séduction auprès des écrivains. Ils prennent plaisir à se mesurer à elle, à raconter les sentiments qu'elle leur inspire, les « bonheurs d'occasion » qu'elle leur procure. Après avoir été longtemps évoquée dans un imaginaire souffrant, Montréal apparaît maintenant comme la ville de tous les échanges, de toutes les virtualités ; comme si la question identitaire nationale s'était déplacée sur le questionnement de l'espace urbain présent, avec lequel l'accord est devenu possible. On aime ses différents quartiers, représentant la carte topographique de notre imaginaire, en particulier le Plateau Mont-Royal et sa rue Saint-Denis, moins pour leur beauté que pour leur vie et la ferveur qu'ils inspirent ; on se plaît à y voir — image parfois troublante — la genèse du Québec de demain. On ne manque surtout pas de constater que si chacun se sent seul dans la grande ville, cette dernière non seulement permet d'occulter la solitude, mais elle dispense l'accès à l'humain.

Parmi les autres grandes tendances du roman actuel, notons le recours aux grilles freudiennes pour décrypter les carences du moi depuis les blessures de l'enfance mais également, dans une démarche tout à fait inverse, la publication de romans à la psychologie minimale où n'importent que les actions et les attitudes. Retenons enfin les nombreux retours au passé, afin de mieux comprendre le présent. Il ne s'agit pas tant ici de romans proprement historiques, généralement indissociables de la référence biographique, que d'une histoire revue et corrigée, abondamment colorée des épisodes de la petite histoire. C'est l'appel au souvenir, à la mémoire sélective, pour s'approprier des fragments de son passé, pour panser un présent en mal de son devenir. Plusieurs auteures en profitent pour réécrire l'histoire d'un point de vue féminin. Ces romans jouissent d'une exceptionnelle popularité, comme si les écrivains qui partent à la découverte de leur enfance permettaient aux lecteurs de s'approprier la leur ; ils viennent de plus donner un sens à l'aventure que les Québécois poursuivent en Amérique du Nord depuis 400 ans. Enfin, le roman ménage aussi une place toujours plus grande à toutes les formes de fiction spéculative, qu'il s'agisse de science-fiction ou d'un fantastique multiforme.

Après avoir définitivement cessé d'écrire en service commandé pour la nation, les romanciers ont donc dressé une riche mosaïque illuminée par ses multiples couleurs. Les thèmes, les genres et les humeurs ont éclaté et, dorénavant, la littérature québécoise accorde plus de poids au substantif qu'à l'adjectif.

TOUTES SORTES DE GRELUCHES

Monté sur sa moto, Martin écumait la ville comme on se lance dans des parties de pêche : il fonçait d'abord vers l'ouest ou le nord, il ralentissait ensuite, se garait, sortait de son casque sur lequel tremblaient deux ailes d'ange. Puis il flairait aux alentours, cherchant la satisfaction immédiate
5 d'un caprice soudain. Pour un peu, il aurait fermé les yeux et fait un désir, comme le lui avait montré Pauline. La ville lui rappelait étrangement la mer par son mugissement sans fin, son mouvement, ses drames imprévus. Il y circulait à l'aise, il s'y laissait emporter, surtout les jours de canicule, dans des dérives improbables, vers n'importe où. Et toujours, grâce à son sens de
10 l'orientation, il reprenait pied en sachant exactement où il se trouvait. Il feignait alors de ne pas le savoir, il se perdait volontairement pour jouir jusqu'au bout de son égarement, et l'arrière-petit-fils d'un homme très silencieux portait sur son dos un énorme poste qui lui hurlait dans les oreilles des airs discos, couvrant le bruit de tous les moteurs. Maintenant il
15 pouvait prendre la route du Mont-Royal, se repaître de la vue sur le fleuve, sans effort.

— Il faudrait peut-être que tu travailles, un jour, pour aider Pauline à payer tes dépenses, lâcha Isabelle, un soir qu'elle était vexée de voir ses grandes jambes de fainéant étalées sur le pouf.
20 Il prétendit qu'il avait failli entrer au service de la Ville de Montréal à titre de guide, parce que le tourisme, il connaissait ça de naissance, mais on l'avait fichu dehors lorsqu'on avait compris qu'il ne possédait ni l'âge ni même un permis de conduire.

— Il y a autre chose ! Le dépanneur du coin se cherche un employé à temps
25 partiel, ça te conviendrait parfaitement…

Il se mit à rire comme un idiot. Elle lui en demanda la cause. Oh, ce n'était rien, fuck ! il ne se voyait pas du tout en train de servir à toutes sortes de greluches des cigarettes, non pas celles-là, il les imitait avec une voix de tête haut perchée, des Craven A, le paquet bleu, non pas un petit sac, j'ai demandé un
30 gallon de pop-corn, pas ce suçon-là, çui-ci, bonsoir, fait beau aujourd'hui. Des nouvelles passionnantes !

Isabelle le regarda, interdite, et retourna à ses tâches. Elle sentait pourtant venir le coup de pied qui la débarrasserait de ce petit parasite. Elle qui n'avait pas voulu d'enfant, parce que… parce que tout simplement, elle avait dû tout
35 de même héberger à tour de rôle ses petits frères, ses neveux, ses nièces, et maintenant ce zigue, ce flibustier des villes, le seul être sur qui elle n'avait aucune prise.

L'ombre de l'épervier (1988), © XYZ éditeur, 1995.

1. Relevez les images et les mots associés à la mer.

2. Quelles parties du texte évoquent le passage des générations ?

3. Quelle phrase crée une rupture entre l'évasion de Martin et la réalité représentée par Isabelle ?

4. Commentez l'ironie dans le cinquième paragraphe.

5. Montrez que la narration adopte d'abord le point de vue de Martin, puis celui d'Isabelle.

Noël Audet
(1938-2005)

Le problème central des Québécois, c'est qu'ils n'arrivent pas à croire en eux ni en leur destin collectif.

Poète, essayiste et romancier, Noël Audet a brossé avec *L'ombre de l'épervier* (1988) une fresque socio-historique de grande qualité. Du début du siècle jusqu'à 1980, le lecteur observe le cheminement de quatre générations d'une même famille qui a partie liée avec la mer. Alors que la première moitié de cette saga à saveur humaine et familiale évoque surtout la vie traditionnelle des Gaspésiens, bientôt, l'aspect proprement historique prend le dessus. À la fin, l'ultime descendant vient échouer à Montréal. Ce que décrit l'extrait qui suit. Particularité de ce roman : la langue des personnages évolue au rythme des générations, se faisant le fidèle reflet de l'évolution de la langue parlée au Québec. D'abord à forte odeur de varech, elle se transforme pour se colorer, à la fin, des particularités du parler montréalais contemporain.

Au plaisir de lire

• *Frontières ou tableaux d'Amérique*

• *La terre promise*

• *Remember !*

• *Le roi des planeurs*

Gilles Archambault
(né en 1933)

*Les sentiments
intérieurs de mes
protagonistes sont
les miens et, par
le jeu de la fiction,
je livre un portrait
embué de moi-même.*

L'aventure solitaire de la vie est
au centre de la trentaine de livres
– des dérivés de l'autofiction – que
Gilles Archambault écrit depuis
1963, année de la parution de
son premier roman, *Une suprême
discrétion*. Son écriture intimiste
relevant d'une esthétique de la
discrétion n'a de cesse de questionner le sens, qu'il importe de
débusquer derrière les aspérités
de la vie. Dans *De l'autre côté du
pont* (2004), qui se déroule le
temps d'une journée, celle de son
75e anniversaire, un écrivain qui a
cessé d'écrire, enclin à une certaine lassitude, fait un bilan sans
complaisance de ce qu'a été sa vie.
Avec une lucidité teintée d'autodérision, Louis Audry lit la préface
qu'un vieil ami a écrite pour ses
œuvres complètes : cinq brefs romans. Ce procédé permet au personnage de revisiter les étapes de
sa vie et au romancier d'alterner
une narration au « je » et un récit à
la troisième personne. Le ton de
sincérité de ce récit rend émouvante la grise désolation du protagoniste, telle une petite musique

(suite à la page suivante)

PAS TRISTE MAIS DÉSEMPARÉ

Cette Pascale, vraiment, Louis l'a appréciée. Pas seulement parce qu'il souffre de solitude. Elle est de ce genre de femmes qui l'a toujours fasciné. Vive, primesautière, curieuse de tout. Marie-Ève à vingt-cinq ans. Il aurait aimé lui parler vraiment, savoir par exemple si elle était totalement éprise.
5 De son Yvan, il n'a rien su. Pourquoi vit-elle avec lui ? Rien n'est plus fascinant qu'une femme amoureuse. Dans les romans de Louis, on trouve plusieurs personnages féminins, mais il sait maintenant qu'ils n'ont pas de consistance, des fantoches limités à leur apparence physique. Encore là, il s'est contenté de détails insignifiants. Cette tare de romancier, cette difficulté à comprendre les
10 femmes, ne l'a-t-il pas reproduite dans ses relations ? A-t-il connu Marie-Ève ou a-t-il vécu avec une inconnue ?

Une image s'impose à Louis. Il revoit Pascale. Elle est songeuse tout à coup.

— Parfois, vous savez, j'aimerais être seule. Pour réfléchir à ma guise, penser, lire, sans avoir à me justifier. Yvan ne comprend pas tout à fait. Il a
15 beau lire tant et tant, il n'a pas besoin de silence.

Louis se souvient d'avoir dit une banalité. Une autre.

— Il faut apprendre à s'isoler. Ce n'est pas si facile. Moi aussi, j'ai beau-coup lu. Je lirai jusqu'à la fin. Sans doute. Pas nécessairement les livres que je lisais à votre âge.
20 Afin de ne pas troubler Pascale, Louis s'était retenu de lui apprendre que Dino Buzzati ne voyait pas l'intérêt d'avoir une bibliothèque trop fournie ou que Joubert arrachait les pages qui ne l'intéressaient pas dans les livres qu'il lisait, de sorte que ses étagères étaient remplies d'ouvrages incomplets. D'une telle opération, Louis serait incapable. Réflexe d'éditeur, probablement,
25 mais pour lui le livre est un objet important, presque une âme qu'on ne peut mutiler.

— Parfois, en présence d'un livre ou d'un auteur, je me sens complètement idiote. Je ne parviens tout simplement pas à me l'approprier. Alors, je m'en fais une histoire. Je me demande si je ne vais pas tout rater, je ne donnerais
30 pas cher de ma petite personne.

— C'est peut-être qu'il n'y a pas eu osmose entre vous et le livre en question. Ne vous tracassez pas. Vous trouverez toujours des livres qui vous convien-dront. Si seulement mes enfants avaient été comme vous. Il y a bien Sylvie, elle lit beaucoup, mais un peu n'importe quoi. Les deux autres, rien à faire.
35 Sylvie, justement, viendra tout à l'heure. Elle est admirable de patience. Elle s'occupe de moi. Je suis devenu son troisième fils. En quelque sorte. Je ne suis pas tellement obéissant. Elle viendra parce que c'est mon anniversaire.

Elle avait voulu savoir lequel. En baissant la voix, comme s'il en avait un peu honte, il avait répondu :
40 — Soixante-quinze ans. Ça doit vous paraître bien vieux. Et vous avez raison. Je n'en reviens pas moi-même. Avoir passé toute sa vie à se méfier des vieux, à se moquer d'eux en certaines occasions, à les trouver laids, pour en arriver là ! Mais laissons ces choses tristes. Vos études, elles vous plaisent ?

Pascale avait eu une moue, puis, sans crier gare, l'avait embrassé sur la
45 joue. Louis n'était pas sûr de ne pas avoir rougi.

— Pourquoi êtes-vous si triste ? lui avait-elle demandé quelques minutes plus tard.

Pas triste, ma petite, mais désemparé. Voilà ce qu'avait pensé Louis. Sans le dire, évidemment. Personne n'aime entendre ce genre de propos. À vingt
50 ans comme à cinquante.

— J'ai toujours été un peu comme ça. Et vous, ça vous arrive de l'être ?

— Souvent. Je vais finir par m'habituer. Vos romans aussi sont tristes. Mais on vous l'a dit souvent, j'en suis sûre.

55   — Régulièrement. Même à propos de ceux qui le sont un peu moins. On m'a posé une étiquette. C'est plus commode. Mais laissons cela. Je vous appelle un taxi ?

De l'autre côté du pont, © Éditions du Boréal, 2004.

1. Qu'est-ce qui est représentatif, dans cet extrait, des romans de cette période ?

2. Quels renseignements le narrateur nous donne-t-il ?

3. Que veut dire Louis quand il affirme : « ... il n'y a pas eu osmose entre vous et le livre » ?

4. Peut-on penser que, pour Pascale et Louis, le livre est un objet intimidant ?

(suite)

nostalgique. L'extrait retenu ici se situe après le départ d'une jeune femme, Pascale, venue choisir des livres dont l'écrivain se défait.

*Au plaisir de **lire***

- *Une suprême discrétion*
- *La fuite immobile*
- *Les pins parasols*
- *Le voyageur distrait*
- *L'obsédante obèse*

Les Intermittences de la mémoire. « Ce petit désir que nous ne pourrons connaître réellement... », Paul Béliveau, 1980.
Musée national des beaux-arts du Québec, 80.98.

Jacques Poulin
(né en 1937)

Quand quelqu'un dit qu'il nous aime bien, on a envie qu'il comprenne tout.

Écrivain de la chaleur humaine, Jacques Poulin fait de la poursuite de l'unité intérieure la trame même de ses romans. Ses personnages, marqués par leur discrétion et leur soif de tendresse, aux prises avec la si difficile communicabilité avec les autres, arrivent à donner du poids aux moindres détails du quotidien. Dans *Volkswagen blues* (1984), le personnage central, Jack Waterman, qui a entrepris avec la jeune Amérindienne Pitsémine, dans un minibus Volkswagen, un long périple allant de Gaspé à San Francisco, associe la découverte de son identité à la mise au jour de sa part d'américanité. L'écriture, sobre et dépouillée, oublie ses effets et n'en est que plus efficace.

Les six vers sont tirés d'une chanson composée par Léo Ferré, *Le bateau espagnol*.

Au plaisir de lire

- Jimmy
- Les grandes marées
- Le vieux chagrin
- La tournée d'automne
- Les yeux bleus de Mistassini

UNE IDÉE ENVELOPPÉE DE SOUVENIRS

Pour ne pas s'endormir pendant qu'il conduisait sur la 94, Jack ouvrit la radio. Il entendit des nouvelles : les États-Unis envoyaient des conseillers militaires en Amérique centrale, le chômage avait augmenté, il y avait des inondations en Louisiane et une sécheresse en Égypte, l'aviation d'Israël
5 bombardait le Liban, le prix de l'or avait monté, la France procédait à des expériences nucléaires dans le Pacifique, les négociations pour le désarmement étaient dans une impasse. Il tourna le bouton, cherchant une émission de musique, et à sa grande surprise il entendit tout à coup une chanson française, lointaine et comme perdue dans une mer de paroles anglaises —
10 une vieille chanson française qu'il connaissait très bien ; il ajusta le bouton et alors il entendit très distinctement les mots qui disaient :

> *Qu'il est long le chemin d'Amérique*
> *Qu'il est long le chemin de l'amour*
> *Le bonheur, ça vient toujours après la peine*
> 15 *T'en fais pas, mon amie, je reviendrai*
> *Puisque les voyages forment la jeunesse*
> *T'en fais pas, mon amie, je vieillirai.*

L'Amérique ! Chaque fois qu'il entendait prononcer ce mot, Jack sentait bouger quelque chose au milieu des brumes qui obscurcissaient son cerveau.
20 (Un bateau larguait ses amarres et quittait lentement la terre ferme.) C'était une idée enveloppée de souvenirs très anciens — une idée qu'il appelait le « Grand Rêve de l'Amérique ». Il pensait que, dans l'histoire de l'humanité, la découverte de l'Amérique avait été la réalisation d'un vieux rêve. Les historiens disaient que les découvreurs cherchaient des épices, de l'or, un passage vers la
25 Chine, mais Jack n'en croyait rien. Il prétendait que, depuis le commencement du monde, les gens étaient malheureux parce qu'ils n'arrivaient pas à retrouver le paradis terrestre. Ils avaient gardé dans leur tête l'image d'un pays idéal et ils le cherchaient partout. Et lorsqu'ils avaient trouvé l'Amérique, pour eux c'était le vieux rêve qui se réalisait et ils allaient être libres et heureux. Ils
30 allaient éviter les erreurs du passé. Ils allaient tout recommencer à neuf.

Avec le temps, le « Grand Rêve de l'Amérique » s'était brisé en miettes comme tous les rêves, mais il renaissait de temps à autre comme un feu qui couvait sous la cendre. Cela s'était produit au 19ᵉ siècle lorsque les gens étaient allés dans l'Ouest. Et parfois, en traversant l'Amérique, les voyageurs
35 retrouvaient des parcelles du vieux rêve qui avaient été éparpillées [...].

Volkswagen blues, © Leméac, 1984.

Étude détaillée

Analyse formelle
LE LEXIQUE

1. Plusieurs lieux sont évoqués. Nommez-les et classez-les selon leur caractère réel ou mythique.

2. Donnez les différents sens du mot *Amérique* dans cet extrait.

LA NARRATION

1. Quelles métaphores sont utilisées pour exprimer ce que Jack ressent quand il entend le mot *Amérique* ? Relevez-les et expliquez-les avec précision.

2. Quelles images servent à décrire ou à exprimer l'idée d'un rêve très ancien au fond de l'être humain ?

3. Expliquez ce que peut vouloir dire « une idée enveloppée de souvenirs » dans cet extrait.

4. Quel est le rôle de la chanson dans cet extrait ?

5. Quel est le niveau de langue de cette narration ?

Analyse thématique

Le thème le plus important est celui du paradis perdu, du grand rêve de l'Éden qui a donné naissance au « Grand Rêve de l'Amérique ».

1. Comment ce thème de « l'histoire de l'humanité » rejoint-il la vie personnelle de Jack ?

2. L'auteur privilégie-t-il ici le présent ou le passé ?

3. Comment est-il dit que ce grand rêve est une éternelle quête ?

Préparation à la dissertation critique

1. Quel lien pourriez-vous démontrer entre ce texte et ceux du premier chapitre ?

2. Quelles différences pouvez-vous établir entre cet extrait et les textes nationalistes du chapitre 4, relativement à la notion de pays ?

3. A-t-on raison d'affirmer que, dans cet extrait, le pays est présenté comme une chimère ?

4. Peut-on dire que, dans cet extrait, c'est la nostalgie qui domine ?

California Desert-Quadrant, Bill Vazan, 1993.
Musée régional de Rimouski.

Yves Beauchemin
(né en 1941)

Nous commençons tout juste à comprendre qu'il est important d'avoir un passé, si nous voulons que l'avenir ait un sens.

Le Matou (1981) d'Yves Beauchemin fut l'un des premiers *best-sellers* de la littérature québécoise : traduit en une quinzaine de langues, il s'est vendu dans le monde entier à plus d'un million d'exemplaires ; il a également été adapté au cinéma et à la télévision. Dans cette saisissante fresque de la vie au quotidien, alors que la résonance sociale est évacuée, les personnages sont décrits dans leurs attitudes, leurs désirs et leurs répulsions. Conteur talentueux, l'auteur, par son imagination débridée qui ménage une place de choix à la tendresse et à l'humour, parvient sans peine à tenir le lecteur en haleine. La première page donne le ton à ce roman réaliste, où la psychologie des personnages doit être déduite de leurs actions.

Au plaisir de lire

• *L'Enfirouapé*
• *Juliette Pomerleau*
• *Charles le téméraire*

Des guillemets de bronze

Vers huit heures un matin d'avril, Médéric Duchêne avançait d'un pas alerte le long de l'ancien dépôt postal « C » au coin des rues Sainte-Catherine et Plessis lorsqu'un des guillemets de bronze qui faisaient partie de l'inscription en haut de la façade quitta son rivet et lui tomba sur le crâne. On
5 entendit un craquement qui rappelait le choc d'un œuf contre une assiette et monsieur Duchêne s'écroula sur le trottoir en faisant un clin d'œil des plus étranges.

Florent Boissonneault, un jeune homme de vingt-six ans au regard frondeur, se trouvait près de lui quand survint l'accident. Sans perdre une seconde,
10 il desserra la ceinture du malheureux, défit son col et se précipita dans une boutique pour alerter la police. Déjà, une foule de badauds s'amassait autour du blessé qui perdait beaucoup de sang. Cela ne l'incommodait aucunement, d'ailleurs, car il était occupé à revivre une délicieuse partie de pêche qu'il avait faite à l'âge de sept ans sur la rivière l'Assomption.
15 Florent revint près de lui et s'efforça de disperser les curieux. Un de ceux-ci était remarquable. Il s'agissait d'un grand vieillard sec à redingote noire dont le visage se terminait par un curieux menton en forme de fesses. Il observait Florent depuis le début avec un œil admiratif.

— Voilà un jeune homme de gestes sûrs et *d'un bel sang-froid*, dit-il à voix
20 haute avec un accent bizarre. C'est un trésor *à* notre pays.

Florent ne l'entendit pas, occupé qu'il était à répondre aux questions des policiers. Au bout de quelques minutes, il put s'en aller.

Le Matou, 1985, © Éditions Fides.

1. Quels détails réalistes donnent de la crédibilité au récit ?

2. Comment se manifeste l'humour, et quel est son rôle ?

3. Montrez l'importance que le narrateur attache au regard.

4. Qu'est-ce qui prédomine ? L'action ou la psychologie des personnages ?

Susurrements d'amour
et geignements de joïance

Et à présent, un bâtiment à fort belle membrure, tout près de l'embouchement d'un fleuve d'Amérique. Il vogue libre, comme volant, son pavillon de poupe claquant au ventelet. Pour manœuvrer, deux fois douze gaillards jeunots à belle carrure et à braguette bien garnie, et un commandement
5 d'amiraux en bon âge et bonnes facultés naturelles, ardents à la noce et au déduit. Outre, un voyagier fort laid (mais il est de tout temps des femelles capricieuses qu'eschauffent plus les tares que la belleté), item fort friand de pucelles qui, plus jeunettes sont, plus icelui les veut, item fort crédule et domptable, si bien qu'ébloui par chaton d'enfançonne et cuisses muliebres,
10 icelui en eut lard tant dressé et fumant que transbordage fut fait vitement et sans heurt. Outre, bête de race dite chienine, pouilleuse, baveuse, fielleuse, compagne du susnommé. Outre, petiote de nos gens, doulcette et joliette, fanfrelucheuse, précoce, et de cropet enjoué. Outre, ma Dame elle-même, pour ensorcer, amignarder, brandonner, amiraux du commandement par grande
15 habileté et belle intelligence, et faire qu'iceux l'amourent et la veuillent accoler.

Ainsi donc, équipage apte et ardent s'esbat encore en liberté sur mer Océane, mais pour fort peu de temps. Car maquerelles miennes courtoisement titillent leur esprit, les tastent, les brasent et les enflambent, si bien qu'iceux, de désir enfoletés, promptement voudront chatons d'icelles besogner de leurs lèvres
20 et labourer de leur hampe, et vitement transborderont. Lors, nef élégante du royaume d'Italie, s'ira dériver seulette sur la mer Océane, déserte d'hommes, à l'abandon, tandis que moi, sombrerai sans sombrer, naufragerai sans naufrager, avec ma charge ancienne de maquerelles, mais surtout charge neuve et très précieuse de galiots, d'amiraux, de puceaux et d'hommes faits, sans doliances
25 ni laments, sans pleurs ni grincements, dans susurrements d'amour et geignements de joïance, jusques-en profondités marines et Terre promise, où ils iront — bel adieu — donner doulce confortance à nos femmes.

Les demoiselles de Numidie, © Éditions du Boréal, 1984.

---

1. Relevez les archaïsmes et tentez d'en deviner le sens.

2. Quels termes sont associés à la marine ?

3. Quels autres sont reliés à la volupté ?

4. Quelle est la tonalité dominante ?

Marie José Thériault
(née en 1945)

Rien ne sera plus vivant que ta bouche lorsque mes plaintes y seront rassemblées.

Marie José Thériault est poète, chansonnière, critique littéraire, nouvelliste et romancière. Son premier roman, *Les demoiselles de Numidie* (1984), permet la rencontre de deux navires : un cargo de la marine marchande italienne et une nef construite « il y a sept fois septante années », le vaisseau fantôme éponyme. On est cependant loin du simple rapatriement d'un thème ancien. Ici le navire merveilleux, « plein de filles dextres en plaisements et de croupe dévouée », de sirènes ayant pour mission d'ensorceler les marins rencontrés, devient un des trois narrateurs du récit et, qui plus est, il s'exprime dans sa langue d'origine. Laissons la parole à ce contemporain de Rabelais, dont il emprunte la verve et la gauloiserie, au moment où il aperçoit le navire italien, au large de Terre-Neuve. L'écriture de Marie José Thériault est une des plus ouvragées de notre littérature.

Au plaisir de lire
• *L'envoleur de chevaux et autres contes*

Suzanne Jacob
(née en 1944)

*Je crois qu'il faut
s'inventer plusieurs
vies de surface si
on veut sauver sa
vie en profondeur.*

Depuis 1978, Suzanne Jacob a écrit près d'une vingtaine d'ouvrages : des recueils de poèmes, des romans, des recueils de nouvelles, des récits, des chroniques et des essais. Elle a également pratiqué la chanson en tant qu'auteure-compositrice-interprète. Cette écrivaine humaniste et féministe ne cesse d'explorer le rapport de la conscience individuelle au monde. Ainsi, le roman *Fugueuses* (2005) relate l'histoire de plusieurs femmes de différentes générations d'une même famille coincées dans des secrets de famille qui se sont perpétués de génération en génération ; restituant les histoires muettes de leur lignée, chacune tente de surmonter sa peur, de trouver le courage d'affronter son propre destin. Pour accéder à leur vérité, pour arriver à reconstruire leur propre identité qu'elles ont été contraintes de fuir en même temps que les mensonges ambiants. Le style rigoureux de ce roman touffu où se croisent de multiples destins superpose les monologues intérieurs qui inscrivent l'action dans le temps de la mémoire. Ce roman de la filiation invite aussi le lecteur à s'interroger sur l'infiltration dans sa

(suite à la page suivante)

LA FOSSE QUI SE CREUSAIT EN MOI

La mort de Stéphanie m'est arrivée réellement à travers celle de la princesse Diana. C'est la mort de la princesse Diana, le 31 août 1997, puis le 1er septembre et les jours qui ont suivi, qui m'a arrachée à Stéphanie, chose que je n'aurais jamais dû confier à Émilie. Certaines confidences nous sont
5   extorquées par notre propre angoisse de ne pas trouver d'issue aux impasses. Le bref séjour d'Émilie n'a consisté qu'en une série d'impasses. « Ça ne m'étonne pas de toi, a dit Émilie, tu as toujours été mégalo. À tes yeux, il faut que les Dumont occupent des sommets inaccessibles même à la mort. L'observation des fourmis ne t'a jamais rien appris. » J'ai dit : « C'est-à-dire ? »
10   Elle a dit : « On ne saura jamais s'il y a des fourmis qui ont la phobie des semelles de chaussures, tu me suis ? » Où voulait-elle que je la suive ? Je me suis bien gardée de lui en dire plus long. En fait, je suis restée des heures stationnée devant l'écran avec les mots « Ma fille est morte », qui, cette fois, m'ont ravagée. Pas la mort d'abord. Les mots eux-mêmes. Des mots rapaces
15   qui m'arrachaient et se disputaient ma peau. Je courais dans le jardin, je tendais mon visage au soleil cru de septembre, j'ouvrais la bouche pour que les rayons tombent sur ma langue, dans ma gorge, dans mes poumons. Mais la chaleur fuyait mon corps. J'aurais voulu appeler quelqu'un à l'aide, mais quelqu'un n'existait pas. Je devais m'agripper à moi-même comme
20   toujours, mais c'était justement moi qui me dérobais et qui fuyais. Je rentrais, défaite, me figer devant l'écran. « Tu fabriques quoi au juste, devant cette Mercedes ? » a fini par gronder Xavier de sa voix déjà racornie par l'ironie. J'ai murmuré : « C'est Stéphanie, elle est morte. » Et j'ai enfin hurlé comme elles hurlent, les vraies mères, comme il faut hurler, comme le hurle-
25   ment naît dans les entrailles et les traverses : « Elle est morte ! »

Xavier est resté rivé sur la ferraille de la Mercedes écrabouillée. Je suis retournée au jardin, je me suis jetée sur la terre, je me suis roulée dans l'herbe comme si j'étais la proie des flammes, et je l'étais. Ma peau flambait. Je suis restée là, à plat ventre, à arracher l'herbe rase et jaunie, et j'ai attendu
30   que le ciel se disloque et tombe, qu'il bascule avec moi dans la fosse qui se creusait en moi, jusqu'à ce qu'une imploration désespérée se forme dans ma bouche : « Pardon ! Pardon ! Stéphanie, je t'en supplie, pardonne-moi ! »

Fugueuses, © Éditions du Boréal, 2005.

1. Faites l'inventaire des épithètes. Ces dernières servent-elles à donner un ton à cet extrait ?

2. Relevez les énumérations et commentez leur effet.

3. Tracez le portrait psychologique de la narratrice.

(suite)

réalité personnelle d'attitudes et de comportements hérités, transmis de génération en génération sans avoir fait l'objet d'un apprentissage. Dans ce roman, des éléments de l'actualité viennent fréquemment sonner le réveil d'éléments intimes, comme dans cet extrait.

Au plaisir de lire

- *Flore Cocon*
- *Laura Laur*
- *La part du feu*
- *Les écrits de l'eau*
- *La passion selon Galatée*

La barque de la mère, Louisette Gauthier-Mitchell, 1997.

Francine Noël
(née en 1945)

Qu'on l'appelle bâtardise ou métissage, c'est la non-pureté et la non-légalité qui m'intéressent.

La prose de la romancière et dramaturge Francine Noël est en prise directe sur le quotidien. Habile à brosser de vastes fresques, l'auteure de *Myriam première* (1987) a écrit la chronique d'une époque, celle de la désillusion tranquille des années immédiates qui suivirent la défaite du référendum de 1980. Dans l'extrait, deux amies, Marité et Marie-Lyre, devisent de tout et de rien : du triomphe de l'instant présent, de la vie qui n'est que quotidienne. L'anecdote transformée en phénomène artistique.

Au plaisir de lire

- *Maryse*
- *La femme de ma vie*

PROFITER DE CE QUI PASSE

— Je ne m'étais jamais préoccupée de mon apparence, mais maintenant je comprends qu'il a toujours été important pour moi de ne pas être trop moche. Tout à coup, je me sens pressée de profiter de ce qui passe, de plaire. Dans quelques années, je serai plus regardable.

5 — T'es malade ! dit Marie-Lyre. Regarde ta mère, elle est encore belle !

— Je ne veux pas être ENCORE belle !

Cela est sorti comme un cri, oppressé. Marie-Lyre la regarde, interloquée : elle ne reconnaît pas sa Marité habituelle ; sûre d'elle et désinvolte.

— Ma mère est un cas, continue Marité. Un phénomène ! Quand elle
10 prétend aller dans le Sud, je me demande si elle ne va pas tout simplement se faire faire des *liftings*. Après tout, on n'a jamais vérifié !

— Tiens, tiens ! dit Marie-Lyre. C'est bien possible.

Elles rient et se remettent à placoter dans le calme de l'après-midi, jouissant du fait de ne pas travailler. Elles parlent du climat politique, de la montée
15 des Verts en Allemagne, de la situation au pays. « Quel pays ? » dit Marie-Lyre. Depuis le référendum de mai 80, elle ne prononce plus le mot « Québec ». Quand il lui faut absolument situer un événement, elle dit « Montréal » à la place, comme si le pays rétrécissait. Marité a remarqué ce glissement dans le discours de son amie mais elle fait semblant de rien, sachant que les « gens
20 du pays » s'accommodent comme ils le peuvent de l'après-référendum. Marie-Lyre revient à sa brouille avec Juliette, elle demande à Marité de ne pas en parler à Maryse, qui se ferait inutilement du mauvais sang.

Myriam première (1987), © Bibliothèque québécoise, 1998.

---

1. Quel niveau de langue est utilisé ici ?

2. Comparez le style des dialogues avec celui des passages narrés.

3. Qu'est-ce qui donne un caractère « immédiat » à cette prose ?

4. Comparez les préoccupations des héroïnes de Francine Noël avec celles des auteures féministes du chapitre précédent.

LE MOT *BONHEUR* FAIT UNE TACHE

Sur la neuvième page, ce samedi de juillet, les mots, ceux qu'il me faudrait alors, inspirés et délinquants, ne viennent pas. Le Bonheur astucieux les tient à distance. Me tient à distance du vrai visage de la mélancolie. De la connaissance. De l'éternité vulnérable d'une vie entière. De ces petites flèches qui
5 très tôt atteignent l'âme. Même après l'hécatombe, toutes ces disparitions soudaines autour de moi, je ne sais pas écrire au sujet de l'âme. Je ne sais ni interroger ni penser cet inguérissable de l'âme. Comment on arrive à parler de l'intérieur, à soulever, l'un après l'autre, les bâillons de silence qui recouvrent sa propre voix, après avoir crevé la surface lisse de l'émotion, je n'ai pas appris.

10 Le mot Bonheur fait une tache dans mon cahier noir, ce jour-là de juillet, et je ne comprends pas.

Je ne connais rien de cette langue vertigineuse, qui déplacerait les rayons obliques d'un soleil fou, la plage à peu près déserte, l'écho de ce Bonheur au loin, qui se propage jusqu'à moi, cet homme seul s'éloignant, si frêle tout à
15 coup, engoncé dans l'anneau de sa bouée de sauvetage, comme un enfant qui joue, cet homme amoureux que j'avais repéré de très loin, mon regard aussitôt saisi par le balancement désinvolte de son bras gauche, sa tête inclinée, sa démarche lente, dégingandée, lorsqu'il descendait vers la plage. Elle et lui se tenant par la taille, leurs amis alentour.

20 La liberté, l'amour, l'éternité d'une vie entière devant lui.

Mes paupières refermées ne retiennent qu'une image : cette main de la fiancée en arrêt, suspendue dans l'air, tel un
25 drapeau, à la toute fin de l'au revoir. Au moment de l'irréversible, lorsque s'achève le beau mensonge de la fiction. Lorsque le Bonheur se fait
30 insistant et superpose son cercle opaque au-dessus du soleil.

Mes paupières salées, comme si devant il y avait la mer, la neuvième page reste blanche.

35 Au loin, une tache qu'on ne voit pas.

Ce fauve, le Bonheur, © Éditions de l'Hexagone et Denise Desautels, 1998.

1. Quels mots laissent percer la menace derrière le bonheur ?

2. Pourquoi le mot *bonheur* est-il écrit avec un « B » majuscule ?

3. Comment la fragilité du bonheur est-elle évoquée ?

4. Commentez le rôle des yeux et du regard dans cet extrait.

Denise Desautels (née en 1945)

On peut changer le monde par l'écriture. J'y crois.

Depuis 1975, Denise Desautels a publié une quinzaine d'ouvrages poétiques. Se qualifiant elle-même d'« archéologue de l'intime », elle ne cesse d'interroger cette zone fuyante, entre l'ombre et la lumière, où se terrent l'identité et le sens. Dans son récit en prose qui se déroule dans la décennie de 1950, *Ce fauve, le Bonheur* (1998), la narratrice tourne la tête vers la fillette qu'elle a été, à qui on avait imposé la religion de l'optimisme et du bonheur, pendant que les décès et les chagrins s'accumulaient autour d'elle. Une série de deuils non faits, de douleurs étouffées et refoulées, qui ne pourront que déchirer l'adulte. Entre-temps, la narratrice se souvient de ses dix ans, alors qu'elle tentait d'écrire, ignorant encore que coupée de la douleur, elle l'était aussi de la vie. Une narration dépouillée, toute de pudeur, pour traverser l'opacité de la vie.

Au plaisir de lire

• *Mais la menace est une belle extravagance*
• *Le saut de l'ange*
• *Le vif de l'étreinte*

Les parleuses, Francine Simonin, 1991. Galerie Madeleine Lacerte.

Robert Lalonde
(né en 1947)

C'est au fond de lui-même que chacun est requis d'abord, et non pas au café, au travail, en réunion, sur la place publique, où l'on est de passage.

Robert Lalonde mène de front, et avec succès, la double carrière de comédien et d'écrivain. Chacun de ses romans se fait incitation à chevaucher la vie, jusque dans ses zones ombragées et troublantes loin de la stagnante routine quotidienne. Et, pour attiser la conscience, l'auteur fait constamment appel à la nature, une nature encore sauvage, capable de fouetter les sens et d'éveiller les instincts, de rappeler notre animalité. Son roman *Le fou du père* (1988) décrit le contentieux séculaire entre les pères et les fils. Le narrateur et personnage principal, réfugié au pays du père et de l'enfance, relate ici, à l'intention de la femme aimée restée à la ville, les incertitudes qui l'assaillent, les émotions qu'il assume. On notera la force du lyrisme.

Au plaisir de lire

- *La belle épouvante*
- *Le dernier été des Indiens*
- *L'ogre de Grand Remous*
- *Le petit aigle à tête blanche*
- *Que vais-je devenir jusqu'à ce que je meure*

CE DÉSARROI CAPABLE DE TOUT CHANGER

C'est moi qui resterai captif des lueurs que son regard égaré a lancées dans tous les sens, et c'est moi qui devrai essayer de m'arranger avec ces éclairs-là qui sont comme la lumière au-dessus des débris après un cataclysme, après que le ciel furieux a frappé sans prévenir. Je ne m'habitue pas. Et si j'ai honte,

5 c'est que je sais que je n'arriverai jamais à marcher, à parler, à faire la paix et à vivre libre pendant que cet homme, mon père, est soumis à quelque monstrueuse foudre de hasard. Je reste tout seul à imaginer, à rivaliser avec l'univers et son mystère, et ça, jusqu'au grand vertige où je perds toutes mes certitudes. Il y a donc, en lui, en moi, en chacun peut-être, sur le qui-vive,

10 toujours prêt, ce désarroi capable de tout changer, ce désordre primitif dont personne avant nous n'est venu à bout et qui nous échoit comme certaines monstruosités physiques, une tache de vin ou un pied bot? Tout de suite c'est la grande terreur et son cortège de cauchemars indéchiffrables. Tout de suite c'est le vide qui se fait, facilement, à l'endroit où vous comptiez vous

15 étendre et vous reposer un peu. Ça vous prive de toute détente et ça veut vous faire vivre sur le pied de guerre tout le temps. Et encore, pour rien, puisque ça peut cogner quand ça voudra et qu'on est, dans cet orage-là, comme une aiguille de pin dans le cyclone, sans plus de génie ni de courage, malgré toute l'étude, toute la connaissance, tout l'amour du monde. Alors,

20 j'ai soudain un gros désir des mots et de ta peinture, de nous deux dans l'atelier, de la ville et de ses horreurs quotidiennes auxquelles on a fini par s'habituer et contre lesquelles je fais des phrases et toi des couleurs, à l'abri.

Le fou du père, © Éditions du Boréal, 1988.

---

1. Comment le narrateur évoque-t-il le trouble intérieur de son père?

2. De quelle façon est exprimée la filiation séculaire des pères aux fils?

3. Commentez le choix des verbes.

4. Quels mots traduisent la solitude et l'impuissance de l'être humain?

5. À la fin, pourquoi le narrateur fait-il appel au quotidien?

CE MORCEAU DE VIE DANS UN CUBE DE PLEXIGLAS

Le soleil descend doucement sur le fleuve et remplit la demeure d'ocre et de safran. Justine fait rouler une mandarine entre ses paumes. L'épaule appuyée au chambranle de la porte-fenêtre, elle observe un vol tardif d'outardes qui s'en vont vers le nord. L'*Adagio* de Mozart qu'elle écoute lui parvient à travers
5 les cris nasillards des grandes oies. De l'ongle, elle perce la peau de l'agrume qui répand aussitôt son arôme.

L'ampoule de la veilleuse vient de brûler. Couchée sur le dos, les yeux ouverts, Justine a l'impression d'être aveugle tellement la nuit est noire. Elle tend la main vers la table de chevet et allume la lampe. Même seule, elle a
10 gardé l'habitude de dormir du côté gauche du lit.

Elle n'arrive pas à trouver le sommeil.

De minuscules copeaux de muscade tombent de la râpe au bol de faïence. Justine plonge une tranche de pain dans l'œuf et le lait parfumés et la dépose dans la poêle où le beurre grésille.

15 C'est un matin immobile comme elle les a toujours aimés. Lorsque Pierre était là, il arrivait souvent à Justine de souhaiter que tout s'arrête dans de tels moments. Il aurait suffi qu'on enferme ce morceau de vie dans un cube de plexiglas pour qu'à jamais ils restent ensemble, elle et lui, assis à la petite table ensoleillée du coin déjeuner ou sur la terrasse bordée de géraniums. Et
20 tout aurait été parfait pour toujours.

Installée dans la bergère, Justine aperçoit une lézarde qui part de la corniche du plafond et sillonne le mur à gauche du foyer. Elle est peut-être là depuis des années, mais Justine ne l'avait pas remarquée, comme les autres fissures qu'elle a découvertes au fil des derniers mois pendant toutes ces
25 heures vides où elle s'est perdue sans fin dans ses pensées en fixant les plafonds et les murs. Justine croit que, à la mort de Pierre, les plaques tectoniques se sont mises à bouger sous la grande maison qui, bientôt, va craquer comme une noix, se briser et glisser du haut de la falaise jusqu'au fond de l'eau.

30 Dans la lumière du midi, les grands pavots d'Orient font des taches de sang dans le jardin un peu délabré. L'automne dernier, Justine n'a pas eu le temps de s'en occuper. Ce printemps, elle n'en a pas le cœur. Elle accepte mal toute cette vie qui renaît après le dur hiver alors que Pierre, lui, ne revient pas.

35 Assise sur le banc de cèdre, elle tourne les premières pages du roman qu'elle a lu et relu à maintes reprises, les années précédentes, envoûtée ou plutôt absorbée, engloutie par l'incantatoire magie des mots. Mais cette fois, Justine se heurte dès l'entrée à l'épigraphe de Léonard de Vinci qu'elle avait totalement oubliée : *Je croyais apprendre à vivre, j'apprenais à mourir.*

40 Justine referme le livre et le pose à côté d'elle. Il n'y a plus d'échappatoire. Où qu'elle aille, quelle que soit la direction qu'elle prenne, elle revient immanquablement à ce mur contre lequel elle bute.

Cet imperceptible mouvement, © XYZ éditeur, 1997.

Aude / Claudette Charbonneau-Tissot (née en 1947)

Comment se fait-il que tout ce qu'on est, le quelqu'un à l'intérieur, soit à ce point dépendant de la mécanique ou de l'apparence du corps ?

Après avoir publié deux recueils de nouvelles et un roman, Claudette Charbonneau-Tissot a passé le relais à Aude. Mais c'est toujours la même écriture habile, qui procède par petites touches, pour exprimer les silences et les non-dits de la solitude, comme si l'absence d'être se faisait le moteur du déroulement narratif. Des récits attentifs aux moindres étincelles de vie, comme dans l'extrait de la dernière nouvelle de *Cet imperceptible mouvement* (1997), qui donne son titre au recueil.

Au plaisir de lire

- *Contes pour hydrocéphales adultes*
- *Banc de brume*
- *L'enfant migrateur*

1. Relevez une métonymie dans le premier paragraphe et expliquez-la.

2. Montrez que l'écriture fait appel à tous les sens.

3. Pourquoi l'image du « cube de plexiglas » montre-t-elle l'impossibilité du rêve de Justine ?

4. Peut-on parler d'une littérature de l'instant ?

Francine D'Amour
(née en 1948)

Autant comme auteure que comme lectrice, la littérature, c'est pour moi ce qui permet de sortir de soi, de multiplier les possibles, de voir le monde autrement. C'est aussi la beauté, dans la revendication ou non.

Les romans de Francine D'Amour décrivent l'implacable cul-de-sac où est acculée la société contemporaine. Chez elle, la famille a perdu sa richesse conviviale, détrônée par la dictature de l'égocentrisme. *Les dimanches sont mortels* (1987), roman d'une exceptionnelle férocité, porte autant sur l'alcool que sur la trouble complicité entre un père et sa fille. Au soir de sa vie, alors qu'il n'est plus que « corps qui faisande », le père reçoit la visite de sa fille, prête à tout pour se libérer d'une passion qui porte alternativement le nom d'amour et de haine. Ce sera leur dernière rencontre. La structure narrative ménage ici une place importante au monologue intérieur, où chaque membre de la famille vient régler ses comptes avec les autres et avec la vie. À l'aide de phrases remarquablement peaufinées, la visiteuse raconte, dans l'extrait retenu, un rêve qui dit la violence contenue depuis toujours.

UN ANGE ROUGE

j'ai fait un rêve papa   un inconnu se jetait du haut du pont police sirènes
ambulances pompiers photographes   un suicide mais moi je passais tout
droit papa sans m'arrêter la nuque raide j'étais en retard tu comprends
je n'avais plus de temps à perdre et d'ailleurs cela ne me concernait pas   je
5 *n'avais vraiment pas le temps de m'arrêter j'étais en retard je te dis très en*
retard j'avais commis une erreur en prenant le pont Mercier   une erreur
bête tu vois coincée tout à coup forcée de suivre la file des voitures impossible de
changer de voie pas moyen de revenir en arrière   alors je voulais en finir
papa en finir au plus vite avec ce pont interminable cette maudite traversée
10 *   et je passais tout droit sans m'arrêter éblouie par la pluie les phares les*
projecteurs toutes ces taches criardes dans la nuit   je ne faisais que passer
*   aveugle et sourde   je passais tout droit sans m'arrêter entre les feux*
les signaux les appels de code les secours la détresse   cela ne m'intéressait
pas alors je filais droit devant   une fuite délibérée   je fendais la
15 *foule la haie des bras tendus poings levés doigts accusateurs   on aurait dit*
un téléroman un feuilleton une série noire   pas de temps à perdre en
retard tout droit sans m'arrêter imperturbable   c'était un cauchemar
papa   cet individu anonyme qui se jetait du haut du pont c'était toi papa
*   tu avais deviné n'est-ce pas   c'était bien toi qui n'en finis plus de te*
20 *laisser mourir pendant que moi je rêve la nuit je m'endors et je fais de beaux*
rêves   je vois le revolver s'enfoncer dans ton ventre ballonné   la bile
le sang l'alcool giclent   et tu n'as plus mal tu n'as plus envie de boire tu
meurs enfin papa   la délivrance   tu gis le ventre ouvert une balle
blanche en plein cœur tu te souviens   un jeu que tu m'avais appris autre-
25 *fois   couchés tous les deux dans la neige   alors papa je me couche*
par terre allongée sur le dos bras et jambes écartés   je bats des ailes et je
dessine un ange rouge   c'est avec ton sang papa

Les dimanches sont mortels (1987), © Éditions du Boréal, 2004.

---

1. Quel est l'effet créé par l'absence de ponctuation — en partie remplacée par les blancs ?

2. Pourquoi le mot *papa* est-il répété tout au long de l'extrait ?

3. À quel type de roman d'une période précédente pouvez-vous associer cet extrait ?

4. Quel est le sentiment qui domine ? L'amour ou la haine ?

Au plaisir de lire
• *Les jardins de l'enfer*
• *Presque rien*
• *Le retour d'Afrique*

EN UN INSTANT, TOUT A CHANGÉ

Les rendez-vous sont peu à peu devenus moins urgents, moins nécessaires, puis la fin du traitement est arrivée. C'était un jour torride du début de septembre.

Au moment de me quitter, Sarah m'a regardé en face et elle a dit : « Con-
5 tente de t'avoir connu, Santerre. » Sa voix a flanché, elle a baissé les yeux. Elle venait de dire « tu », et peut-être de s'adresser directement à moi pour la pre-
mière fois. Le ton était différent, laissait entendre quelque chose de nouveau, et j'ai subitement douté de tout. Les traitements, les quatre derniers mois se sont effacés. J'ai pensé un instant que je l'avais vue « avant ». Je la connaissais,
10 elle me connaissait.

Elle a répété : « Docteur Luc Santerre. »

Il y avait de la hargne, de l'arrogance dans sa façon de prononcer mon nom. Un ton vengeur. Elle exagérait le roulement des r. Docteurrr Santerrrre. Prononcé à l'anglaise. Je reconnaissais presque, à ce moment, ce français à
15 peine teinté par la prononciation anglaise, désagréable, qu'on entend si souvent à TMR. Elle voulait rire de moi ? Pourquoi ? Je ne comprenais pas ce qui se passait.

J'ai fait celui qui ne remarque rien. Il m'arrive souvent de faire le contraire de ce que me dicte mon envie. J'ai eu un geste vers elle. Je me suis avancé et
20 j'ai fait une sorte d'accolade d'adieu. Mais autant dire que je n'ai aucun sens du geste. J'ai dû être maladroit, déplacé. En un instant, tout a changé. Elle s'est mise à crier, à hurler. « Vieux con ! lâche-moi ! », quelque chose comme ça, et elle s'est sauvée en courant.

J'ai été insulté pour toujours. Giflé, balafré. J'étais atteint en profondeur.
25 Une douleur sans proportion avec le stimulus.

J'ai compris plus tard que ce crachat à la figure, c'était la roue des géné-
rations qui venait de tourner. J'étais vieux. Cette enfant avait l'âge d'être ma fille. Elle riait de moi. Elle avait raison. Un pauvre type. Un vieux dentiste crispé. Dentiste. Dentistdentistdentist.

La démarche du crabe, © Éditions du Boréal, 1995.

1. Quel rôle joue l'accent anglais de Sarah ?

2. Relevez une gradation au sixième paragraphe et expliquez-la.

3. Expliquez le sens des deux derniers paragraphes.

4. Quel portrait psychologique du narrateur se dégage de cet extrait ?

Monique LaRue
(née en 1948)

On écrit pour un lecteur qui est d'abord soi-même. Et c'est parce qu'on s'adresse d'abord à soi-même qu'un lecteur peut nous suivre.

La démarche du crabe (1995) est le quatrième roman de Monique LaRue. Une jeune femme, Sarah, s'immisce dans la vie du dentiste Luc Santerre. Cette patiente peu commune amène l'homme à remonter les arcanes de sa mémoire pour un long et périlleux périple sur les rives du temps et de l'ou-
bli. En émergera le sens de sa vie. Un sens qui déborde la simple in-
dividualité, puisque chacun porte en soi les influences multiples de ceux qui l'ont précédé. C'est ce que découvre Luc Santerre dans ce roman à la narration maîtrisée et à l'écriture convaincante, où les mots suggèrent bien davantage que ce qu'ils disent. L'extrait contient les adieux pour le moins spéciaux de Sarah, à la fin de son traitement.

Au Plaisir de lire

- *La cohorte fictive*
- *Les faux fuyants*
- *Copies conformes*
- *La gloire de Cassiodore*

Hélène Rioux
(née en 1949)

Je me sens parfois comme un sculpteur qui travaille à partir de la matière. (...) Je passe des heures, des jours, des années sur un texte.

L'œuvre d'Hélène Rioux, inscrite sous le signe du soleil et des voyages, comprend des poèmes, de courts récits et des romans. Dans son roman *Le cimetière des éléphants* (1998), les chapitres se succèdent comme s'il s'agissait d'une suite de nouvelles. La narratrice fait un séjour dans une île des Antilles. Elle y rencontre des membres d'une petite communauté, des gens venus s'y réfugier pour fuir les fureurs du monde. Devenue bientôt leur confidente privilégiée, elle découvre, derrière le décor paradisiaque, la vulnérabilité de chacun. Ce qui vaut de remarquables portraits, donnant la mesure du talent d'Hélène Rioux. Comme celui de la plantureuse Renata, qui évoque ici ses tumultueuses amours.

Au plaisir de lire

- *L'homme de Hong Kong*
- *Les miroirs d'Éléonore*
- *Traductrice de sentiments*

DES CHOSES SUR LESQUELLES
UNE FEMME NE SE TROMPE PAS

Bref, selon Renata, entre ce dieu danseur et elle, ça avait été le coup de foudre. Elle disait : « Qu'il était beau, Santa Madona, jamais je n'ai eu d'amoureux plus beau. Ces yeux bleus qu'il avait. Comme la mer, comme le ciel, vous voyez, la mer et le ciel réunis dans ses yeux. Et ce corps. Santa
5 Madona, ayez pitié de moi, en le voyant, j'ai pensé : celui-là, il est pour moi. La Vierge m'a exaucée, je me demande encore pourquoi, elle devait bien connaître les malheurs qui m'attendaient, elle qui sait tout. C'était une épreuve qu'elle m'envoyait, sans doute… Ces yeux, ce corps m'ont aveuglée. Et pourtant, je venais juste de divorcer d'avec Amadeo, vous vous imaginez,
10 la plaie saignait encore. Mais dès que j'ai aperçu Stanouchka — à ce moment-là il dansait avec une autre, elle n'a pas fait de vieux os une fois que j'ai été là —, et dès qu'il m'a tenue dans ses bras, que j'ai senti sa force, sa puissance — ce sont des choses sur lesquelles une femme ne se trompe pas —, dès que j'ai respiré son odeur, pfttt ! aussi vite que ça, j'ai oublié Amadeo.
15 Qu'il sentait bon ! Cette odeur d'homme, l'odeur de la peau, un peu de sueur à laquelle se superposent le tabac blond, l'eau de Cologne citronnée, ça m'a grisée. Ah ! il était trop beau, aussi, j'aurais dû me méfier. Il n'avait pas le regard franc. Les hommes beaux, il ne faut pas leur faire confiance. La beauté, je le sais depuis toujours, c'est une arme réservée aux femmes. Les
20 hommes beaux, ils ont l'âme perfide. » Puis elle ajoutait mélancoliquement, après quelques secondes de réflexion : « Mais même des très laids m'ont trahie. Je ne suis jamais parvenue à comprendre pourquoi… »

Stasnislas l'avait invitée à se reposer, chez lui, dans sa chambrette sous les combles. Comment se refuser à ces yeux bleus ? Une flamme caressante luisait
25 dedans, tout au fond des prunelles, un petit scintillement. « Vous auriez été à ma place, vous en auriez fait autant », affirmait-elle avec aplomb. Il lui avait offert un petit déjeuner de pain de la veille tartiné de margarine — le pauvre amour était si démuni — et de café noir préparé — quintessence du romantisme — sur son vétuste réchaud à gaz. Elle avait retiré ses souliers, fait
30 bouger ses orteils ankylosés. Pour le reste, la robe rouge, la guêpière, les bas résille, il lui avait prêté main-forte. On devine la suite. « Santa Madona, je suis une femme », se justifiait-elle, le regard noyé.

Le cimetière des éléphants, © XYZ éditeur, 1998.

---

1. Comment l'auteure suggère-t-elle la passion qu'a éprouvée Renata pour Stanislas ?

2. Relevez les marques de la langue parlée.

3. Quelle contradiction voyez-vous dans les paroles de Renata entre les lignes 10 et 22 ?

4. Faites le portrait psychologique de Renata.

5. Peut-on parler ici d'une confession ?

LA MATIÈRE ASPIRANT AU MÂLE

La béatitude n'est pas affaire d'intelligence, mais de volonté et de morale. C'est le renoncement à la chair et la conduite impeccable qui font le saint. Or vous avez soutenu que les femmes sont égales aux hommes, et qu'il est bon de prêter attention à leurs boniments ; c'est là mettre en grand péril tout
5 l'édifice moral de l'Église. Vous me citiez Aristote tantôt, mais vous avez omis de dire que, pour Aristote, Thomas d'Aquin lui-même le confirme, les femmes sont des indéterminées. Elles n'ont pas le choix, elles doivent être déterminées ou au moins être déterminables par l'homme. Aristote a comparé la femelle à la matière aspirant au mâle comme à une forme, c'est-à-
10 dire à une détermination. En termes moraux et juridiques, cela signifie que la femme est déterminée quand elle appartient à un homme : son père, son frère ; si elle est mariée, elle appartient à son époux et, si elle est nonne, elle relève d'une communauté masculine. Elle est déterminable quand rien n'empêche qu'elle appartienne à quelqu'un, c'est le cas des célibataires assu-
15 jetties à leur père et à leurs frères. Or vous avez écouté des femmes, vous avez encouragé le béguinage, vous avez mis en péril l'Église. De cette façon, vous ouvrez la porte aux pires des péchés, ceux de la chair. Ne savez-vous pas que le mauvais usage du coït mène l'homme en enfer et met en péril les prémices mêmes de la civilisation ? Mais il y a encore pire ! En encourageant les
20 femmes à penser, en leur enseignant les subtilités de la philosophie et de la théologie, vous entraînez toute la raison au dévergondage, à la dérive, à l'indétermination, au chaos. Votre hérésie est bien plus grande que celle des béguines que vous protégez et qui vous prolongent, c'est une hérésie d'hérésie puisque, par la philosophie et la femme philosophe, vous ouvrez
25 les portes de l'Église à toutes les hérésies et à toutes les démences.

Maître Eckhart, © Éditions Stock, 1998, 1999.

1. Expliquez les allusions à Aristote et à Thomas d'Aquin.

2. Trouvez le sens contextuel des mots *déterminée* et *déterminable*.

3. Qu'est-ce qu'une hérésie ? De quelle nature est l'hérésie évoquée dans cet extrait ?

4. Quelle image de la femme émerge de ce texte ?

Jean Bédard
(né en 1949)

Nous nous sommes coupés du monde où nous vivons. L'Univers nous est devenu étranger. Du coup, nous nous sommes condamnés à y errer en cherchant désespérément notre place.

Le troisième roman de Jean Bédard, humaniste et intervenant psychosocial, lui a apporté la renommée. Son *Maître Eckhart*, publié chez Stock en 1998, a été reçu comme une réussite exceptionnelle. Et pourtant le défi était de taille : décrire une tranche de vie du célèbre philosophe et théologien mystique allemand Johannes Eckhart, qui a vécu de 1260 à 1327. Cette biographie romancée, qui reconstitue les mentalités de l'époque médiévale, donne vie à un personnage central profondément humain et dynamique, qui transcende la religion et son époque ; pour lui, la vie humaine importe davantage qu'un ensemble de dogmes. Dans notre époque déroutée, ce livre vient mettre au jour certaines de nos racines, parmi les plus profondes, de notre identité intellectuelle. L'extrait laisse la parole à une certaine mentalité, responsable de la séculaire sujétion féminine.

Au plaisir de lire

• *La valse des immortels*

**Monique Proulx
(née en 1952)**

Le rôle de l'écrivain est d'arrêter un peu les gens dans leur course vers le néant, de les forcer à s'immobiliser et à regarder derrière les apparences, mieux, de les amener à effectuer une traversée des apparences.

Le troisième ouvrage de Monique Proulx, *Homme invisible à la fenêtre* (1993), a connu un succès phénoménal. Pourtant ses personnages sont fort peu conventionnels : des âmes éclopées, en quête d'amour et d'apaisement, gravitent autour du peintre Max, paraplégique depuis dix-huit ans. Dans un récit d'une grande sensibilité mais loin de toute sensiblerie, l'auteure met au jour le quotidien de ce peintre en fauteuil roulant dans ses détails les plus intimes. C'est ainsi que nous le trouvons dans un café avec son amie Maggie, un modèle d'une exceptionnelle beauté. S'y trouve mise au banc des accusés une société qui ne juge que sur les apparences. Dans ce texte incisif, l'humour acidulé prend le contre-pied du langage « politiquement correct ».

Au plaisir de lire

• *Sans cœur et sans reproche*
• *Le sexe des étoiles*
• *Les aurores montréales*
• *Le cœur est un muscle involontaire*

L'ESTROPIÉ ET LA NYMPHE

Peindre la tête de Maggie, c'est jongler avec toutes les couleurs du prisme qui se frottent lascivement. Dans ses cheveux, il n'y a pas moins de douze teintes de blond, viraillant entre l'ocre, le paille et le vénitien. Ses yeux ne se décident pas entre le turquoise et le topaze, et d'invraisemblables mouche-
5 tures sanguines y font filtrer, sauvage, un regard de lionne. Le blanc bleuté des dents répond exactement à celui du fond de l'œil, le charbonneux des cils et des sourcils au grain de beauté piqué sur l'un des maxillaires. Ses lèvres sont trop roses pour n'être pas presque rouges ; mais là où elles se trouvent humides, c'est l'inverse. Une lumière aurifère émerge de sa peau
10 comme des abysses d'une cathédrale.

Le défi consiste à mettre tout ça sur une toile, sans que rien s'éteigne.

Nous nous fréquentons depuis quelques mois. Il m'est arrivé, un beau jour, de me retrouver derrière une table du café Cervoise à croquer des silhouettes dans un carnet, très Toulouse-Lautrec attardé, très fossile montmartre. Maggie
15 y était aussi. Nous étions tous deux, pour des raisons évidemment anti-nomiques, la proie des regards. Pour une fois, les mirettes des braves gens en avaient pour leur argent, vagabondant entre l'estropié et la nymphe, cara-colant du « c'est-tu dommage ! » à l' « est-tu belle ! ». Il est rare que la vie se montre si miséricordieuse pour les voyeurs.
20 J'ai eu dix-huit ans pour m'habituer aux regards et à la curiosité morbide, et j'y suis maintenant totalement imperméable, sorte de tôle galvanisée sur laquelle ricochent les balles.

Homme invisible à la fenêtre, © Éditions du Boréal, 1993.

---

1. Relevez les images et commentez-les.

2. Étudiez la description du visage de Maggie : quelle impression se dégage de ce portrait ?

3. Dressez un portrait psychologique du narrateur, même si pour l'auteure la description prend la place de la psychologie.

4. Comment le voyeurisme de la société est-il dénoncé ? Sur quel ton ?

DERRIÈRE LES PALMIERS DE LA CHEMISE

— Est-ce que t'as lu le livre de Baudelaire que je t'ai prêté ?

— Tu sais ben que non. J'en ai lu trois lignes et ça m'a déprimée. Il est aussi fou que toi...

Blaudelle se met à ricaner à son tour et se penche doucement vers
5 Armande. Je crois même qu'il lui chuchote quelque chose à l'oreille. Elle le prend par le cou.

Tout ce qui l'intéresse, Armande, c'est la chemise à palmiers sur fond bleu pâle. Chaque fois qu'ils en sont à se chuchoter des petits mots, elle se passe langoureusement la langue sur les lèvres (pour redonner du brillant à son
10 rouge) et glisse sa main derrière les palmiers de la chemise. Elle étire le bras jusqu'à ce qu'elle touche le soleil, quelque part dans son dos. Quand elle lui fouille dans le tropique comme ça, Blaudelle ramollit. Alors, elle le prend par la taille et le renverse sur le divan.

Blaudelle est encore méfiant mais on sent que ça va lui passer vite.

15 Armande défait les boutons de la chemise. Une chaleur torride enveloppe le studio. Le disque des Quatre Saisons est rendu à l'hiver. Ils se mettent alors à parler de la Floride et à délirer sur l'horizon qu'ils imaginent devant eux. Quel cirque ils peuvent faire ces deux-là dans les coussins !

Au bout d'un moment, Blaudelle arrête de bouger. Le sable se répand sur
20 le plancher de tuiles et la chaleur gagne tout le studio. Le bleu de la chemise éclabousse partout, la mauvaise herbe du Cézanne se remet à pousser et les palmiers plient en deux pour tenir debout dans le studio.

Tout à coup, Armande est en bikini. Blaudelle est enfoui sous les coussins et ne dit plus un mot. Elle est en avance d'au moins six épaisseurs de rêve. Il
25 n'a pratiquement plus une chance de la rattraper.

D'une fois à l'autre, je n'arrive jamais à m'habituer au spectacle. Je ne comprends pas ce qu'il lui trouve à cette bonne femme. Même que, de loin comme ça, ils ont plutôt l'air de se faire mal.

Quand vient le « temps du coup de soleil », c'est encore plus bizarre.
30 Comme elle est par-dessus lui, elle fait de l'ombre. Au lieu de se plaindre, Blaudelle endure sans dire un mot. La belle Armande se met alors à hurler comme une damnée. Les cris vont en augmentant jusqu'à ce qu'elle devienne toute raide... Pour montrer que c'est elle qui a gagné, elle pousse alors un grand soupir et fait semblant de s'évanouir.

Les portes tournantes (1984), © Éditions du Boréal, 1990.

1. Montrez la naïveté d'Antoine.

2. En quoi la curiosité d'Antoine est-elle subordonnée à son imagination ?

3. Dressez la liste des repères réalistes, qui sont par la suite tamisés par l'imagination du narrateur.

4. Comparez cet extrait avec celui de Sylvain Trudel (page 286). A-t-on raison de penser que les deux textes présentent une vision idéalisée de l'enfance ?

Jacques Savoie
(né en 1951)

Ce qui m'intéresse le plus dans l'écriture, c'est l'harmonie, la musique. Je sais que c'est utopique, mais j'aimerais faire de la musique dans mes romans.

Jacques Savoie affectionne les romans à forte incidence psychologique. Ainsi, dans *Les portes tournantes* (1984), un homme, Blaudelle, remonte jusqu'aux mystères de la petite enfance pour recouvrer son identité usurpée. Il se remémore toutes les étapes de sa vie, ce qui l'amène bientôt à la libération : il accouche littéralement de son propre fils et peut enfin accéder à la paternité authentique. L'extrait laisse plutôt la parole à Antoine, le fils de Blaudelle. Dans une scène cocasse où son père a requis les services d'Armande, une péripatéticienne, le fils de dix ans, que l'on croit couché, observe et affirme les prérogatives du « je » et de l'imagination sur la réalité.

Au plaisir de lire
- *Le récif du prince*
- *Une histoire de cœur*

**Pierre Gobeil
(né en 1955)**

Notre enfance est faite de coups de pied, de bouts de rêves qui s'accrochent les uns aux autres entre les insomnies.

Dans son premier roman, *Tout l'été dans une cabane à bateau* (1988), Pierre Gobeil décrit la mise à mort de l'enfance et des rêves qui l'avaient nourrie. Un jeune homme y est soumis à un long interrogatoire, qui entend cerner les véritables motifs qui l'ont incité à commettre un double meurtre ; qui plus est, il a tué les deux seuls êtres qu'il ait vraiment aimés. Des pages du journal intime de l'accusé viennent s'imbriquer dans la trame romanesque de ce récit trouble et tourmenté, mais le non-dit demeure le plus important, la mémoire ne libérant que ce qu'elle veut bien. Des moments de l'enfance sourdent fréquemment du passé pour venir se fondre dans le présent, comme en témoigne l'extrait. Cette écriture tout en finesse sait allier gravité et poésie.

Au plaisir de lire
- *Sur le toit des maisons*
- *La mort de Marlon Brando*
- *Dessins et cartes du territoire*
- *La cloche de verre*

Deux vierges à l'enfant,
Dominique Paul, 2005.

Je ne le sais pas encore

À six ans j'habite à la campagne et, pour marcher dans la glaise mouillée du mois d'avril, je porte des bottes de caoutchouc qui glissent et qui font du bruit dans la vase. J'ai six ans et si je suis triste et si un jour je dis à un enquêteur que j'étais apeuré à cette époque, je ne le sais pas encore. Le
5 monde est une grosse boule vaporeuse qui n'est jamais aussi belle qu'elle ne le laisse paraître. Elle roule, saute, joue et se joue de nous. J'ai six ans et je crois que le monde se trouve toujours juste un peu au-delà de ma main. Pas bien loin certes. Du bout de mes doigts jusqu'au monde qui est là juste en face, il faut compter six pouces. J'ai beau écarquiller les doigts, tourner et
10 retourner la main, avancer une épaule puis l'autre, courber l'échine ou plier les genoux, six pouces d'une longueur horizontale me séparent du monde qui est juste en face, qui est blanc, bleu indigo, éthéré. Je le vois, je le ressens, mais il ne m'appartient pas. J'ai six ans. L'an prochain, j'aurai sept ans. Est-ce qu'un bras peut s'allonger de six pouces dans une année ?... ou me faudra-t-il
15 attendre plus longtemps ? Difficile à dire tout ça. Que se passerait-il si mon bras pouvait devenir long, très long... avec des poulies et comme une vrille... et pouvait se mettre à saisir et à accrocher ? J'ai six ans. Aujourd'hui, on dirait que la courte longueur de mon bras m'empêche de toucher le monde qui se meut et finalement me perd. Voilà.

Tout l'été dans une cabane à bateau, 1988, © Pierre Gobeil.

1. Quel passage fait le lien entre le passé et le présent ?
2. Commentez l'usage répété du chiffre six.
3. Quel drame se dissimule derrière le récit de l'enfance ?
4. Peut-on parler ici d'une écriture enfantine ? Justifiez votre réponse.

LE MOMENT ÉTAIT ENTIER

Des petites gouttes de sueur avaient perlé sur le front de Marc. Les fenêtres étaient fermées et il faisait très chaud. Le moment était entier. Le monde, rempli de sons étranges. J'ai déposé mon livre et me suis levée pour enlever ma robe de nuit. Je voulais être nue, maintenant, et plus que jamais.
5 Marc me regardait, surpris, comme s'il avait toujours cru que j'étais quelqu'un de prude qui se libère soudain. Pourtant. Ce n'était pas possible. Avec lui, depuis le début, j'étais sans pudeur. Sans gêne. Cela faisait simplement partie de l'instant. Nue, et pudique dans le regard de l'autre. Je pensais à la façon dont parlent nos corps. Je pensais au regard qui adopte une atti-
10 tude mensongère. Je perdais le sens de qui j'étais. C'était le but de la fusion intime. Le but de l'amour était de sécréter une substance nouvelle. Les yeux noirs de Marc chuchotaient. Il y avait la pénombre, et le jour étincelait dehors. Ma peau devait peut-être lui sembler un peu flétrie. Je n'étais plus jeune. Mais il n'y pensait pas. J'étais certaine qu'il n'y pensait pas. Je priais
15 qu'il n'y pense pas. Au contraire, je voulais sentir qu'il vénérait cette vie plus large que nous, le passé, le mien, le sien, celui des autres, ce savoir brûlant et sans loi, à travers l'âge de mon corps. Je voulais qu'il me l'apprenne. Je voulais aimer être. Comme lui. Je voulais entendre chuchoter les yeux pleins de désir de cet homme qui était là, prêt à tout. Jim me voyait. Je le pensais. Puis je
20 chassais cette idée de mon esprit. Regarde tout ce que j'ai perdu, avais-je envie de dire. La perte et le renoncement étaient ce que je voulais. Regarde les choses perdues, les choses qui n'ont jamais été nécessaires. Des pétales noirs partaient à la dérive. Mon père perdait et retrouvait la foi sur des navires. Les gouttes de sueur de Marc entraient dans ma peau. Elles étaient devenues
25 miennes, comme jadis les larmes de Jim. Jadis. Nous étions enlacés l'un dans l'autre. Regarde, avais-je envie de dire. Malgré tout, j'étais consolée. Je ne l'avais pas cherché. Je ne le méritais pas. Mais Marc me consolait. Regarde. Sa main sur ma joue ; c'est ce qu'elle disait. Il m'initiait à l'amour. À la conso-lation. Et je l'aimais, lui, à cet instant. Mais je n'allais prononcer aucun de ces
30 mots. Je n'allais pas dire son nom. Ni le verbe aimer. Puisque le monde étin-celait dehors. Puisqu'on pouvait retrouver la foi en un seul instant d'éblouis-sement. Et alors je me suis mise à pleurer. Je ne voulais pas. Je ne comprenais pas. Mais je pleurais. Enfin, je pleurais.

La maison étrangère, © Leméac, 2002.

1. Qu'est-ce que les verbes nous disent à propos de la narratrice ?

2. Étudiez la longueur des phrases. Qu'est-ce que cela reflète ?

3. Que pouvez-vous dire à propos de la narration ?

4. Comparez cet extrait avec celui de Marilù Mallet. Dressez la liste des différences et des ressemblances en ce qui concerne les réflexions sur le corps.

Élise Turcotte (née en 1957)

J'essaie d'écrire davantage avec mon corps qu'avec ma tête.

Partageant depuis 1980 son écri-ture entre le roman, la poésie et la nouvelle, Élise Turcotte a rem-porté le Prix du gouverneur gé-néral avec son roman *La maison étrangère* (2002). La maison en question, c'est le corps d'Élisabeth qui la sépare du monde. Habitant un présent qui lui échappe, cette spécialiste de la représentation du corps dans la littérature médiévale se réfugie dans le passé. Son étude des textes et des représentations de cette époque lui sert en fait de prétexte pour investir le plus se-cret de l'intime, pour apporter des éléments de réponse à sa quête existentielle commencée à la suite d'une rupture amoureuse. Interro-geant sa relation avec les êtres qui importent pour elle, Élisabeth en vient à délaisser tous les masques qu'elle s'était composés à partir du regard des autres. Avec densité et profondeur, ce roman de l'in-tériorité excelle à décrire les zones ombrageuses du tumulte intérieur. L'extrait illustre comment ce ro-man est imbibé de sensations et de sensualité.

Au plaisir de lire

• *L'île de la Merci*
• *Le bruit des choses vivantes*
• *La voix de Carla*

**Gaétan Soucy
(né en 1958)**

Plus on avance, plus on descend profondément dans nos obsessions. On enlève des couches successives à nos obsessions en se rapprochant toujours davantage de l'essentiel.

Le lecteur doit d'abord accepter de se perdre pour entrer dans l'univers de Gaétan Soucy, mais le plaisir de la lecture ne tarde jamais à se faire porteur de sens. Dans *La petite fille qui aimait trop les allumettes* (1998), deux enfants, nourris entre autres de Spinoza et de Saint-Simon, se préparent à enterrer leur père, qu'ils ont davantage craint qu'aimé ; ils viennent de le découvrir pendu. Le narrateur est un des deux enfants, une jeune fille rédigeant son journal, qui se perçoit comme un garçon et utilise le genre masculin pour parler d'elle. Son récit, relation de sa vision du monde, emprunte des accents baroques et carnavalesques : une constante fête verbale permet aux plus inquiétantes ténèbres de fulgurantes échappées vers la lumière.

Au plaisir de lire

• *L'immaculée conception*
• *L'acquittement*
• *Music-hall !*

LA PLUS INTELLIGENTE DE SES FILS

Il y a quelque chose qui existe partout dans l'univers à ce que j'ai lu, ce sont les vases communicants, et comme c'est vrai. Car il arrivait que papa ait la main pesante avec ses horions, et mon frère écopait comme du bois vert, et c'est moi qui subissais mon frère ensuite, c'est ce qu'on appelle les vases
5 communicants. Mon frère est un petit peu plus petit que moi, mais je ne sais pas, on dirait qu'il est fait en caoutchouc dur. Quand il me fond dessus, rien à faire qu'à rentrer la tête dans les épaules et prier le temps de passer au plus vite. Mon père ne me rentrait à peu près plus dedans dans les derniers temps de son terrestre séjour, je dois même à la vérité de dire que la dernière fois
10 remonte à lurette, si ce n'est davantage. Depuis, pour moi, il ne disposait que de petits horions d'impatience ou de pure forme comme pour ne pas perdre la main et me rappeler que j'étais son fils, et je dois aussi à la vérité de dire que les horions qu'il m'adressait faisaient pâle figure auprès de ceux qu'il administrait à frère, ce que frère voyait bien, qui ricanait dans son coin avec
15 une amertume sinistre, car mon frère est d'un naturel envieux, je pense que c'est son pire défaut. Il faut dire que papa me considérait comme la plus intelligente de ses fils, comme je crois l'avoir écrit, et que j'étais sage le nez dans mes dictionnaires, ou quand je cueillais des fleurs en chantonnant tout bas la musique des fées, les églantines sont jolies dans la boue près des
20 potirons, je ne passais pas mon temps à jouer avec mes couilles comme qui vous savez. Il y avait enfin que moi je ne frappais personne, ce n'est pas dans mes habitudes, à moins que la petite chèvre ne soit animée d'une sainte colère, comme vous avez peut-être la bonté de vous en souvenir, ô mon bien-aimé par mes ongles grafigné. Tout cela pour dire que ce n'est qu'équité
25 si frérot se retrouvait plus souvent qu'à son tour étendu comme décédé dans l'arrière-cour de la maison parmi les pommes de terre en robe des champs.

La petite fille qui aimait trop les allumettes (1998) © Éditions du Boréal, 2000.

---

1. Relevez des exemples d'ironie dans cet extrait et commentez-les.

2. Quel est le ton dominant ?

3. Quel mot est omis à la ligne 10 ? Expliquez cette omission.

4. Comment la narratrice parvient-elle à rendre acceptable la violence qui l'entoure ?

L'ADULTAT

Quand je revenais chez moi, mes parents, lève-tôt chroniques, allaient sortir du lit, s'arrachant, peut-être, à une autre répétition faiblissante de la scène primitive. Quand j'étais petit, j'ai cru longtemps que l'amour se faisait tout habillé. Même quand ma mère m'a expliqué le principe général de la chose et de la vie, j'ai tenu encore un certain temps à mon idée d'un nécessaire décorum vestimentaire, rendant problématique il est vrai la transmission de sperme annoncée par la pédagogie à gants blancs de ma génitrice. Mais mon paternel n'avait sans doute plus le temps de s'adonner à ce type d'exercices contraignants à l'époque. C'était un bourreau de travail, alors que pour moi le travail était le bourreau. Il faisait sérieux, mon père. Moi, je n'ai jamais pu. J'ai été désillusionné jeune. J'ai eu une enfance malheureuse, une enfance perdante, trop intellectuelle. J'avais placé tous mes espoirs en la phase adulte. Mon père me paraissait parfait, du seul fait qu'il était sérieux. Ce fut un dur coup de comprendre que le sérieux ne pouvait pas être parfait, que seul le jeu pouvait être parfait. De comprendre que le travail, pour moi, ne serait jamais bien fait, ne serait jamais fait, en somme, ne serait jamais pleinement gratifiant ou même simplement satisfaisant. Rude coup de comprendre, aussi, à force d'observations furtives et de déductions mûrement réfléchies, que l'adultat n'était pas le royaume merveilleux des grandes personnes qui ne se trompent jamais, mais bien plutôt un vulgaire agrandissement négatif du monde de l'enfance, où la même farce plate allait se continuer, la farce de la faillibilité, la farce de la non-force qui était avec moi, qui est avec moi depuis toujours.

Merveilleuse, l'enfance ? Pantoutte ! Mais le monde adulte n'est pas mieux. Le monde adulte est tromperie, des trompes d'Eustache aux trompes de Fallope. C'est le même jeu de faire-semblant qui se poursuit, le jeu selon les règles duquel j'étais toujours perdant, parce que je n'acceptais pas le jeu, enfant, parce que j'ai voulu vivre ma vie adulte enfant, enfermé dans les livres pendant que les autres jouaient au hockey à la patinoire, jouaient au baseball dans le champ. Il ne me reste plus qu'à vivre ma vie d'enfant à l'âge adulte. Depuis ma rencontre avec le *pinball*, j'ai décidé que le jeu serait l'étalon de ma vie, que le rêve deviendrait roi et *mètre* de la réalité. Je me rattrape.

La rage, © XYZ éditeur, 1989.

Louis Hamelin
(né en 1959)

Pour écrire, il faut être forcément un peu déphasé, en désaccord par rapport à la réalité. Au sens musical du terme.

Le premier roman de Louis Hamelin, *La rage* (1989), dit la détresse d'une certaine jeunesse dépossédée, qui n'a pour biens que sa solitude et une violence de plus en plus difficile à contenir. Qui n'en peut plus d'attendre qu'un sens se manifeste. Le roman a pour décor les terres expropriées de Mirabel, métaphore d'une autre dépossession. Dans l'extrait, Édouard Malarmé, un décrocheur à la vingtaine désabusée, est de passage au foyer familial. C'est l'occasion de réflexions nourries, mises en évidence par un rythme prompt et bousculé.

1. « L'adultat » : analysez l'étymologie de ce néologisme.

2. Commentez la construction des phrases et le rythme qui en découle.

3. Quels contrastes le narrateur établit-il entre ses parents et lui, entre son enfance et sa vie présente ?

4. Pourrait-on parler d'idéalisme ici ?

5. Étudiez le thème du décrochage, de la rupture avec la société.

Au Plaisir de lire

- *Ces spectres agités*
- *Cowboy*
- *Betsi Larousse*
- *Sauvages*

Hélène Monette
(née en 1960)

Qu'est-ce qu'un poème sinon un souffle tombé dans des mots ?

Hélène Monette est poétesse et romancière. *Plaisirs et paysages kitsch* (1997) est sa huitième parution. De forme peu orthodoxe, cet ouvrage rassemble deux livres, *Les plaisirs* et *Les paysages*, qui comprennent de courts textes, des contes et des poèmes. Les habitent des êtres marqués par la solitude, à l'angoisse palpable, qui continueront de porter leurs blessures, quoi qu'il arrive. Une vision lucide, donc désespérante, des rapports humains, propice pour inviter à la remise en question ceux qui détiennent toutes les certitudes. Une écriture instinctive et singulière arrive, en quelques lignes, à créer l'émotion. En témoigne ce court récit, « Chambre de naissance ».

Au plaisir de lire

• *Montréal brûle-t-elle ?*
• *Unless*
• *Le blanc des yeux*

ET IL EST ENTRÉ DANS UNE AUTRE VIE

Avant-hier, dans la nuit, le père est disparu. Ce matin, à l'aube, la femme est entrée dans les douleurs, dans un autre mal, fait d'atrocité et de bonheur. Elle portait déjà dans son cœur toute la peine du monde comme un coup de poignard, comme une vie déchirée, mais aujourd'hui, aux premières lueurs,
5 les contractions ont commencé, et sans blasphémer ni gémir elle s'est levée.

Elle a téléphoné au père du père. Il est venu, il l'a accompagnée. Il a conduit la jeune femme à l'hôpital des beaux quartiers dans sa grosse voiture rouillée. Arrivé dans le hall d'entrée, le futur grand-père était décontenancé et très intimidé. Il ne savait plus quoi faire, qui être ni où aller. La jeune mère lui a
10 jeté un de ses regards bleus, de ce bleu océan des mappemondes, un regard insoutenable dans un visage aussi pâle et crispé. Elle ne disait rien et s'efforçait pourtant, sans sourire ni rien dire, de parler. Le père du déserteur l'a donc suivie jusqu'au huitième, la soutenant nerveusement de son épaule, de son bras tendu, de ses deux larges mains.

15 L'infirmière s'est occupée presque tendrement de la fille sur le point d'accoucher. Dans le couloir, elle a demandé à l'homme s'il désirait entrer. Il a pincé ses lèvres entre ses doigts, s'est gratté les sourcils. Des larmes ont perlé aux cils du futur grand-père en proie au déchirement.

L'infirmière lui a touché l'épaule. Il a dit : oui, bien sûr, je vous suis. Et il
20 est entré dans une autre vie.

Plaisirs et paysages kitsch, © Éditions du Boréal, 1997.

---

1. Quels sentiments se bousculent dans ce texte ? Quel passage l'illustre particulièrement bien ?

2. Quelle relation s'établit entre le « futur grand-père » et la jeune mère ?

3. Commentez la profondeur qui se cache derrière la simplicité de ce court récit.

4. Expliquez la dernière phrase.

Comment se glisser dans l'au-delà ?

Un jour, je suis mort. C'était vers le milieu de l'été, le ciel était d'un bleu immaculé. C'est l'un des souvenirs les plus précis que je conserve de ce jour-là. Je me suis toujours demandé : « Pourquoi cet événement s'est-il produit au moment où le ciel tout entier semblait se détourner du malheur ? » Je me
5 souviens aussi, mais avec beaucoup moins de netteté, de mon arrivée au premier hôpital, de la lenteur des infirmières à me soulager de la douleur, de mes invectives à leur endroit. Et aussi, à la fin : mon transport en ambulance vers un second hôpital plus spécialisé, parce qu'à ce moment les choses tournaient mal pour moi. C'est là, dans cette ambulance, que j'ai été pour la
10 première fois de ma vie totalement habité par la certitude de ma mort imminente. C'est une expérience peu banale, qui n'a pas grand-chose à voir avec ce qu'on en imagine habituellement. On va mourir, c'est tout. On n'a pas le temps d'être triste, ni même d'avoir vraiment peur. Dans l'urgence du moment, on a le curieux réflexe de rassembler des images, de se composer
15 en catastrophe une sorte de bagage peut-être, comme si on partait en voyage et qu'on réalisait soudainement que, tout au bout de la piste, l'avion n'attend plus que nous pour décoller. Alors à ce brave ambulancier qui me tenait la main et m'encourageait de ses paroles, je disais : « J'ai quatre frères et une sœur, ils s'appellent Jacques, Pierre, Jean-Luc, Benoît et Christiane. Trois
20 d'entre eux sont plus vieux que moi, deux me suivent. Jean-Luc, Christiane et

Nageur n° 3, Betty Goodwin, 1983.
Musée des beaux-arts du Canada, n° 28270.

Jean-François Beauchemin (né en 1960)

Quiconque a côtoyé la mort est condamné à la poésie.

« Un jour je suis mort. C'était vers le milieu de l'été, le ciel était d'un bleu immaculé. » Ainsi commence *La fabrication de l'aube* (2006), un récit autobiographique aussi bref que fulgurant. À 44 ans, Jean-François Beauchemin est mort l'espace de quelques jours ; mais il ne dit rien de cette foudroyante maladie qui l'a plongé dans un coma profond dont il n'avait pratiquement pas de chances de se réveiller. Contre toute attente, il reprend vie dans sa chambre d'hôpital. Deux ans plus tard, le survivant se faufile dans le tunnel de sa mémoire ; il se remémore les paroles salvatrices de sa sœur et de ses frères à son chevet, s'en servant de prétexte pour se remémorer les heures de l'enfance, l'empreinte de ses parents, l'amour de sa compagne, même les différents chiens souvent plus humains que les humains qui l'ont accompagné au fil de son existence. Sans pathos ni atermoiement, il fait le récit de son voyage au pays des ténèbres, raconte comment il est revenu à la vie et ce que cette épreuve extrême lui a apporté, comment son regard sur les choses et les êtres s'est transformé. Un roman tendre et apaisant dont on

(suite à la page suivante)

Au plaisir de lire

- *Garage Molinari*
- *Le jour des corneilles*

Benoît ont des enfants. Jacques s'est acheté une nouvelle voiture récemment. Pierre est photographe. Tous portent des lunettes. » Mais pourquoi ces précisions maniaques ? Peut-être parce que j'éprouvais le besoin d'incarner par les mots ces personnes que j'aimais tant, de leur donner chair et vie, là, dans
25 cette ambulance hurlante, de les appeler à une certaine existence, à cet instant où je sentais la vie s'échapper de moi à une vitesse si fulgurante. [...] Toute ma vie j'avais été seul, j'avais appelé des mes vœux cette solitude. C'est que j'ai compris très tôt qu'il y avait dans la société de mes semblables un je-ne-sais-quoi qui ne me convenait pas : malgré mes efforts, ce vêtement
30 ne s'ajustait pas sur mes épaules. J'avais espéré pourtant moi aussi trouver quelque valorisation, quelque raison d'être dans le travail, les études, l'enrichissement, cette course frénétique que la vie en collectivité réclame de chacun. L'enfance, l'adolescence avaient passé, puis était venu le temps de l'âge adulte. Je ne voyais toujours pas en quoi tant d'agitation était nécessaire.
35 J'ai cru pendant longtemps qu'en cela reposait le vrai sens de la solitude : non pas dans l'isolement, la distance d'un corps par rapport à un autre, mais plutôt dans ce contraste profond entre soi et le reste des hommes. Mais à l'heure où j'estimais ma fin venue, voilà que la mort accordait un tout autre poids à cette solitude que je pensais connaître. La proximité de mon propre
40 anéantissement m'apprenait le désert que crée, sans doute en nous tous, notre fatalité d'êtres périssables. Je sais aujourd'hui que ce désert-là n'est fait ni de sable ni de pierres, que le vent n'y souffle pas, que nulle végétation n'y plonge ses racines, que nulle bête n'y trouve refuge et qu'aucun ciel ne luit au-dessus de sa patrie. Sur son sol règne un silence peu commun, à mille
45 lieues de la solitude parleuse qui avait été la mienne jusque-là. J'avançais sur ce territoire, qui en annonçait un autre plus sombre encore, peut-être plus impatient de m'accueillir. Comment se glisser dans l'au-delà ?

La fabrication de l'aube, © Éditions Québec Amérique, 2006.

1. Quel est le ton de cette narration ? Est-il en accord avec le sujet ?

2. Comment l'auteur s'y prend-il pour donner une dimension universelle à son expérience ?

3. L'auteur parle de trois sortes de solitudes. Définissez-les à partir de cet extrait.

On relâche la prise sur
le goulot et la bouteille tombe

Il a stoppé sur le viaduc perpendiculaire à l'autoroute. Il a ouvert la portière, il est sorti en silence, il s'est dirigé vers le parapet pour s'y accouder.

Sans poser de questions, intrigués, amusés, entraînés comme à l'habitude par sa grande ferveur à lui, par son définitif sens du monde, littéralement
5   portés par leur indéfectible admiration à son endroit, les deux autres sont descendus de la voiture pour jouir de la nuit à ses côtés. C'était un cadeau. Ils ont tous les trois fixé longtemps l'autoroute, fiers d'être là, chacun nourrissait quelque audacieux projet d'avenir. Chacun tout à l'heure allait le révéler, s'ouvrir. Trois vrais amis.

10   Lui, à ce moment précis, il aurait aimé connaître des centaines de vers, de la poésie, comme disaient les profs, des phrases profondes et denses, propres à souligner la nuit, des mots intacts et justes, des mots francs et à ce point directs que ce serait un caprice de les prononcer à haute voix pour d'autres que soi, mais des mots qu'il crierait tout de même, lui, tout de suite, là, sur le
15   viaduc, enivré par la sonorité, par l'amour, par l'amitié, en compagnie de ses frères à vie, afin de justifier, afin de polir, afin d'élire et de bénir leur décisive présence sur ce monticule de béton qui les aidait ce soir-là à frôler le ciel, il l'ignorait, mais il les aurait criés, ces mots, c'est certain, du plus profond de son âme, s'il les avait possédés. De rares véhicules surgissaient de l'horizon,
20   roulaient vers eux, les phares crevant la nuit noire et leur jeunesse enflammée.

Lui, il a pensé : *Dix, ça fait une de trop, pour qu'il en reste trois à chacun. Équité. Amitié.*

Il a lâché la petite bouteille pleine, celle de trop, du haut du viaduc. Dans le vide, pas réellement vers un pare-brise, mais comme ça, on relâche la prise
25   sur le goulot, et la bouteille tombe, il ne pensait à rien, il ne pensait pas, ou peut-être à la mer.

Il a entendu la petite explosion. Comme une écluse ouverte dans sa tête. Il a vu déraper, entendu nettement le crissement. Il a remarqué les dards des phares qui un instant ont dégivré le ciel opaque. Il a entendu le fossé foncer
30   vers le véhicule. Il lui semble avoir parfaitement ressenti dans ses côtes la plainte de la terre qui se répandait en excuses sous le choc de la voiture qui pourtant la labourait. Il a vu et entendu l'explosion, le feu, les cris de ses amis, la mort en lui.

Haïr ?, © Les éditions de L'instant même, 1997.

1. Quels mots suggèrent l'ivresse du moment ?

2. Commentez le thème de l'amitié dans cet extrait.

3. Étudiez l'effet de gradation au sixième paragraphe.

4. Peut-on affirmer que le drame naît de la poésie ?

Jean-Pierre Girard
(né en 1961)

Le temps est là pour être tenu près de ceux qu'on aime, parfois en respect, parfois dans les paumes, mais il faut le tenir, j'en suis sûr maintenant.

Le quatrième recueil de nouvelles de Jean-Pierre Girard, *Haïr ?*, contient, comme toujours, des textes éminemment travaillés, habiles à créer des climats et des atmosphères. Placés dans des situations inhabituelles mais vraisemblables, les personnages y livrent, par une accumulation de petits traits, leur vérité et leur fragilité. Quant au style, il se fait dépouillé, mais efficace, tout au service de l'univers décrit. *Le viaduc* explore les possibles qui habitent la condition humaine, les gestes imprévisibles que l'humain peut faire, emporté par l'inconscience et la folie d'un instant.

Au plaisir de lire

- Silences
- Espaces à occuper
- Léchées, timbrées
- J'espère que tout sera bleu

Christian Mistral
(né en 1964)

La véhémence de ma recherche me faisait peu à peu découvrir le repaire du sens, qui est l'obscénité, l'ultime abandon des pelures.

Le premier roman de Christian Mistral, *Vamp* (1988), écrit sur fond d'alcool et de désespoir, confie la parole à la première génération de Québécois contrainte de revendiquer « du travail et du respect, le bout de l'ombre d'une chance ». S'y agitent des adolescents prolongés, confrontés à une nouvelle manière de vivre, celle associée aux sentiments de l'immédiat et de l'éphémère. Ceux-là même qui présideront à la naissance du nouveau millénaire. Pour ces jeunes qui n'arrivent pas à combler la soif d'un ego boulimique, le plaisir est devenu le principe moteur de l'existence. Le narrateur, jeune écrivain paumé du nom de Mistral, tente ici de se définir, dans l'urgence de dire, avec des phrases chargées qui suggèrent bien davantage qu'elles affirment.

Au plaisir de lire

• *Valium*
• *Vacuum*
• *Sylvia au bout du rouleau ivre*

LE PLUS PLAT MÉTIER AU MONDE

Et c'était moi. Moi entre deux eaux, attendant aussi mon heure, jouant la comédie entre-temps, coulant des jours monotones sans envie ni désir, moi assistant au spectacle de l'époque et attendant patiemment que quelque chose survienne et m'appelle. Moi à qui l'on pardonnait tous les excès,
5 toutes les dépravations, toutes les couleurs infligées et les egos brisés, tous les scandales, parce qu'il était trop évident que je n'étais pas du bois dont on fait les parias. Moi écrivain. Tous piliers de la situation apparente et visible qui ne reposait sur rien de vrai, dont découlait pourtant notre seule réalité, tandis que la marijuana tranchait dans le vif de nos corps immobiles et nous
10 ouvrait par le milieu, tandis que la marijuana évinçait nos consciences, expropriait nos volontés pour les modeler en une épaisse et grosse conscience volontaire collective planant, lourde de menaces, au-dessus de nos têtes : tandis que la marijuana nous poussait hors de nos corps euphoriques et nous dédoublait à l'infini, notre nombre passait de huit à seize, de seize à
15 trente-deux, de trente-deux à soixante-quatre et ainsi de suite en accord cosmique avec les lois de l'univers en expansion, jusqu'à ce que les nombres perdent leur sens et qu'il n'y ait plus d'unités à compter, que je sois l'autre et que l'autre soit moi, indistinctement. Je, tant que Je existait, riait doucement, un rire abrasif qui rebroussait chemin à la frontière des lèvres et retournait
20 s'étouffer dans la gorge, et je fixais des visages aussi réels que ceux des copains, des visages dans la peinture blanche du mur, prisonniers du mur. Je jure solennellement qu'à cet instant, rien d'autre n'existait plus au monde que ce salon du Moulin, pas même l'illusion de la matière ou la suggestion de l'espace, pas de lumière ni de vitesse ni de masse à convertir en énergie,
25 aucune potentialité, aucune distance, pas la moindre variation, pas de valeurs, pas de temps, rien, rien au-delà de ces fenêtres et de ces murs. Nous n'étions pas Dieu, cela ne nous intéressait pas, mais nous Lui ressemblions assez pour le mettre au défi s'il existait quelque part dans ce salon. Rien ne nous était plus défendu, nous nous étions insolemment arrogé tous les
30 privilèges et tous les droits, et c'était là un fait si bien accompli que plus rien ne nous procurait de véritable plaisir, une excitation organique. Non, nous n'enviions pas le sort de Dieu ; le pauvre bougre faisait le plus plat métier du monde et s'emmerdait à mourir.

Vamp (1988), © Éditions du Boréal, 2004.

1. Étudiez la construction des phrases et l'effet ainsi produit.

2. Quel est le rôle de la drogue pour le narrateur ?

3. La dernière partie du texte évoque le cercle vicieux dans lequel est plongé le narrateur. Expliquez-le.

4. Peut-on parler ici de fuite ?

La formule 1 de la formule toute faite

J'écris comme un camion de pompier en route vers le lieu d'incendie. J'écris comme quand ça presse. J'écris toutes voiles dehors, la grande échelle au vent. Je tourne les bouts de phrases en épingles à cheveux à toute vitesse, la virgule en cinquième. Je vais me tuer. Mon crayon pointu, c'est la formule 1
5 de la formule toute faite. Je suis dans l'objectif des photographieurs de clichés en bordure de la piste qui veulent me prendre en défaut à défaut d'en photo. Mon crayon pointu, c'est mon véhicule d'urgence. Ce que j'écris, c'est presque poétique. Paragraphes profilés, calligraphie à la Ferrari, mot comme moteur, je n'écris pas, je mécanique. Je ne fais pas de fautes, je fais des Fiat. Écrire, ça
10 me dépasse !

J'écris sexy. J'écris la jupe courte et la jambe longue. Mon soliloque sollicite. Quand j'écris, je montre les fesses. J'écris, c'est bien visible, c'est très voyant. J'écris gros et je veux que ce soit imprimé en caractères gros comme des yeux pleins d'eau. Je veux que les traits d'union soient longs et raides
15 comme dans entre ——— jambes. Je veux que les O soient tellement dilatés qu'on puisse y naître aussi. Je veux que ce soit écrit plus gros que dans un livre pour ados désintéressés, sur du papier plus glacé que *Fluide Glacial*, relié comme un ouvrage sur Picasso. Le genre de livre écrit tellement gros qu'on se sent obligé de le lire à haute voix. Je ne veux pas d'un livre dont on
20 peut faire une lecture silencieuse comme une relation sexuelle imposée. Je ne veux pas d'un livre-entre-jambe, un sexe de cent pages qu'on dévore d'une traite. Je veux un gros bouquin qu'on peut feuilleter, dont on peut lire quelques passages comme une passe vite faite mais souhaitée. Je ne veux pas d'un livre pour adultes emballé de cellophane, plein de photos explicites. Je
25 le veux tout illustré avec des traits étranges et des couleurs vivantes, sans avoir recours aux graffiti de Zilon, et encore moins à ceux de Folon. Je veux un vrai livre pour enfants avec plein d'images…

Le ventre en tête, © XYZ éditeur, 1996.

1. Relevez les réseaux de mots correspondant à chaque paragraphe. Qu'ont-ils en commun ?

2. Faites l'inventaire des jeux de mots.

3. Quel rapport voyez-vous entre les verbes *écrire* et *vouloir* ?

4. L'aspect ludique du style signifie-t-il que le narrateur s'amuse ?

Marie Auger / Mario Girard (né en 1964)

Écrire est un geste ridicule. C'est non seulement s'écouter parler, mais, de surcroît, c'est s'écouter religieusement.

Le premier roman de Mario Girard (il utilise parfois des noms de plume calqués sur son nom : Marie Auger et Mario G) n'est pas passé inaperçu. La critique a même associé l'auteur du livre *Le ventre en tête* (1996) aux noms de Réjean Ducharme et de Romain Gary. Ce récit dévastateur relate l'obsession d'une femme habitée par la folie – c'est la narratrice du récit –, prête à tout pour avoir un enfant. Mais ses nombreuses tentatives pour le moins farfelues, où violence barbare et érotisme pathologique font bon ménage, sont évidemment vouées à l'échec. Toutefois, si elle ne donne pas la vie à un enfant, la narratrice, au moyen de son écriture, accède elle-même à la vie. Précisons que celle-ci se nomme Marie Auger, l'auteure supposée du *Ventre en tête*. C'est la métaphore du pouvoir créateur de l'art. Ce roman, qui associe lyrisme et horreur, vaut d'abord pour la force du langage.

Au plaisir de lire

• *Tombeau*
• *La grosse princesse*
• *L'abîmetière*

Maxime-Olivier Moutier (né en 1971)

J'aime la ville et je la dévore. Je suis un ver aux dents d'acier, qui entre dans les rues de la ville et qui les grignote.

Après deux recueils de récits, Maxime-Olivier Moutier publie son premier roman, qu'il dit auto-biographique, *Marie-Hélène au mois de mars* (1998). Anéanti par une peine d'amour qui l'a conduit à une tentative de suicide, le narrateur, interné dans un établissement psychiatrique, fait appel à l'écriture pour mater le désarroi et renouer avec les sens. Sont passés au crible de la mémoire les épisodes de son passé le plus lointain comme ceux de sa relation complexe avec la Marie-Hélène du titre ; dans une analyse aussi froide que poignante, la conscience transcende l'anecdote et cherche des réponses dans les replis les plus secrets de l'âme humaine. Ici, le style s'emballe, au diapason des émotions et de la détresse : le narrateur vient de comprendre que rien ne sera plus comme avant.

Au Plaisir de lire

- *Potence machine*
- *Risible et noir*
- *Les trois modes de conservation des viandes*

DES VIANDES D'UNE VIE ANTÉRIEURE

Le point de rupture. Comme un accident raisonnable, je le reçois totalement. C'est là que tout s'est produit. C'est à partir de là que je sais qu'il ne me restera plus rien. Le cœur est touché. Et c'est toute la vie qui se découd, tout ce qui me retenait à Marie-Hélène, pas notre amour, mais notre sexua-
5 lité. Cette chose qui reste lorsque l'amour n'existe plus. Ce fantasme qui rend possible la vie à deux, la réunion sexuelle, la mise en place de l'homme et de la femme, inadéquatement rejoints dans leur incongruité. Tout de suite, je sais que plus rien ne sera possible. J'ignore précisément pourquoi, mais je le sais.

Je n'ai pas le temps de penser à autre chose. Je sors du lit. Je sors aussi de la
10 chambre. Il y a du vide. Partout autour de moi, un grand vide blanc. Marie-Hélène ne bouge pas. Elle reste dans le lit. Je ne sais plus trop quoi faire. C'est une ville qui s'effondre. C'est un père qui vient d'apprendre que sa fille s'est fait violer dans une ruelle, qui sait qu'on ne pourra jamais retrouver l'agresseur, qu'on ne fera jamais rien pour le retrouver. Je mets mes souliers. Je n'ai
15 pas le temps de les attacher. Je cours jusqu'aux toilettes et je vomis. Je pleure aussi. Comme un enfant. En criant. Exténué. Il n'y a pas de nausée. Mais je ne peux m'empêcher de vomir. Je fais beaucoup de bruit. Je remplis la cuvette. Je ne sais pas de quoi. Il me semble ne pas avoir autant mangé depuis le matin. Je vomis des restes de la semaine dernière, des trucs du mois passé, des viandes
20 d'une vie antérieure. Je chasse l'eau. C'est tout ce qui est en moi qui part. Je vomis encore. Cinq fois. Je pleure. Je ne peux m'arrêter de pleurer. C'est comme pour la vomissure qui se presse. Je suis assis par terre, renversé sur le parquet. Mes bras retiennent la cuvette pour ne pas qu'elle s'envole. Je m'accroche à elle. Ma tête se relève un instant. Je respire un peu, et replonge.
25 J'évacue tout mon amour pour Marie-Hélène. Et ça saigne. Ça passe par l'œsophage, par la gorge et par le nez. Ça sort en vile, en déjection multicolore. L'amour. Parce que je n'ai aucun autre choix. Je renvoie mécaniquement, afin de survivre. Je me sépare en plusieurs morceaux. Je m'enferme dans le bruit que je fais. Ce sont des bruits de corps humain se déversant. Mes
30 doigts retenant la cuvette, mes cheveux partout, mes genoux fléchis, l'échine compactée.

Marie-Hélène encore dans la chambre. Toujours là. Dans une chambre. À laisser faire les choses. Dépassée, débordée.

Marie-Hélène au mois de mars, © Les Éditions Triptyque, 1998.

---

1. Commentez l'expression « un accident raisonnable ».

2. Étudiez le rythme de l'écriture et précisez sa fonction.

3. Montrez que l'auteur établit un rapport constant entre le corps et les sentiments. Ce rapport est-il positif ?

4. Expliquez le sens du dernier paragraphe.

Quand j'en peux pu d'être chez nous…, Marc-Antoine Nadeau, 2005.

Les romans de l'ailleurs

À l'heure de la mondialisation qui voit disparaître les frontières, le roman québécois fait abondamment voyager ses personnages. Jusqu'à il y a peu, la France était pratiquement le seul pays de notre identification ; les États-Unis, tout au contraire, incarnaient une menace à notre culture et à notre identité. Or, les écrivains de l'époque actuelle, conscients des origines françaises de la plus grande partie du continent nord-américain, entendent assumer totalement leur américanité, qui devient un nouvel espace culturel du roman québécois. Cet espace s'agrandit bientôt à tout le village global et les intrigues, en partie ou en totalité, ne tardent pas à se situer un peu partout dans le monde. Ce chambardement des frontières favorise le libre déplacement des imaginaires. Le différent se fait familier, et la carte du roman québécois se déploie sur un riche questionnement centré sur des problèmes humains fondamentaux : la vie, la tendresse, l'amour, la mort et, surtout, l'incommensurable solitude du temps présent. Devenus citoyens du monde, les Québécois peuvent aussi se solidariser avec des causes planétaires.

L'importante littérature migrante n'est évidemment pas étrangère à cet état de fait. Pendant que les écrivains d'origine québécoise font respirer l'air du monde à leurs lecteurs en procédant à un véritable éclatement de l'espace romanesque, les écrivains migrants disent, dans des romans mais aussi des nouvelles, un genre que plusieurs affectionnent, les difficultés à vivre expatriés et les malentendus identitaires découlant du processus migratoire. Les questions de l'errance et de l'exil se trouvent donc au cœur de leurs récits : chacun décrit ses expériences et ses attentes, la douleur de la rupture avec les racines culturelles et sociales d'origine, son rapport souvent tendu avec la société québécoise, devenue pour lui le lieu de l'altérité. En situant l'ailleurs ici, les écrivains néo-québécois amorcent une démarche d'appropriation de la culture d'accueil en même temps qu'ils dynamisent la littérature québécoise. On se doit ici de souligner l'apport particulier des romans des Antillais, le groupe assurément le mieux intégré.

■ ■ ■

Gil Courtemanche
(né en 1943)

Qu'on le veuille ou non, écrire c'est se mesurer à Camus, Gide et Malraux et découvrir qu'on ne leur arrive pas à la cheville!

Journaliste renommé, correspondant international pour la télévision, essayiste, chroniqueur politique dans différents journaux, Gil Courtemanche livre ici son premier roman. Il entend redonner vie par la fiction à des gens qu'il a connus pendant ses séjours au Rwanda, avant et après le génocide qui a tué en 1994, en trois mois et à la machette, quelque 800 000 personnes. Ce roman, *Un dimanche à la piscine à Kigali* (2000), a été traduit dans 26 pays en plus d'être l'objet d'un film. Tout en retraçant les détails du premier génocide en terre africaine, la tuerie de masse planifiée des Hutus contre les Tutsis, le romancier raconte une histoire d'amour pleine de tendresse entre Valcourt et Gentille, un journaliste québécois et une jeune serveuse rwandaise hutue dont le physique lui vaudra d'être violée à répétition. D'un réalisme sans compromis, le roman n'épargne personne, surtout pas les exploiteurs qui auraient pu prévenir l'horreur annoncée : « Le bruit est leur respiration, le silence est leur mort, et le cul des

(suite à la page suivante)

Nous pouvons tous
nous transformer en assassins

Valcourt et Gentille retournèrent au marché. Il était passé sept heures, mais Cyprien n'occupait pas sa place habituelle et personne ne l'avait vu. Ils montèrent vers la colline où habitait le marchand de tabac. Un restant de feu fumait encore dans un des deux barils métalliques qui avaient éclairé la nuit
5 des miliciens. À côté de la route, une foule d'oiseaux criards et féroces se disputaient les cadavres mutilés et désarticulés d'un homme et d'une femme qu'on avait dû jeter l'un sur l'autre. Valcourt reconnut la chemise rouge de Cyprien, puis le long visage rugueux avec sa fine moustache qu'il taillait avec tant de soin. À quelques mètres sur la droite, allongé sur un matelas
10 poisseux, un milicien ivre mort ronflait, serrant dans sa main une machette ensanglantée.

Nous pouvons tous nous transformer en assassins, avait toujours soutenu Valcourt, même l'être le plus pacifique et le plus généreux. Il suffit de quelques circonstances, d'un déclic, d'une faillite, d'un patient conditionnement, d'une
15 colère, d'une déception. Le prédateur préhistorique, le guerrier primitif vivent encore sous les vernis successifs que la civilisation a appliqués sur l'humain. Chacun possède dans ses gènes tout le Bien et tout le Mal de l'humanité. L'un et l'autre peuvent toujours surgir comme une tornade apparaît et détruit tout, là où quelques minutes auparavant ne soufflaient que des brises chaudes
20 et douces.

Durant quelques secondes, des gènes d'assassin s'animèrent dans le sang de Valcourt, des protéines meurtrières envahirent et brouillèrent ses neurones. Seul un « non, Bernard » que Gentille prononça fermement empêcha que Valcourt devienne un assassin. Il lança dans le fossé la machette qu'il avait
25 prise des mains du milicien et qu'il avait brandie au-dessus de sa tête pendant que le jeune homme, les yeux hagards, se réveillait en voyant sa mort briller. En revenant vers l'auto, Valcourt fut horrifié par la pensée que rien dans cet homme ne lui avait paru humain et que, n'eût été Gentille, il l'aurait charcuté sans état d'âme tout comme on avait dépecé Cyprien et Georgina.

30 Au poste de gendarmerie à quelques centaines de mètres de la barrière, le gendarme responsable des opérations et chef des miliciens raconta que Cyprien, complètement ivre, s'était écrasé sur la route au moment où passait un véhicule non identifié. Quant à sa femme, après avoir été prévenue de l'accident, elle aussi avait été renversée par un autre véhicule non identifié.
35 Marinant dans la bière de banane qu'il avalait à grandes gorgées et rotant entre chaque phrase, le chef gendarme ajouta qu'ils avaient laissé les cadavres sur la route en attendant que des proches viennent les recueillir pour leur donner un enterrement décent et que, si personne ne se présentait aujourd'hui, il s'en chargerait personnellement parce qu'il était un bon chrétien.

40 — Et les enfants ?

Le chef gendarme continua à mentir avec une assurance et un mépris de la vraisemblance qui rappelaient à Valcourt ses séjours dans les pays communistes. Il ne savait pas où ils étaient, peut-être chez des parents ou des amis.

Un dimanche à la piscine à Kigali, © Éditions du Boréal, 2000.

ÉQUINOXE
PRÉSENTE

LUC PICARD
FATOU N'DIAYE

UN FILM DE
ROBERT FAVREAU

PRODUIT PAR
LYSE LAFONTAINE
MICHAEL MOSCA

Un
DIMANCHE
à KIGALI

Affiche du film réalisé par
Robert Favreau en 2006 d'après
le roman de Gil Courtemanche.

(suite)

Rwandaises, leur territoire d'exploration. Ce sont des exploiteurs du
tiers-cul. » Ce roman corrosif qui
dénonce les abus de pouvoir et la
lâcheté des hommes sait néanmoins laisser sa place à la déli-
catesse et à la poésie quand il
s'agit d'évoquer la grandeur des
gens ordinaires.

1. Relevez les mots qualifiant la mort dans cet extrait, et trouvez vous-même un mot qui les contiendrait tous.

2. À qui faut-il attribuer les idées sur le « Bien » et le « Mal » ?

3. Êtes-vous d'accord avec l'affirmation de Valcourt, laquelle a donné le titre de l'extrait ?

Au plaisir de lire
• Une belle mort
• Douces colères

Émile Ollivier
(1940-2002)

Sous les Tropiques, il n'y a pas que la végétation qui soit exubérante ; les êtres le sont aussi.

Émile Ollivier a émigré en 1965 de Port-au-Prince. Constamment son œuvre met en question les rêves floués du passé pour panser des blessures qui ne pourront jamais se cicatriser. Néanmoins, les racines de ce romancier se propagent avec vigueur dans le sol de ses deux patries, la Caraïbe des chaleurs et la froidure du Québec. Son roman *Passages* (1991) illustre le drame des Haïtiens de la diaspora, condamnés à l'errance dans le triangle formé par Port-au-Prince, Montréal et Miami.

Au plaisir de lire

- *Mère-Solitude*
- *La discorde aux cent voix*
- *Les urnes scellées*
- *La brûlerie*

LE DESTIN IMPLACABLE DES SAUMONS

Qui disait que le voyage est illusoire ? On a beau se déplacer d'un endroit à l'autre, se livrer à une agitation sans relâche, en réalité, on ne fait que marquer le pas, tant les lieux restent inchangés. Dans leur soif de départ, les voyageurs ignorent souvent qu'ils ne feront qu'emprunter de vieilles traces. Mus par
5 une pulsion, quand ils ont mal ici, ils veulent aller ailleurs. Ils oublient que le mieux être est inaccessible puisqu'ils portent en eux leur étrangeté. Leur trajet, à la limite, ne dessinera qu'une boucle, tant les événements sont jetés là, orphelins, les attendant, pareils à des quais de gares. Ils erreront sans fin, animés du même désir fou que celui qui hante le destin implacable des
10 saumons : ils tâtent des fleuves, des océans, pour retrouver à la fin l'eau, même impure, où ils sont nés et y pondre en une seule et brusque poussée, une réplique d'eux-mêmes et mourir.

Il est dans l'existence des éclipses où il nous semble avoir tout perdu, des temps de silence où l'on se trouve plongé dans un brouillard, une nuit en
15 deuil d'étoiles. Nul reflet n'éclaire la route. De l'enfermement de l'île à la prison de Krome, de l'inventaire des ratés au catalogue des renoncements, le même délicat problème de la migrance, un long détour sur le chemin de la souffrance. Passagers clandestins dans le ventre d'un navire, nous visitons non des lieux, mais le temps.

20 Nous venons d'un pays qui n'en finit pas de se défaire, de se refaire. Coureurs de fond, nous avons franchi cinq siècles d'histoire, opiniâtres et inaltérables galériens. Nous avons subsisté, persévéré sur les flots du temps, dans cette barque putride et imputrescible à la fois, dégradable et pérenne. Notre histoire est celle d'une perpétuelle menace d'effacement, effacement
25 d'un paysage, effacement d'un peuplement : le génocide des Indiens caraïbes, la grande transhumance, l'esclavage et, depuis la mort de l'Empereur, une interminable histoire de brigandage. Notre substance est tissée de défaites et de décompositions. Et pourtant, nous franchissons la durée, nous traversons le temps, même si le sol semble se dérober sous nos pas. Malgré vents et
30 marées, malgré ce présent en feu, ce temps de tourments, cette éternité dans le purgatoire, nous continuons à survivre en nous livrant à d'impossibles gymnastiques.

Passages (1991), © Éditions Typo et succession Émile Ollivier, 2002.

---

1. Quel parallèle l'auteur établit-il entre les saumons et les immigrants ?

2. Relevez les autres images et commentez-les.

3. Comment l'auteur résume-t-il l'histoire de son peuple ?

4. L'errance constitue-t-elle une solution ?

5. Quelle vision du monde cet extrait propose-t-il ?

CORRIGER CE PASSÉ

Ce déraciné oscille ainsi entre deux temps, le sien et le réel, en arrière et
en avant, sans pouvoir se fixer. C'est que le temps s'allonge drôlement, il
devient élastique et visqueux à la fois, fuyant et assommant, dès qu'on s'en
va de sa maison. De toute maison, ailleurs. Il passe désormais sans toutefois
5 passer, car l'identité n'est plus en harmonie avec le monde palpable. Ses
repères sont restés en arrière et lui tirent les pieds comme les fantômes
d'autrefois. L'étranger ne peut pas toujours se détacher vers l'avenir ; il reste
souvent embourbé entre cette identité qui fut et la béance de devoir devenir
autre. Il n'aime pas son passé ; c'est un mauvais passé qu'il cherche à repasser.
10 C'est d'ailleurs à cause du passé qu'il n'est plus là-bas, mais ici, déplacé.
Ça l'agace, le passé tel qu'il fut. Et comme le présent ne coule que si l'on va
d'amont en aval, l'exilé ne le ressent pas comme les autres. Il cherche sans
cesse à remonter, à dévier, à corriger ce passé, sans toutefois pouvoir le
revivre. Cette nostalgie d'un passé qu'on n'ose pas affronter amène l'étranger à
15 l'embellir, à le refaire dans sa tête. Il se déguise et se fige dans un mouvement
de pendule entre le plus-que-parfait et le futur antérieur. Son passé se retrouve
ainsi mal passé, dévorant l'énergie qu'il pourrait consacrer à l'avenir. Cet
homme de l'éternité critique ainsi l'autrefois à chaque instant, en le mesurant
à ce qu'il aurait dû être, pour justifier le fait de ne pas avoir été. Il le fignole,
20 en ne gardant que ce qui fait son affaire. À la fin, ce passé fictif est si parfait
que les gens et les choses de son pays d'adoption pâlissent et perdent de la
valeur. L'étranger est ainsi, souvent, un véritable artiste du temps. Surtout
lorsque l'avenir devient routine, et qu'il se rend compte qu'il n'a rien gagné
d'essentiel avec tous ses déplacements.

Le pavillon des miroirs, © XYZ éditeur, 1994.

1. La nostalgie est-elle présentée de manière positive ?

2. Pourquoi le narrateur parle-t-il du « plus-que-parfait » et du « futur antérieur » au lieu du passé et du futur ?

3. Commentez l'utilisation du mot *passé* et de ses homonymes.

4. L'auteur vous semble-t-il optimiste ou pessimiste ? Pourquoi ?

Au plaisir de lire

- *Negão et Doralice*
- *Errances*
- *L'art du maquillage*
- *Un sourire blindé*

Sergio Kokis
(né en 1944)

Le thème du retour, de la mémoire, n'est pas un thème important ailleurs qu'au Québec. On a écrit sur toutes les plaques « Je me souviens [...]. » Je me souviens de quoi ? Je me souviens d'une chose qui n'a jamais existé.

Militant de gauche, Sergio Kokis a été emprisonné dans son pays d'origine, le Brésil, pour activisme politique. Aujourd'hui, c'est le Québec qui bénéficie de son triple talent de psychologue, de peintre et d'écrivain. Dans son premier roman, qui l'a aussitôt propulsé au rang des grands écrivains – un ouvrage qu'il s'est imposé d'écrire en français même s'il avoue être plus à l'aise dans sa langue maternelle et en anglais –, *Le pavillon des miroirs* (1994), le narrateur se remémore son enfance et son adolescence, de même que son destin d'exilé. L'extrait propose une réflexion sur le passé, qui dérobe son énergie au présent. Cette quête de l'identité à travers les strates accumulées du passé est servie par un français naturel, attentif aux moindres nuances.

Couverture du roman *Le pavillon des miroirs* sur laquelle figure une œuvre de l'auteur.
XYZ éditeur.

Sergio Kokis

Le pavillon des miroirs

roman

**Louis Gauthier
(né en 1944)**

*On croit qu'on va
faire un voyage,
mais bientôt c'est
le voyage qui vous
fait, ou vous défait.*

Ce bref récit intimiste de Louis
Gauthier, *Voyage en Irlande avec
un parapluie* (1984), associe la
quête de l'écrivain à celle du migrant, en même temps qu'il ouvre
de nouveaux espaces à l'imaginaire québécois. C'est le récit d'un
écrivain qui, pour se prémunir
contre « la douleur accumulée qui
pleut et pleure », quitte Montréal
et sa routine pour se soumettre
à l'imprévu des rencontres en
Irlande. C'est surtout l'occasion
d'une réflexion sur la culture, le
nationalisme et l'impérialisme économique.

Au plaisir de lire

- *Les aventures de Sivis Pacem
  et Para Bellum*
- *Le pont de Londres*
- *Anna*

La culture, c'est quand les autres nous envahissent

On est toujours colonisé culturellement, tu sais. Au Québec comme en Irlande, en Angleterre comme aux États-Unis. La culture, c'est quand les autres nous envahissent, quand les autres nous prennent à nous-mêmes pour nous faire entrer dans ce qu'ils sont, quand ils nous donnent leurs mots
5 pour voir et pour sentir et pour penser et pour parler, et peu importe que ces mots soient anglais, français ou chinois, féminins, masculins ou neutres, ils ne sont jamais neutres. Ils ne sont jamais neutres, les mots, ils déforment tout, ils nous chassent des pays merveilleux de l'enfance, ils nous circonscrivent, nous limitent et nous censurent et quand nous entrons dans une langue, nous
10 ne savons pas dans quoi nous entrons, mais c'est une religion, c'est une cathédrale, c'est une maison, c'est un vêtement et nous aurons beau faire et beau nous débattre, nous sommes pris. Il n'y a plus de pureté possible, le regard s'amenuise, l'œil ternit, on nous aveugle lentement et notre seul effort doit consister à retrouver la vue, à réapprendre à voir, mais entre nous et ce
15 que nous sommes vraiment se tient la barrière de milliers de mots, avec leur histoire, leur découpage, leurs référents, leur poussière, leur passé, leurs déformations, leur tristesse. Et la seule issue pour moi actuellement c'est la fuite, une fuite accélérée de cela qui me rejoint toujours, qui me rejoint tellement vite, qui se jette sur moi et m'empêche de voir, qui me bouche la
20 vue, qui me bouche la liberté. Je ne veux pas devenir aveugle. Il n'y a personne au monde qui puisse me donner ma liberté, pas même les plus grands ni les plus libres des hommes, parce que le mot *grand* et le mot *libre* et le mot *homme* sont encore des mots. Je déteste les mots, tu sais, oui je suis écrivain et je déteste tous les mots qui me poursuivent et me harcèlent et me persécutent
25 et le mot *écrivain* est un de ceux-là parce que c'est quoi ça, être écrivain, penses-tu ? Est-ce que je suis écrivain quand je te parle, quand je prends l'autobus, est-ce que je suis écrivain dans mon bain, quand je mange ? Et toi qui me prends pour un écrivain, qu'est-ce que tu penses que je suis, un mot ?

L'univers est en dedans de moi et c'est là que je n'arrive pas. L'univers est
30 en dehors de moi aussi et je ne suis ni en dehors ni en dedans mais ailleurs, dans la zone indéterminée et commune de la fiction humaine.

Voyage en Irlande avec un parapluie, 1984, © Louis Gauthier.

1. Que recherche le narrateur ?

2. Comment l'auteur parle-t-il de l'identité nationale dans cette société pluraliste ?

3. Expliquez le sens du dernier paragraphe.

4. Essayez de définir, à partir de cet extrait, l'opinion de l'auteur au sujet du nationalisme.

PROUVER DES MENSONGES

Il a éteint la lumière. Peu à peu, nous nous sommes déshabillés, nous nous sommes enlacés maladroitement. Et tout à coup, j'étais à côté et je lui racontais mon arrestation :

— … C'était dans un poste de police… deux qui me tenaient, l'autre
5 frappait…

Il a rallumé. À travers mes larmes, je l'ai vu, nu, avec d'énormes cicatrices sur une épaule et un bras. Lui découvrait les marques sur ma poitrine et mon dos.

— Ça aussi ? Il indiquait les brûlures sur un de mes seins.

10 J'ai fermé les yeux, je ne voulais plus parler, je ne voulais plus me souvenir de rien. Quand je l'ai regardé de nouveau, il était grave. Dur et tragique. Ses cheveux blonds tout mêlés.

— Je vais te dire un secret, a-t-il dit à voix basse, comme s'il avait peur d'être entendu :

15 — Je ne suis pas juif…

Il jouait avec mes doigts tout en continuant de murmurer :

— … Il a fallu que j'apprenne le yiddish, que j'aille à la synagogue… Ça (il me montrait son bras), je me le suis fait en essayant de m'échapper de prison. Depuis des années, j'essayais de sortir de Pologne ; finalement, j'ai
20 trouvé une organisation qui aidait les Juifs à sortir… Sept ans à prouver des mensonges, à dire que j'étais le fils d'un amant juif que ma mère aurait eu du temps des nazis. Je marchais avec une pastille de cyanure sur moi, au cas où…

Il devenait mélancolique. Moi aussi. Il plissait le front et ses grands yeux rétrécissaient. Il a pris ma main et l'a serrée nerveusement. M'a passé un doigt
25 sur le visage, faiblement, timidement. M'a embrassée sur la joue. Nous nous sommes enlacés, nous cherchions sur nos corps d'autres traces de douleurs et de violence.

Il a éteint et l'obscurité nous a poussés sous les draps. Nous nous embrassions en pleurant, tous les deux solitaires, chacun dans son passé, dans son
30 avenir et nous nous sommes endormis ensemble, l'un à côté de l'autre, tout seuls dans le même piège !

Les compagnons de l'horloge pointeuse, 1981, © Marilù Mallet.

1. Étudiez le rôle des cicatrices dans cet extrait.

2. Comment l'auteure montre-t-elle que les personnages vivent encore dans la peur ?

3. Pourquoi le personnage masculin gardait-il « une pastille de cyanure » sur lui ? Que nous apprend ce détail sur les dangers qu'a courus ce personnage ?

4. À la lecture de cet extrait, peut-on affirmer que l'exil constitue une solution ?

Marilù Mallet (née en 1945)

Il a éteint et l'obscurité nous a poussés sous les draps. Nous nous embrassions en pleurant, tous les deux solitaires, chacun dans son passé, dans son avenir (…) tout seuls dans le même piège.

L'auteure et cinéaste Marilù Mallet est née au Chili. Depuis 1973, à la suite de l'exécution de Salvador Allende, elle est réfugiée politique au Canada. Ses nouvelles portent sur l'ambiguïté des relations humaines, sur la difficulté de vivre et de survivre – seul ou avec d'autres – au Chili comme au Québec.

Dans une nouvelle des *Compagnons de l'horloge pointeuse* (1981), « How are you ? », Marilù Mallet décrit le face à face de deux jeunes immigrants venus de pays différents : c'est la mise à nu de deux solitudes encore prisonnières du passé. L'extrait les présente au lit où ils espèrent trouver un baume à leur détresse.

Pan Bouyoucas
(né en 1946)

Parfois, on se souvient plus des baisers qu'on n'a jamais donnés que de ceux qu'on a donnés.

Né au Liban de parents grecs qui s'y étaient réfugiés, Pan Bouyoucas habite Montréal depuis 1963. Il a écrit, d'abord en anglais puis en français, des romans, des nouvelles, des pièces radiophoniques en plus de nombreuses pièces de théâtre. Son roman *Anna pourquoi* (2003) lui a valu le Prix littéraire des collégiens 2005. En Grèce, sur l'îlot rocheux de Léros, un drame amoureux se joue dans l'atmosphère mystérieuse d'une ancienne forteresse transformée en monastère. Une moniale d'un certain âge, Nicoletta, en a la garde quand arrive pour la seconder une fort belle novice, Véroniki (la Anna du titre). Mais la trajectoire de l'une et l'autre religieuses chavire bientôt quand le diacre et restaurateur d'icônes Maximos apporte dans ce lieu clos les diaboliques tourments du désir. Ce roman bref et dense axé sur le désir se veut aussi une réflexion sur la spiritualité et les intérêts qu'elle doit servir.

Au plaisir de lire

- *Le dernier souffle*
- *Une bataille d'Amérique*
- *L'humoriste et l'assassin*
- *La vengeance d'un père*
- *Docteur Loukoum (nouvelles)*
- *L'autre*
- *L'homme qui voulait boire la mer*

SON REGARD RESSEMBLAIT
AU BILAN D'UNE EXISTENCE

Maximos ne les rejoignit pas pour le dîner non plus. On frappa à la porte de son atelier, on frappa à la porte de sa cellule, il n'était ni dans l'un ni dans l'autre. Et la nuit était tombée, la pénombre avait envahi toute la forteresse.

Nicoletta retourna dans la cuisine chercher les lampes de poche. En attendant
5 le retour de son aînée, Véroniki se réfugia dans la chapelle, pour fuir les ténèbres.

Maximos était vautré dans la sacristie, la bouteille de vin dont on se servait aux messes, vide, à côté de lui.
— Approchez, vénérable Véroniki, approchez. J'ai une faveur à vous demander.
10 — Tu devrais avoir honte ! Un diacre ! Et dans la sacristie ! Que penseraient les gens s'ils te voyaient ? Par égard pour nous, si tu veux te défoncer, fais-le dans ta chambre !
— J'y vais, chère et honorée novice, j'y vais. Mais d'abord, il faut que je sache… Vous feriez au moins cela pour moi ? Moi, ils ne me répondent
15 jamais, et je finis par perdre mes belles manières et mon langage distingué.

Il tendit la main vers l'icône miraculeuse.
— Demandez-leur, très respectable sœur… Vous qui êtes pure et avez leur oreille, demandez à votre fiancé et à votre future belle-mère, demandez-leur, s'il vous plaît, pourquoi personne ne m'aime ?

20 À lui seul son regard ressemblait au bilan d'une existence. Et d'une existence si triste que la novice voulut s'enfuir comme on fuit un danger, tant elle en était troublée. Et dans son trouble, sans savoir combien de fois cette phrase lui reviendrait plus tard en mémoire, tout ce qu'elle trouva à dire fut :
— Je le leur demanderai. Maintenant, va dans ta chambre, avant que des
25 gens arrivent et te voient dans cet état.
— Moi, je t'aime, mon garçon, dit derrière elle la nonne qui venait d'entrer, attirée par leurs voix.

Elle donna à la novice sa lampe de poche.
— Va manger.

30 Maximos se tourna vers la sortie.

Nicoletta lui barra le chemin.
— Toi, tu restes là.

Aussitôt retentit dans la petite église la voix du diacre :
— Anna ! Ne me laisse pas seul avec elle !

35 Véroniki hésita, aussi troublée par ce cri qu'elle l'avait été par le regard du diacre.
— Va manger ! lui répéta la nonne.

Anna pourquoi, © Les Allusifs, 2003.

1. Donnez le sens des mots *moniale*, *diacre* et *novice*.

2. Cette scène aurait-elle pu être écrite au Québec avant la Révolution tranquille ?

3. Peut-on dire que cet extrait est plus comique que dramatique ?

EMBOUTEILLER LE SALUT

Quelques-uns échappèrent à la faux de la décennie en se réfugiant à la campagne pour s'installer sur des fermes délabrées et connaître la joie transcendantale d'avoir de la terre sous les ongles ou de prendre un bain dans un baquet. Les pommes véreuses préférables à celles luisantes de D.D.T. Les
5 vêtements confectionnés à la main supérieurs aux aubaines de Taiwan. Ces réfugiés de la banlieue s'enracinèrent dans le sol comme des légumes. D'autres entrèrent dans la machine à décerveler politique, les gauchistes devinrent des contremaîtres libéraux, les libéraux furent promus aux bureaux directoriaux conservateurs, tandis que les quelques derniers radicaux éparpillés essayaient
10 d'embouteiller le salut et de surenchérir sur les revendications de sociétés de plus en plus fragmentées : les droits des travailleurs gay de la Société des postes, les droits des femmes poètes, le droit des Hell's Angels de circuler à leur guise, les droits des bébés-phoques. Les droits des humains et des animaux perçus comme antidote à la haine des humains, au moment où les anciens
15 remèdes, comme la compassion et l'amour, n'étaient plus politiquement opportuns.

La plupart des enfants des années soixante, dont moi, trouvèrent la sagesse. Nous nous retirâmes dans les banlieues ou dans des blocs-appartements, élevâmes des chats, des plantes et de temps à autre un enfant, soigneusement
20 planifié. Nous gagnions de l'argent. Fumions de la drogue les fins de semaine. Achetions des voitures compactes. Rêvions de condominiums. Portions des jeans le samedi. Investissions dans l'or et, pourquoi pas, dans les actions des compagnies pétrolières. Une nation d'enfant *peace and love* à l'esprit libre, réduits à jogger dans les parcs. Les fins de semaine. Le marathon de Boston
25 devenu le rendez-vous des jeunes des années soixante, le seul endroit où les hommes et les femmes peuvent encore courir en bande, manger des fruits secs et porter un bandeau autour du front sans qu'on les étiquette *freak*. Peu de monde est conscient de la nature fondamentalement subversive de la course de fond.
30 Les années soixante furent un temps de grands rassemblements, un temps où les foules faisaient la loi, où les effectifs militaires s'accroissaient, un temps de festivals et d'émeutes, de communes et de thérapies de groupe, un temps que je méprisais ; les années soixante-dix furent la décennie au cours de laquelle ma génération se dispersa et j'en fus très satisfait.

Onyx John, © Les Éditions de la Pleine lune, pour la traduction française, 1997.

1. Comment le narrateur ridiculise-t-il les principaux symboles de la contre-culture des années soixante ? Donnez des exemples précis.

2. Quel passage se moque de la rectitude politique ?

3. Quelle connotation voyez-vous dans le mot *sagesse* à la ligne 17 ?

4. Le narrateur vous apparaît-il comme étant désabusé ou simplement cynique ?

Au plaisir de lire

• *La vie aventureuse d'un drôle de moineau*
• *Train d'enfer*
• *La ligne de feu*
• *Le Kinkajou*

Trevor Ferguson / John Farrow (né en 1947)

Mes personnages sont toujours impliqués dans une quête.

Anglophone né en Ontario, Trevor Ferguson habite depuis l'âge de trois ans dans le quartier multiethnique de Parc-Extension à Montréal et se sent profondément québécois. Il a exercé de nombreux métiers et abondamment voyagé, expériences qui vont nourrir ses romans, marqués par la finesse d'esprit, les commentaires caustiques et un style des plus alertes : des histoires excentriques, attachantes, solidement ancrées dans notre siècle, à la lisière entre la réalité et la magie. Quand *Onyx John* (1997) parut, la critique a salué ce roman d'aventures comme « un des plus grands romans écrits au Québec au cours des vingt dernières années ». Il faut dire que Trevor Ferguson est un conteur hors pair. C'est l'histoire de la vie d'Onyx John, escroc, menteur et délateur, qui est livrée par touches successives, les cicatrices et les ruptures du passé s'ajoutant les unes aux autres pour faire le tracé de la vie mouvementée du personnage. Le lecteur va de surprise en surprise, emporté par le mouvement du récit, ne pouvant démêler, dans les grincements existentiels de cette comédie foisonnante, la fiction de la réalité. *Onyx John* porte ici un regard décapant sur les années 1960.

Dany Laferrière /
Windsor Klébert
Laferrière
(né en 1953)

Je cultive l'absence de style afin que le lecteur oublie les mots pour sentir les choses.

Né à Port-au-Prince, Dany Laferrière s'est installé à Montréal en 1978. Il est un des très rares écrivains d'origine étrangère qui décident de situer leur premier roman au Québec; les romanciers dans sa situation tentent d'abord d'apprivoiser le passé. Il s'agit de *Comment faire l'amour avec un nègre sans se fatiguer* (1985). Ce récit a été adapté au cinéma et a connu le succès dans sa traduction américaine. Bien davantage que l'audace du sujet, on note l'humour et la nervosité du style, qualifié de «jazzé» par certains. Le narrateur est ici en compagnie d'une amie, «Miz Littérature».

Au plaisir de lire

- *L'odeur du café*
- *Le goût des jeunes filles*
- *Le cri des oiseaux fous*

À MA PLACE, MOI AUSSI

Miz Littérature met un disque de Simon et Garfunkel et file aux toilettes se faire sécher les cheveux. Je suis dans sa chambre. Des coussins, partout. De toutes les couleurs. Héritage des *sit-in* des années 70. Des piles de bouquins par terre, à côté d'un vieux pick-up téléfunken. Dans le coin gauche, en face
5 de la porte, un gros coffre à linge en bois de noyer. Des reproductions. Un beau Bruegel. Un Utamaro près de la fenêtre. Un splendide Piranèse, deux estampes de Hokusai, et dans le coin de la bibliothèque (faite de planches souples et de briques rouges), un précieux Holbein. Miz Littérature a placé près de son chevet, sur un mur rose, une grande photo de Virginia Woolf,
10 prise un jour de 1939, par Gisèle Freund, à Monk House, Rodwel, Sussex.

J'entends, distinctement, l'eau couler du lavabo. Eau intime. Corps mouillé. Être là, ainsi, dans cette douce intimité anglo-saxonne. Grande maison de briques rouges couvertes de lierre. Gazon anglais. Calme victorien. Fauteuils profonds. Daguerréotypes anciens. Objets patinés. Piano noir laqué. Gravures
15 d'époque. Portrait de groupe avec cooker. Banquiers (double menton et monocle) jouant au cricket. Portrait de jeunes filles au visage long, fin et maladif. Diplomate en casque colonial en poste à New Delhi. Parfum de Calcutta. Cette maison respire le calme, la tranquillité, l'ordre. L'Ordre de ceux qui ont pillé l'Afrique, l'Angleterre, maîtresse des mers... Tout est, ici, à sa
20 place SAUF MOI. Faut dire que je suis là, uniquement, pour baiser la fille. DONC, JE SUIS EN QUELQUE SORTE À MA PLACE, MOI AUSSI. Je suis ici pour baiser la fille de ces diplomates pleins de morgue qui nous giflaient à coups de *stick*. Au fond, je n'étais pas là quand ça se passait, mais que voulez-vous, à défaut de nous être bienveillante, L'HISTOIRE NOUS SERT
25 D'APHRODISIAQUE.

Miz Littérature est entrée dans la chambre. Fatiguée mais souriante. Miz Littérature, c'est quelqu'un de bien.
— Cherry?
— Cherry.
30 — Et qu'est-ce que tu aimerais écouter?
— Furey.
— Cherry sur Furey.

Comment faire l'amour avec un nègre sans se fatiguer (1985), © Éditions Typo et Dany Laferrière, 2002.

1. Analysez la longueur des phrases et le rythme qui en découle.

2. Relevez la grande opposition thématique de cet extrait.

3. Expliquez l'usage des majuscules.

4. De quelle revanche historique est-il question?

Affiche du film réalisé par Jacques W. Benoît en 1989.

ON APPELLE ÇA LA RÉVOLUTION TRANQUILLE

Merci pour ta généreuse lettre, Sassa. Chaque fois que je pense à toi, j'ai envie de pleurer. Comment sont les choses pour toi ? Su Yuan m'a dit que tu as eu des problèmes avec le bureau des passeports. Mais tout sera réglé, tu n'as pas à trop t'inquiéter. Un de mes oncles occupe un poste au bureau des
5 passeports. Quand je me préparais à partir, il m'a « nettoyé un peu le chemin ». Je lui ai écrit pour qu'il prenne soin de ton dossier.

Tu m'as beaucoup étonnée avec ta remarquable compréhension des idées nouvelles. Or, ce qui se passe en Amérique du Nord serait peut-être hors de ton imagination. Depuis l'époque de notre Révolution culturelle, les gens de
10 notre génération ne fréquentent plus les églises. Chez nous, on a dû détruire les temples à coups de bâtons. Ici, c'était beaucoup plus simple. Comme si de rien n'était, on a quitté les églises pour se plonger dans les magasins. On appelle ça la Révolution tranquille. Et tranquillement aussi, les familles s'écroulent. Sur leurs ruines, des milliers et des milliers d'enfants sans parents,
15 de parents sans enfants, de maris sans femme, de femmes sans mari, d'individus seuls avec chien ou chat. Ce phénomène, encore curieux en Chine, est devenu ici un mode de vie. On voulait la liberté. On l'a presque obtenue, au moins en ce qui concerne les relations sexuelles. Cette liberté me semble visible sur le front des habitants. Elle est là, dans les rues, sur les terrasses, au
20 fond des bars, derrière les rideaux des fenêtres, partout. Hommes, femmes et enfants, ils avancent et se croisent tout le temps, rapides comme le vent et solitaires comme les étrangers, la liberté luisante collée au front, laquelle rend leur visage pâle comme la neige.

Il m'arrive parfois d'avoir peur de devenir comme eux.

Les lettres chinoises, © Leméac, 1993.

1. Comparez les deux révolutions dont parle l'auteure.

2. Comment l'origine de la narratrice lui permet-elle de poser un regard différent sur le Québec ?

3. Pourrait-on parler ici de critique sociale ?

4. En quoi la dernière phrase exprime-t-elle le drame de l'émigration ?

Ying Chen (née en 1961)

Il y a des écrivains qui décrivent un phénomène à la surface. Moi je creuse l'intérieur des choses.

Née à Shanghai, Ying Chen quitte la Chine en 1989. Elle avoue être débarquée à Montréal à peine capable de soutenir une conversation en français. Pourtant, en 1995, elle a déjà publié trois ouvrages, dont l'un est finaliste pour le prestigieux prix Femina. Ses romans, où elle mélange savamment des bribes de son passé shanghaïen avec les nouvelles réalités québécoises, et son style aux phrases courtes, cinglantes et justes, ne laissent aucun lecteur indifférent.

Dans son second, un roman épistolaire, *Les lettres chinoises* (1993), des Chinois en exil à Montréal et d'autres restés dans leur patrie s'échangent des lettres. S'y confrontent les cultures chinoise et nord-américaine.

Au plaisir de lire
- *La mémoire de l'eau*
- *L'ingratitude*
- *Le mangeur*

**Sylvain Trudel
(né en 1963)**

*Si la religion répond
au besoin de peupler
le néant qui suit
la vie, la mythologie
peuple ce qui
l'a précédée.*

À propos de la parution du recueil de nouvelles *La mer de
la tranquillité* (2006) de Sylvain
Trudel, le journal *Le Monde* salue
une écriture « d'une grande lucidité poétique [qui] le place dans
la lignée des enchanteurs, celle
de Réjean Ducharme » (10 novembre 2006). Mais, dès 1986,
l'exceptionnelle richesse de cette
langue savait déjà composer avec
une vision du monde particulièrement décapante pour produire
un émouvant roman, *Le souffle
de l'Harmattan*. Ce récit peint la
complicité entre un jeune Africain
adopté par des parents québécois,
Habéké Axoum, et un jeune Québécois adopté lui aussi, Hugues
Francœur, le narrateur du récit. Se
sentant incompris par les adultes,
les deux enfants se réfugient dans
la complicité de leurs rêves. Le seul
« adultère » (leur mot pour désigner une personne d'âge adulte)
qu'ils estiment digne d'intérêt est
un frère d'exil, Soljenitsyne, présent dans le roman. Avec naïveté
et fraîcheur, l'extrait confronte deux
mondes.

C'est ainsi qu'un ami est tombé du ciel

Si Habéké est parvenu jusqu'à moi dans la vie, c'est grâce à l'eau pure qu'il a inventée pour survivre. Dans ce temps-là dont je parle, Habéké était haut comme trois crêpes de blé noir, mais il savait déjà créer de l'eau de son cru quand le soleil calcinait l'Afrique et que les Africains s'éteignaient par
5 milliers. Une armée de caméras filmait tout ça naturellement parce que c'était un horrible spectacle.

Plus tard, Habéké me parlerait parfois de Tana, sa sœur, avec sa voix grave et tout étranglée.

« Tana était tellement fatiguée qu'à la fin elle n'avait même plus la force de
10 fermer les yeux. Elle est restée comme ça, des heures sans cligner sous les mouches, puis on a dû les fermer pour elle, ses yeux. On a pleuré, mais sans larmes, parce que nos yeux à nous n'avaient plus assez d'eau pour en fabriquer. »

En ce lointain soir-là, Habéké s'est hissé au sommet d'une colline, car il
15 connaissait cet insecte incroyable qui s'expose au vent nocturne qui souffle de la mer à l'est. Le jour c'est pas la peine d'espérer parce que le vent vient du désert, mais le soir, le voici chargé d'humidité, comme une haleine parfumée, et, quand ce vent glisse sur la carapace chaude de l'insecte, il y dépose une rosée. Au bout d'une heure ou deux, une précieuse gouttelette dévale la cara-
20 pace jusqu'à la bouche, et l'insecte boit enfin. Habéké a survécu comme ça, en se couchant sur le ventre et en offrant sa tête aux vents miraculeux du soir. L'eau se condensait lentement dans ses cheveux frisés, jusqu'à former des ruisseaux minuscules qui coulaient sur ses joues pour arroser le lac desséché de sa bouche. Habéké a bien tenté d'expliquer l'insecte à sa famille,
25 mais personne ne voulait croire ses enfantillages. Et voilà comment le manque de croyances les a tous fait mourir de soif. Mais la guerre non plus ne les a pas aidés, faut dire, parce que oui il y avait une guerre d'hommes là-bas qui s'ajoutait à la sécheresse de Dieu, et la guerre n'a jamais aidé les petites gens du bas peuple, rien que les grands seigneurs des hautes couches.
30 Et les explosions étaient si épouvantables sur les lignes de feu que même les anges gardiens avaient fui à tire-d'aile dans les nuages avec tous les oiseaux du pays pour abandonner les enfants dans la misère de chien. Heureusement qu'il y avait ici et là des gens courageux qui se désâmaient pour la multitude, et pas que des femmelettes comme les anges aux ailes de poules mouillées,
35 mais des personnes idéalisées qui voulaient vraiment sauver le monde, et, des semaines plus tard, des coopératifs internationaux remplis d'intentions ont exporté Habéké outre-mer, avec des certificats tamponnés et des titres de propriété, et c'est ainsi qu'un ami est tombé du ciel dans le matériel, ici même, comme un cheveu sur la soupe, dans la paix et l'abondance.

Le souffle de l'Harmattan (1997, 2ᵉ édition revue), © Éditions Typo et Sylvain Trudel, 2001.

1. Quelle est la tonalité dominante ?

2. Quels passages expriment la fraîcheur du jeune Habéké ?

3. De quelle manière est décrite la maturité du jeune narrateur ?

4. Pouvez-vous trouver des points en commun entre cet extrait et le poème de Marco Micone (page 238) ?

Gilgamesh, ayant appuyé son menton sur son genou, de sommeil, qui se déverse sur les hommes Tomba sur lui.

G IV, 3.

Épopée de Gilgamesh, IV-3,
Huguette Larochelle, 1995.

**Yann Martel
(né en 1963)**

Je voulais une histoire qui n'était presque pas croyable. Pas impossible, mais difficile à croire. Parce que pour moi, c'est cela, la religion.

Fils d'un père poète et diplomate, Yann Martel a beaucoup voyagé à travers le monde, ce qui explique le fait qu'il a appris à lire et à écrire en anglais, et qu'il rédige ses récits en anglais avant de les faire traduire, même si le français est sa langue maternelle. Lors de la parution de son premier ouvrage, un recueil de nouvelles intitulé *Paul en Finlande* (1994), le quotidien français *L'Humanité* a écrit de l'auteur qu'il était « le plus grand écrivain vivant ». Son troisième ouvrage, *Life of Pi*, lui a valu la plus haute distinction littéraire britannique, le Booker Prize 2002. Depuis, ce roman, qui s'est vendu à plus de 2,5 millions d'exemplaires de par le monde, a été traduit en 41 langues et est l'objet d'un film. Comment trouver plus grand témoignage de l'ouverture sur le monde de la littérature québécoise actuelle ? On doit la traduction française de ce roman, *L'histoire de Pi* (2003), à Nicole et Émile Martel, les parents du romancier.

(suite à la page suivante)

Braquer la lumière des mots

Je dois dire un mot sur la peur. C'est le seul adversaire réel de la vie. Il n'y a que la peur qui puisse vaincre la vie. C'est une ennemie habile et perfide, et je le sais bien. Elle n'a aucune décence, ne respecte ni lois ni conventions, ne manifeste aucune clémence. Elle attaque votre point le plus faible, qu'elle
5 trouve avec une facilité déconcertante. Elle naît d'abord et invariablement dans votre esprit. Un moment vous vous sentez calme, en plein contrôle, heureux. Puis la peur, déguisée en léger doute, s'immisce dans votre pensée comme un espion. Ce léger doute rencontre l'incrédulité et celle-ci tente de le repousser. Mais l'incrédulité est un simple fantassin. Le doute s'en débar-
10 rasse sans se donner de mal. Vous devenez inquiet. La raison vient à votre rescousse. Vous êtes rassuré. La raison dispose de tous les instruments de pointe de la technologie moderne. Mais, à votre surprise et malgré des tactiques supérieures et un nombre impressionnant de victoires, la raison est mise K.-O. Vous sentez que vous vous affaiblissez, que vous hésitez. Votre
15 inquiétude devient frayeur.

Ensuite, la peur se tourne vers votre corps, qui sent déjà que quelque chose de terrible et de mauvais est en train de survenir. Déjà, votre souffle s'est envolé comme un oiseau et votre cran a fui en rampant comme un serpent. Maintenant, vous avez la langue qui s'affale comme un opossum, tandis que
20 votre mâchoire commence à galoper sur place. Vos oreilles n'entendent plus. Vos muscles se mettent à trembler comme si vous aviez la malaria et vos genoux à frémir comme si vous dansiez. Votre cœur pompe follement, tandis que votre sphincter se relâche. Il en va ainsi de tout le reste de votre corps. Chaque partie de vous, à sa manière, perd ses moyens. Il n'y a que vos yeux à
25 bien fonctionner. Ils prêtent toujours pleine attention à la peur.

Vous prenez rapidement des décisions irréfléchies. Vous abandonnez vos derniers alliés : l'espoir et la confiance. Voilà que vous vous êtes défait vous-même. La peur, qui n'est qu'une impression, a triomphé de vous.

Cette expérience est difficile à exprimer. Car la peur, la véritable peur,
30 celle qui vous ébranle jusqu'au plus profond de vous, celle que vous ressentez au moment où vous êtes face à votre destin final, se blottit insidieusement dans votre mémoire, comme une gangrène : elle cherche à tout pourrir, même les mots pour parler d'elle. Vous devez donc vous battre très fort pour l'appeler par son nom. Il faut que vous luttiez durement pour braquer la
35 lumière des mots sur elle. Car si vous ne le faites pas, si la peur devient une noirceur indicible que vous évitez, que vous parvenez peut-être même à oublier, vous vous exposez à d'autres attaques de peur parce que vous n'aurez jamais réellement bataillé contre l'ennemi qui vous a défait.

C'est Richard Parker qui m'a rasséréné. C'est l'ironie de cette histoire que
40 celui qui au départ me donnait une peur bleue fut celui-là même qui m'amena la paix, la détermination, et je dirais même la plénitude d'exister.

L'histoire de Pi, © XYZ éditeur, 2003.

1. Qu'est-ce qui est l'objet d'une personnification ? Expliquez avec précision votre réponse.

2. Cet extrait peut être vu comme une allégorie. Prouvez-le.

3. Étudiez la dernière phrase. Selon vous, comment un tel retournement est-il possible ?

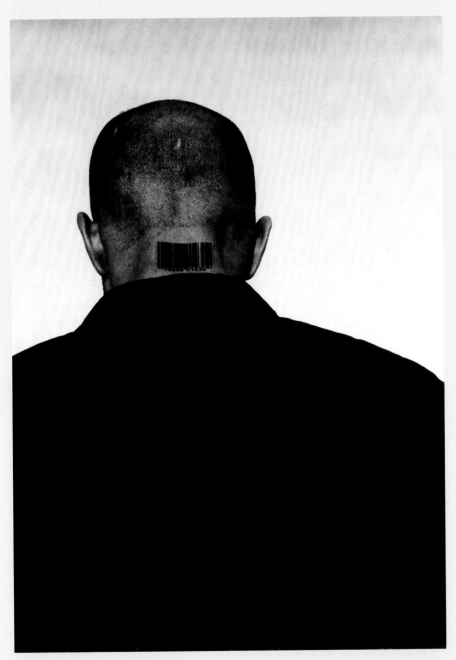

L'homme générique, Jana Sterbak, 1989.
Musée national des beaux-arts du Québec, 91.12.

(suite)

Pi, le narrateur, que l'on retrouve à l'âge mûr docteur en théologie et en zoologie d'une université torontoise, raconte la vie d'un adolescent indien de 16 ans, à la fois hindou, catholique et musulman, Piscine Molitor Patel qui, en compagnie de sa famille, émigre au Canada. Mais seul survivant d'un naufrage qui a fait périr sa famille, le garçon vogue à la dérive au milieu du Pacifique durant 227 jours à bord d'une chaloupe de sauvetage et en compagnie d'un énorme tigre affamé qui répond au nom de Richard Parker, pour finalement gagner les rives du Mexique. Ce conte philosophique et spirituel contemporain qui unit les continents, les langues et les religions pose des questions cruciales sur le sens de la vie. Avec son style imagé et clair ainsi que son extraordinaire talent de conteur, Yann Martel amène le lecteur à croire au plus improbable.

Au plaisir de lire

• *Paul en Finlande*

Guillaume Vigneault
(né en 1970)

On peut faire 25 livres avec cinq minutes de souffrance.

Voix d'une nouvelle génération, dès son premier roman, Guillaume Vigneault montre un écrivain en pleine maîtrise de ses moyens. Dans ce roman, *Carnets de naufrage* (2000), campé dans une réalité proche de l'auteur, Alexandre, un Montréalais de 27 ans, raconte six mois de sa vie. Pour survivre au départ de Marlène qui l'a quitté pour son meilleur ami, il fuit dans le Sud, espérant y trouver un baume à sa crise existentielle. Consolé par Camille puis Katarina, il rencontre des hommes qui lui permettent de se reconstituer puis d'effectuer une lente remontée vers la lumière. En particulier Bernard, qui vit en solitaire sur un voilier. Un récit d'apprentissage qui mène à mieux se comprendre pour mieux saisir les autres. L'humour désamorce ici tout sentimentalisme.

Au plaisir de lire

• *Chercher le vent*

KATARINA AVAIT UN GOÛT D'AGRUME

Katarina avait un goût d'agrume. Pelure d'orange. Acide d'abord, puis une âcreté lumineuse et un sucre subtil, un murmure. Et des cheveux fins, comme ceux d'un bébé. Son épaule frappe le carrelage et laisse un cerne humide, imperceptible sur la tuile blanche. L'aube bleuit lentement les
5 ombres, par la petite fenêtre. Un filet de voix à peine audible se mêle à son souffle. Souffle chaud, dans mon cou. Le tatouage sur son bras, comme une marque au fer rouge sur la peau d'un ange. Symbole celtique de guerrier. Elle mord, au hasard, la première chair à sa portée. Je serre les dents, la douleur est étincelante. Je tire ses cheveux, l'embrasse, et le sang sur ses
10 lèvres ; petite haine animale au creux du ventre. Elle détourne son visage, elle est à mille lieues de moi. Remonte sa jupe, se bat contre les étoffes délicates. Je la prends en sauvage, sans douceur, d'un coup, lui fais mal. Ses ongles dans les flancs. C'est de bonne guerre. Me braque ses yeux jusqu'au fond du crâne, deux billes noires, noires comme l'intérieur d'un canon de revolver.
15 *Fuck me ? Fuck YOU*, comme dit Pacino dans la moitié de ses films. Je bouge doucement en elle et sa moue défiante s'évanouit, sa lèvre frémit et son regard s'embrume, s'adoucit, chavire, mais je ne perds rien pour attendre. Et comme lorsqu'elle danse, sa conscience se dissout lentement, se disperse en elle puis se loge, mouvante, en son ventre. J'enfouis mon nez dans le creux
20 de son cou, son souffle comme un océan dans mon oreille. Je suis bien, la douceur est atroce. Une artère palpite contre ma tempe ; l'intérieur de sa cuisse, tendre, fragile, contre ma hanche ; la moiteur de nos peaux épousées et les effluves tièdes qui montent de ce gouffre sulfureux entre nous, et ces doigts qui gravent des sillons brûlants dans ma chair, tout cela m'aspire, me
25 submerge, ma volonté est désarticulée, Katarina me broie, me noie, rugissant comme vague en falaise. La porte s'entrouve puis se referme discrètement. Rien à foutre. Je ne suis pas dans les toilettes d'une discothèque, je suis sur Jupiter, terrassé par une gravité inouïe. Je suis mille mètres sous l'eau, serein alors que mes poumons implosent ; seul aussi. Et dans cette solitude
30 abyssale, l'océan dans mon oreille, le plaisir m'achève comme on abat un cheval brisé.

Carnets de naufrage (2000), © Éditions du Boréal, 2001.

---

1. Dans cet extrait, l'écriture fait appel à tous les sens. Faites l'inventaire des images et classez-les selon les sens sollicités.

2. Quel est l'effet produit par les phrases sans verbe ou sans sujet grammatical ?

3. Dans cet extrait, le ton oscille entre poésie et prosaïsme. Prouvez-le.

JUTUTO

Dès le premier verre de vin, l'étudiante modèle se transforme en une redoutable polémiste. En moins de temps qu'il n'en faut pour décortiquer une crevette, elle prend le contrôle de la situation. Parfaitement à son aise dans le chaos familial, elle anime un débat enflammé sur l'avenir politique
5 des Caraïbes. Autour de la table, les convives haussent le ton, brandissent l'index, se lancent des carapaces de crustacés.

Le souper est déjà passablement houleux lorsque, au moment de déboucher la première bouteille de rhum, elle sème la controverse au sujet du mot *jututo*. Le terme qui, pendant des années, a désigné cette rencontre
10 dominicale sans jamais déranger personne, se transforme soudain en pomme de discorde. Tout semble matière à controverse, à commencer par la prononciation du mot : cousin Javier affirme que dans son village on prononce *f*ututo, cousin Miguel prétend que chez les Garifunas du Belize on dit *b*ututo et Arizna explique que dans les pays andins on parle plutôt de *p*ututo.

15 Faisant fi de la phonétique, on essaie de s'entendre sur la nature de l'objet lui-même. La plupart des convives affirment qu'un j(f/p/b)ututo est une trompette taillée dans un gros coquillage (de la famille *strombus*, précise Arizna), mais le cousin Jorge soutient mordicus qu'il s'agit d'une corne de bœuf, et Pedro ajoute que l'un de ses voisins utilisait une vulgaire bouteille
20 de Brugal au cul défoncé — procédé qu'il démontrerait sur-le-champ si la tablée entière ne s'empressait de l'en empêcher.

Reste à savoir — demande Arizna dans le dessein manifeste de battre le débat pendant qu'il est chaud — quel est le rapport entre une réunion dominicale de cousins et une trompette (fut-elle constituée d'un coquillage,
25 d'une corne ou d'une bouteille de rhum). Cousine Gina prétend que ladite trompette servait jadis à sonner les rassemblements villageois — d'où la métonymie — mais cette information ne fait pas davantage l'unanimité, et on discute bientôt des mille et un usages possibles du jututo, chaque argument étant appuyé d'une généreuse rasade de rhum.

30 Une fois le souper terminé, Arizna se cantonne dans la cuisine, apparemment indifférente à la musique, à la danse et aux cocktails tropicaux qui circulent dans le salon. Attablée avec quatre cousins et une bouteille au contenu trouble, elle discute politique. Uppercut, savate, crochet, elle démonte les arguments avec aisance, contredit les analyses les plus complexes, affirme
35 l'inattendu et prouve son contraire. Lorsqu'un cousin abdique, un autre prend le relais — comme si Arizna, seule contre une multitude d'opposants, régnait sur un ring délimité par la nappe à motif de poissons.

— Dis donc, fait Maelo en passant à côté de Noah, elle est pimentée, ta copine ! Tu l'as pêchée dans une école de kung-fu ?

40 — Non, rétorque Noah en souriant. Au cinquième étage de la bibliothèque.

Nikolski, © Éditions Alto, 2005.

Nicolas Dickner (né en 1972)

Au-delà de la mécanique, il y a l'art ancien de raconter une histoire.

Après avoir publié un premier recueil de nouvelles en 2000 et avoir tenu longtemps un journal écrit sur Internet, Nicolas Dickner signe un captivant premier roman, *Nikolski* (2005), qui lui a valu trois prix littéraires, dont le Prix des collégiens en 2006 ; l'auteur avoue que son récit a nécessité huit versions et quatre ans de travail. Une intrigue convaincante enchevêtre habilement les destinées de trois personnages partis à la quête de leurs origines. Des aventures saugrenues attendent le lecteur, qui sera transporté à différents endroits du Québec, en Amérique du Sud ainsi que dans l'Ouest canadien. Cette histoire intelligemment menée témoigne d'une imagination furibonde. Dans l'extrait présenté ici, Arizna, un des personnages du roman, arrive en retard à un *jututo*, terme utilisé par les membres de sa famille pour désigner leur rencontre dominicale.

---

1. Relevez les manifestations du talent de « redoutable polémiste » d'Arizna.

2. Expliquez la métonymie de Cousine Gina, dont parle le narrateur.

3. Quels sont les éléments qui créent le comique de cette scène ?

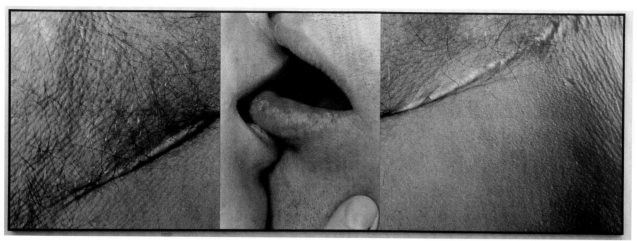

La fêlure, au chœur des corps, Geneviève Cadieux, 1990. Collection du Musée national des beaux-arts du Québec, 91.02.

Le théâtre

Après l'ère des Gélinas, Dubé, Loranger et Tremblay, on note la fin du dramaturge unique qui canalise toute une époque. L'écriture théâtrale est maintenant plurielle, le seul point que les dramaturges semblent avoir en commun étant d'aller dans des directions opposées. À côté du théâtre à texte, certains dramaturges expérimentent de nouvelles voies qui font appel aux ressources de notre ère technologique.

Le théâtre à texte

Théâtre de brassage d'idées autant que de cultures, le théâtre à texte ménage une place privilégiée aux marginaux et à la description de leur territoire intérieur ; il s'attarde à décrire le désarroi amoureux, à dire la souffrance des ruptures autant que la lassitude des frissons passagers. C'est aussi l'occasion de la floraison de ce qui est sans doute le seul théâtre véritablement engagé à teneur socioculturelle, le théâtre gay. Cette période est surtout caractérisée par un grand éclectisme, même si à la base se trouvent toujours l'impuissance de vivre et la difficulté de communiquer.

Ce drame est particulièrement ressenti par les enfants des baby-boomers, qui constatent que leur génération a été menée à un cul-de-sac, le désir même ayant été évacué. Hésitant entre le cynisme et le burlesque, le vulgaire et le désarroi, ces jeunes qui n'ont rien à attendre ni rien à perdre se vautrent dans l'opulence qui compose le vide. Dans des tranches de vie hyperréalistes, on les voit remettre en question toutes les figures d'autorité, se plaire à bousculer et à déranger. Ils se proposent de faire éclater les limitations de toutes sortes et de dégourdir une société aseptisée. Dénonçant une société de consommation, que la logique et la conscience ont été contraintes de déserter, ils illustrent la régression des comportements humains. La condition humaine y paraît gangrenée par l'illusoire et la suffisance. Cette société matérialiste caractérisée par le vide existentiel est mise en évidence par le théâtre de l'absurde, celui de l'âme morte.

Pendant que les dramaturges québécois, comme on l'a vu chez les romanciers, s'ouvrent sur l'ailleurs en y plantant, de plus en plus nombreux, le décor de leurs pièces, les écrivains néo-québécois, après des débuts qui se firent attendre, investissent toujours davantage ce genre littéraire immédiatement efficace, apte à actualiser les causes les plus abstraites. Malgré leur faible nombre, plusieurs arrivent néanmoins à toucher un large public, qui se reconnaît dans les rêves de leurs personnages, eux qui croient pourtant fréquemment habiter un monde sans rêves. Citons les Marco Micone, Pan Bouyoucas, Abla Farhoud et, surtout, Wajdi Mouawad, peut-être la plus belle promesse de tout le théâtre québécois.

L'INTELLECTUELLE DE LA GANG

Si ç'avait pas été pour les cours d'espagnol, je serais pas restée longtemps au cégep. Mais même avec ça, une année c't'assez. Y a tellement de chômage, ça sert à rien de s'instruire. Les chômeurs instruits, c'est connu, sont beaucoup plus malheureux que les chômeurs qui sont pas instruits. Moi, je veux pas être malheureuse. En septembre, quand je vas m'inscrire aux cours du soir, je vas prendre deux cours d'espagnol. Ça me fera quatre langues. Avec quatre langues, je peux me marier sans crainte. Si Johnny connaissait quatre langues, j'suis sûre qu'i' aurait moins peur de se marier. L'anglais et le français, j'és ai appris à l'école bilingue. À l'école bilingue française. C'est pour ça que je parle le français naturel. Je réfléchis même pas quand je parle. C'est la seule école bilingue française de Montréal. Mais les bonnes sœurs étaient tellement dures qu'on pouvait presque rien faire. Défense de parler dans les corridors. Défense de sortir de la cour à midi. Défense de mâcher de la gomme. Défense même de rester trop longtemps dans les toilettes : une minute pour le pipi, pas plus. La bonne sœur qui surveillait les toilettes, on l'appelait la « merdeuse ».

Elle rit.

C'est moi qui lui avais trouvé ce nom-là. Défense de ci... défense de ça... C'est pas pour rien que l'école s'appelle Notre-Dame-de-la-Défense. À St-Léonard, y a déjà eu des écoles bilingues anglaises pour les Italiens, mais ç'a pas marché. I' se sont aperçus que c'est pas nécessaire d'enseigner les deux langues à l'école parce que les Italiens apprennent déjà le français dans la rue. Et la rue, pour apprendre le français, c'est pas pire que l'école. C'est la même chose pour l'italien. On a pas besoin de l'étudier : on a ça dans le sang. Pour nous les Italiens, l'école est presque pas utile. Tous mes amis ont lâché ça le plus vite possible. Moi, j'passe pour l'intellectuelle de la gang. Johnny, lui, a même pas terminé sa dixième année. Quand on est intelligent comme lui... on s'ennuie toujours à l'école.

L'éclairage ainsi que sa posture changent.

Exubérante, et enchaînant rapidement.

Moi, je m'ennuie jamais. Je m'ennuie jamais avec mes quatre langues. J'peux parler l'anglais le lundi, le français le mardi, l'italien le mercredi, l'espagnol le jeudi et les quatre à la fois le vendredi.

Grave.

La fin de semaine je parle pas parce que mon père est là.

Addolorata, © Marco Micone, 1984.

---

1. Selon Addolorata, que lui apporte l'apprentissage des langues ?

2. Relevez les affirmations qui vous semblent discutables.

3. Quelle est la tonalité dominante de cet extrait ?

4. Qu'apprend-on ici sur la multiethnicité de Montréal ?

5. Est-on en présence d'une question surtout linguistique ou sociale ?

6. Une jeune Québécoise dite « de souche » pourrait-elle exprimer des propos semblables ?

Marco Micone
(né en 1945)

Les grandes œuvres littéraires le prouvent de manière éclatante : au-delà des clivages, elles mettent à nu un noyau de désirs et d'angoisses, de rêves et de doutes enfoui en chacune de nos singularités.

Le théâtre de responsabilité sociale qu'est celui de Marco Micone rappelle que, pour l'exilé, le recouvrement de l'identité doit passer par un dialogue avec l'autre et sa différence. Cet appel à l'intégration des Italiens à la société québécoise n'a pas manqué de soulever certaines controverses entre le dramaturge et les leaders pro-canadiens de sa communauté. *Addolorata*, pièce créée en 1983 et reprise sous une forme renouvelée en 1996, décrit la désillusion d'une jeune Italienne qui croit choisir la liberté dans le mariage alors qu'en réalité elle ne désire qu'échapper à l'autorité paternelle et patriarcale. Addolorata réfléchit ici naïvement sur l'apport de la connaissance des langues.

Au plaisir de lire

• *Gens du silence*
• *Déjà l'agonie*

Abla Farhoud
(née en 1945)

J'ai emprunté une langue et j'ai prêté mon âme. J'ai vécu entre le déchirement de la mémoire et le déchirement de l'oubli.

D'origine libanaise, Abla Farhoud a émigré au Canada en 1951. Elle retournera dans son pays d'origine, s'installera ensuite à Paris, mais reviendra définitivement au Québec en 1973. Romancière et dramaturge, elle excelle à questionner le bonheur et la finalité de l'existence, et plonge au cœur des êtres pour en révéler les failles secrètes et l'immense solitude à laquelle chacun tente d'échapper dans sa quête du bonheur. Elle a écrit dix pièces dont *Apatride* (1993). Dans leur pays détruit par de nombreuses années de guerre, un homme et une femme, séparés par l'exil, se retrouvent, quarante ans après s'être quittés, au cœur de leur histoire d'amour. Le théâtre d'Abla Farhoud est joué au Québec, aux États-Unis, en France et en Belgique.

Au plaisir de lire

- *Le bonheur a la guerre glissante*
- *Splendide solitude*
- *Le fou d'Omar*

MON PAYS N'EST PAS UNE TERRE

WALID. Arrête de t'en faire accroire ! Ce n'est pas moi que tu aimes, c'est celui qui est dans ta tête.

SAWDA. Celui qui est dans ma tête est juste là devant moi.

WALID. C'est un homme fini qui est devant toi, un vieux ressort rouillé,
5 cassé, qui ne rebondit plus. Le jeune homme que tu as aimé n'existe plus. Il est descendu de la montagne pour la dernière fois, il y a 40 ans, il a suivi ses parents, sans dire un mot. L'amour est une montagne à escalader. Sawda, j'ai dérapé, la mort m'a eu, j'ai glissé tout droit dans la vie de mon père ! Ce n'est pas toi que j'ai reniée, Sawda, ce n'est pas toi que j'ai quittée, Sawda, j'ai quitté
10 ma propre vie, MA vie, celle que j'aurais voulu vivre, que j'aurais dû vivre.

(un temps) Ce n'est pas moi que tu aimes, tu aimes un mort.

SAWDA. Non Walid, ce jeune homme vit en toi. Il est toi.

VOIX DU SOLDAT *(en langue éwé)* Hé miawoé ! mi nazo la fima ! Afokou la fisia, ékou bé nya yé. Ameyi woé la si kan, ékan wo !

15 *(un silence)*

WALID. Et toi, tu les as revues, tes montagnes ?

SAWDA. Non. J'ai vu beaucoup de montagnes depuis, ailleurs, aussi belles, sinon plus. J'aime les montagnes.

WALID. Toutes les montagnes ne sont pas tes montagnes...

20 SAWDA. Tout ce que je regarde et que je trouve beau, tout ce que j'aime est à moi dans l'instant où je le regarde et que je le trouve beau et que je l'aime. Mon pays n'est pas une terre, Walid, ni une montagne, mon pays... c'est ce corps qui a fait le chemin avec moi, qui souffre quand je souffre, qui rit quand je ris, qui jouit quand je jouis. Il a mal aux os quand j'ai mal, il perd
25 ses dents quand je les perds. Nous vieillissons ensemble, nous mourrons ensemble en emportant ce que nous avons vécu, en ne laissant aucune terre en héritage ou peut-être toutes les terres... Tout ce que j'ai vécu sur MES montagnes, comme tu dis, est dans ma tête, dans mon corps, dans mes poumons, inscrit dans la plante de mes pieds. Ce que j'y ai vécu avec toi,
30 avant toi et même après, je le porte, je l'apporte, partout où je vais. J'ai poussé dans une lisière, j'ai migré en naissant, et c'est dans cet espace-là que je vaque, que je me promène, que j'apprends, entre l'ancrage et l'errance. Cette lisière sans nom aurait pu me tuer, c'est vrai, elle m'a donné peu à peu la liberté d'apprendre la vie dans son état le plus brut, le plus primaire, elle
35 m'a forcée à devenir de moins en moins ce que je ne suis pas. J'ai longtemps marché pieds nus, ça aide. C'est toujours pieds nus que je rêve, que je pense, que je me questionne, que j'aime.

WALID. Tout a l'air si simple pour toi.

SAWDA. Simple ? ! C'est un travail de chaque instant ! La vie c'est un corps
40 à corps quotidien avec la mort, une montagne à escalader, tu viens de le dire, et j'ai souvent, moi aussi, glissé vers la mort, mais la vie m'a toujours rattrapée... Est-ce que l'on peut avancer les deux pieds collés au sol, dis-moi ? !

Apatride, © Abla Farhoud, 1993.

1. En quoi l'errance devient-elle une richesse ?

2. Comparez la personnalité des deux personnages : quelle est leur vision du monde ?

3. Comment Sawda s'approprie-t-elle le réel ?

4. Que demande-t-on au théâtre ici ?

Caravane, Jaber Lutfi, 2005.

**Pol Pelletier
(née en 1947)**

*Une vraie émotion,
c'est toute ta vie
biologique qui crie.*

Cas exceptionnel de théâtre essentiellement autobiographique, Pol Pelletier, une pionnière du théâtre expérimental au Québec, met en scène sa propre vie et ses émotions les plus intimes. Pour cette dramaturge vraiment atypique, le théâtre a davantage à offrir qu'un simple divertissement : il doit être branché viscéralement sur la vie, donc sur le sacré. Ce dont témoignent ses trois spectacles solos : *Joie* (1992), *Océan* (1995) et *Or* (1997). Cette trilogie livre aux spectateurs le souvenir de ses histoires intimes, en même temps qu'elle arrache à l'oubli la mémoire de sa collectivité. Choisis pour leur charge émotive, les mots parlent au ventre plutôt qu'à l'intellect, rapatriant immanquablement le spectateur au centre de lui-même. *Océan* contient une des scènes les plus émouvantes du théâtre québécois, quand la monologuiste-conteuse fait le bouleversant récit de la mort de sa mère.

MOURIR, C'EST UN FASTE

Vers 3 heures, 4 heures du matin, elle tressaille.
La préparation commence.
Je la sens se préparer.
Elle déplace son visage qui était affaissé sur le côté, elle le redresse peu à peu
5   vers le centre.
Je dis à l'infirmière : « Elle bouge. »
Elle commence à ouvrir les yeux, lentement, péniblement.
Je dis à l'infirmière : « Elle ouvre les yeux. »
Elle fixe un point là-haut, très haut, loin.
10 Dans ses yeux, une volonté.
J'ai peur.
Il est 5 heures du matin.
Ma sœur s'est levée, elle entre dans la pièce,
elle s'approche du lit.
15 Je m'enfonce dans les toilettes, je tombe à genoux sur le plancher des toilettes.
J'entends le cri de ma sœur : « Maman ! »
Je m'élance !
Je hurle : « Réveillez-vous ! »
En deux secondes, nous sommes tous là, agenouillés à côté du lit, à ses côtés,
20 chacun, chacune à notre place, exactement où il faut
pour l'aider, l'entourer, la porter.
Les deux filles plus petites, qui ressemblent à leur mère,
les deux Simard, les petites aux yeux bruns,
près de son visage, de son torse,
25 une de chaque côté.
Les deux Pelletier aux yeux bleus, qui ressemblent à leur père,
mon frère et moi, les deux plus grands, plus costauds,
à la hauteur du bassin,
un de chaque côté.
30 Mon frère est penché sur la main de ma mère, la tête blottie sur sa main,
     il sanglote comme un enfant. C'est la première fois que je le vois pleurer.
     Il a 32 ans.

Les trois filles, elles, regardent leur mère.

Elle fixe un point là-haut, très loin,
35 toute tendue vers cette... chose... là-haut
qui la tire.
Je la vois prendre sa décision.
Elle va partir maintenant, volontairement.
Ses yeux sont énormes, ouverts, exorbités. Sa bouche est ouverte. Ses dents
40   sont sorties. On dirait qu'elle a le mors aux dents !
J'entends un cheval qui galope.
Elle galope.
Elle prend son élan.
Elle galope, elle galope !
45 Nous la soutenons.
Elle s'en va loin en haut.
Elle fixe l'objectif.

Oh que c'est dur !
Oh qu'elle est haute la montagne !
50 Elle grimpe.
Elle grimpe.
C'est insupportable !
Je ferme les yeux. J'ouvre les yeux !
C'est l'acte le plus courageux que j'ai vu de ma vie ! ! !
55 Mourir c'est un acte !
C'est un grand acte !
C'est un faste !
Regarde ! !
Regarde-la ! ! !
60 Ne détourne pas les yeux !...
Sa force et son courage s'enfoncent dans mon crâne et
brûlent !

Les mots !
Pour la première fois de ma vie, les mots sortent direct du cœur, passent
65   pas par la tête.
Les mots comme une explosion, des geysers jaillis direct de la poitrine !

« Je t'aime maman ! » dit ma sœur.
« Je t'aime maman ! » que je dis.
« Merci maman ! » dit ma sœur.
70 « Merci maman ! » que je dis.

Et la plus petite des trois filles :
« En tout cas maman, on va te garder dans notre cœur pour toujours... »
Mon frère ne dit rien, il sanglote, il sanglote.
Et soudain il lève la tête et crie :
75 « Bon voyage ! »

Et crac ! Elle est partie.
J'ai entendu « crac », la rupture, un petit son sec,
l'âme s'est séparée du corps.
Fil... coupé.

Océan, © Pol Pelletier, 1995.

1. Étudiez le rythme et montrez son rôle.

2. Quelle image de la mort est suggérée par Pol Pelletier ?

3. Analysez la structure du monologue.

4. Expliquez le titre de cet extrait.

Marie Laberge
(née en 1950)

*Le roman est une
lettre d'amour et on
ne sait même pas si
le destinataire est
prêt à se faire dire ça.*

Marie Laberge, romancière et dramaturge, excelle à cerner l'âme humaine, jusque dans les régions les
plus ombragées de l'inconscient.
Dans un style simple et direct, elle
met au jour des drames familiaux
où les personnages sont acculés à
la plus totale désespérance. Ainsi,
dans *L'homme gris*, drame psychologique créé en 1984 qui
connaîtra un grand succès à Paris
avant d'être traduit en plusieurs
langues, les spectateurs assistent
au dialogue à une voix entre un
père alcoolique et sa fille murée
dans le mutisme. Inconscient de
l'impact de ses paroles sur sa fille,
le père décrit une fissure intérieure. Les angoisses des personnages trouvent facilement ici leur
écho dans celles des spectateurs.

Au plaisir de lire

- *Jocelyne Trudelle, trouvée
  morte dans ses larmes*
- *C'était avant la guerre à l'Anse
  à Gilles*
- *Oublier*
- *Aurélie, ma sœur*
- *Charlotte, ma sœur*
- *Gabrielle*
- *Adélaïde*
- *Florent*

JAMAIS RIEN VU D'PLUS BEAU

Roland [le père]

J'vas t'dire une affaire, ma Cri-Cri. J'vas t'faire un compliment. Pis pas
rien qu'parce que j'ai dépassé ma barre, là, non, non. J'vas te l'dire parce que
j'pense que ça va t'encourager, que t'as besoin de te l'faire dire après c'qui
vient d't'arriver.

5 *D'un ton très sensuel, très troublant, pas « paternel » pour deux cennes.*

J'ai toujours un image de toi dans ma tête, quand t'avais dix-onze ans. Tu
peux pas savoir comme t'étais belle à c't'âge-là. C'pas mêlant, j'me fatiquais
pas de te r'garder. T'étais plus blonde, plus pâle qu'asteure, presque pas
brune, pis frisée, une vraie p'tite face d'ange. Pis tu commençais à t'former
10 un peu... t'as été d'bonne heure là-d'sus. T'as grandi d'un coup, d'une traite,
ton cou était fin, fin, pis ta belle tite tête avec tes cheveux blonds presque, pis
ton petit air sérieux, pis tes p'tits seins qui commençaient à piquer... j'avais
jamais rien vu d'plus beau. J't'avais jamais trouvée belle de même. Ouain, y a
eu un matin qu'j'ai dit à maman que t'étais déjà une belle jeune fille.
15 J'pouvais pas croire que tu venais de maman. J'pouvais pas croire que, toué
jours, chez nous, dans maison, y avait c'beauté-là, que j'pouvais regarder.
Toi, tu t'en rendais pas compte, mais j'te r'gardais... c'tait ben avant que
j'voye le film, là... *Bilitis*... ben t'as été ma première Bilitis. J'ai jamais été
20 aussi fier de toi. Dans c'temps-là, pour rien au monde j'aurais voulu t'changer
pour un garçon. Tu m'aurais d'mandé n'importe quoi, tu l'aurais eu. Par
chance que tu t'en doutais pas, han, t'en aurais ben profité. Ouain, l'année
d'tes onze ans, c't'encore à ça que j'pense quand j'pense à toi. Ma belle tite
fille de onze ans. Jamais j'aurais voulu que l'temps passe, que ça change.
25 J't'aurais jusse r'gardée là, sans parler, sans t'toucher, jusse te voir de même,
ç'aurait faite mon bonheur.

L'homme gris suivi de *Éva et Évelyne*, © 1984, Productions Marie Laberge inc. Tous droits réservés.

---

1. D'après le niveau de langue, de quel milieu social viennent les personnages ?

2. Pourquoi l'indication scénique (ou didascalie) est-elle importante ici ?

3. Étudiez la description de la fille par le père : quel malaise en découle ?

4. Quels mots suggèrent le changement de perception dans le regard du père ?

5. Comment la psychologie des personnages est-elle rendue ?

Eh ben cout' donc !

GEORGES
Salut le grand !...
Bernard, sans arrêter son sécateur, salue Georges.

BERNARD
5 Ah ben quen ! qu'est-ce tu fais ici ?

GEORGES
Pas grand-chose. (*Temps.*) T'es-tu après couper ta haie ?
Bernard arrête son sécateur.

BERNARD
10 Pas vraiment non. J'a taille un peu. A commençait à avoir l'air pouilleux. J'm'arrange pour qu'a l'aille l'air du monde c't'été, t'sais.

GEORGES
C'est de l'ouvrage pareil.

BERNARD
15 Es-tu fou toé ? J'fais ça pour me détendre. L'herbe ça m'relaxe.

GEORGES
Ouan a fait sa haie !

BERNARD
Bah, t'sais, c't'une haie. Mais eh… j'm'en sers de plus en plus comme une
20 clôture.

GEORGES
J'te comprends ! (*Temps.*) Pis ?

BERNARD
Ah eh…

25 **GEORGES**
Parle-moi de d'ça ! La petite famille va bien ?

BERNARD
J'te remercie… toi-même ?

GEORGES
30 Définitivement. (*Temps.*) Eh monsieur !

BERNARD
Ah ça ! (*Temps.*) Me semble que t'as maigri, toé.

GEORGES
Es-tu fou ? j'ai engraissé de trois livres.

35 **BERNARD**
Me semblait aussi.
Silence. Bernard fait partir son sécateur et coupe le contact rapidement.

GEORGES
Ouan... ça doit faire un bout de temps qu'on s'est vu.

40 **BERNARD**
Mets-en… qu'est-ce t'as faite de bon ?

GEORGES
J't'allé chez Canadian Tire.

**Claude Meunier
(né en 1951)**

Chose certaine, on colle à quelque chose parce que ça marche. Politiquement, on est zéro, la société aussi.

**Louis Saïa
(né en 1950)**

Ces deux auteurs qui partagent un grand sens de la dérision ont écrit de nombreuses pièces en collaboration, dont *Les voisins,* décapante comédie créée en 1980 et reprise de très nombreuses fois. La pièce nous transporte dans une banlieue où la haie obtient plus de soins et d'attention que l'épouse du propriétaire du bungalow, où le matériel a plus de poids que tous les sentiments des gens qui l'habitent. Il ne se passe pratiquement rien dans cette pièce qui montre le trop-plein du vide intérieur et ses débordements; ici, le drame des personnages, des

(suite à la page suivante)

(suite)

êtres égocentriques et bercés par le confort matériel et l'indifférence, chacun enfermé dans sa petite bulle, réside moins dans leurs échanges verbaux que dans leur être même, miroir de leur vacuité intérieure. Par-delà l'humour, manifesté à travers les situations les plus banales, s'impose une tragique mise en évidence de l'indigence aussi bien linguistique qu'intellectuelle. Cette dénonciation des travers de la société québécoise sous le couvert du rire ne manque pas d'affinité avec l'univers du théâtre de l'absurde d'un Ionesco. Un humour qui se consomme au second degré.

BERNARD
45 T'es pas sérieux ?

GEORGES
J'te l'dis.

BERNARD
Eh ben !

50 **GEORGES**
T'aurais dû voir ça toi ! I' t'ont reçu un de ces clous à ciment, mon homme. Ça fait peur…

BERNARD
Eh ben cout' donc !

55 **GEORGES**
Non mais, on fait ben des farces, mais j'te dis que l'ciment de plus en plus, hein.

BERNARD
Qu'est-ce tu veux, mon vieux, le ciment c't'une science comme un autre. À
60 force de chercher i' peuvent pas faire autrement que d'trouver. C'est comme le cancer, c'est rendu qu'i' peuvent opérer des rats avec, pis ça va être notre tour ben vite.

Les voisins, © Leméac, 1982.

1. Quel type d'humour est utilisé ici ?

2. Quels procédés sont employés ?

3. Faites le portrait moral des personnages.

4. Montrez, à l'aide de cette scène, que l'humour peut avoisiner le drame.

5. Selon vous, est-ce que les auteurs avaient des intentions autres que celle de faire rire ?

Scène de la pièce *Les voisins,*
saison 2000-2001.
La Compagnie Jean Duceppe.

IMPOSSIBLE DE SAVOIR OÙ L'ON VA

À cause de la couleur des pluies, on aurait dit les tout premiers instants de l'univers. Ces instants s'écoulaient un à un, sur cette tête anarchique, sur cette tête trouée, entrouverte mais qui allait bientôt s'éteindre, ce cerveau où passaient la vacuité, le soupçon.

5 Impossible de savoir d'où l'on vient. Impossible de savoir où l'on va. Le cerveau de Toni van Saikin regardait la mer à l'infini, diffuse et chaotique, là depuis avant le commencement du monde. Le cerveau de l'ingénieur regardait la mer à l'infini, diffuse et chaotique, là depuis avant l'éclosion de l'homme et de son cerveau.

10 Il n'existait pas, il préexistait, il ne préexistait plus, il existait, cela revient au même quand on regarde l'infini.

Un moment, David et moi avons eu le même sursaut. On aurait juré que la mort allait dire quelque chose, et nous avons eu peur. Vrai, sa mâchoire avait bougé. Pour ma part, j'aurais attendu longtemps. Il voulait peut-être 15 nous révéler un fait qu'il jugeait important qu'on sache, qui sait ? Mais déjà, à cause de ce mouvement, son visage se mit à ressembler à un crâne et, curieusement, en très peu de temps, je dirais en quelques secondes, Toni van Saikin devint comme tous les autres. Son âme était déjà loin, au-dessus de la Mer de Chine.

20 David et moi sommes rentrés. J'étais épuisé. La construction avait subi de graves dommages. L'eau coulait du toit. Je suis monté à l'étage, là où Toni van Saikin entreposait ses choses. J'ai pris sa place, et j'ai trouvé les pages d'une lettre qu'il écrivait depuis son arrivée au Cambodge. J'ai lu ce qui était lisible. L'eau avait effacé plusieurs passages. Toni van Saikin avait une écri-25 ture ferme et résolue. Ces pages se lisaient comme un livre. J'ai relu la lettre plusieurs fois, dans l'ordre où les fragments se suivaient.

Avant de m'endormir pour la longue nuit de l'espoir, j'ai pensé à Huan Chou, ce dieu de l'éclair, mort en transperçant son propre corps, et dont la blessure préfigurait l'endroit où le monde, tel que nous le connaissons, allait 30 prendre sa naissance.

Fragments d'une lettre d'adieu lus par des géologues, © Leméac, 1986.

1. Relevez les différences stylistiques entre les trois premiers paragraphes et le quatrième.

2. Analysez la symbolique de l'eau.

3. Quelle phrase exprime le passage de la vie à la mort ?

4. Par opposition au dialogue, qui met l'accent sur les reparties et l'action, quel but le monologue vise-t-il ?

Normand Chaurette
(né en 1954)

J'écris en ayant en tête l'idée d'une partition musicale.

L'art de Normand Chaurette, dramaturge et romancier, transcende le quotidien. Son univers théâtral, voué à cerner l'insaisissable, aborde les grands thèmes essentiels, comme la folie, l'amour et la mort. Dans *Fragments d'une lettre d'adieu lus par des géologues*, pièce créée en 1987, une commission d'enquête interroge des géologues sur le décès énigmatique d'un homme au cours d'une expédition scientifique au Cambodge. Il s'agit en fait d'un véritable questionnement sur les raisons de vivre et de mourir, où les questions sont bien plus lourdes que les réponses. L'extrait contient une partie du monologue final de l'ingénieur Xu Sojen. Un théâtre d'auteur où l'écriture poétique force le lecteur à descendre en lui-même.

Au plaisir de lire

• *Provincetown Playhouse, juillet 1919, j'avais 19 ans*

• *Fêtes d'automne*

**Larry Tremblay
(né en 1954)**

*Je cherche l'économie,
le mot juste, la pureté
et l'efficacité.*

Dramaturge, metteur en scène, professeur et acteur, Larry Tremblay a vu ses nombreuses productions montées autant à l'étranger qu'au Québec. Habile à porter l'inconscient à la scène, son œuvre théâtrale intensément personnelle fait entendre une véritable dramaturgie de la parole. En 2006, il a fait son entrée dans la prestigieuse collection « Blanche » de Gallimard avec *Piercing*, trois courts récits. L'un d'eux, *La hache*, a été monté à la scène la même année. L'auteur a confié que le génocide du Rwanda est le véritable déclencheur de *La hache* ; le texte, soucieux d'éviter l'écueil événementiel, ne fait toutefois pas mention de cette extermination, lui substituant plutôt la métaphore de vaches abattues par milliers puis carbonisées afin d'éviter la propagation de la maladie de la vache folle.

Après avoir mis le feu à son appartement, un professeur de littérature, personnage tordu en état de crise, se précipite en pleine nuit chez un étudiant pour lui déverser un fleuve de mots sur le potentiel génocidaire des idées exposées dans un travail. Ce texte dense et saisissant se déploie sur un ton fébrile, en confrontant deux générations sur le danger des idéologies extrémistes. On ne peut qu'être frappé par le souffle d'une telle écriture.

DES MILLIONS D'AUTRES SILENCES ASSASSINS

Je suis venu chez toi avec mon troupeau de vaches contaminées pour t'aider à faire ce que tu veux faire, parce qu'il est toujours plus facile de tuer des milliers d'hommes qu'un seul, parce que deux hommes qui se font face finissent immanquablement par se ressembler et alors le doute s'installe et la
5 hache hésite. Aussi regarde-moi comme si j'étais multiple, que je possédais de nombreuses têtes ignobles et que j'avais rien d'un homme conforme à ton image. Et moi je vais cesser de voir en toi la beauté et la jeunesse, et ce sera facile parce que ton silence est si ancien. Il reprend à son compte des millions d'autres silences assassins proférés par des hommes et des femmes
10 beaucoup plus âgés que toi.

C'est l'aube. La nuit est à présent dans ton cœur. Elle a quitté le monde de la pensée libre et s'est réfugiée dans celui des idées assassines. Elle fait le pont avec toutes ces innombrables nuits où la terre s'est gorgée de sang pour recouvrir l'histoire d'un tissu de mensonges. Nous sommes si proches l'un de
15 l'autre. Dans cette chambre. Un battement de cœur à peine nous distingue. Tu l'entends ?

Reprends ta hache et va au bout de ton idée : expérimente ce qu'est de tuer un homme dans la lumière naissante, en connaissance de cause.

Tuer. Un homme ?
20 Je suis une vache malade, contaminée, impure, dangereuse. Tu le penses depuis le début, non ? Il n'y a plus de questions. Tu es sûr de ce que tu penses parce que le plus souvent tu ne penses pas, tu crois, et croire, c'est comme cette hache, ça ne recèle aucune faille, aucun retour en arrière. Tuer pour une idée, voilà de quoi ton silence est plein. Non, je ne suis pas venu t'aider à
25 faire ce que tu veux faire. Non. Je suis venu te défier de la faire…

Je suis ton miroir. À toi de le fracasser si tu crois qu'une idée est un chemin et qu'il faut le suivre jusqu'au bout. Je suis prêt à disparaître dans ton regard. Regarde, je pose ta hache ici. Et moi…

Moi, je cesse de courir.

Piercing, © Éditions Gallimard, 2006.

1. Expliquez la métaphore de la « vache malade, contaminée, impure, dangereuse ».

2. Quelles sont les deux formes de la pensée que le professeur de littérature oppose ?

3. Pourquoi dit-il : « Je suis ton miroir » ?

Au plaisir de lire
• *The Dragonfly of Chicoutimi*
• *Le ventriloque*

TOUT D'UN COUP ON SE NOYAIT

Pis là, quand le verre s'est pété à terre, à c'te seconde-là, j'savais qu'y'avait un move à faire. Qu'on pourrait pus jamais r'sortir de c't'appartement-là comme avant. Pis y fallait pas. Y fallait pas essayer d'faire comme avant. C'qui est vrai, c'est lui qui crie. Qui braille de joie dans mes bras, ent' mes
5 mains. J'tais en même temps comme si on s'noyait, pis en même temps comme quand on a failli s'noyer pis que, d'un coup, c'est fini, on est pus dans l'eau ; on respire pour la première fois. J'tais en train d'me noyer en lui, avec lui. Pis y'avait l'restant du monde. Le contraire de c'qui était en train d'nous arriver. Je l'sais. Je l'sais, qu'la vraie vie, c'est d'êt' capab' de faire l'un pis l'aut'.
10 Je l'sais. Qu'y'a pas rien qu'la beauté. Je l'sais qu'y'a la marde. J'ai payé assez cher pour l'apprend', j'ai pas besoin d'cours là-d'sus. Mais là, j'pensais pas, c'était ça. Ça. Rien qu'ça. Pis ça s'pouvait pas qu'on reste enfermés comme des moines, les stores baissés, à vivre du grand amour. Pis ça s'pouvait pas qu'on r'trouve c'qui s'passait là, queuqu' menutes par mois, en passant l'rest'
15 du temps à négocier avec tout l'monde. Fas que tout c'que j'me rappelle c'est que d'in coup, j'avais l'couteau à steak dans une main. Pis ça s'en v'nait. Ça s'en v'nait. J'me suis senti partir. Par en avant, pis en même temps, par en arrière. Pis exploser. Pis j'ai entendu notre cri. Pis là... Là. Tout d'un coup. On s'noyait. Pis j'entendais encore crier. Pis j'entendais des balounes. Des
20 balounes. Comme dans un milk-shake. Pis là. Là. En même temps y'avait que j'explosais partout, pis j'me noyais, pis j'nous voyais pus jamais r'sortir de chez eux. Jamais nous r'lever. Pis en même temps, j'sentais son sexe, comme un arb', qui explosait. Pis déjà, y'avait pus d'couteau dans ma main. Pis moi j'criais. Pis lui. Lui. Sa gorge saignait. Y v'nait, pis en même temps,
25 son sang r'volait jusque dans les f'nêtres, pis su l'frigidaire. Su l'poêle. Su'a tab'. Pis je l'embrassais partout. Partout. Partout. Su sa blessure. J'buvais son sang. J'm'en mettais partout. Pis lui, y donnait encore des coups. Y s'arquait. Y tremblait. Pareil comme moi.

Being at home with Claude, © Leméac, 1986.

1. Quel rôle joue ici le réalisme du langage ?
2. Étudiez les procédés stylistiques qui créent l'intensité du monologue.
3. Montrez comment le thème de la noyade est essentiel dans ce texte.
4. Quel est le thème dominant de cet extrait ?

René-Daniel Dubois
(né en 1955)

Ce que je veux mettre en scène, c'est non seulement ces deux démons, le démon du charme et le démon de la souffrance, mais je veux mettre en scène le démon lui-même, la férocité de ce monde-là, son côté implacable.

Dramaturge prolifique, René-Daniel Dubois ne ménage jamais ses effets. L'absurde et la folie s'y côtoient pour exprimer la vie et sa part inhérente de tragique. Dans *Being at home with Claude,* pièce créée en 1985 et adaptée au cinéma, le spectateur assiste à l'autopsie d'un acte passionnel : un inspecteur de police interroge un jeune homme qui a tué son amant pendant une relation amoureuse, afin que demeure intact leur amour. Le monologue final, tout en décrivant le geste fatal, dit bien davantage l'ampleur de l'amour. Un personnage à fleur d'émotion exprime ici une passion à l'état brut.

Au plaisir de lire
• *Ne blâmez jamais les Bédouins*

**Michel Marc
Bouchard
(né en 1958)**

*Nous, les dramaturges,
sommes des passeurs.*

Michel Marc Bouchard a déjà écrit plus de 25 pièces. Un univers essentiellement masculin, où les hommes se méfient de la parole autant que de leurs émotions. Dans *Le chemin des passes-dangereuses* (1998), trois frères, devenus étrangers l'un à l'autre, se retrouvent, à la suite d'un accident d'auto, au milieu de débris d'acier et de souvenirs, à l'ombre de la mort. La figure paternelle, un poète assassiné à l'endroit même où ils se trouvent, s'impose ici à leur mémoire.

Au plaisir de lire

• *Les feluettes*
• *Les muses orphelines*
• *Le voyage du couronnement*

DEVENIR COMME LUI UN DISEUX D'INVISIBLE

CARL. La fois du vendredi de la Saint-Jean Baptiste, quand y ont pas voulu le mettre dans les festivités. Y est monté quand même sur la scène, pis y a réussi à beugler au micro. On a encore baissé la tête. Je continue ? C'est quoi ? Le temps ? Les remords ? Les insomnies ? C'est quoi qui vous a rendus
5 amnésiques ? Le bonhomme a été tout d'un coup « upgradé » dans vos mémoires ? Notre sainte mère qui expliquait aux agents du B.S. que si on était dans la misère, c'était parce que son mari était pas né à la bonne place pis à la bonne époque.

VICTOR. Elle disait que le monde d'Alma était pas prêt à entendre l'invisible.

10 AMBROISE. « Le monde d'Alma avait pas d'amour pour le beau. »

CARL. Les autres flows avaient des pères qui disaient rien à' maison, pas plus en semaine qu'aux fêtes, y disaient rien à' job. Ciboire que je les enviais. J'ai tellement, tellement fait rire de moi. On nous appelait les crapets du poète-pêcheur. Les enfants tristes du poète triste. Moi, je nous appelais les profes-
15 sionnels du baissage de tête. À chaque fois qu'y ouvrait la gueule, je me disais : ça y est, y va encore mettre des mots sur tout ! Y va nous faire un poème sur le vagin de meman, sur la fumée des usines, sur la coupe de cheveux de ma nouvelle blonde... Quand y a dérivé dans' rivière, j'ai compris que notre avenir se jouait. Lui disparu, on avait le choix de faire ce qu'on voulait de nos
20 vies. Devenir comme lui, un diseux d'invisible, un ciboire de pelleteux de nuages qui hallucinait au lieu de se bouger le cul. Devenir comme toi, Victor, du monde qui restent icitte pis qu'y attendent le messie du travail, le messie de l'argent, le messie du nouveau pays en enjolivant le bon vieux temps. Devenir comme toi, Ambroise, un encourageux d'artistes, un snob qui vomit
25 son malheur sur les autres. On a eu le choix. Ambroise, je le sais que j'travaille pas pour ce que j'ai étudié, mais mon pain, je le dois pas à l'assistance publique. J'ai le secret du bonheur ! Je dors bien, je mange bien pis y m'arrive d'avoir du plaisir !

AMBROISE. On l'a laissé mourir.

30 CARL. Y est tombé à l'eau pis y s'est noyé. La mort d'un ivrogne griffonneux de rimes à cinq cennes dont tout le monde se moquait.

VICTOR. On l'a tué, Carl.

CARL. Si jamais un de nous autres l'avait rattrapé, le père se serait accroché à lui pis y y serait passé avec lui. Je me mariais, aujourd'hui ! J'imagine que ça
35 veut rien dire pour vous autres ? C'est plus important de se rappeler le jour oùsque vos vies se sont arrêtées que de célébrer l'avenir de votre frère ?

Le chemin des passes-dangereuses, © Leméac, 1998.

1. Comment s'exprime le différend entre Carl et ses deux frères ?

2. Relevez les termes dépréciatifs.

3. Comment peut-on expliquer la haine de Carl pour la poésie ?

4. Montrez les destins opposés des trois frères.

Ce silence-là va finir par m'avaler

BLANCHE. C'est fini, là. Ça fait une heure et quart que c'est fini. T'étais écœurante, mais c'est fini, là. Décroche.

LUCE. J'ai été fausse du début jusqu'à fin. J'en ai le bobo existentiel plein de pus.

BLANCHE. Voyons donc, Luce, voyons donc !

5 LUCE. J'ai pus rien à leur donner, Blanche. Je me sens comme une étudiante d'université qui vient de finir son cinquième doctorat pis qui sait toujours pas où a s'en va.

BLANCHE. (*Ramassant les fleurs.*) Le public a été debout les trente soirs, on aurait pu continuer toute l'hiver si t'avais voulu.

10 LUCE. Je peux pus continuer, Blanche, chu vidée.

BLANCHE. C'est pas toi, c'est elle qui vient de mourir.

LUCE. Écoute ! Écoute le théâtre ! L'entends-tu ? C'est le dernier morceau de mon âme qui s'envole avec elle.

BLANCHE. Ben non ! C'est des pigeons. Sont pognés dans le toit. On les
15 entendait pendant que tu jouais.

Je vas m'en occuper demain.

LUCE. Écoute ! Les dernières répliques se sont envolées, les lumières se sont éteintes. Pis les applaudissements. Pis la salle s'est vidée. Pis la grande actrice se retrouve encore toute seule avec elle-même...

20 BLANCHE ET LUCE. ...Le nez dins fleurs de la première qui sont déjà toutes fanées...

BLANCHE. ...pleines de poussières pis de fils d'araignées. Ben oui.

LUCE. Ce silence-là va finir par m'avaler.

La répétition (1990), © Dominic Champagne, 1996.

---

1. Expliquez le recours à la langue orale.
2. Comment le personnage de Blanche permet-il de dédramatiser la situation ?
3. Expliquez la dernière réplique.

Dominic Champagne (né en 1963)

Je crois qu'il faut brasser les choses, créer du désordre. Une voix doit s'élever pour répondre à la toute-puissance de l'impératif économique.

Auteur, metteur en scène et directeur de troupe, Dominic Champagne, souvent perçu comme le « porte-parole de la génération perdue », parce qu'elle a perdu le droit au rêve, est à l'origine de deux spectacles cultes : *Cabaret Neiges Noires* et *Lolita*. Cet homme de théâtre, audacieux et totalement impliqué dans ce qu'il fait, se plaît à mêler sublime et grotesque, à l'image de la vie. *La répétition* (1990) présente un personnage à la poursuite d'un rêve qui demeure inaccessible. Une grande actrice, à la dernière tombée du rideau, se retrouve seule avec elle-même. Le tragique voisine ici avec la dérision.

Au plaisir de lire
• *Cabaret Neiges Noires*

Wajdi Mouawad
(né en 1968)

Je crois que l'amour doit prévaloir sur la justice. Car nous sommes davantage faits pour aimer que pour faire respecter des lois.

Né au Liban, Wajdi Mouawad arrive au Québec à 14 ans, après quelques années vécues en France. Ce créateur polyvalent – il est dramaturge, metteur en scène, comédien et directeur de troupe – compte parmi les plus doués de sa génération. Un thème récurrent traverse ses pièces : l'errance, celle physique et celle du cœur. Dans *Littoral* (1997), à la suite de Wilfrid qui traverse un pays éventré par la guerre avec le cadavre de son père, à la recherche d'un lieu pour l'enterrer, d'autres personnages (comme Amé et Simone, les deux marginaux de l'extrait) viennent lui rappeler qu'il n'est pas seul et ajouter leur propre questionnement sur la vie : en particulier sur le passé qu'on traîne souvent avec soi, comme un mort, et sur l'ultime fin et son sens. Un langage personnel au lyrisme noir, où la poésie n'est jamais loin, dans lequel une génération fait grief à une autre de ne pas lui avoir transmis le sens et la mémoire.

ILS NOUS ONT PRIS L'IRREMPLAÇABLE

AMÉ. Mais il n'y a plus un seul lieu décent dans tout le pays. Ce que tu peux être con toi alors avec le cadavre de ton père ! On voit bien que tu arrives de loin, sinon tu ne ferais pas le riche. Ton père pue et il faut l'enterrer, c'est tout !

WILFRID. Mais je ne t'ai pas demandé ton avis non plus. Ce que je sais, c'est
5 qu'il n'est pas question que je l'enterre ici, c'est tout !

AMÉ. Bon. Salut, je vous laisse avec vos histoires de cadavre.

SIMONE. Attends, ne t'en va pas. Suis-moi, on va trouver un lieu paisible pour enterrer ce père et nous poursuivrons notre route. Et un lieu paisible, on en trouvera un. Rapidement. Au prochain village alors, celui qui est au bas de la
10 vallée. Mais pas ici.

AMÉ. Je ne retournerai plus dans aucun village, si ce n'est pour tuer tout le monde. Tout le monde. Ce cadavre-là, je le regarde et je vois à travers lui tous ceux-là qui ne perdent rien pour attendre. Je te le dis, les ennemis ce sont nos parents, alors on devrait plus retourner dans aucun village, rien !
15 Les parents, on devrait les éventrer, laisser leurs corps pourrir au soleil et nous en aller partout pour tout faire sauter, tout casser, tout brûler. On les rassemblera le long d'un grand mur, on les alignera et on leur hurlera ! On leur dira que le mal qu'ils nous ont fait est plus grand que le meurtre, on leur dira qu'ils nous ont pris l'irremplaçable, qu'ils ont tué les visions de
20 notre jeunesse, de nos plus chers miracles. On leur dira qu'ils nous ont pris

Nage la nuit, Marc-Antoine Nadeau, 1987.

nos compagnons de jeu et qu'en leur mémoire on déposera sur leurs tombes une couronne faite de leurs crânes décharnés. Puis on lèvera sur eux, sur nos parents, nos armes, et sans remords : TaTaTaTaTaTaTaTaTaTaTaTa !

SIMONE. Amé, contiens ta colère. Elle est grande et belle mais contiens-la.
25 Regarde. Nous sommes tous les deux ici. Depuis des nuits je rêvais à ce jour où nous nous rencontrerions. Ce jour est enfin arrivé, alors faisons-lui confiance et ne nous disputons pas. Wilfrid a raison de vouloir un lieu calme pour enterrer le corps de son père. Fais confiance à ce qui est juste, Amé, même si tu ne le vois pas encore. Peu importe ce que tu es, ce que tu as fait, peu
30 importe puisque toutes les nuits tu allumais ta lumière à l'appel de mon violon et qu'aujourd'hui tu es là. Fais confiance, Amé, et viens avec nous.

Littoral, © Leméac/Actes Sud, 1999.

Étude détaillée

Analyse formelle
L'ÉCRITURE

1. Montrez que le texte oscille entre deux niveaux de langue.

2. Sachant que les personnages avancent dans un pays en guerre, que pourrait-on comprendre par « un lieu décent » pour la sépulture du père de Wilfrid ?

3. Quel est le sens du mot *irremplaçable* ?

LA FORME DRAMATIQUE

1. Comparez les discours de Simone et d'Amé. Que représente chaque personnage ?

2. Montrez comment le dialogue informe le lecteur, ou le spectateur, des émotions qui habitent les personnages, fonction qui pourrait être dévolue au narrateur dans un roman.

Analyse thématique

Le thème principal de cet extrait est la justice.

1. Pourquoi Amé est-il en désaccord avec Wilfrid ?

2. Quelle est la justice selon Amé ? Justifiez votre réponse.

3. Que symbolise le cadavre ?

4. Quelle est la justice selon Simone ? Justifiez votre réponse.

5. Comment Simone peut-elle trouver la colère de Amé « grande et belle » ?

6. « Fais confiance. » Pourquoi Simone répète-t-elle ces mots ?

Préparation à la dissertation critique

1. Quel est l'apport particulier des pièces de ce genre dans la culture québécoise ?

2. Est-il juste d'affirmer que Simone et Amé vivent le même drame ?

3. Comparez cet extrait avec celui d'Abla Farhoud (page 294). Les femmes, dans les deux textes, sont-elles aussi habiles l'une que l'autre à apaiser les tourments ?

4. A-t-on raison de penser que, dans cette pièce, Wajdi Mouawad veut montrer que nous avons tous un devoir de mémoire ?

Au plaisir de lire
• Les mains d'Edwige au moment de la naissance
• Incendies
• Forêts

> ### *Le théâtre, c'est la différence, l'étrangeté et le spectacle, c'est un état de recherche et de découverte.*
>
> #### Denis Marleau

Le théâtre d'expérimentation des années 1970 a permis à l'écriture scénique et dramaturgique d'épouser tous les registres. Se déployant dans un foisonnement formel et thématique, le théâtre expérimental se caractérisa alors comme une des composantes les plus dynamiques de notre univers culturel. Au début de la décennie suivante, le théâtre d'expérimentation renouvelle ses rapports à l'espace et au public : il conteste la rigidité des modèles préétablis, brouille la notion de genre et refuse toute limitation. Essentiellement axé sur la recherche formelle, il est en réinvention constante. On y fait appel, en particulier chez Gilles Maheu et Robert Lepage, à toutes les ressources afin de susciter les émotions fortes aptes à dégourdir l'âme, engluée dans les rengaines du désabusement. Le besoin de rompre avec les stéréotypes amène même le développement de l'art de la « performance », des spectacles solos où l'acteur se donne sans réserve, incarnant généralement sa propre personne. Tout se passe alors dans l'ici et maintenant, dans l'émotion tissée entre les spectateurs et le « performeur », le spectacle se faisant nouveau et différent à chaque représentation.

Alors que le théâtre traditionnel tend à sauvegarder l'illusion en cachant dans la coulisse le travail d'élaboration des signes, l'expérimental donne à voir le processus même de la création. Pluridisciplinaire, il remplace le déroulement linéaire de la narration suivant un ordre chronologique, logique ou psychologique par une nouvelle grammaire, beaucoup plus souple, qui, proposant une vision artistique kaléidoscopique, peut intégrer les langages du théâtre, de la danse, de la musique, du cinéma et de la poésie, comme dans les spectacles de Carbone 14 montés par Gilles Maheu. Avec cette troupe, la théâtralité naît surtout de la gestuelle : l'attention des spectateurs est sollicitée par l'adresse des comédiens-danseurs qui exécutent des numéros dangereux ; les spectateurs interprètent ce qu'ils voient à partir de leurs propres émotions.

Désacralisé, le texte n'a plus nécessairement la priorité. Matériau transformable, l'œuvre peut être ouverte, provisoire et modifiable (*work in progress*), comme dans *La trilogie des dragons* de Robert Lepage présentée en versions successives de quatre-vingt-dix minutes, trois et six heures. Parallèlement au roman, le théâtre se met à l'heure de l'internationalisation et le dramaturge exprime de plus en plus des préoccupations planétaires : *Le polygraphe* de Lepage se déroule partiellement à Berlin ; *Vinci* nous conduit à Londres, Paris, Canne, Florence et Vinci ; *La trilogie des dragons* nous confronte aux valeurs du monde oriental. Aussi, nombreuses sont les pièces qui traitent de l'errance et de l'ailleurs. Ailleurs dans l'espace mais aussi dans le temps, où on tente une réappropriation de l'histoire.

■ ■ ■

Scène de *La trilogie des dragons*.

**Robert Lepage
(né en 1957)**

*Nous étions des
Québécois de 25 ans
en crise d'identité,
notre pays avait
le même âge,
la même crise
identitaire que nous...*

Dans un monde où la télévision, la vidéo et Internet sont en train de modifier en profondeur le regard des spectateurs, Robert Lepage, auteur, comédien, metteur en scène, cinéaste et plasticien, s'interroge inlassablement sur la spécificité du théâtre, sur ce que celui-ci apporte d'irremplaçable dans la manière de raconter une histoire. En mode d'exploration permanente, il a grandement contribué à la création d'une nouvelle dramaturgie, essentiellement scénique, qui répond au besoin de redéfinir l'expérience théâtrale en fonction de la sensibilité d'aujourd'hui. Art plus intéressé par la théâtralité que par le théâtre, aucune frontière ne semble pouvoir résister à l'expression de sa créativité ; il nourrit son art de toutes les approches : opéra, musique pop, bande dessinée, cinéma, vidéo, multimédia, nouvelle danse..., et s'approprie le droit de greffer sur son fleuve narratif des courants multiples, de mêler le mélo, le burlesque et le merveilleux. Considéré comme l'un des plus grands metteurs en scène du monde, celui qui brûle les repères

(suite à la page suivante)

LE RÊVE

Musique. Derrière le lampadaire, la voile d'une jonque est hissée. Dans la guérite, le Chinois ouvre la fenêtre et regarde la voile.

CHINOIS. Sune tay péi gnâ yat ka woyik ké téi fôgn.

JEANNE. Le bateau qui l'emporte au pays du souvenir.

5 CHINOIS. Gnâ ke tcheo ôk tu tser gnâ ké mé y mon.

JEANNE. La maison de ses ancêtres qui abrite ses rêves.

Les deux Chinoises s'animent derrière la voile.

CHINOIS. Gnâ len ka tsan hoy ké mouil mouil.

JEANNE. Ses deux sœurs bien-aimées.

(suite)

et les définitions traditionnelles de la représentation pour explorer de fabuleuses géographies imaginaires est devenu, un peu partout sur la planète, une icône de la nouvelle modernité.

« Soudain, au milieu des années quatre-vingt, allait surgir *La trilogie des dragons* dans laquelle le Québécois aurait pour la première fois le droit de voyager pour souffrir au lieu de rester irrémédiablement prisonnier du pays et de ses malheurs. » Tel est l'accueil réservé par Michel Tremblay à cette nouvelle expérience scénique qui allait faire de son concepteur un des artistes les plus connus de la scène internationale. *La trilogie des dragons*, œuvre-fleuve présentée en 1987 au Festival de théâtre des Amériques, dans un hangar du Vieux-Port de Montréal, est un travail collectif, fruit de la collaboration de six créateurs-interprètes, dont Robert Lepage qui en est aussi l'orchestrateur.

Ici, la forme et les images ont préséance sur le texte ; il s'agit de parler en deçà et au-delà des mots, avec la parole certes, mais aussi avec les corps, des lumières, des objets. L'histoire, qui se passe dans les *chinatowns* de Québec, Toronto et Vancouver, est simple et riche comme la vie qui fuit, aveugle, vers l'avenir : deux petites filles grandissent et connaissent des sorts différents. Jouée en différentes langues, le français, l'anglais et le chinois, cette étrange cérémonie théâtrale à l'itinéraire planétaire explore la rencontre d'Occidentaux avec l'Orient. Et celui qui s'offre toutes les libertés s'approprie les mythes, les langages, les cultures et les continents ; il a recours ici aux trois dragons qui, dans la mythologie chinoise, sont les gardiens de la porte de l'immortalité pour donner son mouvement et ses couleurs à

(suite à la page suivante)

10 *Le Chinois s'avance vers le centre du plateau, où le rejoignent ses sœurs qui tournent autour de lui en riant, soudain rajeunies. L'une tient deux chandelles avec lesquelles elle dessine une bouche en pivotant sur elle-même et l'autre verse l'eau d'une bouteille autour d'elle, traçant un cercle.*

CHINOIS. Fouk soy hay nan voy.

15 JEANNE. L'eau versée ne peut être recueillie.

La première des sœurs promène sa chandelle au-dessus de la boîte de Bédard. Bédard se redresse brusquement et tapote ses vêtements comme s'ils flambaient. La seconde fait mine de verser de l'eau dans la boîte de Morin, qui se réveille en suffoquant, puis s'agenouille et se met à creuser dans le sable avec ses mains.

20 MORIN. Jeanne, Jeanne, viens m'aider à creuser, il faut enterrer ta mère !

JEANNE. Maman ! Maman ! Oh maman !

Jeanne, enroulée dans son drap, se laisse glisser du toit de la guérite dans les bras de Bédard et des Chinoises. Ils la transportent jusqu'à Morin comme dans un cortège funèbre et la déposent dans le sable. La deuxième Chinoise brandit
25 *un drap taché de sang.*

CHINOIS. Hay ming van ah.

BÉDARD. Le sang du destin.

LE CHINOIS. Kit fan, vak sei môgn ?

MORIN. Le mariage ou la mort ?

30 *La Chinoise étend le drap ensanglanté sur la couche de Bédard.*

BÉDARD. Mais monsieur Morin ! C'est pas votre femme, c'est votre fille Jeanne !

La première Chinoise s'avance, chandelles à la main, retire le drap qui recouvre Jeanne et le jette dans le trou creusé par Morin.

35 *Bédard emmène Jeanne vers son lit, la couche et s'étend sur elle.*

Les Chinoises prennent Jeanne par la main, l'entraînent devant la voile et lui remettent la bouteille d'eau et les chandelles.

JEANNE. (*Jetant la bouteille et les chandelles sur le sol.*) Non ! Je veux pas me marier avec le fils du Chinois. Non !

40 *Elle court vers la guérite, l'escalade et se recouche près de Françoise. Bédard et Morin enterrent, l'un, le drap de Jeanne, l'autre, le drap ensanglanté. Puis ils se recouchent et retombent dans un sommeil agité.*

CHINOIS. Gnâ kè mongn hay tan hoy jaw. Haut tsi gnâ kan séil san pô ké tsin pé yat yurn kam tan.

45 BÉDARD. Son rêve est déplié. Comme les draps de sa buanderie.

Le Chinois rentre dans la guérite et ferme la porte. La voile tombe. Fin de la musique.

La trilogie des dragons, © Les éditions de L'instant même, Ex Machina et les auteurs, 2005.

(suite)

1. Que pouvez-vous dire à propos de la répartition des dialogues et des didascalies dans cet extrait ?

2. Comment le rêve est-il exprimé dans ce texte théâtral ?

3. Prouvez, à partir de cet extrait, que « l'écriture théâtrale est maintenant plurielle ».

la pièce : le dragon vert du printemps et de la jeunesse, le dragon rouge de l'été et de l'automne de la maturité, et enfin le dragon blanc de l'hiver et de la mort, mais qui appelle une renaissance.

Cette œuvre séminale, qui contient toute la genèse et le vocabulaire des spectacles qui vont suivre, annonce le travail ultérieur de Robert Lepage. L'extrait retenu reprend un épisode du premier mouvement, celui du dragon vert.

L'essai

À partir des années 1980, l'essai propose une grande polyphonie idéologique, allant de l'indépendance nationale à l'indépendance individuelle. Ce genre littéraire se fait dorénavant le lieu de tous les débats et de toutes les grandes causes humanitaires, à commencer par celles écologiques.

L'essai comme « journal dénoué[6] »

Après avoir, dans les années 1960, intenté le procès de la Grande Noirceur et être parti à la conquête de l'identité du pays, après avoir, la décennie suivante, épousé tous les contours de la modernité, voici que l'essai, genre protéiforme s'il en est un, se creuse lui aussi un espace personnel et intime. Il est vrai que cette démarche avait déjà été entreprise par les essayistes féministes, dont les écrits prenaient source dans l'unicité de leurs expériences personnelles.

Les essayistes proposent donc une individualisation de la vision du réel : tout est canalisé par la conscience intime et personnelle. Et quand la problématique sociopolitique collective émerge dans certains écrits, c'est généralement pour permettre au moi de s'en distancier, d'exprimer les limites que cette contingence extérieure impose à l'espace de l'intime et à l'autonomie de l'individu. Greffé sur cette conscience du moi, le discours de l'essai renoue en fait avec ses origines, à l'époque où Montaigne, le premier, décida de se prendre comme source de sa réflexion, convaincu d'y trouver la voie de l'universel, « tout homme port[ant] en lui la forme entière de l'humaine condition ».

---

6. Ce titre est emprunté à l'essai de Fernand Ouellette, *Journal dénoué*, Les Presses de l'Université de Montréal, 1974.

■ ■ ■

Gilles Archambault
(né en 1933)

On prend goût à son désespoir. C'est plus facile que de lutter !

L'écriture à voix tamisée de Gilles Archambault affectionne le ton de la confidence. Tous les sujets semblent trouver grâce sous sa plume, abordés de manière singulière et éclairante. Ces « petites proses presque noires », écrites avec passion, suscitent l'émotion chez le lecteur, lui rappelant les prérogatives de la conscience. Tiré des *Plaisirs de la mélancolie* (1980), *Adolescence évanescente* traite bien davantage du devoir de la passion que d'un âge de la vie.

ADOLESCENCE ÉVANESCENTE

Je ne suis pas de ceux qui croient que la jeunesse a toujours raison. D'avoir raison ou pas n'a du reste pas tellement d'importance. Je croirais plutôt que la jeunesse est ferveur et que toute la vie n'est qu'une lutte pour que subsiste en soi la plus grande part possible de cette ferveur. Autrement,
5 c'est la mort.

La mort est partout. La laideur qui vous environne, la hargne, l'ambition bête, la sottise, l'agressivité, les modes, l'appétit de pouvoir. Se retenir souvent pour ne pas vomir, et pas toujours à cause des autres. Le cancer est en soi, bien vivant, les occasions de geindre sur la nature humaine viennent souvent
10 de ce regard que vous posez sur vous. Se moquer de soi pour ne pas se détruire tout à fait.

À l'adolescence, époque de plus en plus lointaine, tout était tellement net. Vous étiez d'une pièce, vous refusant aux compromis, trouvant que le monde était atroce. C'est alors que vous étiez vrai, sans tellement de mérite,
15 vous bénéficiez d'une grâce que la nature accorde comme ça, sans y penser. Après, il faut un peu d'effort.

L'effort de ne pas vous laisser gruger par l'argent, par la lutte pour la survie, par l'angoisse de la mort, par la lassitude de ces gestes répétés qui dissimulent si mal leur inutilité. Le temps vous mine, quoi que vous disiez
20 ou pensiez, la nature vous trahit, vous transforme et vous pousse vers le conformisme. Que vous luttiez ou non, vous êtes engagé dans le tourbillon. On ne vous a pas demandé votre avis avant de vous y plonger. Pas plus que vous n'avez demandé l'avis des enfants que vous avez créés dans le délire. En pareille occurrence, comme vous, ils auraient eu la faiblesse de souhaiter
25 naître.

Ne jamais céder de terrain sciemment dans la lutte contre l'engourdissement, demeurer intact dans cette partie inaltérable de l'être, ne pas se transformer en robot prétentieux, repousser les frontières de la mort autant que faire se peut. Seule la mort biologique doit nous faire reculer en ce domaine.

30 Je ne connais, quant à moi, rien de plus triste que ces hommes qui continuent de se mouvoir autour de nous, vagues fantômes des adolescents que nous avons connus.

Les plaisirs de la mélancolie (1980), © Éditions du Boréal, 1994.

---

1. Quel thème est développé ici ?

2. Comment faut-il comprendre le titre ?

3. Quelle est la tonalité dominante de cet essai ?

4. Pouvez-vous en tracer le plan ?

Précipitation génésiaque

Lorsque dans les derniers instants du sixième jour de la Genèse, Dieu créa le Canada, il était très fatigué. Pour sûr il venait de connaître une semaine éreintante, faisant tour à tour surgir du néant la lumière, le firmament, les eaux, les terres, la verdure, les bêtes et l'homme. Il entendait bien profiter du
5 court week-end du dimanche pour se reposer, caressant même l'idée de planter son bivouac dans quelque campagne ensoleillée de son propre cru. « Assez rêvassé, se dit-il, il faut avant minuit terminer notre œuvre. Bon Dieu ! Qu'est-ce que j'étais donc en train de faire ? Ah oui ! Les pays. » Il regarda tout au fond de sa hotte divine et vit qu'il lui restait encore assez
10 d'ingrédients pour construire trois ou quatre pays. Mais le temps pressait et ses paupières étaient lourdes. Pour en finir au plus vite, il décida — assez légèrement croyons-nous — d'en bâtir un seul. Il jeta donc par-dessus bord, du côté du septentrion, tous les excès, débris et protubérances qui encombraient les bas-fonds de son panier cyclopéen : des milliers de lacs et
15 de rivières, des crapaudières, des montagnes et des puces, des tonnes de moustiques, des épinettes noires et des cèdres rouges, des kilomètres d'hiver et quelques centimètres d'été. Il était minuit. Yahvé n'eut ni le temps ni la force de voir si tout cela était bon. Ce n'est que des années-lumière plus tard qu'il se rendit compte de ses erreurs. Il en fit une recension assez exhaustive.
20 « Dans ma précipitation génésiaque, confesse-t-il dans son grand Livre, j'ai oublié d'attacher un *Sud* à ce pays. Si bien que le Nord seul y régente toutes les terres et les eaux. » C'est ainsi que les Canadiens sont condamnés de toute éternité à chercher désespérément leur *Sud* dans le *Nord*, ou encore à l'inventer ailleurs, dans des contrées plus choyées par les dieux. Tout ceci,
25 avouons-le, a de fâcheuses conséquences. Le Canadien est un éternel exilé, qui ne se sent vraiment chez lui que lorsqu'il est physiquement ou spirituellement ailleurs. Il emprunte à la Suède ses modèles sociaux, à la France ou à l'Angleterre — c'est selon — ses modèles culturels, aux États-Unis ses modèles économiques, à Rome ou à l'Inde ou à la Californie ses modèles
30 religieux…, et c'est quelque part en Floride, dans une île des Caraïbes ou au Mexique qu'il désavoue l'hiver.

La Terre et moi, © Éditions du Boréal, 1991.

1. Expliquez le point de vue narratif choisi par l'auteur.

2. Quelle image décrit le climat canadien ?

3. Êtes-vous d'accord avec le regard que jette Luc Bureau sur le Canada et sur ses habitants ? Expliquez.

Luc Bureau (né en 1935)

La plus grande tragédie de l'histoire réside dans le fait que les hommes n'ont jamais réussi à s'entendre sur une question pourtant aussi vitale et prégnante que celle de l'avènement de l'Âge d'or. Était-ce hier ? Est-ce pour demain ?

Les essais du géographe Luc Bureau se lisent comme des romans, tant le style est vivant et l'imagination débordante. Puisant tour à tour dans les sources de la mythologie, de la littérature et de la science, Luc Bureau définit l'identité québécoise en dehors des idées reçues : le fait d'habiter la planète Terre lui importe davantage que les origines franco-catholiques. Il décrit la subjectivité qui nous unit à notre milieu physique, la terre dont nous sommes pétris, depuis le premier contact de nos ancêtres avec l'Amérique jusqu'aux hommes du présent, qui ont intériorisé, puis remodelé ce lien au gré de la mémoire et des générations. Luc Bureau nous ramène ici, sur le ton de la fabulation, au jour où Dieu créa le Canada.

Au plaisir de lire

• *Entre l'éden et l'utopie*
• *Géographie de la nuit*
• *Pays et mensonges*

François Ricard
(né en 1947)

Époque charnière, à la fois étrange et miraculeuse, cette décennie (1960) a pris, avec le temps, l'aspect d'une véritable épopée.

François Ricard est un critique littéraire et un essayiste renommé. Son recueil *La littérature contre elle-même* (1985) regroupe une vingtaine de textes portant sur des auteurs aussi bien que sur la littérature elle-même. L'extrait, tiré d'un de ces textes et intitulé *Éloge de la littérature*, porte un regard novateur sur les limites de la littérature : le lecteur a tendance à se faire une idée supérieure, voire salvatrice, de ce que cette notion recouvre, alors qu'en réalité ses connaissances littéraires devraient plutôt servir à faire prendre conscience de la minceur de ce qu'il sait. Le « je » affiche ici clairement ses opinions.

Au plaisir de lire

• *La génération lyrique*

TOUT CE QU'IL Y A D'IGNORANCE DANS MA CONNAISSANCE

Dès que je connais une chose (y compris moi-même), que ma connaissance soit scientifique, empirique ou intuitive, je sais toujours, si je suis honnête, que cette connaissance est limitée, qu'elle reste environnée par le royaume infini de l'erreur possible. Je n'ai toujours, en un mot, qu'un savoir hanté par
5 l'erreur. Mais cette mauvaise conscience, cette immense possibilité de l'erreur, l'existence même de mon savoir commande, non pas que je la nie, mais que je fasse *comme si* je la niais, que je lui tourne le dos et que je reconnaisse seulement ce que je sais, le recto seulement de ma connaissance. Or la littérature serait juste l'inverse : elle me confronte au champ illimité de tout ce
10 qu'il y a d'ignorance dans ma connaissance, elle me braque les yeux sur les trous de mon savoir (et j'entends ici le savoir le plus général comme le plus intime — par exemple, la conscience de ma propre vie), sur les franges de ma science qu'agite le grand vent de l'erreur. Elle ne me fait pas connaître ce que je ne connais pas, non ; elle me dit seulement : *tu ne sais pas, tu n'as*
15 *jamais su, tu ne sauras jamais.* Ou plutôt, elle ne me le dit pas : elle amplifie la voix, le filet de voix en moi (en moi ?) qui déjà me le disait mais que tout m'invite à ne pas écouter.

Au fond, je comprends qu'on ait tant voulu, qu'on veuille encore tant que la littérature soit un moyen de connaissance. Nous avons à ce point besoin
20 de savoir, nous sommes à ce point persuadés que la connaissance, comme la puissance, l'immortalité ou le salut, nous est due, que même cette voix qui nous révèle l'illusion de notre attente, nous la prenons encore pour un savoir que nous nous annexons, quitte à dénaturer son message et à transformer en acquit ce qui est en fait la nouvelle (bonne ou mauvaise) de notre déficit
25 irrémédiable.

Ainsi peu à peu, ce qui avait pu un temps affaiblir mon attachement aux livres et me décevoir en eux, finit par m'y attacher encore plus fortement, mais c'est un attachement tout différent, un peu paradoxal, humble, mais peut-être indéfectible. Je finis en effet par aimer dans la littérature non pas qu'elle
30 soit la vérité, bien au contraire, mais plutôt ceci : qu'elle soit, parmi tout ce qui me trompe — et tout me trompe — la seule chose qui, me trompant, avoue en même temps sa tromperie.

La littérature contre elle-même, © Éditions du Boréal, 1985.

---

1. Au premier paragraphe, qu'est-ce qui limite la connaissance de l'auteur ?

2. En quoi la littérature est-elle vue ici comme une déstabilisation de l'esprit ?

3. Qu'y a-t-il de paradoxal dans l'attachement de l'auteur à la littérature ?

4. D'après ce texte, définissez ce qu'est un essai.

5. Comparez l'utilisation du pronom personnel dans ce texte avec l'usage qu'en fait Pierre Vadeboncœur (page 188).

Un « baby talk »

Combien de temps la langue française pourra-t-elle vivre dans un Québec encore plus faible ? Peut-être sortira-t-on de la « crise » plus forts et plus riches, mieux industrialisés et tout décidés à former des légions de savants, de penseurs, de critiques sociaux, de réformateurs des mœurs, d'enseignants 5 pour former l'intelligence politique du peuple...

Il est clair que je délire et que ce que je pense s'évanouira avec mon jour. J'ai le sentiment de mon antique cécité, par exemple quand je traverse le hall des Hautes études commerciales, vers mes classes de littérature. Peut-être n'est-ce encore que le trait québécois retourné contre soi.

10 Plus je suis aveugle et mieux je nous vois parmi les nations, celle-là qui ne connaît ni la guerre, ni la mort, ni la haine, ni la solennité, qui n'a réussi ni le Père ni la Loi. Une chance. Un trou. Notre langue : un *baby talk* pas encore américain, livré à la tyrannie de la mimique et du sens, une clownerie plus volontiers grossière qu'agressive. Nous passons vite aux points dans un 15 accrochage, tout de suite acculés au corps à corps, tout de suite à bout des mots turbulents qui interposeraient un heurt symbolique. Hélas, d'où nous viendra le père qui nous apprendra aussi à parler droit, afin que nous sachions enfin de quel droit chemin nous délirons génialement ? Et passions du registre du symptôme à celui de l'œuvre ? Car nous sommes allés dans 20 nos régressions bientôt aussi loin que possible. DesRochers, Deschamps, Sol, Plume, et des pavillons entiers de Ding et Dong ; la parole des amériques incompatibles qui nous travaillent, cette élocution formée aux trous psychotiques de notre dislocation, ces voix comme des hoquets, toutes nationales d'horreur et de niaiserie honteuse — il y faut un peu de travail encore en 25 plus, peut-être ? Pour la mettre en œuvres, en symboles, en rencontres, cette effrayante ironie rhinocéros, capable d'un détachement jusqu'au énième degré pour dire la défection moderne du sens, et de telle manière que dans ces bouches, la vraie voix se perde parmi les autres.

La petite noirceur, © Éditions du Boréal, 1987.

1. L'auteur prétend-il à l'objectivité ?

2. Quel est son point de vue sur la langue des monologuistes ?

3. De quelles images l'essayiste colore-t-il son argumentation ?

4. Peut-on qualifier ce texte de polémique ?

Jean Larose (né en 1948)

Les cœurs aux contradictions les plus insolubles exigent les jouissances les plus dissolvantes.

Auteur de différents essais, Jean Larose porte depuis une vingtaine d'années un regard critique sur la société québécoise. Dans *La petite noirceur* (1987), il dessine un audacieux tableau des diverses modernités québécoises à l'époque de l'après-référendum, et y constate des relents d'une autre noirceur, celle qui recouvrait le Québec avant la Révolution tranquille. Sa réflexion porte ici sur la langue parlée actuellement. Si le style de cet universitaire est volontiers abstrait, son rythme est néanmoins empreint d'un profond dynamisme.

Au plaisir de lire

- *Le mythe de Nelligan*
- *L'amour du pauvre*

L'essai par-delà les frontières

L'essai étant le genre littéraire protéiforme par excellence, et celui le mieux habilité à véhiculer des notions abstraites, on ne saurait s'étonner d'en trouver de nombreux s'intéressant à l'errance et à la quête identitaire, tant dans les revues consacrées aux figures de l'autre (*Dérives*, *Vice Versa*, etc.) que dans des ouvrages portant sur un aspect particulier des rapports interculturels. Les essayistes reconnaissent généralement que ce qui distingue est plus enrichissant que ce qui est même, et que le bénéfice des uns et des autres passe par l'intégration des différences authentiquement assumées, plutôt que par l'assimilation appauvrissante. Ils insistent également sur la difficulté d'une société naguère frileuse linguistiquement d'accepter de jeunes greffons qui viennent modifier les composantes de sa sève. Ils ne manquent surtout pas de souligner le fait que les Québécois ne peuvent pas donner aux nouveaux venus ce dont ils sont eux-mêmes privés, le statut de citoyen. Ces textes qui enrichissent l'horizon idéologique québécois empruntent les approches les plus diverses. Au tournant du siècle, le thème écologique s'imposa véritablement, prenant la relève de ceux portant sur le phénomène des migrations.

■ ■ ■

Le dernier territoire IX, René Derouin, 2001.

CE QUI MANQUE QUAND ON A TOUT APPRIS

« Quand j'entends prononcer le mot culture, je sors mon révolver ! », disait Hermann Gœring. La sombre brute hitlérienne qui a éructé cette sublime ânerie ne savait sans doute pas qu'il venait d'illustrer la différence qu'il y a entre un homme et une bête. Il lui a fallu toute une guerre pour le lui apprendre.

5   Culture est un mot emprunté au langage des paysans. Ce n'est pas pour rien. En effet, la culture est un ensemencement. Celui de l'esprit et celui du cœur. Pour que l'homme soit enfin plus raisonnable qu'animal. Bref, plus civilisé. C'est-à-dire plus fraternel.

   Car il n'y a de vraie culture que celle qui, passant par le perfectionnement
10 de la personne, débouche sur celui de la société. La culture est un ordre réalisé dans la personne, et la civilisation est un ordre réalisé dans la société. Une culture qui ne s'achève pas dans le pluralisme des idées, et la fraternité des hommes est une valeur avortée. Une possession de soi qui n'est pas aussi une ouverture aux autres n'est qu'un égoïsme dilettante. Le mot charmant de
15 Lord Dewar, dans les *Carnets du major Thompson*, me revient en mémoire : « Les cerveaux, c'est comme les parachutes : pour fonctionner, il faut qu'ils soient ouverts. »

   C'est pourquoi la culture authentique est une transculture. Elle est conscience de la fraternité. La culture étant aussi ce par quoi se définissent les
20 nations, elle se nierait elle-même si elle ne s'employait à toujours privilégier les valeurs qui les rassemblent parce qu'elles se ressemblent. « La culture ne connaît pas de nations mineures ; elle ne connaît que des nations fraternelles », disait Malraux. Ce qui manque au bonheur des hommes, c'est moins la somme de leurs connaissances que le sens de leur solidarité. Autrefois la
25 culture, c'était ce qui restait quand on avait tout oublié ; aujourd'hui, c'est ce qui manque quand on a tout appris.

In *Lectures plurielles. Cœxistence et cultures*, © Éditions Logiques, 1991.

Doris Lussier
(1918-1993)

Et quand la vérité n'ose pas aller toute nue, la robe qui l'habille le mieux, c'est l'humour.

Le nom de Doris Lussier est surtout associé à ses talents de comédien et de monologuiste. Mais ce professeur de philosophie, identifié à la Beauce même s'il est né près de Sherbrooke, est aussi un essayiste à la plume remarquable. Il donne ici des balises à une notion difficilement cernable, la culture.

1. Que signifie le mot *transculture* ?

2. Pourquoi l'auteur recourt-il à des citations ?

3. Les images servent-elles à appuyer le propos de l'auteur ? Et quel est-il précisément ?

4. Expliquez l'opposition contenue dans la dernière phrase.

Naïm Kattan
(né en 1928)

Je me considère comme un écrivain des carrefours et des rencontres. J'ai changé de langue et passé de l'Orient à l'Occident.

Né juif à Bagdad, Naïm Kattan a émigré de l'Orient à l'Occident puis, en 1954, de la France au Canada. L'œuvre abondante de ce juif irakien francophone, formée de romans, nouvelles, critiques et essais, s'efforce de rendre compte de la richesse des cultures qui ont marqué sa vie. Dans son essai *Le réel et le théâtral* (1970), il décrit, entre autres sujets, ce qui attend celui qui doit renoncer à sa langue maternelle.

Au plaisir de lire

- *Adieu Babylone*
- *La reprise*
- *Le repos de l'oubli*
- *L'écrivain migrant*
- *La parole et le lieu*

JE VIVAIS SIMULTANÉMENT DANS DEUX UNIVERS

Je suis venu au français chargé d'un lourd bagage. Instrument fragile que je peux à tout moment, soit transformer par la magie d'un autre verbe, soit enterrer sous un lourd poids de fleurs. Désormais je déambulais dans les voies tortueuses de ma langue maternelle avec une allure française qui 5 me donnait un air docte et peu précis puisque ma précision nouvelle était d'emprunt. Il m'était devenu impossible d'écrire dans deux langues. Je vivais simultanément dans deux univers, tension qui devenait parfois intolérable et, à quelques occasions, bénéfique. Écrire dans deux langues sans que l'expression dans l'une ou l'autre se transforme en réplique ou en reflet 10 nécessitait un effort que je ne voulais consentir puisqu'il me paraissait inutile. Je ne vivais plus en Orient puisque je refusais la condition d'exilé en France. Porteur d'un monde, je me sentais libre dans l'autre puisque, dès que je parvenais à l'intérioriser, sa réalité devenait seconde. Écrire en arabe perdait à mes yeux toute nécessité. Je ne pouvais plus mettre en question le 15 besoin d'habiter l'univers français. Mais à quelle condition ? C'est à ce moment précis que le véritable voyage commence. Les sollicitations se pressent, se multiplient : changer de nom, ne plus parler l'arabe, me déclarer hautement et fièrement occidental, rejeter l'Orient dans l'oubli et le mépris... C'est par respect pour le monde où je faisais mon entrée que je voulais sauvegarder de 20 l'ancien le plus précieux, ce qui plonge dans l'intimité. On ne peut changer de langue que les yeux ouverts, en mesurant ce qu'on laisse, ce que l'on abandonne. Autrement l'on ne change pas de langue mais de véhicule de conversation. On n'immigre pas d'une culture à l'autre, mais on se déplace d'une ville à une autre.

25 Et si l'on évite la tension, ce déplacement conduit à une perte de soi. C'est dans la tension que l'on aménage sa place dans une langue — cette terre inconnue que l'on change en la découvrant afin qu'elle ne soit pas un lieu de passage, un décor invisible, mais un lieu habité. Les langues ne se superposent pas, ne cohabitent pas séparément, mais s'imbriquent l'une dans l'autre, 30 l'une informant l'autre, la pressant de l'intérieur au point d'éclatement. Car l'homme séparé qui se choisit et s'accepte consciemment comme tel finit par vivre sous un double masque, et un masque ne protège pas seulement l'intégrité et l'intimité de l'envahissement mais jette un écran entre l'homme et la réalité.

Le réel et le théâtral, © Éditions Hurtubise HMH, 1970.

1. Faites le plan de cet extrait, en y soulignant la logique de l'argumentation.

2. Quelle métaphore illustre le déchirement de l'auteur entre sa culture d'origine et sa culture d'adoption ?

3. Expliquez ce que l'auteur entend par « tension » et « théâtral ».

4. Comment le passage d'une langue à une autre signifie-t-il davantage qu'un simple changement linguistique ?

MON NOM N'EST PAS MOSAÏQUE

Les ancêtres de la majorité des citoyens du Québec étaient Français à l'origine. Immigrés au Canada, ils sont devenus des Français canadiens, puis des « habitants » quand ce n'étaient pas des « Canayens ». Leurs descendants se dirent ensuite Canadiens jusqu'à ce qu'ils croient nécessaire d'insister
5 sur le Canadien *français*. Vers 1960 apparut le vocable de Québécois et, depuis 1980, Québécois francophone. À l'aube de l'an 2000, la nation fondatrice serait composée de « Québécois-francophones-de-souche » ! Ce n'est plus une identité, c'est un rejet. [...]

Les étrangers qui ont immigré au Canada ne sont pas tenus de perpétuer
10 les traditions polonaises, jamaïcaines ou coréennes. Cela se fait à Varsovie, Kingston ou Séoul. Est-ce que notre paysage culturel est si plat qu'il en faille briser la monotonie par des interventions transculturelles ? La vie intellectuelle se situerait-elle au même niveau que la restauration ?

Les habitants du Québec sont des Québécois, sans égard à leur origine
15 ethnique ou linguistique. Un Québécois possède un passeport canadien et maîtrise la langue française. Le ministère de l'Éducation (nationale) a comme tâche de fonder, encourager et diffuser la culture québécoise, qui est la forme nord-américaine de la tradition française. Les Québécois de langue étrangère devront se mettre au français. De même que l'on s'étonne de
20 rencontrer des Canadiens qui ne connaissent pas l'anglais, il faudra s'étonner qu'un Québécois ne maîtrise pas le français.

Dans leur souci de rendre le Québec (le Canada) enfin accueillant, les apôtres de la cohabitation des cultures en détruisent consciemment l'esprit : ce qui ne laisse à l'Amérique que « le seul attrait de sa prospérité ». C'est ce
25 que dénonce Alain Finkielkraut, nous rappelant qu'un pays, c'est plus qu'une économie.

La société québécoise, à l'échelle des valeurs des communautés humaines, dans ce qu'elle a de profondément original, mérite d'être assimilée par tous ceux qui s'installent sur son territoire. Notre nom n'est pas Mosaïque, notre
30 langue n'est pas le bilinguisme.

L'écran du bonheur (1990), © Éditions du Boréal, 1995.

Jacques Godbout (né en 1933)

Le bonheur, c'est une mayonnaise : ça tourne sans qu'on sache pourquoi.

Le poète, romancier et cinéaste Jacques Godbout se veut attentif aux divers mouvements sociaux. Aussi peut-on lire régulièrement les chroniques de cet écrivain engagé où, faisant fi de la tendance « politiquement correcte », il décape la réalité de son faux vernis. Dans *L'écran du bonheur* (1990), qui réunit plusieurs de ses courts essais, il aborde à quelques reprises la question de l'immigration, comme ici, dans un texte intitulé « Qu'est-ce qu'un Québécois ? ».

Au plaisir de lire
• *Le murmure marchand*

---

1. Expliquez l'évolution de l'identité québécoise décrite au premier paragraphe.

2. Quel rôle la langue française est-elle appelée à jouer dans un tel contexte ?

3. Expliquez la dernière phrase.

4. Êtes-vous d'accord avec les idées émises dans cet extrait ?

**Hubert Reeves
(né en 1932)**

*Que faire
individuellement face
aux changements
climatiques induits
par l'activité humaine?
Être le premier
à changer!*

Astrophysicien de renommée internationale par passion et citoyen du monde par conviction, ce Montréalais, qui a étudié, entre autres, au collège Jean de Brébeuf et à l'Université de Montréal et qui travaille à Paris, est un vulgarisateur hors pair qui fait figure de gourou dans le milieu de l'environnement. S'étant donné comme but d'éduquer et d'alerter le grand nombre, cet « écolo planétaire » milite pour un « droit d'ingérence écologique » à l'égard des tares qui défigurent notre environnement : réchauffement climatique, gaspillage énergétique, pollution, atteinte à la biodiversité. Son thème récurrent : l'homme est en train de faire entrer la planète dans une nouvelle période d'extinction, la sixième après celle des dinosaures. Un fait significatif : son site officiel nous apprend la décision, en 1999, de l'Union astronomique internationale (UAI) de donner à l'astéroïde (9631) 1993 SL6 le nom d'Hubert Reeves. Il est de ces nouveaux savants qui n'hésitent pas à utiliser des images et des comparaisons qui allient

(suite à la page suivante)

Sur une planète minuscule, une espèce

« Nous autres, civilisations, nous savons maintenant que nous sommes mortelles », écrivait Paul Valéry, constatant l'effondrement des empires anglais et français suite à ceux de Ninive, de Babylone, des empires romain et égyptien établis quelques milliers d'années auparavant. Aujourd'hui, nous
5 constatons avec stupeur que l'empire des humains sur la Terre pourrait également prendre fin.

Ainsi donc, loin d'être — comme nous avions tendance à nous en persuader — l'apothéose de l'évolution biologique et, à ce titre, d'être exemptés de l'élimination que nous infligeons à des milliers d'espèces, nous réalisons
10 que nous sommes passibles du même sort, et qu'en bien des cas nous faisons tout ce qu'il faut pour y arriver...

Sur une planète minuscule, une espèce — la nôtre — disparaît : que représenterait, à l'échelle du cosmos, notre élimination ? Une simple anecdote dans l'immensité d'un univers peuplé de centaines de milliards de galaxies
15 hébergeant des centaines de milliards d'étoiles et de planètes ? La « nature » ne verserait pas une larme...

J'aimerais défendre ici une opinion toute différente. Remontons le temps pour restituer cette question dans son contexte cosmique.

Les connaissances acquises en astronomie nous en disent long sur nos
20 origines cosmiques. L'histoire de l'univers peut se raconter comme l'émergence de la complexité à partir de la purée torride et homogène des premiers instants suivant le big bang. Au fur et à mesure du refroidissement et sous l'effet des forces naturelles, des particules s'associent pour former des structures possédant des propriétés nouvelles.

25 Ainsi se constitue, à des moments que nous pouvons dater, des séquences de systèmes nouveaux : nucléons, noyaux atomiques, atomes, molécules et, sur notre planète — peut-être ailleurs —, cellules vivantes, organismes biologiques, écosystèmes... Chaque système est porteur de propriétés nouvelles résultant de la combinaison des éléments dont il est composé et qui génère
30 des interactions avec ce qui constitue son environnement.

Dans la biosphère terrestre, ces propriétés émergentes engendrent des avantages adaptatifs précieux tout au long de l'évolution biologique quand se posent des problèmes d'alimentation et de survie. De ce point de vue, les humains que nous sommes, mal protégés par leur constitution physique
35 (pas de carapace comme les tortues, pas de griffes acérées comme les félins, pas de dard comme les guêpes, et pas d'ailes pour fuir...), ont survécu grâce à leur intelligence, cette prodigieuse propriété émergeant de l'assemblage des plusieurs milliards de neurones de leur cerveau.

Loin de se contenter d'assurer sa survie grâce au développement de tech-
40 niques sans cesse perfectionnées, le cerveau humain a donné naissance à une extraordinaire moisson d'activités. Les merveilles de la création artistique, musicale, picturale, littéraire, sont des prouesses du génie humain, tout comme le large éventail des connaissances scientifiques sur le cosmos dans toutes ses dimensions, grandes ou petites. Aucune autre espèce n'a mis les
45 pieds sur la Lune, aucune autre n'a survolé Saturne, découvert les lois qui régissent la matière et l'histoire de l'univers. Que deviendraient les merveilleux fruits de la culture si nous cédions la place aux mouettes, aux rats ou aux insectes ?

Ce sont tous ces fabuleux trésors qui disparaîtraient si disparaissait l'hu-
50 manité... Cela signifierait que l'accès à une si grande puissance mentale entraîne le risque de l'élimination de qui en est le détenteur. Et se trouverait confirmée l'idée que l'intelligence est un cadeau empoisonné.

« Mais là où il y a danger, croît aussi ce qui sauve », écrivait le poète alle-mand Hölderlin.

Des lueurs d'espoir apparaissent quand nous considérons l'évolution de la sensibilité humaine. Le massacre des pigeons migrateurs américains et des grands pingouins dans l'indifférence générale ne serait guère pensable aujourd'hui. Un respect croissant de la vie favorise une prise de conscience de la crise actuelle et s'accompagne de gestes positifs. Nous assistons à la naissance de mouvements de protection du vivant, des humains jusqu'aux animaux et aux fleurs sauvages. J'ai signalé la mise en œuvre de décisions salutaires, pour préserver la couche d'ozone, pour réduire l'acidité des pluies, pour restaurer avec quelques succès des équilibres naturels.

S'humaniser ou périr : ainsi pourrions-nous présenter l'enjeu auquel nous voilà confrontés. La sixième extinction pourrait se terminer non pas par une passivité qui nous mènerait à une inéluctable disparition, mais par une réaction vigoureuse qui, en nous décidant à stopper l'hécatombe des espèces que nous sacrifions actuellement, nous épargnerait nous aussi d'appartenir un jour à la liste des espèces disparues.

Alors nous pourrions pousser plus loin, parmi les étoiles et les galaxies, notre exploration de l'univers. Et, préservant et enrichissant notre culture, embellir le monde en multipliant sous toutes les formes les créations d'œuvres d'art. Et peut-être — qui sait — bénéficier un jour des apports culturels de civilisations extraterrestres... si elles existent !

« L'espoir, certes, demeure et chante à demi-voix », nous disait aussi Paul Valéry.

Chroniques du ciel et de la vie, © Éditions du Seuil, 2005.

(suite)

science et poésie. Dans *Chro-niques du ciel et de la vie* (2005), une somme de 51 chroniques qui analysent l'impact de l'espèce humaine sur la nature, Hubert Reeves, habituellement pessimiste, illustre ici le volet de l'espoir. Ob-servons son talent pour vulgariser et ordonner la connaissance.

1. Quel est le ton utilisé ici ?

2. Quelle est l'intention de l'auteur ?

3. Quelles différences importantes pouvez-vous observer en analysant l'évolution des thèmes dans les essais figurant dans cette anthologie ?

4. À qui l'auteur s'adresse-t-il ?

5. Commentez l'utilisation des citations dans ce texte.

**Régine Robin
(née en 1939)**

*L'écrivain s'invente
ses propres filiations.
Fils de Kafka et de
Cervantès, fille de
Flaubert et de Melville!*

Née à Paris de parents juifs d'origine polonaise (elle y a publié de nombreux ouvrages qui ont laissé leur marque), Régine Robin a choisi le Québec à la fin des années 1970. Cette essayiste aux appartenances multiples ne cesse d'interroger les liens entre l'écriture et la mémoire, entre la mémoire individuelle et la mémoire collective. Dans son roman autobiographique *La Québécoite* (1983), elle rend compte de l'éclatement de son identité passée et de la constitution de celle qui doit la remplacer.

Au plaisir de lire
• *L'immense fatigue des pierres*

CE NOUS SI FRÉQUEMMENT UTILISÉ ICI

Quelle angoisse certains après-midi — Québécité — québécitude — je suis autre. Je n'appartiens pas à ce Nous si fréquemment utilisé ici — Nous autres — Vous autres. Faut se parler. On est bien chez nous — une autre Histoire — L'incontournable étrangeté. Mes aïeux ne sont pas venus du
5   Poitou ou de la Saintonge ni même de Paris, il y a bien longtemps. Ils ne sont pas arrivés avec Louis Hébert ni avec le régiment de Carignan — Mes aïeux n'ont pas de racines paysannes. Je n'ai pas d'ancêtres coureurs des bois affrontant le danger de lointains portages. Je ne sais pas très bien marcher en raquettes, je ne connais pas la recette du ragoût de pattes ni de la cipaille. Je
10 n'ai jamais été catholique. Je ne m'appelle ni Tremblay, ni Gagnon. Même ma langue respire l'air d'un autre pays. Nous nous comprenons dans le malentendu. Je sors de l'auberge quand vous sortez du bois. Par-dessus tout, je n'aime pas Lionel Groulx, je n'aime pas Duplessis, je n'aime pas Henri Bourassa, je ne vibre pas devant la mise à mort du père Brébeuf, je n'ai
15 jamais dit le chapelet en famille à 7 heures du soir. Je n'ai jamais vu la famille Plouffe à la télévision. Autre, à part, en quarantaine — la quarantaine. Des cheveux blancs déjà — à la recherche d'un langage, de simples mots pour représenter l'ailleurs, l'épaisseur de l'étrangeté, de simples mots, défaits, rompus, brisés, désémantisés. Des mots images traversant plusieurs langues
20 — Je ne comprenais pas le pourquoi des ventes sales, sinon qu'elles n'étaient pas le contraire des ventes propres. De simples mots ne cachant pas leur polysémie, à désespérer de tout. Je ne suis pas d'ici. On ne devient pas québécois. Prendre la parole, rendre la parole aux immigrants, à leur solitude. Give me a smoked meet — une rencontre fumée comme il y a des
25 rencontres rassies ou des rencontres bleues — c'était un pays bleu. Certains jours la neige même tournait au bleu. Tous les yeux dans la rue étaient bleus. Le ciel bien sûr mais aussi les langues de soleil sur les façades vitrées — les habits des passants, leur visage même bleu de froid. La campagne se transformait en un immense diamant bleu de ville polaire. Le bleu c'était aussi les
30 plis du drapeau québécois claquant au vent glacé. Tout était bleu. Les lacs gelés étaient bleus. Bleu roi, bleu-vert, bleu de mer du Nord — de simples mots pour représenter la différence quotidienne — une parole autre, multiple. La parole immigrante comme un cri, comme la métaphore mauve de la mort, aphone d'avoir trop crié. Un pays bleu comme les bleuets, ces myrtilles-
35 fleurs — un pays crêpe de fausse Bretagne.

La Québécoite (1983), © XYZ éditeur, 1993.

---

1. D'où vient le sentiment d'exclusion ressenti par la narratrice?

2. Commentez l'emploi des expressions anglaises.

3. À quoi la couleur bleue est-elle associée?

4. Vous retrouvez-vous dans le portrait des Québécois que fait la narratrice?

La chanson

En général, la chanson précède légèrement les grands mouvements politiques du pays. Elle est une sorte de sismographe de la réalité québécoise. On peut observer que, juste avant le référendum de 1980, il y a eu un silence de la chanson québécoise, suivi du résultat que l'on sait.

Sylvain Lelièvre

Après l'élection du Parti québécois, en 1976, la chanson à texte se dépouille peu à peu des notions patriotiques qu'elle véhiculait. Dans la décennie suivante, alors que les milieux artistiques et intellectuels glissent vers l'indifférence politique, les chansonniers se tournent vers d'autres idéaux, empruntent des sentiers plus individualistes. Le temps est aux interprètes populaires, à la chanson de variété. C'est surtout le règne des humoristes. Il faut attendre les années 1990 pour voir la chanson reprendre de la vigueur et faire souffler un courant d'air frais sur la scène francophone. Une nouvelle génération, loin des références chansonnières de ses prédécesseurs, se réapproprie la chanson, qui se voit soumise à tous les styles musicaux : *métal*, reggae, *rap*, *folk*... L'univers riche et varié de cette nouvelle vague, qui absorbe les influences étrangères, séduit par sa fraîcheur et son imprévisibilité. Cette chanson en constante redéfinition reflète les préoccupations du temps présent, comme l'environnement, les problèmes sociaux et les inquiétudes reliées à la mondialisation.

C'est ainsi qu'on est séduit par les petites histoires personnelles inventées d'un Daniel Bélanger, et par ses mises en situation atmosphériques. Le public se reconnaît dans les hymnes urbains impressionnistes de Marc Déry ou dans les chansons d'un Kevin Parent qui raconte son quotidien délavé en panne. Et que dire de la poésie déjantée de Marie-Jo Thério. Et c'est sans parler des Stefie Shock, Yann Perreau, Fred Fortin, Mara Tremblay, Dumas et Bori, parmi tant d'autres.

Ces jeunes chanteurs réalisent que la politique, c'est tout simplement la condition humaine.

Une chanson plus lyrique

À la toute veille de l'an 2000, à l'image de la société québécoise qui cesse de vouloir changer le monde pour se concentrer plutôt sur ce qui relève du domaine de l'intime, à l'instar des autres genres littéraires, la chanson se fait elle aussi plus lyrique. Quelque sujet qu'elle aborde, de la misère sociale à la redéfinition des rapports amoureux, du désastre des rêves à la difficile communication entre les êtres, immanquablement, elle s'attarde à explorer, à partir d'un « je » désormais incontournable, le riche terreau des émotions.

■ ■ ■

Jean-Pierre Ferland
(né en 1934)

L'univers est dégueulasse mais je l'aime à mort.

Après avoir fondé le groupe des Bozos, en 1959, avec Claude Léveillée, Hervé Brousseau, Clémence DesRochers, Raymond Lévesque et le pianiste André Gagnon, Jean-Pierre Ferland entreprend une carrière solo, l'une des plus riches parmi celles des chanteurs québécois. Si les thèmes de ses chansons sont multiples, celui de l'amour, en particulier de la femme amante, est le plus récurrent. Les chansons d'amour de ce chanteur sont généralement autobiographiques. Chantre sensuel de l'amour et du bien-vivre, Jean-Pierre Ferland invite ici à mordre à pleines dents dans la vie.

AVANT DE M'ASSAGIR

Avant de m'assagir, avant de jeter l'ancre
De ménager mon cœur, de couver ma santé
Avant de raconter mes souvenirs à l'encre
De vouloir sans pouvoir, de compter mes lauriers.
5 Avant cette saison, avant cette retraite
Je veux sauter les ponts, les murs et les hauts-bords
Je veux briser les rangs, les cadres et les fenêtres
Je veux mourir ma vie et non vivre ma mort.

Je veux vivre en mon temps, saboter les coutumes
10 Piller les conventions, sabrer les règlements.
Avant ce coup de vieux, avant ce mauvais rhume
Qui tuera mes envies et mes trente-deux dents
Et si je le pouvais, je ferais mieux encore
Je me dédoublerais, pour vivre comme il faut
15 Le jour pour ce qu'il est, la vie pour ce qu'elle vaut

Ça c'est mourir sa vie et non vivre sa mort.

Je ne veux rien savoir, je ne veux rien comprendre
Je veux recommencer, je veux voir, je veux prendre
Il sera toujours temps et jamais assez tard
20 D'accrocher ses patins, d'éteindre son regard
Je ne veux pas survivre, je ne veux pas subir
Je veux prendre mon temps, me trouver, m'affranchir
Me tromper de bateau, de pays ou de port
Et bien mourir ma vie et non vivre ma mort.

25 Mais au premier détour, à la première peine
Je me mets à gémir, à pleurer sur mon sort
À penser à plus tard, à calculer mes cennes
Et à vivre ma vie et à vivre ma mort.
Je cherche votre cou, je vous prends par la taille
30 On se fait si petit, petit, quand on a peur
Je ne suis plus géant, je ne suis plus canaille
Je couve ma santé, je ménage mon cœur.

Et puis je me reprends et puis je me répète
Qu'avant cette saison, avant cette retraite
35 Il faut sauter les ponts, les murs et les hauts-bords
Il faut mourir sa vie et non vivre sa mort
Et pendant ce temps-là le printemps se dégivre
Le jour fait ses journées, la nuit fait ses veillées
C'est à recommencer que l'on apprend à vivre
40 Que ce soit vrai ou pas, moi j'y crois.

Paroles et musique Jean-Pierre Ferland, © Les Éditions Jaune.

1. Comment la structure de la chanson exprime-t-elle la difficulté d'atteindre le but visé ?

2. Quel est le rôle des répétitions « avant », « je veux », « il faut » ?

3. Quel est l'effet produit par cette longue suite d'énoncés ?

4. Analysez le rôle des antithèses.

LA SAISIE

Ne touchez pas à mon piano
C'est tout ce que j'ai
À me mettre sur le dos
Ne touchez pas à mon piano
5   Car c'est ma voix
Car c'est ma peau.

Prenez tout ce qu'il vous faut
Le reste est de trop
Mais ne touchez pas à mon piano

10 Ne touchez pas à mes amours
C'est tout ce que j'ai
C'est mon aller-retour
Ne touchez pas à mes amours
Car c'est ma nuit
15 Car c'est mes jours

Prenez tout et pour toujours
Le reste est dans la cour
Mais ne touchez pas à mes amours

Ne touchez pas à mes trente ans
20 C'est tout ce que j'ai
À me mettre sous la dent
Ne touchez pas à mes trente ans
Car c'est ma vie
Car c'est mon vent

25 Prenez tout au plus sacrant
Le reste est en dedans
Mais ne touchez pas à mes trente ans

Ne touchez pas à ma folie
C'est tout ce que j'ai
30 C'est ma Californie
Ne touchez pas à ma folie
Car c'est mon nom
Car c'est mon cri

Prenez tout je vous en prie
35 Le reste est gratuit
Mais ne touchez pas à ma folie

Ne touchez pas à mon sourire
C'est tout ce que j'ai pour alléger l'avenir
Ne touchez pas à mon sourire
40 C'est mon champagne, mon élixir

Prenez tout sans repentir
Le reste est à saisir…
Mais ne touchez pas à mon sourire !

Paroles Louise Forestier, musique François Dompierre,
© Les Éditions Gamma.

Louise Forestier / Louise Belhumeur (née en 1943)

Il ne s'agit pas de la comprendre, la vie, il faut simplement la vivre, la sentir…

Louise Forestier a d'abord été interprète : de différents auteurs d'ici et d'ailleurs, et de *L'Osstidcho*, spectacle qui l'a révélée au public ; elle a aussi chanté avec Robert Charlebois. En plus de celui d'interprète, c'est désormais à titre d'auteure que le public la reconnaît. En effet, depuis les années 1990, Louise Forestier s'est mise à l'écriture de ses propres chansons. Elle lève le voile sur plusieurs moments difficiles de sa vie, comme cette époque où elle était la proie d'un huissier, ce que rappelle *La saisie*. En plus de composer des chansons intimistes d'une très grande intensité, elle a aussi écrit une biographie épistolaire, *Signé Louise* (2003).

Au plaisir de lire
• Signé Louise

1. Quels sont les cinq vers qui structurent la chanson ?

2. Le titre évoque une procédure de justice, cependant un autre sens se développe dans la chanson. Quel est-il ?

3. Peut-on soutenir que, dans cette chanson, c'est l'amertume qui domine ?

Sylvain Lelièvre
(1943-2002)

Dans la maison
y'a mon piano
Mon premier baiser,
mon dernier naufrage

Sylvain Lelièvre a fait carrière dans la chanson depuis le début des années 1960. Ce poète de l'intimité et du quotidien aime les textes finement ciselés, aux très nombreuses images. Ses propos généreux s'ouvrent fréquemment sur les préoccupations d'ordre social. Rarement la langue française a été mieux servie par la chanson. *Je descends à la mer* évoque autant un paysage intérieur que celui de la mer.

Au plaisir de lire

• *Entre écrire* (*Poèmes et chansons*, 1962-1982)

JE DESCENDS À LA MER

Les faisceaux des phares tracent
Des fantômes qui s'effacent
À mesure que l'ombre les reprend
Et je roule dans la nuit
5 Sur des routes où rien ne luit
Que la ligne blanche de temps en temps
Les clochers du Nouveau Monde
Flashent dans la nuit profonde
Néons géants de Shell ou de MacDo
10 Un douanier de série B
Me fait signe de stopper
« *Where do you live and where do you go ?* »

Je descends à la mer où m'attend une femme
Je descends à la mer où mon amour m'attend

15 Je n'ai rien laissé derrière
Qu'une prison familière
Dont j'étais moi-même le geôlier
Que des barreaux que j'avais
Tracés moi-même à la craie
20 Quand je n'étais encore qu'un écolier
Que des fudges et des cantiques
Des *Messerschmitts* en plastique
Des framboises et des baigneuses nues
Des dessins pleins de secrets
25 Des silences et le regret
D'une enfance à peine entraperçue

Je descends à la mer où m'attend une femme
Je descends à la mer où mon amour m'attend

Elle m'attend dans la brume
30 De la plage qui s'enfume
Dès qu'elle sort saluer le matin
Elle m'attend en plein cœur
Du chœur des oiseaux-moqueurs
Entre l'instant où la nuit s'éteint
35 Et celui où l'aube arrose
Son corps de cuivre et de rose
C'est là qu'elle habite exactement
Entre toujours et jamais
Entre hier et désormais
40 Là qu'on a rendez-vous maintenant

Je descends à la mer où m'attend une femme
Je descends à la mer où mon amour m'attend
Où mon amour m'attend

Paroles et musique Sylvain Lelièvre, © Éditions de la Basse-Ville, 1994.

1. Quelle progression pouvez-vous relever dans la chanson ?

2. L'écriture est ouvragée : analysez les sonorités, les rimes et les images.

3. Quelle vous semble être l'intention de l'auteur ?

4. Peut-on trouver des points de comparaison entre cette chanson et le poème de Lucien Francœur (page 158) ?

L'île-au-canot, Denis Nadeau, série Hommage à Gabrielle Roy, 2005.

**Richard Desjardins
(né en 1948)**

Avant d'être un artiste, je suis un citoyen. La poésie, ça sert aussi à exprimer des tendances, des sentiments collectifs.

Après avoir été membre du groupe rock Abbittibbi, Richard Desjardins, un chanteur engagé situé aux antipodes des modes et de la conformité, fait carrière seul à partir de 1988. Alors que certains de ses textes percutants portent l'empreinte d'un humour pouvant aller jusqu'au cynisme, d'autres ne craignent pas d'afficher une tendresse d'écorché, comme c'est le cas de *Tu m'aimes-tu ?* Plusieurs images surréalistes y imposent leur présence.

Au plaisir de lire

• *Paroles de chansons*

TU M'AIMES-TU ?

Ton dos parfait comme un désert
Quand la tempête a passé sur nos corps
Un grain d' beauté où j' m'en vas boire
Moi j' reste là les yeux rouverts
5 Sur un mystère pendant que toi, tu dors
Comme un trésor au fond d' la mer

J' suis comme un scaphandre
Au milieu du désert
Qui voudrait comprendre
10 Avant d' manquer d'air

Y est midi moins quart
Et la femme de ménage
Est dans l' corridor
Pour briser les mirages

15 T' es tell'ment tell'ment tell'ment belle
Un cadeau d'la mort
Un envoi du ciel
J'en crois pas mon corps

Pour moi t' es une prisonnière
20 En permission qu'importe le partenaire
J' dois être le vrai portrait d' ton père
Une Dare-devil Nefertiti
Des sensations c'tu ta philosophie
D'aller coucher avec un homme t'haïs ?

25 Pour moi t' as dit à ta chum
« Check le gars 'ec des lunettes
M'as t' gager un rhum
Que j'y fixe le squelette »

Y est midi moins cinq
30 Et la femme de ménage
Est là pis a fait rien qu'
Compter les naufrages

T' es tell'ment tell'ment tell'ment belle
Un paquebot géant
35 Dans chambre à coucher
Je suis l'océan
Qui veut toucher ton pied

J'pense que je l'ai j' t'ai sauvé 'a vie
Dans queuqu' pays dans une vie antérieure
40 La fois j' t'ai dit « Va pas à Pompéi ! »
C'est quoi d'abord si c'est pas ça
C't à cause d'un gars qui t'a tordu le cœur
J' t'arrivé drett' avant qu' tu meures !

C' pas pour mon argent
45 Ni pour ma beauté
Ni pour mon talent...
Tu voulais-tu m' tuer ?

Y est midi tapant
Et la femme de ménage
50 A cogne en hurlant :
« J' veux changer d' personnage »

T' es tell'ment tell'ment tell'ment belle
J' vas bénir la rue
J' vas brûler l'hôtel
55 Coudon...
Tu m'aimes-tu ?
Tu m'aimes-tu ?

Paroles et musique Richard Desjardins, © Éditions Foukinic.

Étude détaillée

Analyse formelle
LE LEXIQUE

1. Trouvez les principaux champs lexicaux.

2. Richard Desjardins joue-t-il sur les niveaux de langue ? Donnez des exemples précis.

3. Les figures de style abondent dans cette chanson.
   a) Relevez-les et classez-les par catégories (métaphores, comparaisons, etc.).
   b) Que voyez-vous d'inhabituel dans ces images ?

LA CONSTRUCTION DE LA CHANSON

La structure de cette chanson est très bien définie, les douze strophes se divisant en trois sections de quatre strophes.

1. Numérotez les strophes et indiquez les trois grandes divisions de la chanson.

2. À l'intérieur de chaque division, décrivez l'organisation interne. (Les répétitions jouent là un rôle important.)

3. Les troisième, septième et onzième strophes marquent-elles une progression ? Laquelle ?

4. Pourquoi ne retrouve-t-on le titre que dans les deux derniers vers ? Quel effet est ainsi obtenu ?

5. Le ton oscille entre le trivial et le sublime : donnez des exemples pour chacun.

Analyse thématique

Il s'agit, évidemment, d'une chanson d'amour, mais Richard Desjardins adopte un point de vue particulier.

1. Quel moment de la relation amoureuse est décrit dans cette chanson ? Voyez-vous là quelque chose d'original ? Comparez cette chanson avec d'autres chansons d'amour que vous connaissez.

2. Le poète se montre incrédule devant ce bonheur inattendu.
   a) Comment le narrateur essaie-t-il d'expliquer ce qui lui arrive ? Que voyez-vous de particulier dans ces explications ?
   b) Que se cache-t-il derrière cette incrédulité ?

3. Outre son incrédulité, quels sentiments envahissent le narrateur ?

Préparation à la dissertation critique

1. Analysez les strophes consacrées à la femme de ménage : que décrivent-elles ? Quelle est leur importance dans l'ensemble de la chanson ?

2. Étudiez le thème de la communication (ou son absence) dans cette chanson.

3. Peut-on affirmer que cette chanson propose une nouvelle image des rapports hommes-femmes ? Appuyez votre réponse par des passages choisis.

Paul Piché
(né en 1953)

Je chante parce que je n'ai plus le droit d'être un enfant et qu'en chantant je vis l'instant comme avant, comme quand sur mes lèvres d'enfant on y trouvait des vérités pour les grands.

Depuis son premier disque en 1977, le succès de Paul Piché n'a jamais vraiment connu de cesse. Cet artiste engagé, socialement et politiquement, a exercé une influence certaine auprès des jeunes et des contestataires, qui voient en ce chanteur un phare dans une époque de démobilisation et de désespérance. Cet idéaliste rappelle l'importance de ne pas s'apitoyer sur son triste sort, mais plutôt de se dévouer à une cause plus grande que soi.

Dans la chanson retenue, Paul Piché se met en scène pour rappeler l'absolue nécessité d'une démarche initiale, personnelle puis interpersonnelle, comme préalable à la réussite de tous les grands engagements.

L'ESCALIER

Juste avant d'fermer la porte
J' me d'mandais c' que j'oubliais
J'ai touché à toutes mes poches
Pour comprendre que c' qui m' manquait
5 C'était ni ma guitare
Ni un quelconque médicament
Pour soulager quelque souffrance
Ou pour faire passer le temps
Pis tout au long de l'escalier
10 Que j'ai descendu lentement
Parce que sans raison j'aurais r'monté
Parce que sans raison j'allais devant
J'étais tout à l'envers
Parce que c' qui m' manquait c'tait par en dedans
15 J' me sentais seul comme une rivière
Abandonnée par des enfants

Et pis le temps prenait son temps
Prenait le mien sur son chemin
Sans s'arrêter, sans m'oublier
20 Sans oublier de m'essouffler
Y a pas longtemps j'étais petit
Me voilà jeune et plutôt grand
Assez pour voir que l'on vieillit
Même en amour, même au printemps
25 Alors voilà je me décris
Dans une drôle de position
Les yeux pochés et le bedon

La bière sera pas la solution
J'aimerais plutôt que cette chanson
30 Puisque c'est de ma vie qu'il est question
Finisse un soir dans ma maison
Sur un bel air d'accordéon

Pis les enfants c'est pas vraiment vraiment méchant
Ça peut mal faire ou faire mal de temps en temps
35 Ça peut cracher, ça peut mentir, ça peut voler
Au fond, ça peut faire tout c' qu'on leur apprend

Mais une belle fin à cette chanson
M'impose de dire c' que j'aurais dit
Si j'avais pas changé d'avis
40 Sur le pourquoi de mes ennuis
Ben oui, j'allais pour me sauver
Vous dire comment faut être indépendant
Des sentiments de ceux qu'on aime
Pour sauver l' monde et ses problèmes
45 Qu'i' fallait surtout pas pleurer
Qu'à l'autre chanson j' m'étais trompé
Comme si l'amour pouvait m'empêcher
D' donner mon temps aux pauvres gens
Mais les héros c'est pas gratis

50 Ça s' trompe jamais, c't indépendant
La gloire paye pour les sacrifices
Le pouvoir soulage leurs tourments
Ben oui, c'est vous qui auriez pleuré
Avec c' que j'aurais composé
55 C'est une manière de s' faire aimer
Quand ceux qu'on aime veulent pas marcher
J' les ai boudés, y ont pas mordu
J' les ai quittés, y ont pas bougé
J' me sus fait peur, j' me sus tordu
60 Quand j'ai compris ben chus r'venu

Quand j'ai compris que j' faisais
Un très très grand détour
Pour aboutir seul dans un escalier
J' vous apprends rien quand j' dis
65 Qu'on est rien sans amour
Pour aider l' monde faut savoir être aimé

Paroles et musique Paul Piché,
© Les Éditions de la Minerve, 1994.

1. Établissez le plan de cette chanson.

2. Relevez-en les détails autobiographiques.

3. Étudiez les thèmes de l'enfance, de la solitude et du vieillissement.

4. Quel rôle social Paul Piché veut-il assumer ?

5. Quelle est l'idée directrice de cette chanson ?

Plateau Mont-Royal, rue Marquette (ou Fabre), Montréal, 1992.

Richard Séguin
(né en 1952)

Quand tout s'éclaire,
v'là les brigands
Y'ont vu dans
l'eau, l'Eldorado
Ils nous pensent
encore endormis
Nos cris ont soif,
ils s'ront surpris...

Richard Séguin parle le langage des jeunes. Celui de la ville et du présent. Dans ses chansons, on trouve fréquemment une préoccupation pour l'ailleurs et, toujours, une attention aux problèmes susceptibles d'entraver la grande fraternité humaine. Ici, dans *Journée d'Amérique*, chanson titre de son quatrième album solo, l'auteur-compositeur, dans un style net et concis qui se moule sur son propos, décrit les réalités mouvantes auxquelles sont confrontés les jeunes : le malaise quotidien dans l'anonymat des villes et l'impossibilité d'échapper à son sort, comme à une fatalité.

JOURNÉE D'AMÉRIQUE

Y fait froid, y'est cassé
Sans diplôme, sans papier
Accoté le long d'un mur
Y cherche un peu d'azur

5 Dans la foule y s'faufile
Ou bien y fait la file
Y'a des rêves qui brûlent
Au fond de sa poitrine

Journée d'Amérique
10 Journée d'Amérique
Journée de silence
Journée d'impatience
Journée sans travail
Journée de cobaye
15 Journée de soupir
Journée de désir

Le vent qui mord
Quinze ans d'efforts
De mauvais sang
20 Besoin d'argent
Un billet de loterie
Le million du samedi

Y'a déjà tout prévu
Y'aura même du surplus
25 Pour les proches, les parents
Des douceurs, du bon temps
Une retraite au soleil
Terminus y s'réveille

Y'a des rêves qui brûlent
30 Au fond de sa poitrine
Quand y s'ennuie
Quand y s'enfuit

Le vent du nord
Y'est déjà tard
35 Y fait c'qu'y peut
Y fait d'son mieux

Travail au noir
Un peu d'espoir
Les hauts, les bas
40 D'l'anonymat
Vingt-quatre heures de combat

Paroles et musique Marc Chabot et Richard Séguin, © Les Éditions de la Roche Éclatée, 1988.

1. Quel est le niveau de langue employé dans cette chanson ?

2. Étudiez la construction de la quatrième et de la cinquième strophe.

3. Étudiez le rythme. Pouvez-vous établir un rapport entre le thème et le rythme ?

4. Montrez qu'il s'agit plus d'une critique sociale que d'un drame personnel.

LA VIE EST LAIDE

De ses cheveux vaporeux elle s'est fait un cadre flou
D'où son visage se détache de loin en loin mystérieux
C'est ici que se complique cette histoire fatidique
Le patron vient de passer
5 Il l'a même pas remarquée
Remarquez dit-elle je suis peut-être laide mais je suis intelligente
Laide laide comme la vie est laide car je ne suis pas belle comme la vie est laide
C'est un séducteur né
Quinquagénaire blue jeansé
10 Grisonnant et marié
Comme les films à la télé
Sa femme ne sait pas s'habiller
Quadragénaire fatiguée
D'ailleurs lui fait pas son âge
15 Pendant qu'elle fait le ménage
Dix heures viennent de sonner elle voit une fille jeune et sexy au cou du
   patron se jeter
Les hommes sont toujours pareils de la fenêtre elle surveille mais elle ne
   perd pas courage de cette conne il va se lasser
20 Douze heures de sonner c'est le break il faut manger
Elle juste devant lui il l'a même pas remarquée
Il parle en faisant des blagues et bien sûr tout le monde rit son bras autour
   de l'amie
Qui rit et rit elle aussi
25 Laide laide comme la vie est laide
Un jour il se calmera
Sa jeunesse il finira
Ce sera moi qu'il choisira ?
Ce sera moi qu'il épousera

Paroles et musique Jean Leloup, Mark Lamb, Monica Hynes, © Éditions Kaligram, 1998.

1. Étudiez la forme et montrez que raffinement et prosaïsme se côtoient.

2. Que remarquez-vous d'original dans la manière de présenter l'action ?

3. Comment peut-on décrire le ton de cette chanson ?

4. A-t-on raison de dire que cette chanson est pessimiste ?

Jean Leloup / Jean Leclerc (né en 1961)

J'ai eu envie de chanter mon monde à moi, où ceux qui n'ont pas pu s'adapter aux exigences de la petite vie prennent leur revanche au soleil.

Le rebelle Jean Leloup est sans doute le plus cosmopolite des chanteurs québécois. Ses chansons originales, facétieuses, insolites et atypiques en font un inclassable. Un peu à la manière de Ferré ou de Lautréamont. Ce qui n'a pas empêché ce poète, branché sur son époque, qui chante l'anarchie et la conscience, de devenir le héros de la jeune génération : comme s'ils reconnaissaient en lui leur angoisse existentielle tout en enviant sa grande liberté. Sous le nom de Massoud Al-Rachid, Jean Leclerc a aussi publié un roman, *Noir destin que le mien* (2005). *La vie est laide* est un exemple de ses instantanés de vie, amplifiés par le talent de son imagination. Avec des paroles toutes simples, cette chanson dit le poids de la vie, le précipice étant tout proche.

Au plaisir de lire
• *Noir destin que le mien*

Ariane Moffat
(née en 1979)

Ce que j'écris témoigne en partie de la difficulté de cohabiter avec son monde intérieur.

Auteure-compositrice-interprète, Ariane Moffat a d'abord fait ses classes avec Marc Déry et Daniel Bélanger ; après ces belles et fécondes rencontres, elle a décidé de naviguer sur son propre navire. *Aquanaute* est le fruit de cette démarche, un premier album solo paru en 2002 qui a contribué à faire de la jeune artiste une figure de proue de l'avant-garde éclairée de la musique populaire d'ici. Avec ce premier disque, sur le ton de la confidence et un fond musical qui appelle la mélancolie, elle effectue une plongée en apnée dans les profondeurs de l'inconscient, permettant à ses mélodies de se fondre les unes dans les autres comme des vases communicants. Sur des ambiances feutrées, ses textes introspectifs et délicats s'imposent par leur noire beauté.

FRACTURE DU CRÂNE

Qu'est-ce qui t'arrive ce matin
Tu ne te sens pas bien ?
T'endures plus tes voisins
Tes pensées se parlent en latin
5 J'crois qu'je sais d'quoi t'as besoin
Non va pas voir tous tes médecins
Y est dans ta tête le vaccin
Dans ta tête et entre tes mains
J'veux pas t'faire la morale
10 J'vais juste te lancer une balle
T'emmener voir une autre étoile
À l'issue d'un voyage social
Fais du café ferme la télé
Assis-toi dans les escaliers
15 Ce s'ra pas long ni compliqué
Après j'te laisse aller

Ref : L'ouverture de l'esprit
N'est pas une fracture du crâne
L'ouverture de l'esprit
20 N'est pas une fracture
L'ouverture de l'esprit
N'est pas une fracture du crâne
Une fracture du crâne
Fracture du crâne

25 La spontanéité pourrait sûrement
te soulager
La curiosité va t'aider à t'envoler
Haut haut au-delà des banalités
Haut haut au-dessus des généralités
30 Y a pas trois vies dans ta partie
Pas de bonus tracks ni de photocopies
Ne perds pas ton temps à juger les gens

Ne perds pas ton jus à condamner
l'inconnu
35 Tourne avec la roue et sors dans
la rue
Regarde autour tous ces atomes
crochus
Chaque petit cerveau a son propre
40 château
À chaque petit wazo son propre
chapeau
Mets celui qui te plaît et tous les
autres si ça te plaît
45 Y a tellement de trésors dans nos
regards imparfaits

Refrain

On est tous très petits et on a
tous les mêmes envies
50 On a tous les mêmes besoins
Mais avec différents moyens
On a chacun nos fantômes
Et à peu près les mêmes symptômes
On a tous un côté sombre
55 Et qui n'a pas peur de son ombre !
Faudrait peut-être se l'avouer
Et cesser de s'isoler
Commencer par s'écouter
Et finir par se respecter

60 Refrain

And if we fall, and if we fall
We'll get back back on our feet
We'll get back back on our feet…

1. Quel est le registre de langue utilisé ici ?

2. Quels idéaux sont véhiculés dans cette chanson ?

3. Quelle semble être l'intention de l'auteure ?

4. Trouvez, dans l'extrait « Ce qui manque quand on a tout appris » de Doris Lussier (page 317), une citation qui illustre bien le propos de cette chanson.

Deux par deux rassemblés

Celui qui était fort hier
Ne sera que poussière demain
Malgré la grandeur des refrains
Et malgré l'arme qu'il a à la main

5 Tout ce qui monte redescend
Celui qui tombe se relèvera
Si aujourd'hui je pleure dans tes bras
Demain je repartirai au combat

Non, ce n'est sûrement pas de briller
10 Qui nous empêchera de tomber
Non, ce n'est sûrement pas de tomber
Qui nous empêchera de rêver

Ce qui reste à jamais gravé
Dans tous les cœurs disloqués
15 N'est pas objet qui ne pense qu'à briller
Mais plutôt tout geste de vérité

Demain nous donnerons nos armes
En offrande à Notre-Dame
Pour ces quelques pêcheurs sans âme
20 En échange des ornements de nos larmes

Non, ce n'est sûrement pas de briller
Qui nous empêchera de tomber
Non, ce n'est sûrement pas de tomber
Qui nous empêchera de rêver

25 Même les yeux, le cœur aveuglés
Par l'alcool de sang troublé
Par le frère de l'huître scellée
Bien droit, nous continuerons à marcher

Une fois deux par deux rassemblés
30 Nous partirons le poing levé
Jamais la peur d'être blessés
N'empêchera nos cœurs de crier

Non, ce n'est sûrement pas de briller
Qui nous empêchera de tomber
35 Non, ce n'est sûrement pas de tomber
Qui nous empêchera de rêver

Paroles et musique Pierre Lapointe, © Pierre Lapointe / Éditorial Avenue.

1. Relevez le champ lexical du combat.

2. Étudiez les vers et la syntaxe. Que remarquez-vous ?

3. Quelle est la tonalité qui domine ?

4. Donnez votre propre interprétation de ce texte.

Pierre Lapointe (né en 1981)

Une chanson, plus que des notes, est une construction d'émotions dans l'espace.

Largement inspiré par le mouvement surréaliste et le dadaïsme (« Ma façon d'écrire et de composer est venue de ma façon de comprendre Marcel Duchamp ») et par les grands de la chanson des années 1960, le charismatique Pierre Lapointe est un des talents les plus prometteurs de la chanson francophone ; à 24 ans, il a déjà remporté le Prix de la Francophonie de l'Académie Charles-Cros 2005 (France), ce qui est extrêmement rare à cet âge. Loin des sentiers mercantiles, il chante son riche univers personnel, un univers baroque et très théâtral, tapissé d'ombre et de lumière, teinté de fantaisie et d'autodérision, qui ne dédaigne pas une certaine provocation, mais qu'il tient toujours en laisse. Ses textes très léchés, dont un grand nombre baignent dans la mélancolie, ravissent une génération entière de jeunes assoiffés de substance. Chez Pierre Lapointe, la qualité de la langue s'allie au raffinement des musiques pour produire d'élégantes mélodies, comme *Deux par deux rassemblés*, une chanson qui de prime abord n'est pas populaire, mais le devient grâce à une mélodie accrocheuse.

Les cowboys fringants

C'est comme quand Renaud vient chanter chez nous en argot parisien.

Ce groupe d'auteurs-compositeurs sensibles et modernes qui a commencé sa carrière en 1997, formé de quatre gars et une fille, plonge ses racines dans le folklore western et l'autodérision. Porte-étendard de la nouvelle chanson francophone québécoise, ils puisent leur champ lexical dans l'ordinaire de la vie réelle pour produire de poignantes ballades *country-folk*. Après deux premiers albums centrés plus précisément sur le Québec, le dernier, *La grand-messe* (2004), se veut plus global, abordant des sujets internationaux comme la protection de l'environnement et les changements climatiques. Socialement engagés, ils ont dans leur ligne de mire les politiciens fallacieux, les inégalités sociales toujours grandissantes, l'implacable logique du profit, l'apathie endémique d'un trop grand nombre de citoyens et la funeste société de consommation ; précisons qu'ils jettent un regard sans pitié sur la société sans s'en exclure eux-mêmes. Leurs mots simples du quotidien privilégient certains thèmes, comme la jeunesse et le temps qui file ; *Les étoiles filantes*, touchant portrait réaliste à la plume juste et évocatrice, en est une brillante illustration.

LES ÉTOILES FILANTES

Si je m'arrête un instant
Pour te parler de ma vie
Juste comme ça tranquillement
Dans un bar rue St-Denis

5 J'te raconterai les souvenirs
Bien gravés dans ma mémoire
De cette époque où vieillir
Était encore bien illusoire

Quand j'agaçais les p'tites filles
10 Pas loin des balançoires
Et que mon sac de billes
Devenait un vrai trésor

Et ces hivers enneigés
À construire des igloos
15 Et rentrer les pieds g'lés
Juste à temps pour Passe-Partout

Mais au bout du ch'min dis-moi c'qui va rester
De la p'tite école et d'la cour de récré ?
Quand les avions en papier ne partent plus au vent
20 On se dit que l'bon temps passe finalement…

… comme un étoile filante

Si je m'arrête un instant
Pour te parler de la vie
Je constate que bien souvent
25 On choisit pas mais on subit
Et que les rêves des ti-culs
S'évanouissent ou se refoulent
Dans cette réalité crue
Qui nous embarque dans le moule

30 La trentaine, la bedaine
Les morveux, l'hypothèque
Les bonheurs et les peines
Les bons coups et les échecs

Travailler, faire d'son meiux
35 En arracher, s'en sortir
Et espérer être heureux
Un peu avant de mourir

Mais au bout du ch'min dis-moi c'qu'y va rester
De notre p'tit passage dans ce monde effréné ?
40 Après avoir existé pour gagner du temps
On s'dira que l'on était finalement

… que des étoiles filantes

Si je m'arrête un instant
Pour te parler de la vie
45 Juste comme ça tranquillement
Pas loin du Carré St-Louis

C'est qu'avec toi je suis bien
Et que j'ai pu l'goût de m'en faire
Parce que tsé voir trop loin
50 C'pas mieux que r'garder en arrière

Malgré les vieilles amertumes
Et les amours qui passent
Les chums qu'on perd dans' brume
Et les idéaux qui se cassent

55 La vie s'accroche et renaît
Comme les printemps reviennent
Dans une bouffée d'air frais
Qui apaise les cœurs en peine

Ça fait que si à' soir t'as envie de rester
60 Avec moi, la nuit est douce on peut marcher
Et même si on sait bien que tout dure rien qu'un temps
J'aimerais ça que tu sois pour un moment…

… mon étoile filante

Mais au bout du ch'min dis-moi c'qui va rester…
65 Mais au bout du ch'min dis-moi c'qui va rester…

… que des étoiles filantes

Jean-François Pauzé, Marie-Annick Lépine, sur le disque *La grand-messe*,
© Disques de la Tribu, 2004.

1. Quel est le ton de ce texte ?

2. Dégagez le thème principal et les sous-thèmes dans cette chanson.

3. Peut-on soutenir que, dans cette chanson, c'est la désillusion qui domine ?

L'ouverture à l'autre

Il y a peu encore, la chanson demeurait fermée aux artistes d'origine non québécoise. Était-ce dû au fait que, dans la récente période de fièvre nationaliste, un spectacle de chansons exigeait immédiatement l'adhésion la plus totale des spectateurs ? Ce temps est maintenant révolu : pendant que de nombreux chanteurs québécois portent un regard bienveillant sur l'autre, sur l'étranger venu s'établir ici ou pas, voici que d'autres, venus d'ailleurs ou nés de parents d'une origine culturelle différente, viennent enrichir le répertoire de la chanson québécoise, certains la mettant même à l'heure du *rap*, du *hip hop* et des diverses modes internationales. Après les pionniers que furent les Kashtin, Judy Richards, Jim Corcoran et Émeline Michel, vinrent les Lhasa de Sela, Jorane, Luck Mervil, Nicola Ciccone, pour n'en citer que quelques-uns. Sans oublier Corneille, un survivant du génocide rwandais qui tire de son drame des textes où triomphe l'envie de vivre, d'aimer, de réussir. Enfin, il faut souligner l'apport particulier de Chloé Sainte-Marie, une femme libre qui interprète avec talent ses poètes préférés comme autant de devoirs de mémoire en plus de chanter en langues autochtones.

■■■

**Pauline Julien
(1928-1998)**

*Ma poésie est plus
libre que moi. Elle
me tire en avant.*

Pauline Julien fut la première interprète, au Québec, à consacrer la totalité d'un spectacle aux femmes et à la condition féminine. Sensibilisée à de nombreuses causes, politiques autant qu'humaines, elle s'est sans cesse portée à leur défense avec conviction et tendresse. Elle a aussi été l'une des premières à chanter l'autre. Sa chanson intitulée *L'étranger*, écrite en 1972, permet de mesurer l'évolution du comportement social des Québécois à l'égard des immigrants.

L'ÉTRANGER

Quand j'étais petite fille
Dans une petite ville
Il y avait la famille, les amis, les voisins
Ceux qui étaient comme nous
5 Puis il y avait les autres
Les étrangers, l'étranger
C'était l'Italien, le Polonais
L'homme de la ville d'à côté

Les pauvres, les quêteux, les moins bien habillés
10 Et ma mère bonne comme du bon pain
Ouvrait sa porte
Rarement son cœur
C'est ainsi que j'apprenais la charité
Mais non pas la bonté
15 La crainte mais non pas le respect

Dépaysée, au bout du monde
Je pense à vous, je pense à vous
Demain ce sera votre tour
Que ferez-vous, que ferez-vous
20 Dépaysée, au bout du monde
Je pense à vous, je pense à vous
Demain ce sera votre tour
Que ferez-vous, que ferez-vous

Aujourd'hui l'étranger
25 C'est moi et quelques autres
Comme l'Arabe, le Noir, l'homme d'ailleurs,
L'homme de partout
C'est un peu comme chez nous
On me regarde en souriant
30 Ou on se méfie
On change de trottoir quand on me voit
On éloigne les enfants
Je suis rarement invitée à leur table

Il semble que j'aie des mœurs étranges
35 L'âme aussi noire que le charbon
Je viens sûrement du bout du monde
Je suis l'étrangère
On est toujours l'étranger de quelqu'un

Dépaysée, au bout du monde
40 Je pense à vous, je pense à vous
Demain ce sera votre tour
Que ferez-vous, que ferez-vous
Dépaysée au bout du monde
Je me prends à rêver, à rêver
45 À la chaleur, à l'amitié,
Au pain à partager, à la tendresse

Croyez-vous qu'il soit possible d'inventer un monde
Où les hommes s'aiment entr' eux
Croyez-vous qu'il soit possible d'inventer un monde
50 Où les hommes soient heureux
Croyez-vous qu'il soit possible d'inventer un monde
Un monde amoureux
Croyez-vous qu'il soit possible d'inventer un monde
Où il n'y aurait plus d'ÉTRANGER.

Paroles Pauline Julien, musique Jacques Perron, 1972, © Éditions Nicolas.

1. Quel parallèle l'auteure dresse-t-elle entre son enfance et aujourd'hui ?

2. Expliquez le changement de ton de la troisième strophe, qui sert aussi de refrain.

3. Montrez l'évolution dans le temps.

4. La dernière strophe vous semble-t-elle relever de l'utopie ?

Fleuron soutenu de jaune no 4, Jean McEwen, 1998.
Musée national des beaux-arts du Québec, 99.135.

**Claude Dubois
(né en 1947)**

*C'est géant l'amitié,
c'est total. Avec
l'amour, on se fait
plaisir à soi, tandis
que dans l'amitié
ça va ailleurs.*

Claude Dubois a enregistré ses premières chansons à l'âge de douze ans. Cet homme réfractaire aux conventions a longtemps nourri son œuvre à la source de l'underground. Mais il n'est pas de courant social ou même littéraire auquel il n'ait pas été associé. En témoigne cette chanson sur le sort peu glorieux souvent réservé aux exilés.

L'IMMIGRÉE

Elle habite un petit quartier
D'une ville un peu dérangée
Où les jours de la semaine
Ressemblent à d'autres semaines
5 À s'y méprendre
Mélangée mêlée mêlée aux étrangers
Elle a depuis rencontré vous devinez
C'que tout l'monde voudrait trouver
Aimer comme l'enfant qu'elle attend

10 Ils habitent un petit quartier
D'une ville un peu dérangée
Mais les jours de la semaine
Ne sont plus du tout les mêmes
Pour l'immigrée
15 Mélangée mêlée mêlée aux étrangers

Illégaux depuis longtemps
Amoureux fou
Se cachent comme des brigands
Elle porte emporte son enfant
20 De porte en porte on les déporte

Elle là-bas n'est pas chez elle
Et lui ici n'est pas chez lui
Que faut-il faire des gens épris
D'un enfant qui n'est
25 Ni d'ailleurs ni d'ici

Elle habite un petit quartier
D'une ville un peu dérangée
Où la loi reste la loi
Sauf pour qui un avocat
30 Très bien payé
Peut toujours toujours toujours tout arranger

Pas chez elle pas chez lui
Ni d'ailleurs ni d'ici

Pas chez elle pas chez lui

35 Pas chez elle pas chez lui
Ni d'ailleurs ni d'ici.

Paroles et musique de Claude Dubois, © Les Éditions musicales Pingouin.

1. Comment s'exprime la sympathie que l'auteur ressent pour le personnage de l'immigrée?

2. Quel drame les immigrés vivent-ils?

3. Commentez la grande simplicité de la langue.

JE ME TUTOIE

Je me tutoie depuis déjà longtemps
Je me serre, je me sors
Je me berce, je me borde
Et j'm'endors

5 Fatigué de moi je rêve à toi
Je te majuscule
Je te point d'exclame
Je te vouvoie

Mais lorsque je nous trait d'union
10 Ça me réveille
Or je me minuscule
J'me rendors
Point

Paroles et musique Jim Corcoran, © Gog and Magog Music, 1994.

1. Quels néologismes sont employés ici ?

2. Expliquez le jeu de mots du titre. Trouve-t-il des échos dans la chanson ?

3. Quelle peut être l'intention de l'auteur ?

Jim Corcoran / James Corcoran (né en 1949)

*Je n'entends plus
ma langue à cause
de la tienne
Je ne vois plus
mon drapeau à
cause du tien
Je veux bien avancer,
mais sans ta cadence.*

Jim Corcoran, Canadien anglophone d'origine irlandaise, a commencé à chanter en français en 1971. Lui dont le français n'est pas la langue maternelle se plaît à jouer avec les sons et les mots, pour en actualiser tous les possibles. Il arrive à une telle maîtrise de sa langue d'adoption qu'il se permet de donner une leçon de français aux Québécois francophones avec sa chanson *Je me tutoie*, où il ne craint pas de créer de nombreux néologismes.

L'explorateur,
Alain Cardinal.

**Michel Rivard
(né en 1951)**

Je chante parce que certaines questions sont sans réponse et qu'il vaut mieux chanter que de se casser la tête sur des blocs de silence.

Michel Rivard chante aussi bien en solo qu'avec le groupe Beau Dommage. Son talent exceptionnel en fait l'un des plus importants auteurs-compositeurs-interprètes de sa génération. Chez lui, qualité et innovation vont de pair, et chaque nouveau spectacle se veut une fête pour l'oreille et l'intelligence. Sa chanson *C'est un mur* traite du racisme qui isole.

C'EST UN MUR

C'est un mur qui se dresse entre un homme et sa sœur
Quand la peau s'est trompée de couleur
Il est froid comme la guerre il est vieux comme la terre
C'est un mur entre un homme et sa sœur

5 Dans les villes où la peur est l'arme des puissants
Il se dresse entre l'homme et l'enfant
Il est froid comme la guerre il est vieux comme la terre
C'est un mur entre l'homme et l'enfant

Nous qui ne sommes pourtant...

10 Ni tout à fait Noirs
Ni tout à fait Blancs
Partout pareils
Sous le vent...
Ni tout à fait Noirs
15 Ni tout à fait Blancs
Partout pareils
Dans le sang

C'est un mur qui se dresse en dehors de l'amour
Tapissé d'appels au secours
20 Il est froid comme le fer il est partout sur terre
C'est un mur en dehors de l'amour

Dans un monde où la peur est l'arme des puissants
Il nous cache la lumière du cœur
Il est froid comme le fer il est partout sur terre
25 C'est un mur entre une femme et son frère

Nous qui ne sommes pourtant...

Ni tout à fait Noirs
Ni tout à fait Blancs
Partout pareils
30 Sous le vent...
Ni tout à fait Noirs
Ni tout à fait Blancs
Partout pareils
Dans le sang...

Paroles et musique Michel Rivard, © Les Éditions Sauvages, 1987.

1. Relevez les images et commentez-les.

2. Montrez l'opposition entre le présentatif *c'est* et le pronom *nous*.

3. En quoi l'image du mur est-elle en totale opposition avec le thème du poème « La lingua sola » de Gérald Godin (page 237) ?

LOUP BLANC

Il était une fois
Un grand loup blanc
Apparu un soir d'été
Libre comme l'air

5 Miam Maikan, he
Miam Maikan, he

Partout dans les terres
J'étais une terreur
De race fière
10 On me disait meurtrier

Ekuan miam maikan
Etenimuian
Niantuapamitan he, he, he
Peikuteshian he, he, he
15 He ha, he ha

Miam Maikan
Tshuapamitin
Tshinanatuapamitin
Tshishuapamitin

20 Miam Maikan, he
Miam Maikan, he

Miam Maikan
Tshuapamitin
Tshinanatuapamitin
25 Tshishuapamitin

Je hurle à la lune
Dans ma solitude

Me sauvant dans les brumes
Devant la multitude

30 Ha, ha, ha, ha
Peikuteshuian
Miam maikan
Etepueian
Tshe itueian
35 Peshuapamitan

Etepueian ha, ha, ha
Animuian
Kushtaman
Assikuman
40 Peshuapamitan

Ekuan miam maikan
Je hurle à la lune
Etenimuian
Dans ma solitude
45 Niatuapamitan
Me sauvant dans les brumes
Peikuteshuian
Devant la multitude

Il était une fois
50 Un grand loup blanc
Apparu un soir d'été
Libre comme l'air

Paroles Florent Vollant et Claude Péloquin,
musique Florent Vollant et Sylvain Michel,
© Mushku Musik / Éditions Katomi /
Éditions Éternité.

1. Commentez la comparaison dans le dernier vers.

2. Quels idéaux sont véhiculés dans cette chanson ?

3. Comparez cette chanson avec celle d'Ariane Moffat (page 334). Dans les deux textes, il est question de respect des différences. Discutez.

Florent Vollant
(né en 1959)

Là où on trouve des caribous, il y a des loups et des Innus.

Originaire d'une famille manekesh de nomades, les Innus, Florent Vollant, un ancien membre du groupe Kashtin qu'il forma avec Claude McKenzie, ramène de son Labrador natal une musique qui respire les grands espaces, la nature et la liberté des nomades. À l'heure où plusieurs autochtones adoptent une attitude plus militante pour faire avancer leur cause, cet artiste inspiré par le talent de conteurs des anciens honore ses origines nomades en portant le flambeau de la fierté amérindienne et de la résistance pacifique. Cet humaniste prend conscience du sort réservé à son peuple par les Blancs ; et il s'étonne qu'il n'y ait jamais vraiment eu de reconnaissance de ce que les autochtones ont apporté aux sociétés des arrivants. Dans son album éthéré *Katak*, produit en 2003, Florent Vollant chante en français, en anglais et en innu, langue emblématique de sa famille.

Luc De Larochellière
(né en 1965)

*Lorsque, sur scène,
je vois une foule
se lever et chanter
Sauvez mon âme,
la mienne est sauvée.*

Dès le début de sa carrière, Luc De Larochellière a eu rendez-vous avec le succès. Ses chansons aux préoccupations politiques ou sociales autant que celles plus intimes surent gagner la faveur du public. Dans *La route est longue*, le chanteur dénonce le sort des femmes immigrées, en situation illégale, réduites au travail clandestin. Elles ne voient d'autre soleil que « la lumière des néons ».

LA ROUTE EST LONGUE

Il m'arrive parfois sur la rue
Tôt le matin
De revoir la même vision
En passant sur mon chemin
5 Des femmes habillées de noir
Qui avancent d'un pas pesant
Remontent vers le nord
Sur la rue des immigrants

Ces femmes-là n'ont pas de nom
10 N'ont ni âge, ni parent
Sur les listes officielles
De nos bons gouvernements
Elles sont parties en vacances
Il y a peut-être dix ans
15 D'un pays où le soleil
Était un peu trop pesant

REFRAIN
La route est longue
Pour remonter jusqu'au soleil
20 Les rues sont sombres
Comme le cœur de l'homme

Il m'arrive parfois sur les visages fermés
De reconnaître une enfant
Aux yeux un peu moins usés
25 Par la lumière des néons

La poussière des entrepôts
Les souvenirs douloureux
Qui laissent des marques sur la peau

On se fout des événements
30 Et on se fout du danger
Quand nos listes officielles
Sont quelque peu dérangées
La loi c'est la loi
Et la justice passe après
35 On retourne des enfants
Sous les soleils trop pesants

REFRAIN

Et elles partent si tôt
Et reviennent si tard
40 Qu'elles ne voient de lumière
Que le soleil des phares
Travaillent pour quelques sous
Pour l'employeur généreux
Qui garde bien leur secret
45 Et son argent si précieux

REFRAIN

Paroles et musique de Luc De Larochellière
et Marc Perusse, © 1988, Universal Music
Publishing, Inc. a division of Universal
Studios, Inc.

1. Étudiez le rôle de la lumière dans cette chanson.

2. Expliquez la cinquième strophe.

3. Quelle image de la condition immigrante émerge de cette chanson ?

4. Comparez cette chanson avec celle de Claude Dubois.

SPLEEN ET MONTRÉAL

C'est pas vraiment qu'ça va mal
Mais depuis que j'ai quitté la Capitale pour Montréal
Faut que je sois réaliste : j'm'étale dans le dédale de mon encéphale
Plus souvent que je détale en direction de mon idéal astral
5 Astreint au train-train quotidien comme un esclave à fond d'cale
J'ai l'impression que ma vie m'avale
Mais sans mon aval
Comme Diogène avec son fanal
Je cherche un homme en moi
10 Qui ne soit pas celui que je vois mois après mois
J'sais pas c'qui va pas
J'ai pourtant mes dix doigts, ma blonde à côté d' moi, un toit, j'ai même un emploi
Mais chaque jour un peu plus je ploie sous le poids d'un couvercle ben vissé
Au-dessus de ma tête, une sorte de cercle ben vicié
15 Sans aspiration, j'peux pus respirer, aspiré
Par la spirale d'une houle à rappel, j'me rappelle
Qu'y faut que je coule encore plus profond
Pour espérer remonter — si j'ai de la veine — avec la veine de fond

Spleen et Montréal
20 Comme dans le Vortex de Mistral
Spleen et Montréal
Ma vie m'avale en amont en aval
Spleen et Montréal
Comme Diogène avec son fanal
25 Spleen et Montréal
Toujours en quête d'un idéal

Sangsue seule et scellée dans son salon
Morose, je me métamorphose
Comme le cafard du cas Kafka
30 Mon corps est comme une espèce d'insecte extrinsèque à mon cortex
À peine parvenu larve
À des années-lumière d'un malamute en rut, je mute
En vache avachie dans son pré… sent
Une sorte d'animal mou en mal de mou… vement
35 Assis ici et là… las… las
Sans cesse, hélas, enlacé par la paresse
Le remords mord aux dents me dévore corps et âme
Comme mon ostie d'nation
Sans aucune ostination
40 Je suis le pro de la crastination
Le paresseux qui, par essence, a sué à scier ses essieux
Pour justifier avoir à les réparer avant de pouvoir être paré
Tant de talent latent au fond de l'étang, attendant un élan
Après deux ans, y s'rait p'têt' temps que j'me botte le… han
45 Car quand je le veux, je peux devenir dieu
Vivant, sur le qui-vive, en équi… libre comme l'air… de rien
T'nez vous ben, j'm'en viens
Tout comme Poséidon, je possède le don
De faire frémir les flots
50 Quand je dis « vent », vingt vagues vont de l'avant !
Mais le plus souvent, verre de vin à la main je divague en vain sur le divan

Loco Locass

Écrire, c'est faire passer le chaos dans le chas d'une aiguille.

Le groupe Loco Locass est formé de trois rappeurs-poètes dont nous ne connaissons que les surnoms : Biz, Chafiik et Batlam. Ce dernier est le nom d'un des personnages des *Oranges sont vertes* de Claude Gauvreau ; ce qui est déjà un indice du bagage culturel de ces jeunes qui truffent leurs textes de nombreuses références littéraires, intellectuelles et politiques. De plus, rares sont les paroliers qui ont affronté comme eux la chose politique. Leur engagement fervent et… loquace les a même amenés à composer une chanson franchement militante : considérés comme des rappeurs chics et lettrés, avant de créer *Libérez-nous des libéraux*, ils sont devenus de dangereux subversifs après sa composition. Avec conviction, leurs textes touffus et sensés, qui s'appuient sur une musique à l'énergie débridée, commentent avec verve et aplomb l'actualité politique et sociale, dénoncent la mondialisation sauvage, les fondamentalismes de tout acabit et l'hégémonisme américain. *Spleen et Montréal*, la chanson dédiée à Christian Mistral retenue ici, tente de prendre la couleur du temps présent.

Spleen et Montréal
Comme dans le Vortex de Mistral
Spleen et Montréal
55 Ma vie m'avale en amont en aval
Spleen et Montréal
Comme Diogène avec son fanal
Spleen et Montréal
Toujours en quête d'un idéal

Paroles et musique, Sébastien Fréchette, Sébastien Ricard, Mathieu Fahroud-Dionne,
© Loco Locass / Éditorial Avenue.

1. La musicalité et le rythme sont assurés par des séries d'allitérations et d'assonances.
   Faites l'analyse de leurs principales manifestations.

2. Relevez les jeux de mots et expliquez-les.

3. Expliquez les références littéraires.

SYNTHÈSE

Analysez

1. Comment les textes de Marie José Thériault et de Jean Bédard réussissent-ils à recréer des époques lointaines ?

2. Étudiez les similitudes entre les chansons de Clémence DesRochers (page 200) et de Richard Séguin.

Expliquez

3. Prouvez que les personnages centraux des pièces de Gratien Gélinas (page 111) et de Marcel Dubé (page 112) ainsi que ceux de René-Daniel Dubois portent tous l'empreinte de l'idéalisme.

4. Comparez le regard porté sur les pratiques religieuses par Jean-Claude Germain (page 182) et Ying Chen, et expliquez en quoi leurs vues sont différentes.

5. Prouvez que la quête des Antonio D'Alfonso et Émile Ollivier est comparable à celle des auteurs nationalistes.

6. Prouvez que pour Abla Farhoud et Émile Ollivier comme pour Gilles Vigneault (page 196) le seul véritable pays est intérieur.

7. À l'aide des textes de Ying Chen, de Marco Micone et de Trevor Ferguson, prouvez que les auteurs issus des communautés culturelles jettent un éclairage original sur la société québécoise.

8. Faites la démonstration que le nationalisme n'est plus territorial mais culturel.

Discutez

9. Comparez le personnage créé par Louis Hamelin avec le narrateur du poème *Accompagnement* de Saint-Denys Garneau (page 95).

10. Est-il juste de croire que l'écriture de Marie Uguay et celle d'Aude portent le même regard attentif sur le quotidien ?

11. Dans les textes de Jacques Savoie et de Pierre Gobeil, peut-on affirmer que le regard de l'enfant offre un point de vue différent sur le monde ?

12. Quelle est l'importance du voyage dans les textes de Jacques Poulin et de Sylvain Lelièvre ?

13. On a qualifié Paul Piché de chanteur nationaliste. Choisissez un poème parmi ceux du chapitre 4 et montrez en quoi ce chanteur est ou n'est pas le fils spirituel des poètes de l'Hexagone.

14. Comparez le refus de l'âge adulte chez les personnages créés par Réjean Ducharme (page 168) et chez ceux créés par Louis Hamelin.

15. Comparez le traitement réservé aux enfants chez Marie-Claire Blais (page 170) et Réjean Ducharme (page 168) ainsi que chez Sylvain Trudel.

16. Comparez le traitement du thème de l'errance dans les textes d'Émile Ollivier et d'Abla Farhoud.

17. Peut-on qualifier le poème de Gérald Godin, dans le présent chapitre, et la chanson de Michel Rivard de textes humanistes ?

À RETENIR

Contexte sociohistorique	Littérature
L'ouverture au monde du Québec	**Une littérature postnationale**
• Période de transition après l'échec du référendum sur la souveraineté (1980).	• Fin du thème du pays en tant qu'utopie artistique.
• **La relève des hommes d'affaires** Une période de récession économique très grave touche le Québec (1981-1982). L'État devient de moins en moins interventionniste.	• **La poésie dans tous ses états** Le lyrisme devient le principal moteur de la poésie. Poésie de la subjectivité qui traite de l'amour, de l'enfance et de la mort. Préoccupations proprement littéraires et interrogations sur la façon de saisir le réel.
• **Sur le plan constitutionnel** P. E. Trudeau procède au rapatriement unilatéral de la constitution (1982). Rejet de l'« entente du lac Meech » lors du référendum de 1990. Second référendum sur la souveraineté en 1995, perdu de justesse par le camp du oui.	• **La vie est un roman** Éclatant dans toutes les directions, le roman de cette époque semble fuir toute définition. Tendance au roman intimiste où l'intrigue est réduite au profit du héros et de sa quête. Apparition sur le marché de best-sellers québécois : romans d'aventures, romans historiques, romans sociaux, dans un créneau longtemps réservé à la production étrangère.

Contexte sociohistorique *(suite)*

- **Un Québec pluraliste**
  Le Québec est profondément transformé par l'arrivée massive d'immigrants installés surtout à Montréal.

- **Une civilisation en mutation**
  Les percées fulgurantes de la science et des technologies créent une troisième révolution industrielle, celle du passage d'une société manufacturière à une société de l'information.

- **Le marché mondialisé et la société de consommation**
  L'économie triomphante du profit boursier échappe à la tutelle des États. Concentration d'entreprises. L'écart entre les nantis et les démunis augmente considérablement.

- **La dictature de l'éphémère et le règne du relatif**
  Dans un monde devenu de plus en plus complexe et difficile à appréhender, pour quantité de gens, ne demeure plus qu'une seule certitude : celle de l'incertitude.

Un monde en mutation

- **Le 11 septembre 2001**
  Choc des civilisations entre l'Occident et le monde musulman après l'effondrement du communisme au tournant des années 1990. La guerre froide est remplacée par une nouvelle forme de guerre : le terrorisme de masse. Instauration d'un nouvel ordre mondial après les attentats du Worl Trade Center. Le religieux, redevenu un repère d'identité, connaît un regain quasi universel et joue un rôle proéminent dans différents conflits.

- **Néanmoins, l'espoir**
  Pour riposter à la mondialisation marchande, une conscience mondiale commence à se coaliser pour instaurer une société plus humaine. Nouvelle conscience écologique. La mondialisation a totalement transformé notre monde.

- **L'ouverture au monde du Québec**
  La société québécoise est maintenant arrivée à une nouvelle phase de son émancipation : elle manifeste la volonté d'affirmer son identité en s'ouvrant sur le monde, tout en relevant le défi de préserver son identité culturelle. Le Québec consolide sa place au niveau international et se solidarise avec les grandes causes.

Littérature *(suite)*

- **Le théâtre à texte**
  L'écriture théâtrale est maintenant plurielle. La place est laissée aux marginaux et à la description de leur territoire intérieur. Floraison de ce qui est sans doute le seul théâtre véritablement engagé à teneur socioculturelle, le théâtre gay. Période caractérisée par un grand éclectisme.

- **L'essai comme un « journal dénoué »**
  L'essai se creuse un espace personnel et intime. Individualisation de la vision du réel : tout est canalisé par la conscience intime et personnelle, renouant en cela avec Montaigne.

- **Une chanson plus lyrique**
  La chanson relève maintenant plus du domaine de l'intime et, à l'instar des autres genres littéraires, elle se fait plus lyrique. Elle s'attache à explorer, à partir d'un « je » désormais incontournable, le riche terreau des émotions.

Une littérature de diversité

- **Des poètes sans frontières**
  Dans la continuité de ce qu'ont fait des poètes de cultures et d'origines différentes, la poésie québécoise actuelle s'approprie avec fierté le pays intérieur des écrivains ressortissants d'autres cultures.

- **Les romans de l'ailleurs**
  Le roman actuel entend assumer totalement son américanité, qui devient un nouvel espace culturel. Les écrivains migrants disent les difficultés à vivre expatriés et les malentendus identitaires découlant du processus migratoire ; thèmes de l'errance et de l'exil.

- **Le théâtre au-delà du texte**
  Le théâtre d'expérimentation renouvelle ses rapports à l'espace et au public. Développement de l'art de la « performance ». Essentiellement axé sur la recherche formelle, le théâtre devient multidisciplinaire et intègre des éléments scéniques inédits. Internationalisation du théâtre québécois.

- **L'essai par-delà les frontières**
  L'horizon idéologique québécois s'enrichit considérablement. Essais consacrés autant à l'errance qu'à la quête identitaire. Au tournant du millénaire, le thème écologique s'impose véritablement.

- **Les chansons de l'ouverture à l'autre**
  Pendant que de nombreux chanteurs québécois portent un regard bienveillant sur l'autre, sur l'étranger venu s'établir ici ou pas, voici que d'autres, venus d'ailleurs ou nés de parents d'une origine culturelle différente, viennent enrichir le répertoire de la chanson québécoise.

MÉTHODOLOGIE

La compréhension d'un texte suppose au préalable une lecture et une analyse. L'analyse, en particulier, constitue le processus exploratoire qui permet d'approfondir la compréhension du texte. Dans la présente méthodologie, nous vous offrons des outils d'analyse qui vous seront utiles, d'une part, pour répondre aux questions et, d'autre part, pour préparer votre dissertation critique.

I. L'EXPLORATION ET LA COLLECTE DES DONNÉES

*L*a première étape consistera à explorer le texte en fonction du sujet choisi ou de la question à traiter. Il ne s'agit pas de procéder à un inventaire complet, mais seulement de relever les éléments qui vous permettront de défendre un point de vue critique. À cet égard, vos connaissances générales et vos connaissances littéraires vous seront d'une grande utilité. La deuxième étape consistera à classer tous les éléments pertinents pour ensuite élaborer un plan de rédaction. La dernière étape sera réservée à la rédaction de la dissertation et aux corrections finales.

LES OUTILS D'ANALYSE

A. La nature du texte étudié

a) S'agit-il d'un extrait ou d'une œuvre complète ?

b) Est-ce écrit en vers ou en prose ?

c) Quelles sont les caractéristiques de sa forme ou de sa structure ?

d) Y trouve-t-on des particularités typographiques (majuscules, italique, etc.) ?

e) À quel **genre** littéraire ce texte appartient-il ?

Rappel des principaux genres littéraires

Genre	Définition
Le récit	Tout texte dans lequel un narrateur raconte une histoire (fictive ou non). La notion de récit englobe plusieurs genres narratifs : **Le roman** : Œuvre d'imagination plutôt longue, qui fait vivre des personnages dans un temps et dans un lieu donnés, en décrivant leur psychologie et en relatant leur destin et leurs aventures. **La nouvelle** : Œuvre d'imagination plutôt brève, conçue pour une lecture ininterrompue. Cette contrainte impose une unité d'action et un nombre réduit de personnages. **Le conte** : Récit généralement bref, lié à la tradition orale, destiné à distraire ou à susciter une réflexion morale. **La légende** : Récit populaire traditionnel dont les fondements historiques ont été transformés par l'imagination. Chaque genre se divise en sous-genres thématiques : le roman historique, le roman policier, la nouvelle fantastique, etc.
La poésie	Genre littéraire réunissant des textes généralement brefs et très construits, où le sens est renforcé par les images et le rythme. **Formes fixes** : Poèmes obéissant à des règles de composition strictes, par exemple : le sonnet, la ballade, l'ode, le haïku. **Formes libres** : Poèmes qui échappent aux règles de composition traditionnelles, par exemple : le poème en prose, le vers libre, le calligramme.
Le théâtre	Genre dramatique caractérisé par des textes narratifs dialogués destinés à être joués devant un public. **La tragédie** : Sous-genre dramatique remontant à l'Antiquité dans lequel des personnages de haut rang se trouvent aux prises avec des conflits intérieurs. La fatalité les pousse à la mort. **La comédie** : Sous-genre dramatique qui vise à faire rire le public. **Le drame** : Sous-genre dramatique qui fait vivre au public une situation de tension.
L'essai	Œuvre dans laquelle l'auteur poursuit une réflexion personnelle sur un sujet intime ou tiré de la réalité commune.

f) De quel type de texte s'agit-il (narration, dialogue, description, portrait, argumentation, injonction, etc.) ?

g) Appartient-il au domaine du vrai, du vraisemblable, du merveilleux, du fantastique ou de la science-fiction ?

h) Le titre est-il révélateur ? Est-ce le titre d'origine ?

i) Pourriez-vous, dès maintenant, indiquer les principales étapes de l'enchaînement ou des idées ? Pourriez-vous dégager la structure du texte ?

j) *A priori*, quels vous semblent être le sujet et les principaux thèmes ?

k) De prime abord, à quel **courant littéraire** le texte se rattache-t-il ?

Rappel des principaux courants littéraires

Courant	Définition
Le classicisme	Période de la littérature française du XVIIe siècle qui reprenait à son compte les éléments propres aux œuvres littéraires et artistiques de l'Antiquité. Le classicisme se caractérise par un idéal esthétique de rigueur et de mesure, et par un idéal éthique exaltant les valeurs morales. Le classicisme a fait sentir son influence chez les auteurs de la littérature coloniale en Nouvelle-France.
Le romantisme	Mouvement culturel et artistique d'abord apparu en Grande-Bretagne et en Allemagne. Le romantisme a pris de l'ampleur à la faveur des valeurs libérales du XVIIIe siècle : libertés individuelles et collectives, égalité des droits, individualisme. Il se caractérise par l'expression personnelle des sentiments : tristesse, ennui, vague à l'âme, inquiétude. La littérature québécoise fait ses premiers pas sous l'aile du romantisme, se nourrissant de ses principales pulsions : un fort sentiment de la nature et l'engagement social. Littérature patriotique, romans du terroir et du territoire.
Le réalisme	Le réalisme est de toutes les époques. Cependant, il s'affirme au XIXe siècle comme une valeur esthétique. Le réalisme engendre des récits et des portraits vraisemblables axés sur la représentation de la réalité sociale. Le style se veut clair et transparent. Le naturalisme en est une variante. Il vise à représenter l'homme dans la réalité de la nature et de ses lois. Au Québec, le courant réaliste s'impose surtout sous la forme du réalisme social au milieu du XXe siècle (par exemple dans le roman de l'urbanité), qui se traduit par le roman psychologique et le théâtre à caractère social.
Le symbolisme	Le symbolisme apparaît à la fin du XIXe siècle. Il propose une vision symbolique et spirituelle du monde, à caractère initiatique, qui se manifeste par des moyens d'expression originaux. Esthétique subjective, introspective et anticonformiste. Le symbolisme se manifeste au Québec dans l'idéalisme de ses poètes au début du XXe siècle.
Le surréalisme	Vaste mouvement artistique dont la naissance se situe après la Première Guerre mondiale. Il préconise une esthétique du risque en revendiquant une pratique artistique sans aucune contrainte formelle, sans but délibéré, sans préoccupation du résultat final, dans laquelle l'artiste ou l'écrivain se laisse porter par le geste libre sous la dictée de l'inconscient ou du hasard. C'est principalement dans la poésie que la littérature québécoise trouve ses représentants du courant surréaliste. Les automatistes constituent un groupe particulier à l'intérieur de ce courant.
Le postmodernisme	Le postmodernisme caractérise certaines œuvres de l'époque actuelle. Il présente une esthétique de la rupture et de la transgression des codes, où la précarité du texte vient faire écho à la fragilité des valeurs. Quête d'inédit. Courant représenté par la contre-culture au Québec. De nos jours, le statut du postmodernisme fait toujours l'objet de débats chez les théoriciens.

B. Le réseau du sens

Les personnages

a) Qui parle : l'auteur, le narrateur ou un personnage ?
  ▸ Repérez les pronoms et déterminants de première personne, ainsi que les autres marques de subjectivité.

L'auteur	La personne réelle qui a écrit et signé le texte.
Le narrateur	Être qui raconte l'histoire, représenté ou non dans cette histoire, et pouvant être distinct de l'auteur.
	Le narrateur peut adopter différents points de vue, selon la *focalisation* choisie.
	La **focalisation interne** est celle du narrateur subjectif, qui est un personnage de l'histoire.
	La **focalisation externe** est celle du narrateur objectif, qui enregistre l'action de l'extérieur, sans pénétrer dans la conscience des personnages.
	La **focalisation zéro (ou le point de vue omniscient)** est celle d'un narrateur qui connaît tous les détails de l'action, jusqu'aux pensées les plus intimes des personnages.
Le personnage	Dans une narration, être animé qui prend part à l'action. Dans une représentation théâtrale, être animé qui est incarné par un acteur ou une actrice.

b) À qui parle-t-on ?
  ▸ Repérez la deuxième personne.

c) De qui parle-t-on ?
  ▸ Dressez la liste de tous les personnages cités dans le texte.

L'espace et le temps

a) L'espace ou le cadre physique
  ▸ Relevez les mots qui désignent des lieux ou un décor.
  Le cadre moral associé à cet espace (traditions, coutumes, éducation, religion, etc.)
  ▸ Relevez-en les marques.

b) Le temps
  ▸ Notez le temps des verbes (passé, présent, futur).
  ▸ Relevez les mots qui fournissent une indication temporelle : temps du récit et temps sociohistorique.

Les mots et les thèmes

▸ Trouvez les connotations (le sens contextuel) des principaux mots.

a) Y a-t-il des archaïsmes ou des néologismes ? Des termes techniques ou spécialisés ?

b) Quels niveaux de langue (registres) sont utilisés ? Observez-vous des changements de niveau de langue ?

Rappel des niveaux de langue

Niveau littéraire	Langue essentiellement écrite qui recourt à des mots recherchés.
Niveau didactique	Langue des sciences et des techniques.
Niveau soutenu	Langue parlée qui évite toute familiarité. Style élevé, noble.
Niveau familier	Langue parlée qu'on emploie lorsqu'on s'adresse à des parents ou amis. On distingue également un niveau très familier (ou populaire).
Niveau vulgaire	Langue parlée qui recourt aux mots orduriers, offensants, blasphématoires et qui déconsidère celui ou celle qui en use.

c) Quelles répétitions de mots sont significatives ?

d) Quels mots forment un jeu d'oppositions ?

e) Dégagez les champs lexicaux (mots se rapportant à une même notion).

f) Départagez le thème principal des thèmes secondaires.

g) Y a-t-il évolution, au fil du texte, des champs lexicaux, des thèmes ?

Note : La suite de l'analyse devra porter sur l'accord entre le sens et la forme, la complémentarité entre la matière et la manière, gage de la qualité littéraire.

C. L'organisation syntaxique (y compris la ponctuation)

▸ Relevez et analysez les marques syntaxiques qui ont un rapport avec le sens.

a) Groupez les verbes selon leur mode verbal et tirez-en les conclusions qui s'imposent.

b) Commentez la composition des phrases (nominales, verbales, complexes, incomplètes, etc.).

c) Trouvez-vous des énumérations significatives dans le texte ?

d) Y a-t-il des effets de parallélisme (structures syntaxiques similaires, symétrie, hémistiches) ?

e) Utilise-t-on la syntaxe de l'oral ou celle de l'écrit ?

f) Y a-t-il des inversions dans l'ordre des mots ?

g) Relevez les particularités de la ponctuation (s'il y en a) et expliquez leur effet.

h) Commentez en une phrase l'organisation syntaxique du texte.

D. Le réseau de l'image ou la symbolique

▸ Relevez les images poétiques (ou figures de style) qui sont pertinentes pour votre argumentation et commentez leur lien avec le sens. *Il ne s'agit pas, dans une dissertation critique, d'expliquer une figure de style, mais seulement de savoir la nommer et de pouvoir commenter son effet dans le texte étudié. Il ne convient pas, non plus, de procéder à un simple inventaire des figures.*

Rappel des figures de style

Figures de RESSEMBLANCE entre deux mots	
La comparaison	À l'aide d'un outil comparatif (*comme, de même que, à l'instar de*, etc.), la comparaison rapproche deux éléments ayant une relation intelligible. Ex. : Le *papillon* est *comme* une *fleur* sans tige. Ex. : « les *oies sauvages*, blanches et frivolantes *comme neige de bourrasque* » (Germaine Guèvremont) Attention : le mot *comme* n'introduit pas toujours une comparaison. Ex. : Riche comme il est, il pourra vous aider.
La métaphore	La métaphore est une comparaison sans outil comparatif. Ex. : Le *papillon* est une *fleur* sans tige. Ex. : « De la charrue ouvrant le *ventre* de la terre » (William Chapman)
L'allégorie	L'allégorie désigne une image filée qui renvoie métaphoriquement à un autre univers référentiel (généralement abstrait). Une allégorie peut porter sur l'ensemble d'un texte. Ex. : L'allégorie du poète dans *Le Vaisseau d'Or* d'Émile Nelligan.
La personnification	La personnification attribue à une chose inanimée des caractéristiques humaines. Ex. : « Et *toi*, Terre de Québec, *Mère Courage* » (Gaston Miron). Attention : ne pas confondre *personnification* et *métaphore*.
Figures de CORRESPONDANCE ou de remplacement d'un mot par un autre ou par une expression	
La métonymie	La métonymie remplace le nom d'un objet par celui d'un autre objet indépendant du premier, auquel il est lié par un rapport de nécessité temporaire ou de voisinage (le contenant et le contenu, l'effet et la cause, le symbolique et le réel, le métier et l'instrument, le producteur et le produit, l'abstrait et le concret, etc.). Ex. : Boire un *verre* en lisant un *Ducharme* après avoir admiré un *Riopelle*. (C'est-à-dire : Boire le contenu d'un verre, en lisant un livre de Réjean Ducharme, après avoir admiré un tableau de Riopelle.) Ex. : « Les pieds de Grand-Mère Antoinette dominaient la chambre. » (Marie-Claire Blais)
L'ironie et l'antiphrase	Le discours ironique laisse entendre le contraire de ce qu'on exprime, avec une intention de dérision. L'antiphrase, en particulier, remplace un mot ou une locution par son contraire. Ex. : C'est du *joli* (c'est-à-dire : une maladresse) ! Ex. : « Mon frère Arthur a bien tourné : il a fait de la charité un système économiquement rentable. » (Jacques Godbout)

Rappel des figures de style *(suite)*

La périphrase	La périphrase remplace un mot par une définition. Ex. : J'aime me rendre dans la *Vieille Capitale*. Ex. : « Au pays de pierre fendre » (Pierre Morency)
L'euphémisme	L'euphémisme atténue un mot susceptible d'être désagréable. Ex. : Les *gens du bel âge* aiment voyager (c'est-à-dire : les vieux). Ex. : « le vrai départ » (Fernand Ouellette) en parlant de la mort.

Figures de CONTRASTE ou d'opposition entre deux mots

L'antithèse	L'antithèse oppose fortement deux mots ou deux idées. Ex. : « Oh ! si *gai*, que j'ai peur d'éclater en *sanglots* ! » (Émile Nelligan)
L'oxymore	L'oxymore associe dans un syntagme (groupe de mots formant une unité de sens) deux mots qui s'opposent par leur sens pour leur donner une force expressive inusitée. Ex. : Un *bruit silencieux*. Ex. : « pliés en deux sur vos terres de *petite grandeur* » (Germaine Guèvremont)

Figures d'INSISTANCE

L'hyperbole	L'hyperbole exagère l'évocation d'une idée, d'un objet, d'une personne. Ex. : Je me *tue* à vous le répéter. Ex. : « la faim qui me dévorait et m'étreignait de ses pointes aiguës » (Pierre-Georges Boucher de Boucherville)
La litote	La litote fait entendre le plus en disant le moins (souvent par la négation). Ex. : Je *ne* le *déteste pas* (c'est-à-dire : je l'aime !).
La répétition	La répétition reprend des mots ou des groupes de mots pour marquer un rythme ou renforcer une idée. Ex. : « pins blancs pins argentés pins rouges et gris / pins durs à bois lourd pins à feuilles tordues » (Paul-Marie Lapointe)
L'anaphore	L'anaphore répète un mot en tête de plusieurs vers. Ex. : « Je suis de lacs et de rivières je suis de gibier de poissons je suis de roches et de poussière » (Claude Gauthier)
Le pléonasme	Le pléonasme répète avec insistance ce qui vient d'être énoncé. Ex. : « Ah ! comme la *neige* a *neigé* ! » (Émile Nelligan)

Rappel des figures de style *(suite)*

La gradation	La gradation énumère des termes dans une progression le plus souvent ascendante. Ex. : Hurler de *douleur*, de *rage*, de *désespoir*, de *terreur*. Ex. : « Et, frappée au cœur en son vol, Ailes closes, la perdrix blanche, Dégringolant de branche en branche, Tombe, mourante, sur le sol » (Nérée Beauchemin)
Figure d'OMISSION	
L'ellipse	L'ellipse fait l'économie des mots qui ne sont pas nécessaires à la compréhension. Ex. : « Suis allé au bois. » (Frère Marie-Victorin) *Il s'agit ici d'une ellipse du pronom.*

E. Le réseau du rythme et de la musicalité

▸ Interrogez-vous sur la valeur (significative, expressive, ornementale, etc.) des effets rythmiques. Même si ces effets relèvent surtout de la poésie, ils peuvent se rencontrer dans tous les genres littéraires.

a) Les particularités des vers (longueur), des strophes (nombre de vers) et de l'ensemble formel en poésie, ou encore celles des paragraphes en prose.

b) La répétition des mots, des expressions, des vers ou des phrases, de même que le recours au leitmotiv et au refrain.

c) Le rejet et l'enjambement, qui pratiquent en poésie un découpage syntaxique inusité. Le **rejet** est une fin de phrase rejetée au début du vers suivant. Inversement, le **contre-rejet** est un début de phrase gardé à la fin du vers. Ces processus sont désignés sous le nom d'enjambements.

d) La répétition des sons.

Rappel de quelques procédés sonores

La rime	Même sonorité à la fin de deux vers.
L'allitération et l'assonance	Répétition significative d'un même son. Si le son répété est une voyelle, on parlera plutôt d'assonance. Ex. : « C'est le règne du **r**i**r**e ame**r** et de la **r**age » (Émile Nelligan)
La paronomase	Rapprochement de paronymes ou de syllabes semblables dans une phrase. Ex. : « Moelleusement étendu [...] un sourire mielleux » (Rodolphe Girard)
Le calembour	Jeu de mots reposant sur une similitude de sons et une différence de sens. Ex. : « [les vieux] regardent pousser leur rhubarbe » (Sol)

F. Les questions portant sur l'ensemble du texte

a) Quelle intention ce texte suppose-t-il (esthétique, morale, philosophique, religieuse, scientifique, etc.) ?

b) Quelle est la tonalité dominante ?

Rappel des principales tonalités

Réaliste	Qui crée un effet de réel.
Fantastique	Qui suscite une impression d'irréalité, d'étrangeté.
Épique	Qui a les proportions des sujets ou des héros de l'épopée. Héroïque.
Lyrique	Qui a un caractère poétique, personnel et émotif.
Pathétique	Qui est propre à émouvoir fortement, notamment par la souffrance.
Tragique	Qui inspire une émotion intense par son caractère funeste.
Comique	Qui fait rire.
Ironique	Qui fait entendre le contraire de ce qui est dit dans un but de raillerie.
Satirique	Qui dénonce quelqu'un ou quelque chose souvent en se moquant.
Neutre	Qui se veut objectif, ou qui évite la passion, l'originalité.

c) Quelle semble être la vision du monde de l'auteur ?

d) Le texte évolue-t-il ? Dans quelle direction ?

e) Trouvez les indices de conformité ou d'écart de ce texte par rapport au courant littéraire auquel vous l'avez associé. Attention : la date de naissance d'un auteur n'est pas suffisante pour l'associer à un courant donné.

II. AU SUJET DE LA DISSERTATION CRITIQUE

Après avoir réuni les éléments se rapportant à la problématique soulevée, vous pouvez commencer à penser à la rédaction de votre texte. Signalons ici qu'un plan rédigé trop hâtivement, sans analyse sérieuse, compromet la qualité de la dissertation.

La dissertation est le modèle classique du texte discursif organisé et structuré. Peu importe le domaine d'étude ou le sujet traité, la dissertation repose sur des règles précises. Elle doit être :

- construite autour d'un plan de rédaction ;
- structurée de la manière suivante : introduction, développement, conclusion ;
- rédigée dans un français correct et une tonalité neutre ;
- écrite à la troisième personne ;
- exempte de jugements de valeur et de commentaires personnels ;
- exempte de marques de deuxième personne (« tu » et « vous »).

La dissertation critique doit exprimer un point de vue clair. Les plans de développement suivants permettent d'atteindre cet objectif. Il ne s'agit pas de suivre ces modèles servilement, mais plutôt de s'en inspirer. Le plan choisi dépend évidemment du sujet et du point de vue critique adopté.

Les plans de développement

Le plan analytique	Le plan analogique	Le plan dialectique
Il exige une analyse des éléments qui vont dans le sens d'un point de vue donné. Il se termine par une synthèse permettant de mettre en relief le bien-fondé du point de vue choisi.	Il établit une comparaison entre deux textes, deux auteurs, deux courants littéraires, etc. Il consiste à mettre d'abord en évidence les ressemblances entre les deux éléments comparés, puis à exposer les ressemblances et les différences entre eux afin d'en arriver à une conclusion sur les rapports qui les rapprochent ou les éloignent.	Il permet de peser le pour et le contre d'une idée afin de démontrer la justesse de l'idée directrice. Il comprend trois parties : la thèse, qui est l'idée directrice ; l'antithèse, qui défend une idée contraire à la thèse ou différente de celle-ci ; la synthèse, qui prouve la supériorité de la thèse sur l'antithèse.

1. Analyse des éléments
 	
  1.1 Analyse de l'élément 1
 	
  1.2 Analyse de l'élément 2
 	
2. Synthèse des éléments
 	
ou
 	
1. Analyse et synthèse de l'élément 1
 	
2. Analyse et synthèse de l'élément 2
 	
L'analyse peut porter sur deux textes. On parlera alors d'un **plan comparatif**.
	1. Ressemblances
	
	  1.1 Ressemblance 1
	
	  1.2 Ressemblance 2
	
	2. Différences
	
	  2.1 Différence 1
	
	  2.2 Différence 2
	
	3. Analogie
		1. Thèse (point de vue de l'auteur et ensemble des éléments qui soutiennent ce point de vue)
		
		2. Antithèse (point de vue opposé et ensemble des éléments qui soutiennent ce point de vue opposé)
		
		3. Synthèse (confrontation de la thèse et de l'antithèse)
		
		ou
		
		1. Thèse (tout ce qui sert à défendre le point de vue exprimé)
		
		2. Antithèse (tout ce qui sert à infirmer le point de vue exprimé)
		
		3. Synthèse (confrontation de la thèse et de l'antithèse)

Le plan de paragraphe

Notez que ce plan de paragraphe vous est fourni à titre de modèle. Comme pour le plan de développement, il ne s'agit pas de suivre ce modèle servilement, mais bien plutôt de s'en inspirer. En outre, l'argumentaire (avec ses illustrations et ses explications) peut se présenter de manière chronologique ou logique, ou de manière à mettre en relief un parallélisme ou une opposition.

Le plan de paragraphe

Première phrase **Idée principale**	Une première phrase – la phrase clé – énonce le **point de vue** adopté dans le paragraphe, qui constitue l'une des hypothèses de la dissertation.
Première idée secondaire	Il s'agit d'invoquer le premier **argument** qui va dans le sens du **point de vue**.
Illustration	On recourt à un exemple, à un fait, à une citation. Bien choisie et bien expliquée, cette illustration constitue la **preuve**.
Commentaire	On donne une **explication** qui rend manifeste le lien entre l'illustration et l'idée défendue, c'est-à-dire entre la **preuve** et l'**argument**.
Deuxième idée secondaire	On invoque un deuxième **argument** à l'appui du **point de vue** défendu. *Un paragraphe peut comporter un nombre variable d'arguments qui entraîneront autant de **preuves** et d'**explications**.*
Illustration	On apporte une **preuve** étayant ce deuxième argument.
Commentaire	On donne une **explication** qui fait ressortir le lien entre la deuxième preuve et le deuxième argument.
Phrase synthèse et phrase de transition	Au moyen d'une phrase, on interprète les illustrations en fonction de l'idée directrice, en confirmant le **point de vue** adopté. On ménage une habile transition à la fin ou au début de chaque paragraphe.

III. LA PRODUCTION DE LA DISSERTATION CRITIQUE

DÉFINITION, PRÉPARATION, RÉDACTION, RÉVISION

LA DÉFINITION

La dissertation critique consiste à analyser un ou deux textes dont des éléments sont comparés ou évalués et mis en rapport avec des connaissances extérieures à l'univers du ou des textes. De plus, ainsi que l'indique le qualificatif de *critique*, le rédacteur de la dissertation critique doit prendre une position personnelle. Ici, la question n'évoque pas une vérité à prouver : le rédacteur doit adopter un point de vue et défendre sa position à l'aide d'une argumentation persuasive. Attention : ce point de vue ne peut se fonder sur un simple jugement de valeur ; il doit plutôt s'appuyer sur une analyse rigoureuse du sujet.

Il s'agit ici de convaincre le lecteur en ne retenant que les aspects utiles à l'argumentation.

Exemple de sujet de dissertation critique :

Peut-on affirmer que Gilles Archambault et Louis Hamelin proposent la même opposition entre la jeunesse et l'âge adulte ?

Formulations habituelles :

Est-il juste d'affirmer que... ?

A-t-on raison de penser que... ?

Peut-on soutenir que... ?

Discutez.

LA PRÉPARATION

L'analyse du sujet est une étape cruciale pour la réussite du travail. Il faut donc s'assurer d'avoir compris la question à traiter, sinon on risque de passer à côté du sujet. L'analyse de la question est d'autant plus précieuse qu'elle permet souvent d'établir un plan préliminaire de rédaction. Toutefois, comme la dissertation critique exige une prise de position, il faut que la préparation du travail soit axée sur une hypothèse. Cette hypothèse, qui pourra être remise en question s'il y a lieu, permet d'amorcer la recherche dans une direction précise.

On peut commencer par se poser les questions suivantes :

– *Quel est le sens de la question ?*

– *Quelle opinion semble s'imposer au premier abord ?*

– *Peut-on déceler un plan de rédaction dans la formulation du sujet ?*

Les faits et les idées proviennent essentiellement du ou des textes à l'étude. On lit donc attentivement, crayon en main, en prenant soin de noter le moindre passage utile à l'argumentation. On se sert des outils d'analyse, mais on ne retient de ses découvertes que ce qui concerne le sujet de la dissertation.

DÉFINITION, PRÉPARATION, RÉDACTION, RÉVISION *(suite)*

Il se peut qu'une lecture attentive des textes vienne contredire l'hypothèse initiale. C'est alors que le jugement critique devient important. On doit se demander si l'hypothèse de départ résiste à l'étude des textes ou si, au contraire, la nouvelle hypothèse qui émerge de l'analyse s'avère plus solide. Il ne faut surtout pas craindre de remettre en question les idées préconçues, les intuitions ou impressions vagues, si elles sont contredites par les faits. Une fois l'hypothèse confirmée, modifiée ou remplacée, on passe à l'étape du plan.

Le plan de la dissertation critique dépend de la prise de position qu'on a personnellement adoptée après l'exploration et l'analyse des œuvres. Cette prise de position, qu'on appelle également point de vue critique, dicte l'organisation du plan.

LA RÉDACTION

Exemple de question :
Alain Dubois, le personnage d'André Langevin (p. 116), et Hervé Jodoin, celui de Gérard Bessette (p. 164), expriment le même mal de vivre, la même solitude. Commentez.

L'**introduction** (10 % à 15 % du travail) tient en un paragraphe et se divise en trois parties :

– Le **sujet amené** énonce la problématique de façon originale, sans trop s'éloigner du sujet de la dissertation, et associe l'auteur et son texte à cette problématique. Souvenez-vous qu'il faut éviter les généralisations inutiles. Il faut, en effet, susciter l'intérêt du lecteur tout en l'informant du sujet de la dissertation.

  Exemple : *Le Québec connaît lui aussi, dans la période de l'après-guerre, la crise des valeurs qui touche tout l'Occident. La littérature garde les traces de cette époque où la perte du sens s'est associée parfois au mal de vivre. Par exemple, nous pouvons retenir deux œuvres québécoises où les protagonistes semblent souffrir dans une vie devenue absurde : <u>Poussière sur la ville</u>, d'André Langevin, paru en 1953, et <u>Le libraire</u>, de Gérard Bessette, paru en 1960.*

– Le **sujet posé** reformule la question de la dissertation. On y annonce la prise de position personnelle qui servira d'hypothèse au travail. Ce point de vue critique constituera l'idée directrice du développement de la dissertation.

  Exemples de points de vue possibles :

  1. Oui, les deux personnages expriment le même mal de vivre, la même solitude.

  2. L'un des personnages exprime un mal de vivre et une solitude, mais pas l'autre.

  3. Non, ni l'un ni l'autre des deux personnages n'exprime un mal de vivre ni un sentiment de solitude.

  Dans notre exemple, c'est le second point de vue qui a été adopté.

– Le **sujet divisé** énumère les idées principales du plan de la dissertation, dans l'ordre où elles seront traitées.

Le **développement** (70 % à 80 % du travail) constitue le cœur de la dissertation. On y reprend, dans l'ordre proposé par le sujet divisé, les idées principales, auxquelles pourront s'ajouter des idées secondaires. Le style doit être discursif, c'est-à-dire objectif et axé sur l'enchaînement des idées.

On veille à la qualité des **arguments**, des **preuves** et des **explications**. L'ensemble doit donner un texte clair et cohérent, allant dans le sens du point de vue critique.

Exemple de développement avec un plan analogique :

1. Malgré certaines ressemblances entre les personnages

    1.1 Ce sont deux êtres solitaires

    1.2 Ils sont préoccupés par leur corps et par les gestes du quotidien

    1.3 Ils recherchent l'immobilité et la chaleur, les deux sont engourdis par la poussière et la bière

2. Les différences sont importantes

    2.1 L'un est déprimé, angoissé et ignore comment tuer son mal ; l'autre, serein, tue le temps

    2.2 La vie de l'un est résorbée sur le plan du regard et des désirs ; l'autre agit sans se soucier d'autrui

    2.3 La vie de l'un est sans issue : il est indifférent et suffoque dans la « poussière » du non-sens ; l'autre a trouvé une issue : son journal, l'écriture, qui donne du sens à sa vie

3. Différences par ailleurs confirmées par d'autres éléments

    3.1 Le premier extrait fait partie d'un roman psychologique

    3.2 En fait, les deux personnages sont complètement différents

    3.3 Ces personnages sont d'ailleurs le reflet de deux mentalités, de deux courants sociaux (et littéraires) différents

La **conclusion** (10 % à 15 % du travail) tient en un paragraphe et comporte trois parties :

– La **réponse** confirme le point de vue critique adopté dans la dissertation.

– Le **bilan** de l'argumentation rappelle les idées principales du sujet divisé en montrant, hors de tout doute, qu'on a bel et bien prouvé la prise de position formulée dans le sujet posé.

– L'**ouverture** propose un élargissement du sujet, soit en étendant le sujet de la dissertation à d'autres œuvres du même courant ou de la même époque, soit en actualisant le débat en le rattachant à une problématique contemporaine ou à un événement de l'actualité.

Exemple : *Paradoxalement, ces récits où le sens paraît se dérober sous les pieds des personnages s'accompagnent parfois d'une quête de sens de l'un des personnages. À moins qu'il ne s'agisse de la quête de l'auteur lui-même ? Il n'en va pas toujours ainsi, mais bien souvent la littérature se prête à cette démarche : transformer des valeurs humaines qui semblaient trop fragiles pour leur donner un nouveau sens.*

LA RÉVISION

La révision est une étape nécessaire au terme d'une rédaction.

- En adoptant le point de vue d'un lecteur externe, il s'agit de vérifier la pertinence et la cohérence des différentes parties du texte, de vérifier le style en variant l'expression, *mais sans abuser des synonymes*, et de corriger l'orthographe et la grammaire.

- Cette dernière étape est particulièrement importante parce qu'elle peut, à elle seule, déterminer la réussite ou l'échec de la dissertation. À cet égard, il faut consulter autant de fois qu'il est nécessaire un dictionnaire approprié (dictionnaire de langue et de difficultés), un guide de conjugaison et une bonne grammaire.

DÉFINITION, PRÉPARATION, RÉDACTION, RÉVISION *(suite)*

Quelques conseils de rédaction et de révision :

• Évitez les généralités qui n'apportent rien au propos. N'alourdissez pas le texte par des détails inutiles. Évitez les affirmations à l'emporte-pièce.

• Choisissez soigneusement vos mots. La diversité du vocabulaire donne du relief à votre texte. Les termes doivent être justes et précis.

• Votre texte doit être agréable à lire et susciter de l'intérêt.

• Prêtez une attention particulière aux marqueurs de relation à l'intérieur des paragraphes et à ceux qui structurent les parties de la dissertation. Les marqueurs doivent être logiques et efficaces, variés mais discrets.

Vérifiez la ponctuation et consultez un guide au besoin.

BIBLIOGRAPHIE SOMMAIRE

OUVRAGES GÉNÉRAUX ET ÉTUDES

Arguin, Maurice, *Le Roman québécois de 1944 à 1965*, Montréal, L'Hexagone, coll. « CRELIQ », 1989.

Beaudoin, Réjean, *Le Roman québécois*, Montréal, Boréal, coll. « Boréal Express », 1991.

Bessette, Gérard et Lucien Geslin, Charles Parent, *Histoire de la littérature canadienne-française par les textes*, Montréal, Centre éducatif et culturel, 1968.

Bourassa, André-G., *Surréalisme et littérature québécoise, Histoire d'une révolution culturelle*, Montréal, Typo, 1986.

Centre des auteurs dramatiques, Répertoire du, *Théâtre québécois : 146 auteurs, 1067 pièces résumées*, Montréal VLB éditeur/CEAD, 1994.

Dionne, René (sous la direction de) *Le Québécois et sa littérature*, Sherbrooke, Éditions Naaman, 1984.

En coll., *Le Roman Contemporain au Québec (1960-1985)*, Montréal, Fides, coll.« Archives des lettres canadiennes, tome VIII », 1992.

Giroux, Robert et Constance Havard, Rock LaPalme, *Le Guide de la chanson québécoise*, Montréal/Paris, Triptyque/Syros/Alternatives, 1991.

Godin, Jean-Cléo et Laurent Mailhot, *Le Théâtre québécois*, 2 volumes, Montréal, Hurtubise/HMH, 1970 et 1980.

Grandpré, Pierre de, *Histoire de la littérature française du Québec*, 4 tomes, Montréal, Beauchemin, de 1967 à 1969.

Hamel, Réginald et John Hare, Paul Wyczynski, *Dictionnaire des auteurs de langue française en Amérique du Nord*, Montréal, Fides, 1989.

Kwaterko, Józef, *Le Roman québécois de 1960 à 1975. Idéologie et représentation littéraire*, Longueuil, Éditions du Préambule, 1989.

Lemire, Maurice (sous la direction de) *Dictionnaire des œuvres littéraires du Québec*, 6 tomes, Montréal, Fides, de 1978 à 1994.

Mailhot, Laurent, *La Littérature québécoise*, Paris, PUF, coll. « Que sais-je ? », 1974.

Marcotte, Gilles, *Le Temps des poètes*, Montréal, HMH, 1969.

Marcotte, Gilles, *Une littérature qui se fait*, Montréal, HMH, 1962.

Marcotte, Gilles, *Littérature et circonstances*, Montréal, L'Hexagone, 1989.

Milot, Pierre, *La Camera obscura du postmodernisme*, Montréal, L'Hexagone, 1988.

Milot, Louise et Joap Lintvelt, *Le Roman québécois depuis 1960. Méthodes et analyses*, Québec, PUL, 1992.

Morency, Jean, *Le Mythe américain dans les fictions d'Amérique, de Washington Irving à Jacques Poulin*, Québec, Nuit blanche Éditeur, 1994.

Nepveu, Pierre, *L'Écologie du réel. Mort et naissance de la littérature québécoise*, Montréal, Boréal, 1988.

Pascal, Gabrielle (sous la direction de), *Le Roman québécois au féminin (1980-1995)*, Montréal, Triptyque, 1995.

Paterson, Janet M., *Moments postmodernes dans le roman québécois*, Ottawa, Les Presses de l'Université d'Ottawa, 1993.

Przychodzen, Janusz, *Un projet de Liberté. L'essai littéraire au Québec (1970-1990)*, Québec, IQRC, coll. « Edmond-de-Nevers N° 12 », 1993.

Royer, Jean, *Introduction à la poésie québécoise*, Montréal, Bibliothèque québécoise, 1989.

Servais-Maquoi, Mireille, *Le Roman de la terre au Québec*, Québec, PUL coll. « Vie des lettres québécoises », 1974.

Tremblay-Matte, Cécile, *La Chanson écrite au féminin (1730-1990), de Madeleine de Verchères à Mitsou*, Laval, Éditions Trois, 1990.

ANTHOLOGIES

Boismenu, Gérard et Laurent Mailhot, Jacques Rouillard, *Le Québec en textes. Anthologie 1940-1986*, Montréal, Boréal, 1986.

Bosquet, Alain, *Poésie du Québec*, Paris/Montréal, Seghers/HMH, 1962.

Brossard, Nicole et Lisette Girouard, *Anthologie de la poésie des femmes au Québec*, Montréal, Éditions du Remue-ménage, 1991.

Caccia, Fulvio et Antonio D'Alfonso, Quêtes. *Textes d'auteurs italo-québécois*, Montréal, Éditions Guernica, 1983.

Chamberland, Roger et André Gaulin, *La Chanson québécoise, de la Bolduc à aujourd'hui*, Québec, Nuit blanche Éditeur, 1994.

Francoeur, Lucien, *Vingt-cinq poètes québécois 1968-1978*, Montréal, L'Hexagone, 1990.

Fredette, Nathalie, *Montréal en prose, 1892-1992*, Montréal, L'Hexagone, 1992.

Gauvin, Lise et Gaston Miron, *Écrivains contemporains du Québec*, Paris, Seghers, 1989.

Hare, John, *Anthologie de la poésie québécoise du XIX*e *siècle, (1790-1890)*, Montréal, Cahiers du Québec/Hurtubise HMH, 1979.

Le Bel, Michel et Jean-Marcel Paquette, *Le Québec par ses textes littéraires (1534-1976)*, Montréal, Éditions France-Québec/Fernand Nathan, 1979.

Mailhot Laurent avec la collaboration de Benoît Melançon, *Essais québécois 1837-1983*. Montréal, Hurtubise/HMH, coll. « Textes et documents littéraires », 1984.

Mailhot Laurent et Doris-Michel Montpetit, *Monologues québécois 1890-1980*, Montréal, Leméac, 1980.

Mailhot Laurent et Pierre Nepveu, *La Poésie québécoise des origines à nos jours*, Montréal, L'Hexagone, coll. « Typo », 1986.

Marcotte, Gilles (sous la direction de), *Anthologie de la littérature québécoise*, 4 tomes, Montréal, La Presse, de 1978 à 1980.

Renaud, André, *Recueil de textes littéraires canadiens-français*, Montréal, Éditions du Renouveau Pédagogique, 1968.

Royer, Jean, *La Poésie québécoise contemporaine*, Montréal/Paris, L'Hexagone/La Découverte, 1987.

INDEX DES ŒUVRES ÉTUDIÉES

INDEX DES NOTIONS LITTÉRAIRES

CRÉDITS